Hofmannsthal Lesebuch

S. Fischer

Diese Ausgabe stützt sich hauptsächlich auf:
H. v. H. Gesammelte Werke in Einzelausgaben,
herausgegeben von Herbert Steiner
S. Fischer Verlag GmbH, Frankfurt am Main

Satzherstellung: Otto Gutfreund & Sohn, Darmstadt
Druck und Bindung: Mohndruck, Gütersloh
Printed in Germany
ISBN 3-10-031538-3

INHALT

DRAMEN

5. 4. 81

DER ROSENKAVALIER

KOMÖDIE FÜR MUSIK

Personen

DIE FELDMARSCHALLIN FÜRSTIN WERDENBERG
DER BARON OCHS AUF LERCHENAU
OCTAVIAN, genannt Quin-quin, ein junger Herr aus großem Haus
HERR VON FANINAL, ein reicher Neugeadelter
SOPHIE, seine Tochter
JUNGFER MARIANNE LEITMETZERIN, die Duenna
VALZACCHI, ein Italiener
ANNINA, seine Begleiterin
DER HAUSHOFMEISTER BEI DER FELDMARSCHALLIN
DER HAUSHOFMEISTER BEI FANINAL
EIN SÄNGER
EIN FLÖTIST
EIN NOTAR
DESSEN SCHREIBER
EIN FRISEUR
DESSEN GEHILFE
EINE ADELIGE WITWE
DREI ADELIGE WAISEN
EINE MODISTIN
EIN TIERHÄNDLER
EIN GELEHRTER
EIN POLIZEI-UNTERKOMMISSARIUS
ZWEI POLIZEIWÄCHTER
EIN ARZT
EIN WIRT
EIN HAUSKNECHT
EIN KLEINER NEGER
LAKAIEN
LAUFFER
HAIDUCKEN
KELLNER
HAUSGESINDE BEI FANINAL
HAUSGESINDE IM GASTHOF
MUSIKANTEN
VERDÄCHTIGE GESTALTEN

Zu Wien, im ersten Jahrzehnt der Regierung Maria Theresias.

ERSTER AKT

Das Schlafzimmer der Feldmarschallin. Links im Alkoven das große zeltförmige Himmelbett. Neben dem Bett ein dreiteiliger chinesischer Wandschirm, hinter dem Kleider liegen. Ferner ein kleines Tischchen und ein paar Sitzmöbel. Auf einem kleinen Sofa links liegt ein Degen in der Scheide. Rechts große Flügeltüren in das Vorzimmer. In der Mitte kaum sichtbare kleine Türe in die Wand eingelassen. Sonst keine Türen. Zwischen dem Alkoven und der kleinen Türe stehen ein Frisiertisch und ein paar Armsessel an der Wand. Die Vorhänge des Bettes sind zurückgeschlagen. Octavian kniet auf einem Schemel vor dem Bett und hält die Feldmarschallin, die im Bett liegt, halb umschlungen. Man sieht ihr Gesicht nicht, sondern nur ihre sehr schöne Hand und den Arm, von dem das Spitzenhemd abfällt.

OCTAVIAN
Wie du warst! Wie du bist!
Das weiß niemand, das ahnt keiner!
MARSCHALLIN *richtet sich in den Kissen auf*
Beklagt Er sich über das, Quin-quin?
Möcht Er, daß viele das wüßten?
OCTAVIAN
Engel! Nein! Selig bin ich,
daß ich der einzige bin, der weiß, wie du bist.
Keiner ahnt es! Niemand weiß es.
Du, du – was heißt das »du«? Was »du und ich«?
Hat denn das einen Sinn?
Das sind Wörter, bloße Wörter, nicht? Du sag!
Aber dennoch: Es ist etwas in ihnen:
ein Schwindeln, ein Ziehen, ein Sehnen, ein Drängen!
Wie jetzt meine Hand zu deiner Hand kommt,
das Zudirwollen, das Dichumklammern,
das bin ich, das will zu dir,
aber das Ich vergeht in dem Du,
ich bin dein Bub – aber wenn mir dann Hören und Sehen vergeht –
wo ist dann dein Bub?

MARSCHALLIN *leise*

Du bist mein Bub, du bist mein Schatz!

OCTAVIAN

Warum ist Tag? Ich will nicht den Tag!
Für was ist der Tag! Da haben dich alle!
Marschallin lacht leise.

OCTAVIAN

Lachst du mich aus?

MARSCHALLIN *zärtlich*

Lach ich dich aus?

OCTAVIAN

Engel!

MARSCHALLIN

Schatz du, mein junger Schatz!
Ein feines Klingeln.
Horch!

OCTAVIAN

Ich will nicht.

MARSCHALLIN

Still, paß auf.

OCTAVIAN

Ich will nichts hören! Was wirds denn sein?
Das Klingeln näher.
Sinds leicht Lauffer mit Briefen und Komplimenten?
Vom Saurau, vom Hartig, vom portugiesischen Envoyé?
Hier kommt mir keiner herein! Hier bin ich der Herr!
Die kleine Tür in der Mitte geht auf und ein kleiner Neger in Gelb, behängt mit silbernen Schellen, ein Präsentierbrett mit der Schokolade tragend, trippelt über die Schwelle.

MARSCHALLIN

Schnell, da versteck Er sich, das Frühstück ists.
Octavian gleitet hinter den Schirm.
Die Tür hinter dem Neger wird von unsichtbaren Händen geschlossen.

MARSCHALLIN

Schmeiß Er doch Seinen Degen hinters Bett.
Octavian fährt nach dem Degen und versteckt ihn.
Marschallin legt sich zurück, nachdem sie die Vorhänge zugezogen hat.
Der kleine Neger stellt das Servierbrett auf das kleine Tischchen, schiebt

dieses nach vorne, rückt das Sofa hinzu, verneigt sich dann tief gegen das Bett, die kleinen Arme über die Brust gekreuzt. Dann tanzt er zierlich nach rückwärts, immer das Gesicht dem Bette zugewandt. An der Tür verneigt er sich nochmals und verschwindet.

Marschallin tritt zwischen den Bettvorhängen hervor. Sie hat einen leichten mit Pelz verbrämten Mantel umgeschlagen.

Octavian kommt zwischen der Mauer und dem Wandschirm hervor.

MARSCHALLIN

Er Katzenkopf, Er unvorsichtiger!
Läßt man in einer Dame Schlafzimmer den Degen herumliegen?
Hat Er keine besseren Gepflogenheiten?

OCTAVIAN

Wenn Ihr zu dumm ist, wie ich mich benehm,
und wenn Ihr abgeht, daß ich kein Geübter nicht in solchen Sachen bin,
dann weiß ich nicht, was Sie überhaupt an mir hat!

MARSCHALLIN *zärtlich, auf dem Sofa*

Philosophier Er nicht, Herr Schatz, und komm Er her.
Jetzt wird gefrühstückt. Jedes Ding hat seine Zeit.

OCTAVIAN *setzt sich dicht neben sie. Sie frühstücken sehr zärtlich. Octavian legt sein Gesicht auf ihr Knie. Sie streichelt sein Haar. Er blickt zu ihr auf. Leise.*

Marie Theres!

MARSCHALLIN

Octavian!

OCTAVIAN

Bichette!

MARSCHALLIN

Quin-quin!

OCTAVIAN

Mein Schatz!

MARSCHALLIN

Mein Bub!

Sie frühstücken.

OCTAVIAN *lustig*

Der Feldmarschall sitzt im crowatischen Wald, und jagt auf Bären und Luchsen,
und ich sitz hier, ich junges Blut, und jag auf was?
Ich hab ein Glück, ich hab ein Glück!

MARSCHALLIN *indem ein Schatten über ihr Gesicht fliegt*
Laß Er den Feldmarschall mit Ruh!
Mir hat von ihm geträumt.

OCTAVIAN
Heut nacht hat dir von ihm geträumt? Heut nacht?

MARSCHALLIN
Ich schaff mir meine Träum nicht an.

OCTAVIAN
Heute nacht hat dir von deinem Mann geträumt?

MARSCHALLIN
Mach Er nicht solche Augen. Ich kann nichts dafür.
Er war auf einmal wiederum zu Haus.

OCTAVIAN
Der Feldmarschall?

MARSCHALLIN
Es war ein Lärm im Hof von Pferd' und Leut' und er war da.
Vor Schreck war ich auf einmal wach, nein schau nur,
schau nur, wie kindisch ich bin: ich hör noch immer den Rumor im Hof.
Ich brings nicht aus dem Ohr. Hörst du leicht auch was?

OCTAVIAN
Ja, freilich hör ich was, aber muß es denn dein Mann sein!
Denk dir doch, wo der ist: im Raitzenland,
noch hinterwärts von Esseg.

MARSCHALLIN
Ist das sicher sehr weit?
Na dann wirds halt was anders sein. Dann is ja gut.

OCTAVIAN
Du schaust so ängstlich drein, Theres!

MARSCHALLIN
Weiß Er, Quin-quin – wenn es auch weit ist –
der Herr Feldmarschall is halt sehr geschwind. Einmal –

OCTAVIAN *eifersüchtig*
Was war einmal?
Marschallin zerstreut, horcht.

OCTAVIAN
Was war einmal? Bichette!
Bichette, was war einmal?

MARSCHALLIN

Ach sei Er gut, Er muß nicht alles wissen!

OCTAVIAN *wirft sich auf das Sofa*

So spielt sie sich mit mir! Ich bin ein unglücklicher Mensch!

MARSCHALLIN *horcht*

Jetzt trotz Er nicht. Jetzt gilts. Es is der Feldmarschall.
Wenn es ein Fremder wär, so wär der Lärm da drüben in meinem Vorzimmer!
Es muß mein Mann sein, der durch die Garderob herein will
und mit die Lakaien disputiert!
Quin-quin, es is mein Mann.
Octavian fährt nach seinem Degen und läuft gegen rechts.

MARSCHALLIN

Nicht dort. Dort ist das Vorzimmer.
Da sitzen meine Lieferanten und ein halbes Dutzend Lakaien.
Da!
Octavian läuft hinüber zur kleinen Türe.

MARSCHALLIN

Zu spät! Sie sind schon in der Garderob!
Jetzt bleibt nur eins!
Versteck dich! dort!

OCTAVIAN

Ich spring ihm in den Weg! Ich bleib bei dir.

MARSCHALLIN

Dort hinters Bett! Dort in die Vorhäng. Und rühr dich nicht!

OCTAVIAN *zögernd*

Wenn er mich dort erwischt, was wird aus dir, Theres!

MARSCHALLIN *flehend*

Versteck Er sich, mein Schatz.

OCTAVIAN *beim Wandschirm*

Theres!

MARSCHALLIN *ungeduldig aufstampfend*

Sei Er ganz still.
Mit blitzenden Augen
Das möcht ich sehn,
ob einer sich dort hinüber traut, wenn ich hier steh.
Ich bin kein napolitanischer General: Wo ich steh, steh ich.
Geht energisch gegen die kleine Tür los. Horcht

Sind brave Kerln, meine Lakaien. Wollen ihn nicht hereinlassen,
sagen, daß ich schlaf. Sehr brave Kerln!
Die Stimm?
Das is ja gar nicht die Stimm vom Feldmarschall!
Sie sagen »Herr Baron« zu ihm! Das ist ein Fremder.
Quin-quin, es ist ein Besuch!
Sie lacht
Fahr Er schnell in seine Kleider,
aber bleib Er versteckt,
daß die Lakaien Ihn nicht sehen.
Die blöde, große Stimm müßt ich doch kennen.
Wer ist denn das? Herrgott, das ist der Ochs.
Das ist mein Vetter, der Lerchenau, der Ochs auf Lerchenau.
Was will denn der? Jesus Maria!
Sie muß lachen
Quin-quin, hört Er, Quin-quin, erinnert Er sich nicht?
Sie geht ein paar Schritte nach links hinüber.
Vor fünf, sechs Tagen den Brief –
Wir sind im Wagen gesessen,
und einen Brief haben sie mir an den Wagenschlag gebracht.
Das war der Brief vom Ochs.
Und ich hab keine Ahnung, was drin gestanden ist.
Lacht
Daran ist Er alleinig schuld, Quin-quin.

STIMME DES HAUSHOFMEISTERS *draußen*
Belieben Euer Gnaden in der Galerie zu warten!

STIMME DES BARONS *draußen*
Wo hat Er Seine Manieren gelernt?
Der Baron Lerchenau antichambrieret nicht.

MARSCHALLIN
Quin-quin, was treibt Er denn? Wo steckt Er denn?

OCTAVIAN *in einem Frauenrock und Jäckchen, das Haar mit einem Schnupftuch und einem Bande, wie in einem Häubchen, tritt hervor, knixt*
Befehln fürstli' Gnadn, i bin halt noch nit recht lang in fürstli'n Dienst.

MARSCHALLIN
Du, Schatz!
Und nicht einmal mehr als ein Bussl kann ich dir geben.

Küßt ihn schnell
Er bricht mir ja die Tür ein, der Herr Vetter.
Mach Er, daß Er hinauskomm.
Schlief' Er frech durch die Lakaien durch.
Er ist ein blitzgescheiter Lump! Und komm Er wieder, Schatz.
Aber in Mannskleidern und durch die vordre Tür, wenns Ihm beliebt.

Setzt sich, den Rücken gegen die Türe, und beginnt ihre Schokolade zu trinken. Octavian geht schnell gegen die kleine Türe und will hinaus. Im gleichen Augenblicke wird die Tür aufgerissen und Baron Ochs, den die Lakaien vergeblich abzuhalten suchen, tritt ein. Octavian, der mit gesenktem Kopf rasch entwischen wollte, stößt mit ihm zusammen. Octavian drückt sich verlegen an die Wand links von der Türe. Drei Lakaien sind gleichzeitig mit dem Baron eingetreten, stehen ratlos.

DER BARON *mit Grandezza zu den Lakaien*
Selbstverständlich empfängt mich Ihre Gnaden.
Er geht nach vorne, die Lakaien zu seiner Linken suchen ihm den Weg zu vertreten.

DER BARON *zu Octavian mit Interesse*
Pardon, mein hübsches Kind!
Octavian dreht sich verlegen gegen die Wand.

DER BARON *mit Grazie und Herablassung*
Ich sag: Pardon, mein hübsches Kind.
Marschallin sieht über die Schulter, steht dann auf, kommt dem Baron entgegen.

DER BARON *galant zu Octavian*
Ich hab Ihr doch nicht ernstlich weh getan?

DIE LAKAIEN *zupfen den Baron*
Ihre fürstliche Gnaden!
Der Baron macht die französische Reverenz mit zwei Wiederholungen.

MARSCHALLIN
Euer Liebden sehen vortrefflich aus.

DER BARON *verneigt sich nochmals, dann zu den Lakaien*
Sieht Er jetzt wohl, daß Ihre Gnaden entzückt ist, mich zu sehen?
Auf die Marschallin zu, mit weltmännischer Leichtigkeit, indem er ihr die Hand reicht und sie vorführt
Und wie sollte Euer Gnaden nicht.
Was tut die frühe Stunde unter Personen von Stand?

Hab ich nicht seinerzeit wahrhaftig Tag für Tag
unserer Fürstin Brioche meine Aufwartung gemacht,
da sie im Bad gesessen ist,
mit nichts als einem kleinen Wandschirm zwischen ihr und mir.
Ich muß mich wundern,
Zornig umschauend
wenn Euer Gnaden Livree –

MARSCHALLIN
Verzeihen Sie,
man hat sich betragen, wie es befohlen,
ich hatte diesen Morgen die Migräne.
Auf einen Wink der Marschallin haben die Lakaien ein kleines Sofa und einen Armstuhl nach vorne gebracht und sind dann abgegangen.
Der Baron sieht öfters nach rückwärts.
Octavian ist an der Wand gegen den Alkoven hin geschlichen, macht sich möglichst unsichtbar beim Bett zu schaffen.
Marschallin setzt sich auf das Sofa, nachdem sie dem Baron den Platz auf dem Armstuhl angeboten hat.

DER BARON *versucht sich zu setzen, äußerst okkupiert von der Anwesenheit der hübschen Kammerzofe. Für sich*
Ein hübsches Kind! Ein gutes, sauberes Kinderl!

MARSCHALLIN *aufstehend, ihm zeremoniös aufs neue seinen Platz anbietend*
Ich bitte, Euer Liebden.
Der Baron setzt sich zögernd und bemüht sich, der hübschen Zofe nicht völlig den Rücken zu kehren.

MARSCHALLIN
Ich bin auch jetzt noch nicht ganz wohl.
Der Vetter wird darum vielleicht die Gnade haben –

DER BARON
Natürlich.
Er dreht sich um, um Octavian zu sehen.

MARSCHALLIN
Meine Kammerzofe, ein junges Kind vom Lande.
Ich muß fürchten, sie inkommodiert Euer Liebden.

DER BARON
Ganz allerliebst! Wie? Nicht im geringsten! Mich? Im Gegenteil!
Er winkt Octavian mit der Hand, dreht sich dann zur Marschallin
Euer Gnaden werden vielleicht verwundert sein,

daß ich als Bräutigam
Sieht sich um indes – inzwischen –

MARSCHALLIN
Als Bräutigam?

DER BARON
Ja, wie Euer Gnaden denn doch wohl aus meinem Brief genugsam –
ein Grasaff, appetitlich, keine fünfzehn Jahr!

MARSCHALLIN
Der Brief, natürlich, ja, der Brief, wer ist denn nur die Glückliche,
ich habe den Namen auf der Zunge.

DER BARON
Wie?
Nach rückwärts
Pudeljung! Gesund! Gewaschen! Allerliebst!

MARSCHALLIN
Wer ist nur schnell die Braut?

DER BARON
Das Fräulein Faninal. Ich hab Euer Gnaden den Namen nicht verheimlicht.

MARSCHALLIN
Natürlich! Wo habe ich meinen Kopf. Bloß die Familie. Sinds keine Hiesigen?
Octavian macht sich mit dem Servierbrett zu tun, wodurch er noch mehr hinter den Rücken des Barons kommt.

DER BARON
Jawohl, Euer Gnaden, es sind Hiesige.
Ein durch die Gnade Ihrer Majestät Geadelter.
Er hat die Lieferung für die Armee, die in den Niederlanden steht.
Marschallin bedeutet Octavian ungeduldig mit den Augen, er soll sich fortmachen.

DER BARON *mißversteht ihre Miene völlig*
Ich seh, Euer Gnaden runzeln Dero schöne Stirn ob der Mesalliance.
Allein, daß ich es sag, das Mädchen ist für einen Engel hübsch genug.
Kommt frischwegs aus dem Kloster. Ist das einzige Kind.
Dem Mann gehören zwölf Häuser auf der Wied'n, nebst dem Palais am Hof,
und seine Gesundheit soll nicht die beste sein.

MARSCHALLIN

Mein lieber Vetter, ich kapier schon, wieviels geschlagen hat.

Winkt Octavian, den Rückzug zu nehmen.

DER BARON

Und mit Verlaub von Euer fürstlichen Gnaden,
ich dünke mir guts adeliges Blut genug im Leib zu haben für ihrer Zwei.
Man bleibt doch schließlich, was man ist, corpo di Bacco!
Den Vortritt, wo er ihr gebührt, wird man der Frau Gemahlin
noch zu verschaffen wissen, und was die Kinder anlangt, wenn sie denen
den goldnen Schlüssel nicht konzedieren werden –
va bene!
Werden sich mit den zwölf eisernen Schlüsseln
zu den zwölf Häusern auf der Wied'n zu getrösten wissen.

MARSCHALLIN

Gewiß! O sicherlich, dem Vetter seine Kinder,
die werden keine Don Quixotten sein!

Octavian will mit dem Servierbrett rückwärts vorbei zur Türe hin.

DER BARON

Warum hinaus die Schokolad! Geruhen nur!
Da! Pst, wieso denn!

Octavian steht unschlüssig, das Gesicht abgewendet.

MARSCHALLIN

Fort, geh Sie nur!

DER BARON

Wenn ich Euer Gnaden gesteh,
daß ich noch so gut wie nüchtern bin.

MARSCHALLIN *resigniert*

Mariandl, komm Sie her. Servier Sie Seiner Liebden.

Octavian kommt, serviert.

DER BARON *nimmt eine Tasse, bedient sich*

So gut wie nüchtern, Euer Gnaden. Sitz im Reisewagen seit fünf Uhr früh.

Leise

Recht ein gestelltes Ding! Bleib Sie dahier, mein Herz. Ich hab Ihr was zu sagen.
Meine ganze Livree, Stallpagen, Jäger, alles –

Er frißt
alles unten im Hof zusamt meinem Almosenier –

MARSCHALLIN *zu Octavian*
Geh Sie nur.

DER BARON
Hat Sie doch ein Biskoterl? Bleib Sie doch!
Leise
Sie ist ein süßer Engelsschatz, ein sauberer.
Zur Marschallin
Sind auf dem Wege zum »Weißen Roß«,
wo wir logieren, heißt bis übermorgen –
Halblaut
Ich gäb was Schönes drum, mit Ihr –
Zur Marschallin sehr laut
bis übermorgen –
Schnell zu Octavian
– unter vier Augen zu scharmutzieren, wie?
Marschallin muß lachen über Octavians freches Komödienspiel.

DER BARON
Dann ziehen wir ins Palais von Faninal.
Natürlich muß ich vorher den Bräutigamsaufführer –
Nach rückwärts, wütend
will Sie denn nicht warten? –
an die wohlgeborne Jungfer Braut deputieren,
der die silberne Rose überbringt
nach der hochadeligen Gepflogenheit.

MARSCHALLIN
Und wen von der Verwandtschaft haben Euer Liebden
für dieses Ehrenamt sich ausersehen?

DER BARON
Die Begierde, darüber Euer Gnaden Ratschlag einzuholen,
hat mich so kühn gemacht, in Reisekleidern bei Dero heutigem Lever –

MARSCHALLIN
Von mir?

DER BARON
Gemäß brieflich in aller Devotion getaner Bitte.
Ich bin doch nicht so unglücklich mit dieser devotesten Supplik Dero Mißfallen –

Lehnt sich zurück
Sie könnte aus mir machen, was Sie wollte.
Sie hat das Zeug dazu!

MARSCHALLIN
Wie denn, natürlich! Einen Aufführer
für Euer Liebden ersten Bräutigamsbesuch,
aus der Verwandtschaft – wen denn nur? Ich werde –
den Vetter Jörger? Wie? Den Vetter Lamberg?

DER BARON
Dies liegt in Euer Gnaden allerschönsten Händen.

MARSCHALLIN
Ganz gut. Will Er mit mir zu Abend essen, Vetter?
Sagen wir morgen, will Er? Dann proponier ich Ihm einen.

DER BARON
Euer Gnaden sind die Herablassung selber.

MARSCHALLIN *will aufstehen*
Indes –

DER BARON *halblaut*
Daß Sie mir wiederkommt! Ich geh nicht eher fort!

MARSCHALLIN *für sich*
Oho!
Laut
Bleib Sie nur da! Kann ich dem Vetter
für jetzt noch dienlich sein?

DER BARON
Ich schäme mich bereits.
An Euer Gnaden Notari eine Rekommandation
wär mir lieb.
Es handelt sich um den Ehevertrag.

MARSCHALLIN
Mein Notari kommt öfters des Morgens. Schau Sie doch, Mariandel,
ob er nicht in der Antichambre ist und wartet.

DER BARON
Wozu das Kammerzofel?
Euer Gnaden beraubt sich der Bedienung
um meinetwillen!
Hält sie auf.

MARSCHALLIN
Laß Er doch, Vetter, sie mag ruhig gehen.

DER BARON
Das geb ich nicht zu. Bleib Sie dahier zu Ihrer Gnaden Wink.
Es kommt gleich wer von der Livree herein,
ich ließ ein solches Goldkind, meiner Seel,
nicht unter das infame Lakaienvolk.
Streichelt sie.

MARSCHALLIN
Euer Liebden sind allzu besorgt.
Der Haushofmeister tritt ein.

DER BARON
Da, hab ichs nicht gesagt?
Er wird Euer Liebden zu melden haben.

MARSCHALLIN *zum Haushofmeister*
Struhan, hab ich meinen Notari in der Vorkammer warten?

HAUSHOFMEISTER
Fürstliche Gnaden haben den Notari,
dann den Verwalter, dann den Kuchelchef,
dann, von Exzellenz Silva hergeschickt,
ein Sänger mit einem Flötisten.
Ansonsten das gewöhnliche Bagagi.

DER BARON *hat seinen Stuhl hinter den breiten Rücken des Haushofmeisters geschoben, ergreift zärtlich die Hand der vermeintlichen Zofe*
Hat Sie schon einmal
mit einem Kavalier im Tête-à-tête
zu Abend 'gessen?
Octavian tut sehr verlegen.

DER BARON
Nein? Da wird Sie Augen machen.

OCTAVIAN *leise, verschämt*
I weiß halt nit; ob i dös derf.
Marschallin, dem Haushofmeister unaufmerksam zuhörend,
beobachtet die beiden, muß leise lachen.
Haushofmeister verneigt sich, tritt zurück, wodurch die Gruppe für den Blick der Marschallin frei wird.

MARSCHALLIN *zum Haushofmeister*
Warten lassen.

Haushofmeister ab.

Der Baron setzt sich möglichst unbefangen zurecht und nimmt eine gravitätische Miene an.

MARSCHALLIN *lachend*

Der Vetter ist, ich seh, kein Kostverächter.

DER BARON *erleichtert*

Mit Euer Gnaden ist man frei daran. Da gibts keine Flausen, keine Etikette!

keine spanische Tuerei!

Er küßt der Marschallin die Hand.

MARSCHALLIN *amüsiert*

Aber wo Er doch ein Bräutigam ist?

DER BARON *halb aufstehend, ihr genähert*

Macht das einen lahmen Esel aus mir?
Bin ich da nicht wie ein guter Hund auf einer guten Fährte?
Und doppelt scharf auf jedes Wild nach links, nach rechts!

MARSCHALLIN

Ich seh, Euer Liebden betreiben es als Profession.

DER BARON *stehend*

Das will ich meinen,
Wüßte nicht, welche mir besser behagen könnte.
Ich muß Euer Gnaden sehr bedauern,
daß Euer Gnaden nur – wie drück ich mich aus –
nur die verteidigenden Erfahrungen besitzen!
Parole d'honneur! Es geht nichts über die von der anderen Seite!

MARSCHALLIN *lacht*

Ich glaub ihm schon, daß die sehr mannigfaltig sind.

DER BARON

Soviel Zeiten das Jahr, soviel Stunden der Tag, da ist keine –

MARSCHALLIN

Keine?

DER BARON

Wo nicht –

MARSCHALLIN

Wo nicht?

DER BARON

Wo nicht dem Knaben Kupido
ein Geschenkerl abzulisten wäre.

Dafür ist man kein Auerhahn und kein Hirsch,
sondern ist man der Herr der Schöpfung,
daß man nicht nach dem Kalender forciert ist, halten zu Gnaden!
Zum Exempel der Mai ist recht lieb für verliebte Geschäft',
das weiß jedes Kind,
aber ich sage:
Schöner ist Juni, Juli, August.
Da hats Nächte!
Da ist bei uns da droben so ein Zuzug
von jungen Mägden aus dem Böhmischen herüber:
Zur Ernte kommen sie und sind ansonsten anstellig und gut –
Ihrer zwei, dreie halt ich oft
bis im November mir im Haus,
dann erst schick ich sie heim.
Und wie sich das mischt,
das junge runde böhmische Völkel,
süß und schwer,
mit denen von uns, dem deutschen Schlag,
der scharf ist und herb wie ein Retzer Wein.
Wie sich das miteinander mischen tut!
Und überall steht was und lauert und rutscht durch den Gattern
und schlieft zueinander und liegt beieinander
und überall singt was
und schupft was die Hüften
und melkt was
und mäht was
und planscht und plätschert was im Bach und in der
Pferdeschwemm.

MARSCHALLIN

Und Er ist überall dahinter her?

DER BARON

Wollt ich könnt sein wie Jupiter selig
in tausend Gestalten,
wär Verwendung für jede.

MARSCHALLIN

Wie, auch für den Stier? So grob will Er sein?

DER BARON

Je nachdem! alls je nachdem!

Das Frauenzimmer hat gar vielerlei Arten,
wie es will genommen sein.
Da kenn ich mich aus, halten zu Gnaden!
Da ist das arme Waserl,
steht da, als könnt sie nicht bis fünfe zählen,
und ist, halten zu Gnaden, schon die Rechte, wenns drauf ankommt.
Und da ist, die kichernd und schluchzend den Kopf verliert,
die hab ich gern!
Und die herentgegen,
der sitzt im Aug ein kalter, harter Satan,
aber trifft sich schon ein Stündl, wo so ein Aug ins Schwimmen kommt.
Und wenn derselbige innerliche Satan läßt erkennen,
daß jetzt bei ihm Matthäi am letzten ist,
gleich einem abgeschlagenen Karpfen,
das ist schon, mit Verlaub, ein feines Stück.
Kann nicht genug dran kriegen!

MARSCHALLIN

Er selber ist ein Satan, meiner Seel!

DER BARON

Und wäre eine, haben die Gnad,
die keiner anschaut
im schmutzigen Kittel, haben die Gnad, schlumpt sie daher,
hockt in der Aschen hinterm Herd,
die wo einer zur richtigen Stund sie angeht,
die hats in sich! Die hats in sich!
Ein solches Staunen! gar nicht Begreifenkönnen!
und Angst! und auf die letzt so eine rasende Seligkeit,
daß sich der Herr, der gnädige Herr!
herabgelassen gar zu ihrer Niedrigkeit.

MARSCHALLIN

Er weiß mehr als das ABC.

DER BARON

Da gibt es, die wollen beschlichen sein,
sanft wie der Wind das frisch gemähte Heu beschleicht.
Und welche – da gilts,
wie ein Luchs hinterm Rücken heran
und den Melkstuhl gepackt,

daß sie taumelt und hinschlägt!
Muß halt ein Heu in der Nähe dabei sein.

MARSCHALLIN

Nein! Er agiert mir gar zu gut!
Laß Er mir doch das Kind!

DER BARON *nimmt wieder würdevolle Haltung an*

Geben mir Euer Gnaden den Grasaff da
zu meiner künftgen Frau Gemahlin Bedienung.

MARSCHALLIN

Wie, meine Kleine da? Was sollte die?
Die Fräulein Braut wird schon versehen sein
und nicht anstehn auf Euer Liebden Auswahl.

DER BARON

Das ist ein feines Ding! Kreuzsakerlott!
Da ist ein Tropf gutes Blut dabei!

MARSCHALLIN

Euer Liebden haben ein scharfes Auge!

DER BARON

Geziemt sich.
Vertraulich
Find in der Ordnung, daß Personen von Stand in solcher Weise von adeligem Blut bedienet werden,
führe selbst ein Kind meiner Laune mit mir.

MARSCHALLIN

Wie? Gar ein Mädel? Das will ich nicht hoffen!

DER BARON

Nein, einen Sohn: trägt lerchenauisches Gepräge im Gesicht.
Halt ihn als Leiblakai.
Wenn Euer Gnaden dann werden befehlen,
daß ich die silberne Rosen darf Dero Händen übergeben,
wird er es sein, der sie heraufbringt.

MARSCHALLIN

Soll mich recht freuen. Aber wart Er einmal. Mariandel!

DER BARON

Geben mir Euer Gnaden das Zofel! Ich laß nicht locker.

MARSCHALLIN

Ei! Geh Sie und bring Sie doch das Medaillon her.

OCTAVIAN *leise*

Theres! Theres, gib acht!

MARSCHALLIN *ebenso*
Brings nur schnell! Ich weiß schon, was ich tu.
DER BARON *Octavian nachsehend*
Könnt eine junge Fürstin sein.
Hab vor, meiner Braut eine getreue Kopie
meines Stammbaumes zu spendieren
nebst einer Locke vom Ahnherrn Lerchenau, der ein großer Klosterstifter war
und Obersterblandhofmeister in Kärnten
und in der Windischen Mark.
Octavian bringt das Medaillon.
MARSCHALLIN
Wollen Euer Gnaden leicht den jungen Herrn da
als Bräutigamsaufführer haben?
DER BARON
Bin ungeschauter einverstanden.
MARSCHALLIN
Mein junger Vetter, der Graf Octavian.
DER BARON
Octavian –
MARSCHALLIN
Rofrano, des Herrn Marchese zweiter Bruder.
DER BARON
Wüßte keinen vornehmeren zu wünschen!
Wär in Devotion dem jungen Herrn sehr verbunden!
MARSCHALLIN
Seh Er ihn an!
Hält ihm das Medaillon hin.
DER BARON *sieht bald auf das Medaillon, bald auf die Zofe*
Die Ähnlichkeit!
MARSCHALLIN
Ja, ja.
DER BARON
Aus dem Gesicht geschnitten!
MARSCHALLIN
Hab mir auch schon Gedanken gemacht.
DER BARON
Rofrano! Da ist man wer, wenn man aus solchem Haus!
und wärs auch bei der Domestikentür.

MARSCHALLIN

Darum halt ich sie auch wie was Besonderes.

DER BARON

Geziemt sich.

MARSCHALLIN

Immer um meine Person.

DER BARON

Sehr wohl.

MARSCHALLIN

Jetzt aber geh Sie, Mariandel, mach Sie fort.

DER BARON

Wie denn? Sie kommt doch wieder?

MARSCHALLIN *überhört ihn absichtlich*

Und laß Sie die Antichambre herein.

Octavian geht gegen die Flügeltür rechts.

DER BARON *ihm nach*

Mein schönstes Kind!

OCTAVIAN *an der Türe rechts*

Derfts eina gehn!

Läuft nach der anderen Türe.

DER BARON *ihm nach*

Ich bin Ihr Serviteur! Geb Sie doch einen Augenblick Audienz.

OCTAVIAN *schlägt ihm die kleine Tür vor der Nase zu*

I komm glei.

Im gleichen Augenblick tritt eine alte Kammerfrau durch die gleiche Türe ein. Baron zieht sich enttäuscht zurück. Zwei Lakaien kommen von rechts herein, bringen einen Wandschirm aus dem Alkoven. Die Marschallin tritt hinter den Wandschirm, die alte Kammerfrau mit ihr. Der Frisiertisch wird vorgeschoben in die Mitte. Lakaien öffnen die Flügeltüren rechts. Es treten ein: der Notar, der Küchenchef, hinter diesen ein Küchenjunge, der das Menübuch trägt. Dann die Marchande de Modes, ein Gelehrter mit einem Folianten und der Tierhändler mit winzig kleinen Hunden und einem Äffchen. Valzacchi und Annina hinter diesen rasch gleitend, nehmen den vordersten Platz links ein. Die adelige Mutter mit ihren drei Töchtern, alle in Trauer, stellen sich an den rechten Flügel. Der Haushofmeister führt den Tenor und den Flötisten nach vorne. Baron, rückwärts, winkt einen Lakaien zu sich, gibt ihm einen Auftrag, zeigt: »Hier durch die Hintertür.«

DIE DREI ADELIGEN TÖCHTER *indem sie niederknien*
Drei arme adelige Waisen
erflehen Dero hohen Schutz!

MARCHANDE DE MODES
Le Chapeau Paméla! La poudre à la reine de Golconde!

DER TIERHÄNDLER
Schöne Affen, wenn Durchlaucht schaffen,
auch Vögel hab ich da, aus Afrika.

DIE DREI WAISEN
Der Vater ist jung auf dem Felde der Ehre gefallen,
ihm dieses nachzutun, ist unser Herzensziel.

MARCHANDE DE MODES
Le chapeau Paméla! C'est la merveille du monde!

TIERHÄNDLER
Papageien hätt ich da
Aus Indien und Afrika.
Hunderln so klein
und schon zimmerrein.
Marschallin tritt hervor, alles verneigt sich tief.
Baron ist links vorgekommen.

MARSCHALLIN
Ich präsentier Euer Liebden hier den Notar.
Notar tritt mit Verneigung gegen den Frisiertisch, wo sich die Marschallin niedergelassen, zum Baron links. Marschallin winkt die jüngste der drei Waisen zu sich, läßt sich vom Haushofmeister einen Geldbeutel reichen, gibt ihn dem Mädchen, indem sie es auf die Stirne küßt. Gelehrter will vortreten, seinen Folianten überreichen. Valzacchi springt vor, drängt ihn zur Seite.

VALZACCHI *ein schwarzgerändertes Zeitungsblatt hervorziehend*
Die swarze Seitung! Fürstlike Gnade!
alles 'ier ge'eim gesrieben!
nur für 'ohe Persönlikeite!
eine Leikname in 'interkammer
von eine gräflike Palais!
ein Bürgersfrau mit der amante
vergiften der Hehemann!
diese Nackt um dreie Huhr!

MARSCHALLIN

Laß Er mich mit dem Tratsch in Ruh!

VALZACCHI

In Gnaden!
tutte quante Vertraulikeite
aus die große Welt!

MARSCHALLIN

Ich will nix wissen!

Valzacchi mit bedauernder Verbeugung springt zurück. Die drei Waisen, zuletzt auch die Mutter, haben der Marschallin die Hand geküßt.

DIE DREI WAISEN *zum Abgehen rangiert*

Glück und Segen allerwegen Euer Gnaden hohem Sinn!
Eingegraben steht erhaben er in unsern Herzen drin!

Gehen ab samt der Mutter.

Der Friseur tritt hastig auf, der Gehilfe stürzt ihm mit fliegenden Rockschößen nach. Der Friseur faßt die Marschallin ins Auge; verdüstert sich, tritt zurück; er studiert ihr heutiges Aussehen. Der Gehilfe indessen packt aus, am Frisiertisch. Der Friseur schiebt einige Personen zurück, sich Spielraum zu schaffen. Nach einer kurzen Überlegung ist sein Plan gefaßt, er eilt mit Entschlossenheit auf die Marschallin zu, beginnt zu frisieren. Ein Lauffer in Rosa, Schwarz und Silber tritt auf, überbringt ein Billett. Haushofmeister mit Silbertablett ist schnell zur Hand, präsentiert es der Marschallin. Friseur hält inne, sie lesen zu lassen. Gehilfe reicht ihm ein neues Eisen. Friseur schwenkt es: es ist zu heiß. Gehilfe reicht ihm, nach fragendem Blick auf die Marschallin, die nickt, das Billett, das er lächelnd verwendet, um das Eisen zu kühlen. Gleichzeitig hat sich der Sänger in Position gestellt, hält das Notenblatt. Flötist sieht ihm, begleitend, über die Schultern.

Drei Lakaien haben rechts ganz vorne Stellung genommen, andere stehen im Hintergrund.

DER SÄNGER

Di rigori armato il seno
Contro amor mi ribellai
Ma fui vinto in un baleno
In mirar due vaghi rai.
Ahi! che resiste puoco
Cor di gelo a stral di fuoco.

Der Friseur übergibt dem Gehilfen das Eisen und applaudiert dem Sänger. Dann fährt er im Arrangement des Lockenbaues fort.

Ein Bedienter hat indessen bei der kleinen Tür den Kammerdiener des Barons, den Almosenier und den Jäger eingelassen.
Es sind drei bedenkliche Gestalten. Der Kammerdiener ist ein junger, großer Lümmel, der dumm und frech aussieht. Er trägt unter dem Arm ein Futteral aus rotem Saffian. Der Almosenier ist ein verwilderter Dorfkooperator, ein vier Schuh hoher, aber stark und verwegen aussehender Gnom. Der Leibjäger mag, bevor er in die schlecht sitzende Livree gesteckt wurde, Mist geführt haben. Der Almosenier und der Kammerdiener scheinen sich um den Vortritt zu streiten und steigen einander auf die Füße. Sie steuern längs der linken Seite auf ihren Herrn zu, in dessen Nähe sie haltmachen.

DER BARON *sitzend zum Notar, der vor ihm steht, seine Weisungen entgegennimmt*
Als Morgengabe – ganz separatim jedoch
und vor der Mitgift – bin ich verstanden, Herr Notar? –
kehrt Schloß und Herrschaft Gaunersdorf an mich zurück!
Von Lasten frei und ungemindert an Privilegien,
so wie mein Vater selig sie besessen hat.

NOTAR *kurzatmig*
Gestatten Hochfreiherrliche Gnaden die submisseste Belehrung,
daß eine Morgengabe wohl vom Gatten an die Gattin,
nicht aber von der Gattin an den Gatten
bestellet oder stipuliert zu werden fähig ist.

DER BARON
Das mag wohl sein.

NOTAR
Dem ist so –

DER BARON
Aber im besonderen Fall –

NOTAR
Die Formen und die Präskriptionen kennen keinen Unterschied.

DER BARON *schreit*
Haben ihn aber zu kennen!

NOTAR *erschrocken*
In Gnaden!

DER BARON *wieder leise, aber eindringlich und voll hohen Selbstgefühls*
Wo eines hochadeligen Hauses blühender Sproß sich herabläßt,
im Ehebette einer so gut als bürgerlichen Mamsell Faninal

– bin ich verstanden? – acte de présence zu machen
vor Gott und der Welt und sozusagen
angesichts Kaiserlicher Majestät –
da wird, corpo di Bacco! von Morgengabe
als geziemendem Geschenk dankbarer Devotion
für die Hingab so hohen Blutes
sehr wohl die Rede sein.

Sänger macht Miene, wieder anzufangen, wartet noch, bis der Baron still wird.

NOTAR *zum Baron leise*

Vielleicht, daß man die Sache separatim –

DER BARON *leise*

Er ist ein schmählicher Pedant: als Morgengabe will ich das Gütel!

NOTAR *ebenso*

Als einen wohl verklausulierten Teil der Mitgift –

DER BARON *halblaut*

Als Morgengabe! geht das nicht in Seinen Schädel!

NOTAR *ebenso*

Als eine Schenkung inter vivos oder –

DER BARON *schreiend*

Als Morgengabe!

DER SÄNGER *während des Gesprächs der beiden*

Ma si caro è'l mio tormento
Dolce è si la piaga mia
Ch'il penare è mio contento
E 'l sanarmi è tirannia.
Ahi! che resiste puoco –

Hier erhebt der Baron seine Stimme so, daß der Sänger jäh abbricht, desgleichen die Flöte.

Notar zieht sich erschrocken in die Ecke zurück.

Marschallin winkt den Sänger zu sich, reicht ihm die Hand zum Kuß. Sänger nebst Flöte ziehen sich unter tiefen Verbeugungen zurück.

Der Baron tut, als ob nichts geschehen wäre, winkt dem Sänger leutselig zu, tritt dann zu seiner Dienerschaft; streicht dem Leiblakai die bäurisch in die Stirn gekämmten Haare hinaus; geht dann, als suchte er jemand, zur kleinen Tür, öffnet sie, spioniert hinaus, ärgert sich, daß die Zofe nicht zurückkommt; ärgert sich, schnüffelt gegens Bett, schüttelt den Kopf, kommt wieder vor.

MARSCHALLIN *sieht sich in dem Handspiegel, halblaut*
Mein lieber Hippolyte,
heut haben Sie ein altes Weib aus mir gemacht!
Der Friseur, mit Bestürzung, wirft sich fieberhaft auf den Lockenbau der Marschallin und verändert ihn aufs neue. Das Gesicht der Marschallin bleibt traurig.

MARSCHALLIN *über die Schulter zum Haushofmeister*
Abtreten die Leut!
Vier Lakaien, eine Kette bildend, schieben die aufwartenden Personen zur Tür hinaus, die sie dann verschließen.
Valzacchi, hinter ihm Annina, haben sich im Rücken aller rings um die Bühne zum Baron hinübergeschlichen und präsentieren sich ihm mit übertriebener Devotion. Baron tritt zurück.

VALZACCHI
Ihre Gnade sukt etwas. Ik seh.
Ihre Gnade 'at ein Bedürfnis.
Ik kann dienen. Ik kann besorgen.

DER BARON
Wer ist Er, was weiß Er?

VALZACCHI
Ihre Gnade Gesikt sprikt ohne Sunge.
Wie ein Hantike: come statua die Giove.

DER BARON
Das ist ein besserer Mensch.

VALZACCHI
Erlaukte Gnade, attachieren uns an sein Gefolge!
Fällt auf die Knie, desgleichen Annina.

DER BARON
Euch?

VALZACCHI
Onkel und Nickte.
Su sweien maken alles besser.
Per esempio: Ihre Gnade 'at eine junge Frau –

DER BARON
Woher weiß Er denn das, Er Teufel Er?

VALZACCHI *eifrig*
Ihr' Gnad' ist in Eifersukt: dico per dire!
'eut oder morgen könnte sein. Affare nostro!

Jede Sritt die Dame sie tut,
jede Wagen die Dame sie steigt,
jede Brief die Dame bekommt –
wir sind da!
an die Ecke, in die Kamin, unter die Bette –
wir sind da!

ANNINA
Ihre Gnaden wird nicht bedauern!
Halten ihm die Hände hin, Geld erheischend; er tut, als bemerke er es nicht.

DER BARON *halblaut*
Hm! Was es alles gibt in diesem Wien!
Zur Probe nur. Kennt Sie die Jungfer Mariandel?

ANNINA *ebenso*
Mariandel?

DER BARON *ebenso*
Das Zofel hier im Haus bei ihrer Gnaden.

VALZACCHI *leise zu Annina*
Sai tu, cosa vuole?

ANNINA *ebenso*
Niente!

VALZACCHI *zum Baron*
Sicker! Sicker! Mein Nickte wird besorgen!
Seien sicker, Ihre Gnade.
Hält abermals die Hand hin, Baron tut, als sähe er es nicht.
Marschallin ist aufgestanden. Friseur nach tiefer Verneigung eilt ab, Gehilfe hinter ihm.

DER BARON *die beiden Italiener stehen lassend, auf die Marschallin zu*
Darf ich das Gegenstück zu Dero sauberem Kammerzofel
präsentieren?
Die Ähnlichkeit soll, hör ich, unverkennbar sein.
Marschallin nickt.

DER BARON
Leupold, das Futteral.
Der junge Kammerlakai präsentiert linkisch das Futteral.

MARSCHALLIN *ein bißchen lachend*
Ich gratuliere Euer Liebden sehr.

DER BARON *nimmt dem Burschen das Futteral aus der Hand und winkt ihm zurückzutreten*

Und da ist nun die silberne Rose!
Wills aufmachen.

MARSCHALLIN

Lassen nur drinnen.
Haben die Gnad und stellens dorthin.

DER BARON

Vielleicht das Zofel solls übernehmen?
Ruft man ihr?

MARSCHALLIN

Nein, lassen nur. Die hat jetzt keine Zeit.
Doch sei Er sicher: den Grafen Octavian bitt ich Ihm auf
und er wird mir zulieb schon tun
und als Euer Liebden Kavalier
vorfahren mit der Rosen bei der Jungfer Braut.
Stellen indes nur hin.
Und jetzt, Herr Vetter, sag ich Ihm Adieu.
Man retiriert sich jetzt von hier:
Ich werd jetzt in die Kirchen gehn.
Lakaien öffnen die Flügeltür.

DER BARON

Euer Gnaden haben heut
durch unversiegte Huld mich tiefst beschämt.
Macht die Reverenz; entfernt sich unter Zeremoniell.
Der Notar hinter ihm, auf seinen Wink. Seine drei Leute hinter diesem, in mangelhafter Haltung. Die beiden Italiener, lautlos und geschmeidig, schließen sich unbemerkt an. Lakaien schließen die Tür. Haushofmeister tritt ab.

MARSCHALLIN *allein*

Da geht er hin, der aufgeblasene, schlechte Kerl,
und kriegt das hübsche, junge Ding und einen Binkel Geld dazu,
als müßts so sein.
Und bildet sich noch ein, daß ers ist, der sich was vergibt.
Was erzürn ich mich denn? ist der Lauf der Welt.
Kann mich auch an ein Mädel erinnern,
die frisch aus dem Kloster ist in den heiligen Ehestand kommandiert wordn.
Nimmt den Handspiegel
Wo ist die jetzt? Ja, such dir den Schnee vom vergangenen Jahr.

Das sag ich so:
Aber wie kann das wirklich sein,
daß ich die kleine Resi war
und daß ich auch einmal die alte Frau sein werd!...
Die alte Frau, die alte Marschallin!
»Siehgst es, da gehts', die alte Fürstin Resi!«
Wie kann denn das geschehen?
Wie macht denn das der liebe Gott?
Wo ich doch immer die gleiche bin.
Und wenn ers schon so machen muß,
warum laßt er mich denn zuschaun dabei
mit gar so klarem Sinn? Warum versteckt ers nicht vor mir?
Das alles ist geheim, so viel geheim.
Und man ist dazu da, daß mans ertragt.
Und in dem »Wie« da liegt der ganze Unterschied –
Octavian tritt von rechts ein, in einem Morgenanzug mit Reitstiefeln.

MARSCHALLIN *mit halbem Lächeln*
Ach, du bist wieder da!

OCTAVIAN
Und du bist traurig!

MARSCHALLIN
Es ist ja schon vorbei. Du weißt ja, wie ich bin.
Ein halbes Mal lustig, ein halbes Mal traurig.
Ich kann halt meine Gedanken nicht kommandieren.

OCTAVIAN
Ich weiß, warum du traurig bist, du Schatz.
Weil du erschrocken bist und Angst gehabt hast.
Hab ich nicht recht? Gesteh mir nur:
Du hast Angst gehabt,
du Süße, du Liebe.
Um mich, um mich!

MARSCHALLIN
Ein bißl vielleicht.
Aber ich hab mich erfangen und hab mir vorgesagt: Es wird schon nicht dafür stehn.
Und wärs dafür gestanden?

OCTAVIAN
Und es war kein Feldmarschall.

Nur ein spaßiger Herr Vetter und du gehörst mir.
Du gehörst mir!

MARSCHALLIN
Taverl, umarm Er nicht zu viel:
Wer allzuviel umarmt, der hält nichts fest.

OCTAVIAN
Sag, daß du mir gehörst! Sag, daß du mir gehörst!

MARSCHALLIN
Oh, sei Er jetzt sanft, sei Er gescheit und sanft und gut.
Nein, bitt schön, sei Er nicht wie alle Männer sind.

OCTAVIAN
Wie alle Männer?

MARSCHALLIN
Wie der Feldmarschall und der Vetter Ochs.
Sei Er nur nicht wie alle Männer sind.

OCTAVIAN *zornig*
Ich weiß nicht, wie alle Männer sind.
Sanft
Weiß nur, daß ich dich liebhab,
Bichette, sie haben mir dich ausgetauscht.
Bichette, wo ist Sie denn?

MARSCHALLIN *ruhig*
Sie ist wohl da, Herr Schatz.

OCTAVIAN
Ja, ist Sie da? Dann will ich Sie halten,
und Sie pressen, daß Sie mir nicht wieder entkommt!

MARSCHALLIN *sich ihm entwindend*
O sei Er gut, Quin-quin. Mir ist zumut,
daß ich die Schwäche von allem Zeitlichen recht spüren muß,
bis in mein Herz hinein:
wie man nichts halten soll,
wie man nichts packen kann,
wie alles zerlauft zwischen den Fingern,
alles sich auflöst, wonach wir greifen,
alles zergeht, wie Dunst und Traum.

OCTAVIAN
Wo Sie mich da hat,
wo ich meine Finger in Ihre Finger schlinge,

wo ich mit meinen Augen Ihre Augen suche,
gerade da ist Ihr so zumut?

MARSCHALLIN *sehr ernst*

Quin-quin, heut oder morgen geht Er hin
und gibt mich auf, um einer andern willen,
Octavian will ihr den Mund zuhalten.
die schöner oder jünger ist als ich.

OCTAVIAN

Willst du mit Worten mich von dir stoßen,
weil dir die Hände den Dienst nicht tun?

MARSCHALLIN

Der Tag kommt ganz von selber. Wer bist denn du?
Ein junger Herr, ein jüngerer Sohn.
Dein Bruder der Chef von deinem Haus.
Wie wird er nicht eine Braut für dich suchen?
Als ob nicht alles auf der Welt
sein' Zeit und sein Gesetzl hätt.
Heut oder morgen kommt der Tag, Octavian.

OCTAVIAN

Nicht heut, nicht morgen: ich hab dich lieb.
Nicht heut, nicht morgen!

MARSCHALLIN

Heut oder morgen oder den übernächsten Tag.
Nicht quälen will ich dich, mein Schatz.
Ich sag, was wahr ist, sags zu mir so gut wie zu dir.
Leicht will ichs machen dir und mir.
Leicht muß man sein:
mit leichtem Herz und leichten Händen,
halten und nehmen, halten und lassen...
Die nicht so sind, die straft das Leben und Gott erbarmt sich ihrer nicht.

OCTAVIAN

Mein Gott, wie Sie das sagt, Sie will mir doch nur zeigen,
daß Sie nicht an mir hängt.
Er weint.

MARSCHALLIN

Sei Er doch gut, Quin-quin.
Er weint stärker.

Sei Er doch gut.
Jetzt muß ich noch den Buben dafür trösten,
daß er mich über kurz oder lang wird sitzenlassen.
Sie streichelt ihn.

OCTAVIAN
Über kurz oder lang!
Wer legt Ihr heut die Wörter in den Mund, Bichette?
Er hält sich die Ohren zu.

MARSCHALLIN
Über kurz oder lang!
Daß Ihn das Wort so kränkt.
Die Zeit im Grund, Quin-quin, die Zeit,
die ändert doch nichts an den Sachen.
Die Zeit, die ist ein sonderbares Ding.
Wenn man so hinlebt, ist sie rein gar nichts.
Aber dann auf einmal,
da spürt man nichts als sie:
sie ist um uns herum, sie ist auch in uns drinnen.
In den Gesichtern rieselt sie, im Spiegel da rieselt sie,
in meinen Schläfen fließt sie.
Und zwischen mir und dir da fließt sie wieder.
Lautlos, wie eine Sanduhr.
O Quin-quin!
Manchmal hör ich sie fließen unaufhaltsam.
Manchmal steh ich auf, mitten in der Nacht,
und laß die Uhren alle stehen.

OCTAVIAN
Mein schöner Schatz, will Sie sich traurig machen mit Gewalt?

MARSCHALLIN
Allein man muß sich auch vor ihr nicht fürchten.
Auch sie ist ein Geschöpf des Vaters,
der uns alle geschaffen hat.

OCTAVIAN
Sie spricht ja heute wie ein Pater.
Eine befangene Stille.
Soll das heißen, daß ich Sie nie mehr
werd küssen dürfen,
bis Ihr der Atem ausgeht?

MARSCHALLIN *sanft*

Quin-quin, Er soll jetzt gehn, Er soll mich lassen.
Ich werd jetzt in die Kirchn gehn
und später fahr ich zum Onkel Greifenklau,
der alt und gelähmt ist,
und eß mit ihm; das freut den alten Mann.
Und nachmittag werd ich Ihm einen Lauffer schicken,
Quin-quin, und sagen lassen,
ob ich in Prater fahr.
Und wenn ich fahr,
und Er hat Lust,
so wird Er auch in Prater kommen
und neben meinem Wagen reiten.
Sei Er jetzt gut und folg Er mir.

OCTAVIAN

Wie Sie befiehlt, Bichette.
Er geht. Eine Pause

MARSCHALLIN *allein*

Ich hab ihn nicht einmal geküßt.
Sie klingelt heftig. Lakaien kommen herein von rechts.

MARSCHALLIN

Laufts dem Herrn Grafen nach
und bittets ihn noch auf ein Wort herauf.
Eine Pause
Ich hab ihn fortgehn lassen und ihn nicht einmal geküßt!
Die Lakaien kommen zurück außer Atem.

ERSTER LAKAI

Der Herr Graf sind auf und davon.

ZWEITER LAKAI

Gleich beim Tor sind aufgesessen.

DRITTER LAKAI

Reitknecht hat gewartet.

VIERTER LAKAI

Gleich beim Tor sind aufgesessen wie der Wind.

ERSTER LAKAI

Waren um die Ecken wie der Wind.

ZWEITER LAKAI

Sind wir nachgelaufen.

DRITTER LAKAI

Haben wir geschrien.

VIERTER LAKAI

War umsonst.

ERSTER LAKAI

Waren um die Ecken wie der Wind.

MARSCHALLIN

Es ist gut, gehts nur wieder.

Die Lakaien ziehen sich zurück.

MARSCHALLIN *ruft nach*

Den Mohammed!

Der kleine Neger herein, klingelnd, verneigt sich.

MARSCHALLIN

Das da trag –

Neger nimmt eifrig das Saffianfutteral.

MARSCHALLIN

Weißt ja nicht wohin. Zum Grafen Octavian.
Gibs ab und sag:
Da drinn ist die silberne Rosn.
Der Herr Graf weiß ohnehin.

Der Neger läuft ab.
Marschallin stützt den Kopf auf die Hand.

Vorhang.

ZWEITER AKT

Saal bei Herrn von Faninal. Mitteltüre nach dem Vorsaal. Türen links und rechts. Rechts auch ein großes Fenster. Zu beiden Seiten der Mitteltüre Stühle an der Wand. In den Ecken jederseits ein großer Kamin.

HERR VON FANINAL *im Begriffe, von Sophie Abschied zu nehmen*
Ein ernster Tag, ein großer Tag!
Ein Ehrentag, ein heiliger Tag!
Sophie küßt ihm die Hand.

MARIANNE LEITMETZERIN, *die Duenna*
Der Josef fahrt vor, mit der neuen Kaross,
hat himmelblaue Vorhäng,
vier Apfelschimmel sind dran.

HAUSHOFMEISTER *nicht ohne Vertraulichkeit*
Ist höchste Zeit, daß Euer Gnaden fahren.
Der hochadelige Bräutigamsvater,
sagt die Schicklichkeit,
muß ausgefahren sein,
bevor der silberne Rosenkavalier vorfahrt.
Wär nicht geziemend,
daß sie sich vor der Tür begegneten.
Lakaien öffnen die Tür.

FANINAL
In Gottesnamen. Wenn ich wiederkomm,
so führ ich deinen Herrn Zukünftigen bei der Hand.

MARIANNE
Den edlen und gestrengen Herrn auf Lerchenau,
Kaiserlicher Majestät Kämmerer
und Landrechts-Beisitzer in Unter-Österreich!
Faninal geht.
Sophie vorgehend, allein, indessen Marianne am Fenster.

MARIANNE *am Fenster*
Jetzt steigt er ein. Der Xaver und der Anton springen hinten auf.
Der Stallpag' reicht dem Josef seine Peitschn.
Alle Fenster sind voller Leut.

SOPHIE *vorne allein*

In dieser feierlichen Stunde der Prüfung,
da du mich, o mein Schöpfer, über mein Verdienst erhöhen
und in den heiligen Ehestand führen willst,
Sie hat große Mühe, gesammelt zu bleiben
opfere ich dir in Demut – in Demut – mein Herz auf.
Die Demut in mir zu erwecken,
muß ich mich demütigen.

MARIANNE *sehr aufgeregt*

Die halbe Stadt ist auf die Füß.
Aus 'm Seminari schaun die Hochwürdigen von die Balkoner.
Ein alter Mann sitzt oben auf der Latern!

SOPHIE *sammelt sich mühsam*

Demütigen und recht bedenken: die Sünde, die Schuld, die Niedrigkeit,
die Verlassenheit, die Anfechtung!
Die Mutter ist tot und ich bin ganz allein.
Für mich selber steh ich ein.
Aber die Ehe ist ein heiliger Stand.

MARIANNE *wie oben*

Er kommt, er kommt in zwei Karossen.
Die erste ist vierspännig, die ist leer. In der zweiten,
sechsspännigen,
sitzt er selber, der Herr Rosenkavalier.

SOPHIE *wie oben*

Ich will mich niemals meines neuen Standes überheben –
Die Stimmen der Lauffer zu dreien vor Octavians Wagen unten auf der Gasse: Rofrano! Rofrano!
– mich überheben.
Sie hält es nicht aus
Was rufen denn die?

MARIANNE

Den Namen vom Rosenkavalier und alle Namen
von deiner neuen, fürstlich'n und gräflich'n Verwandtschaft rufens aus.
Jetzt rangieren sich die Bedienten.
Die Lakaien springen rückwärts ab!
Die Stimmen der Lauffer zu dreien näher: Rofrano! Rofrano!

SOPHIE

Werden sie mein' Bräutigam sein' Namen
Auch so ausrufen, wenn er angefahren kommt!?
Die Stimmen der Lauffer dicht unter dem Fenster: Rofrano! Rofrano! Rofrano!

MARIANNE

Sie reißen den Schlag auf! Er steigt aus!
Ganz in Silberstück' ist er ang'legt, von Kopf zu Fuß.
Wie ein heiliger Erzengel schaut er aus.
Sie schließt eilig das Fenster.

SOPHIE

Herrgott im Himmel, ja,
ich weiß, der Stolz ist eine schwere Sünd,
aber jetzt kann ich mich nicht demütigen.
Jetzt gehts halt nicht!
Denn das ist ja so schön, so schön!
Lakaien haben schnell die Mitteltüre aufgetan. Herein tritt Octavian, ganz in Weiß und Silber, mit bloßem Kopf, die silberne Rose in der Hand. Hinter ihm seine Dienerschaft in seinen Farben: Weiß mit Blaßgrün. Die Lakaien, die Haiducken, mit krummen, ungarischen Säbeln an der Seite, die Lauffer in weißem, sämischem Leder mit grünen Straußenfedern. Dicht hinter Octavian ein Neger, der Octavians Hut, und ein anderer Lakai, der das Saffianfutteral für die silberne Rose in beiden Händen trägt. Dahinter die Faninalsche Livree.
Octavian, die Rose in der Rechten, geht mit adeligem Anstand auf sie zu, aber sein Knabengesicht ist von seiner Schüchternheit gespannt und gerötet. – Sophie ist vor Aufregung über seine Erscheinung und die Zeremonie leichenblaß. Sie stehen einander gegenüber.

OCTAVIAN *nach einem kleinen Stocken, indem sie einander wechselweise durch ihre Verlegenheit und Schönheit noch verwirrter machen*

Mir ist die Ehre widerfahren,
daß ich der hoch- und wohlgeborenen Jungfer Braut,
in meines Herrn Vetters,
dessen zu Lerchenau Namen,
die Rose seiner Liebe überreichen darf.

SOPHIE *nimmt die Rose*

Ich bin Euer Liebden sehr verbunden.
Ich bin Euer Liebden in aller Ewigkeit verbunden. –
Eine Pause der Verwirrung.

SOPHIE *indem sie an der Rose riecht*
Hat einen starken Geruch. Wie Rosen, wie lebendige.

OCTAVIAN
Ja, ist ein Tropfen persischen Rosenöls darein getan.

SOPHIE
Wie himmlische, nicht irdische, wie Rosen
vom hochheiligen Paradies. Ist Ihm nicht auch?
Octavian neigt sich über die Rose, die sie ihm hinhält; dann richtet er sich wie betäubt auf und sieht auf ihren Mund.

SOPHIE
Ist wie ein Gruß vom Himmel. Ist bereits zu stark!
Zieht einen nach, als lägen Stricke um das Herz.
Wo war ich schon einmal
und war so selig!

OCTAVIAN *zugleich mit ihr wie unbewußt und leiser als sie*
Wo war ich schon einmal
und war so selig?

SOPHIE
Dahin muß ich zurück! und wärs mein Tod.
Wo soll ich hin,
daß ich so selig werd?
Dort muß ich hin und müßt ich sterben auf dem Weg.

OCTAVIAN *die ersten Worte zugleich mit ihren letzten, dann allein*
Ich war ein Bub,
wars gestern oder wars vor einer Ewigkeit.
Da hab ich die noch nicht gekannt.
Die hab ich nicht gekannt?
Wer ist denn die?
Wie kommt sie denn zu mir?
Wer bin denn ich? Wie komm ich denn zu ihr?
Wär ich kein Mann, die Sinne möchten mir vergehn.
Aber ich halt sie fest, ich halt sie fest.
Das ist ein seliger, seliger Augenblick,
den will ich nie vergessen bis an meinen Tod.
Indessen hat sich die Livree Octavians links rückwärts rangiert, die Faninalschen Bedienten mit dem Haushofmeister rechts. Der Lakai Octavians übergibt das Futteral an Marianne. Sophie schüttelt ihre Versunkenheit ab und reicht die Rose der Marianne, die sie ins Futteral schließt.

Der Lakai mit dem Hut tritt von rückwärts an Octavian heran und reicht ihm den Hut. Die Livree Octavians tritt ab, während gleichzeitig die Faninalschen Bedienten drei Stühle in die Mitte tragen, zwei für Octavian und Sophie, einen rück- und seitwärts für die Duenna. Zugleich trägt der Faninalsche Haushofmeister das Futteral mit der Rose durch die Mitteltüre ab. Sophie und Octavian stehen einander gegenüber, einigermaßen zur gemeinen Welt zurückgekehrt, aber befangen. Auf eine Handbewegung Sophies nehmen sie beide Platz, desgleichen die Duenna.

SOPHIE

Ich kenn Ihn schon recht wohl.

OCTAVIAN

Sie kennt mich, ma cousine?

SOPHIE

Ja, aus dem Buch, wo die Stammbäumer drin sind, mon cousin.
Dem Ehrenspiegel Österreichs.
Das nehm ich immer abends mit ins Bett
und such mir meine künftige Verwandtschaft drin zusammen.

OCTAVIAN

Tut Sie das, ma cousine?

SOPHIE

Ich weiß, wie alt Euer Liebden sind:
Siebzehn Jahr und zwei Monat.
Ich weiß alle Ihre Taufnamen: Octavian Maria Ehrenreich
Bonaventura Fernand Hyazinth.

OCTAVIAN

So gut weiß ich sie selber nicht einmal.

SOPHIE

Ich weiß noch was.

Errötet.

OCTAVIAN

Was weiß Sie noch, sag Sie mirs, ma cousine.

SOPHIE *ohne ihn anzusehen*

Quin-quin.

OCTAVIAN *lacht*

Weiß Sie den Namen auch?

SOPHIE

So nennen Ihn halt seine guten Freund
und schöne Damen, denk ich mir,

mit denen er recht gut ist.
Kleine Pause

SOPHIE *mit Naivität*
Ich freu mich aufs Heiraten! Freut Er sich auch darauf?
Oder hat Er leicht noch gar nicht drauf gedacht, mon cousin?
Denk Er: Ist doch was anders als der ledige Stand.

OCTAVIAN *leise, während sie spricht*
Wie schön sie ist.

SOPHIE
Freilich. Er ist ein Mann, da ist Er, was Er bleibt.
Ich aber brauch erst einen Mann, daß ich was bin.
Dafür bin ich dem Mann dann auch gar sehr verschuldet.

OCTAVIAN *wie oben*
Mein Gott, wie schön und gut sie ist.
Sie macht mich ganz verwirrt.

SOPHIE
Und werd ihm keine Schand nicht machen –
und meinen Rang und Vortritt,
tät eine, die sich besser dünkt als ich,
ihn mir bestreiten
bei einer Kindstauf oder Leich,
so will ich, meiner Seel, ihr schon beweisen,
daß ich die vornehmere bin
und lieber alles hinnehmen
wie Kränkung oder Ungebühr.

OCTAVIAN *lebhaft*
Wie kann Sie denn nur denken,
daß man Ihr mit Ungebühr begegnen wird,
da Sie doch immerdar die schönste sein wird,
daß es keinen Vergleich wird leiden.

SOPHIE
Lacht Er mich aus, mon cousin?

OCTAVIAN
Wie, glaubt Sie das von mir?

SOPHIE
Er darf mich auch auslachen, wenn Er will.
Von Ihm will ich mir alles gerne geschehen lassen,
weil mir noch nie ein junger Kavalier...
Jetzt aber kommt mein Herr Zukünftiger.

Die Tür rückwärts geht auf. Alle drei stehen auf und treten nach rechts. Faninal führt den Baron zeremoniös über die Schwelle und auf Sophie zu, indem er ihm den Vortritt läßt. Die Lerchenausche Livree folgt auf Schritt und Tritt: zuerst der Almosenier mit dem Sohn und Leibkammerdiener. Dann folgt der Leibjäger mit einem ähnlichen Lümmel, der ein Pflaster über der eingeschlagenen Nase trägt, und noch zwei von der gleichen Sorte, vom Rübenacker her in die Livree gesteckt. Alle tragen, wie ihr Herr, Myrtensträußchen. Die Faninalschen Bedienten bleiben im Hintergrund.

FANINAL

Ich präsentier Euer Gnaden Dero Zukünftige.

DER BARON *macht die Reverenz, dann zu Faninal*

Deliziös! Mach Ihm mein Kompliment.
Er küßt Sophie die Hand, langsam, gleichsam prüfend
Ein feines Handgelenk. Darauf halt ich gar viel.
Ist unter Bürgerlichen eine seltene Distinktion.

OCTAVIAN *halblaut*

Es wird mir heiß und kalt.

FANINAL

Gestatten, daß ich die getreue Jungfer
Marianne Leitmetzerin –
Mariannen präsentierend, die dreimal tief knixt.

DER BARON *indem er unwillig abwinkt*

Laß Er das weg.
Begrüß Er jetzt mit mir meinen Herrn Rosenkavalier.
Er tritt mit Faninal auf Octavian zu, unter Reverenz, die Octavian erwidert. Das Lerchenausche Gefolge kommt endlich zum Stillstand, nachdem es Sophie fast umgestoßen, und retiriert sich um ein paar Schritte.

SOPHIE *mit Marianne rechtsstehend, halblaut*

Was sind das für Manieren? Ist das leicht ein Roßtäuscher
und kommt ihm vor, er hätt mich eingekauft?

MARIANNE *ebenso*

Ein Kavalier hat halt ein ungezwungenes,
leutseliges Betragen.
Sag dir vor, wer er ist
und zu was er dich macht,
so werden dir die Faxen gleich vergehn.

DER BARON *während des Aufführens zu Faninal*

Ist gar zum Staunen, wie der junge Herr jemand gewissem ähnlich sieht.

Hat ein Bastardl, recht ein sauberes, zur Schwester.
Plump vertraulich
Ist kein Geheimnis unter Personen von Stand.
Habs aus der Fürstin eigenem Mund,
und da der Faninal gehört ja sozusagen jetzo zu der Verwandtschaft.
Macht dir doch kein dépit, Cousin Rofrano,
daß dein Herr Vater ein Streichmacher war?
Befindet sich dabei in guter Kompagnie, der selige Herr Marchese.
Ich selber exkludier mich nicht.
Seh' Liebden, schau dir dort den Langen an,
den blonden, hinten dort.
Ich will ihn nicht mit Fingern weisen,
aber er sticht wohl hervor,
durch eine adelige Contenance.
Ist auch ein ganz besonderer Kerl,
sags nicht, weil ich der Vater bin,
hats aber faustdick hinter den Ohren.

SOPHIE *währenddessen*
Jetzt laßt er mich so stehn, der grobe Ding!
Und das ist mein Zukünftiger.
Und blattersteppig ist er auch, mein Gott!

MARIANNE
Na, wenn er dir von vorn nicht gfallt, du Jungfer Hochmut,
so schau ihn dir von rückwärts an.
da wirst was sehn, was dir schon gfallen wird.

SOPHIE
Möcht wissen, was ich da schon sehen werd.

MARIANNE *ihr nachspottend*
Möcht wissen, was sie da schon sehen wird.
Daß es ein kaiserlicher Kämmerer ist,
den dir dein Schutzpatron
als Herrn Gemahl spendiert hat.
Das kannst sehn mit einem Blick.
Der Haushofmeister tritt verbindlich auf die Lerchenauschen Leute zu und führt sie ab. Desgleichen tritt die Faninalsche Livree ab, bis auf zwei, welche Wein und Süßigkeiten servieren.

FANINAL *zum Baron*
Belieben jetzt vielleicht? – ist ein alter Tokaier.
Octavian und Baron bedienen sich.

DER BARON

Brav, Faninal, Er weiß was sich gehört.
Serviert einen alten Tokaier zu einem jungen Mädel.
Ich bin mit ihm zufrieden.
Zu Octavian
Mußt denen Bagatelladeligen immer zeigen,
daß nicht für unseresgleichen sich ansehen dürfen,
muß immer was von Herablassung dabei sein.

OCTAVIAN

Ich muß Deine Liebden sehr bewundern.
Hast wahrhaft große Weltmanieren.
Könntst einen Ambassadeur vorstellen heut wie morgen.

DER BARON

Ich hol mir jetzt das Mädel her.
Soll uns Konversation vormachen,
daß ich seh, wie sie beschlagen ist.
Geht hinüber, nimmt Sophie bei der Hand, führt sie mit sich.

DER BARON

Eh bien! nun plauder Sie uns eins, mir und dem Vetter Taverl!
Sag Sie heraus, auf was Sie sich halt in der Eh am meisten gfreut!
Setzt sich, will sie auf seinen Schoß ziehen.

SOPHIE *entzieht sich ihm*

Wo denkt Er hin?

DER BARON *behaglich*

Seh, wo ich hindenk! Komm Sie da ganz nah zu mir,
dann will ich Ihr erzählen, wo ich hindenk.
Gleiches Spiel, Sophie entzieht sich ihm heftiger.

DER BARON *behaglich*

Wär Ihr leicht präferabel, daß man gegen Ihrer
den Zeremonienmeister sollt hervortun?
Mit »mill pardon« und »Devotion«
und »Geh da weg« und »hab Respeck«?

SOPHIE

Wahrhaftig und ja gefiele mir das besser!

DER BARON *lachend*

Mir auch nicht! Da sieht Sie! Mir auch ganz und gar nicht!
Bin einer biedern offenherzigen Galanterie recht zugetan.
Er macht Anstalt, sie zu küssen, sie wehrt sich energisch.

FANINAL *nachdem er Octavian den zweiten Stuhl zum Sitzen angeboten hat, den dieser ablehnt*
Wie ist mir denn, da sitzt ein Lerchenau
und karessiert in Ehrbarkeit mein Sopherl, als wär sie ihm schon angetraut.
Und da steht ein Rofrano, grad als müßts so sein,
wie ist mir denn? Ein Graf Rofrano, sonsten nix,
der Bruder vom Marchese Obersttruchseß.

OCTAVIAN *zornig*
Das ist ein Kerl, dem möcht ich wo begegnen
mit meinem Degen da,
wo ihn kein Wächter schrein hört.
Ja, das ist alles, was ich möcht.

SOPHIE *zum Baron*
Ei laß Er doch, wir sind nicht so vertraut!

DER BARON *zu Sophie*
Geniert Sie sich leicht vor dem Vetter Taverl?
Da hat Sie Unrecht. Hör Sie, in Paris,
wo doch die Hohe Schul ist für Manieren,
hab ich mir sagen lassen, gibts frei nichts
was unter jungen Eheleuten geschieht,
wozu man nicht Einladungen ließ ergehn
zum Zuschaun, ja gar an den König selber.
Er wird immer zärtlicher, sie weiß sich kaum zu helfen.

FANINAL
Wär nur die Mauer da von Glas,
daß alle bürgerlichen Neidhammeln von Wien uns könnten
so en famille beisammensitzen sehn!
Dafür wollt ich mein Lerchenfelder Eckhaus geben, meiner Seel!

OCTAVIAN *wütend*
Ich büß all meine Sünden ab!
Könnt ich hinaus und fort von hier!

DER BARON *zu Sophie*
Laß Sie die Flausen nur: gehört doch jetzo mir!
Geht alls gut! Sei Sie gut. Geht alls so wie am Schnürl!
Halb für sich, sie kajolierend
Ganz meine Maßen! Schultern wie ein Henderl!
Hundsmager noch – das macht nichts, aber weiß

und einen Schimmer drauf, wie ich ihn ästimier!
Ich hab halt ja ein lerchenauisch Glück!
Sophie reißt sich los und stampft auf.

DER BARON *vergnügt*
Ist Sie ein rechter Kaprizenschädel?
Auf und ihr nach, die ein paar Schritte zurückgewichen ist.
Steigt Ihr das Blut gar in die Wangen,
daß man sich die Händ verbrennt?

SOPHIE *rot und blaß vor Zorn*
Laß Er die Händ davon!
Octavian, vor stummer Wut, zerdrückt das Glas, das er in der Hand hält, und schmeißt die Scherben zu Boden.

DIE DUENNA *läuft mit Grazie zu Octavian hinüber, hebt die Scherben auf und raunt ihm mit Entzücken zu*
Ist recht ein familiärer Mann, der Herr Baron!
Man delektiert sich, was er alls für Einfäll hat!

DER BARON *dicht bei Sophie*
Geht mir nichts drüber!
Könnt mich mit Schmachterei und Zärtlichkeit
nicht halb so glücklich machen, meiner Seel!

SOPHIE *scharf, ihm ins Gesicht*
Ich denk' nicht dran, daß ich Ihn glücklich machen wollt!

DER BARON *gemütlich*
Sie wird es tun, ob Sie daran wird denken oder nicht.

OCTAVIAN *vor sich, blaß vor Zorn*
Hinaus! Hinaus! und kein Adieu,
sonst steh ich nicht dafür,
daß ich nicht was Verwirrtes tu!
Indessen ist der Notar mit dem Schreiber eingetreten, eingeführt durch Faninals Haushofmeister. Dieser meldet ihn dem Herrn von Faninal leise; Faninal geht zum Notar nach rückwärts hin, spricht mit ihm und sieht einen vom Schreiber vorgehaltenen Aktenfaszikel durch.

SOPHIE *zwischen den Zähnen*
Hat nie kein Mann dergleichen Reden nicht zu mir geführt!
Möcht wissen, was Ihm dünkt von mir und Ihm?
Was ist denn Er zu mir!

DER BARON *gemütlich*
Wird kommen über Nacht,

daß Sie ganz sanft
wird wissen, was ich bin zu Ihr.
Ganz wies im Liedl heißt – kennt Sie das Liedl?
»Lalalalala – wie ich dein Alles werde sein!
Mit mir, mit mir keine Kammer dir zu klein,
ohne mich, ohne mich jeder Tag dir so bang,
mit mir, mit mir keine Nacht dir zu lang!«
Sophie, da er sie fester an sich drückt, reißt sich los und stößt ihn heftig zurück.

DIE DUENNA *zu ihr eilend*
Ist recht ein familiärer Mann, der Herr Baron!
Man delektiert sich, was er alls für Einfäll hat!

OCTAVIAN *ohne hinzusehen, und doch sieht er auf alles was vorgeht*
Ich steh auf glühenden Kohlen!
Ich fahr aus meiner Haut!
Ich büß in dieser einen Stund
all meine Sünden ab!

DER BARON *für sich, sehr vergnügt*
Wahrhaftig und ja, ich hab ein lerchenauisch Glück!
Gibt gar nichts auf der Welt, was mich so enflammiert
und also vehement verjüngt als wie ein rechter Trotz!
Faninal und der Notar, hinter ihnen der Schreiber, sind an der linken Seite nach vorne gekommen.

DER BARON *sowie er den Notar erblickt, eifrig zu Sophie, ohne zu ahnen, was in ihr vorgeht*
Da gibts Geschäften jetzt, muß mich dispensieren,
bin dort von Wichtigkeit. Indessen
der Vetter Taverl leistet Ihr Gesellschaft!

FANINAL
Wenns jetzt belieben tät, Herr Schwiegersohn!

DER BARON *eifrig*
Natürlich wirds belieben.
Im Vorbeigehen zum Octavian, den er vertraulich umfaßt
Hab nichts dawider,
wenn du ihr möchtest Augerln machen, Vetter,
jetzt oder künftighin.
Ist noch ein rechter Rühr-nicht-an.
Betrachts als förderlich, je mehr sie degourdiert wird.

Ist wie bei einem jungen ungerittenen Pferd.
Kommt alls dem Angetrauten letzterdings zugute,
wofern er sich sein ehelich Privilegium
zunutz zu machen weiß.

Er geht nach links. Der Diener, der den Notar einließ, hat indessen die Türe links geöffnet. Faninal und der Notar schicken sich an, hineinzugehen. Der Baron mißt Faninal mit dem Blick und bedeutet ihm, drei Schritte Distanz zu nehmen. Faninal tritt devot zurück. Der Baron nimmt den Vortritt, vergewissert sich, daß Faninal drei Schritte Abstand hat, und geht gravitätisch durch die Tür links ab. Faninal hinter ihm, dann der Notar, dann der Schreiber. Der Bediente schließt die Türe links und geht ab, läßt aber die Flügeltüre nach dem Vorsaal offen. Der servierende Diener ist schon früher abgegangen.

Sophie, rechts, steht verwirrt und beschämt. Die Duenna, neben ihr, knixt nach der Türe hin, bis sie sie schließt.

OCTAVIAN *mit einem Blick hinter sich, gewiß zu sein, daß die anderen abgegangen sind, tritt schnell zu Sophie hinüber; bebend vor Aufregung*
Wird Sie das Mannsbild da heiraten, ma cousine?

SOPHIE *einen Schritt auf ihn zu, leise*
Nicht um die Welt!
Mit einem Blick auf die Duenna
Mein Gott, wär ich allein mit Ihm,
daß ich Ihn bitten könnt! daß ich Ihn bitten könnt!

OCTAVIAN *halblaut, schnell*
Was ists, das Sie mich bitten möcht? Sag Sie mirs schnell!

SOPHIE *noch einen Schritt näher zu ihm*
O mein Gott, daß Er mir halt hilft! Und Er wird mir
nicht helfen wollen, weil es halt Sein Vetter ist!

OCTAVIAN *heftig*
Nenn ihn Vetter aus Höflichkeit,
ist nicht weit her mit der Verwandtschaft, Gott sei Lob und Dank!
Hab ihn im Leben vor dem gestrig'n Tage nie gesehen!

Quer durch den Saal flüchten einige von den Mägden des Hauses, denen die Lerchenauischen Bedienten auf den Fersen sind. Der Leiblakai und der mit dem Pflaster auf der Nase jagen einem hübschen jungen Mädchen nach und bringen sie hart an der Schwelle zum Salon bedenklich in die Enge.

DER FANINALSCHE HAUSHOFMEISTER *kommt verstört hereingelaufen, die Duenna zu Hilfe holen*

Die Lerchenauischen sind voller Branntwein gesoffen
und gehn aufs Gesinde los, zwanzigmal ärger
als Türken und Crowaten!

DIE DUENNA

Hol Er unsere Leut, wo sind denn die?

Läuft ab mit dem Haushofmeister, sie entreißen den beiden Zudringlichen ihre Beute und führen das Mädchen ab; alles verliert sich, der Vorsaal bleibt leer.

SOPHIE *nun da sie sich unbeachtet weiß, mit freier Stimme*

Und jetzt geht Er noch fort von mir
und ich – was wird denn jetzt aus mir?

OCTAVIAN

Ich darf ja nicht bleiben –
Wie gern blieb ich bei Ihr.

SOPHIE *seufzend*

Er darf ja nicht bleiben –

OCTAVIAN

Jetzt muß Sie ganz alleinig für uns zwei einstehen!

SOPHIE

Wie? Für uns zwei? Das kann ich nicht verstehen.

OCTAVIAN

Ja, für uns zwei! Sie wird mich wohl verstehn.

SOPHIE

Ja! Für uns zwei! Sag Er das noch einmal!
Ich hab mein Leben so was Schönes nicht gehört.
Oh, sag Ers noch einmal.

OCTAVIAN

Für sich und mich muß Sie das tun,
sich wehren, sich retten,
und bleiben, was Sie ist!

SOPHIE

Bleib Er bei mir, dann kann ich alles, was Er will –

OCTAVIAN

Mein Herz und Sinn –

SOPHIE

Bleib Er bei mir!

OCTAVIAN

– wird bei Ihr bleiben, wo Sie geht und steht!

SOPHIE

Bleib Er bei mir, o bleib Er nur bei mir!

Aus den geheimen Türen in den rückwärtigen Ecken sind links Valzacchi, rechts Annina lautlos spähend herausgeglitten. Lautlos schleichen sie, langsam, auf den Zehen, näher.

Octavian zieht Sophie an sich, küßt sie auf den Mund. In diesem Augenblick sind die Italiener dicht hinter ihnen, ducken sich hinter den Lehnsesseln; jetzt springen sie vor, Annina packt Sophie, Valzacchi faßt Octavian.

VALZACCHI und ANNINA *zu zweien schreiend*

Herr Baron von Lerchenau! – Herr Baron von Lerchenau! –

Octavian springt zur Seite nach rechts.

VALZACCHI *der Mühe hat, ihn zu halten, atemlos zu Annina*

Lauf und 'ole Seine Gnade!

Snell, nur snell. Ick muß 'alten diese 'erre!

ANNINA

Laß ich die Fräulein aus, läuft sie mir weg!

ZU ZWEIEN

Herr Baron von Lerchenau!

Herr Baron von Lerchenau!

Komm' zu sehn die Fräulein Braut!

Mit ein junge Kavalier!

Kommen eilig, kommen hier!

Baron tritt aus der Tür links. Die Italiener lassen ihre Opfer los, springen zur Seite, verneigen sich vor dem Baron mit vielsagender Gebärde.

Sophie schmiegt sich ängstlich an Octavian.

DER BARON *die Arme über die Brust gekreuzt, betrachtet sich die Gruppe. Unheilschwangere Pause. Endlich*

Eh bien, Mamsell, was hat Sie mir zu sagen?

Sophie schweigt.

DER BARON *der durchaus nicht außer Fassung ist*

Nun, resolvier Sie sich!

SOPHIE

Mein Gott, was soll ich sagen:

Er wird mich nicht verstehen!

DER BARON *gemütlich*

Das werden wir ja sehen!

OCTAVIAN *Einen Schritt auf den Baron zu*

Eur Liebden muß ich halt vermelden,

daß sich in Seiner Angelegenheit
was Wichtiges verändert hat.

DER BARON *gemütlich*

Verändert? Ei, nicht daß ich wüßt!

OCTAVIAN

Darum soll Er es jetzt erfahren!
Die Fräulein –

DER BARON

Er ist nicht faul! Er weiß zu profitieren,
mit Seine siebzehn Jahr! Ich muß Ihm gratulieren!

OCTAVIAN

Die Fräulein –

DER BARON *halb zu sich*

Ist mir ordentlich, ich seh mich selber!
Muß lachen über den Filou, den pudeljungen.

OCTAVIAN

Die Fräulein –

DER BARON

Seh! Sie ist wohl stumm und hat ihn angestellt
für ihren Advokaten!

OCTAVIAN

Die Fräulein –
Er hält abermals inne, wie um Sophie sprechen zu lassen.

SOPHIE *angstvoll*

Nein! Nein! Ich bring den Mund nicht auf, sprech Er für mich!

OCTAVIAN

Die Fräulein –

DER BARON *ihm nachstotternd*

Die Fräulein, die Fräulein! Die Fräulein! Die Fräulein!
Ist eine Kreuzerkomödi wahrhaftig!
Jetzt echappier Er sich, sonst reißt mir die Geduld.

OCTAVIAN *sehr bestimmt*

Die Fräulein, kurz und gut,
die Fräulein mag Ihn nicht.

DER BARON *gemütlich*

Sei Er da außer Sorg. Wird schon lernen mich mögen.
Auf Sophie zu
Komm Sie jetzt da hinein: wird gleich an Ihrer sein,
die Unterschrift zu geben.

SOPHIE *zurücktretend*

Um keinen Preis geh ich an Seiner Hand hinein!
Wie kann ein Kavalier so ohne Zartheit sein!

OCTAVIAN *der jetzt zwischen den beiden anderen und der Türe links steht, sehr scharf*

Versteht Er Deutsch? Die Fräulein hat sich resolviert.
Sie will Eur Gnaden ungeheirat' lassen
in Zeit und Ewigkeit!

DER BARON *mit der Miene eines Mannes, der es eilig hat*

Mancari! Jungfernred ist nicht gehaun und nicht gestochen!
Verlaub Sie jetzt!
Nimmt sie bei der Hand.

OCTAVIAN *sich vor die Tür stellend*

Wenn nur so viel an Ihm ist
von einem Kavalier,
so wird Ihm wohl genügen,
was Er gehört hat von mir!

DER BARON *tut, als hörte er ihn nicht, zu Sophie*

Gratulier Sie sich nur, daß ich ein Aug zudruck!
Daran mag Sie erkennen, was ein Kavalier ist!
Er macht Miene, mit ihr an Octavian vorbeizukommen.

OCTAVIAN *schlägt an seinen Degen*

Wird doch wohl ein Mittel geben,
Seinesgleichen zu bedeuten.

DER BARON *der Sophie nicht losläßt, sie jetzt vorschiebt gegen die Tür*

Ei, schwerlich, wüßte nicht!

OCTAVIAN

Will Ihn denn vor diesen Leuten –

DER BARON *Gleiches Spiel*

Haben Zeit nicht zu verlieren.

OCTAVIAN

– auch nicht länger menagieren.

DER BARON

Ein andermal erzähl Er mir Geschichten
woanders oder hier.

OCTAVIAN *losbrechend*

Ich acht Ihn mit nichten
für einen Kavalier!

Auch für keinen Mann
seh ich Ihn an!

DER BARON

Wahrhaftig, wüßt ich nicht, daß Er mich respektiert,
und wär Er nicht verwandt, es wär mir jetzo schwer,
daß ich mit Ihm nicht übereinanderkäm!
Er macht Miene, Sophie mit scheinbarer Unbefangenheit gegen die Mitteltür zu führen, nachdem ihm die Italiener lebhaft Zeichen gegeben haben, diesen Weg zu nehmen.
Komm Sie! Gehn zum Herrn Vater dort hinüber!
Ist bereits der nähere Weg!

OCTAVIAN *ihm nach, dicht an ihr*

Ich hoff, Er kommt vielmehr jetzt mit mir hinters Haus,
ist dort recht ein bequemer Garten.

DER BARON *setzt seinen Weg fort, mit gespielter Unbefangenheit Sophie an der Hand nach jener Richtung zu führen bestrebt, über die Schulter zurück*

Bewahre. Wär mir jetzo nicht genehm.
Laß um alls den Notari nicht warten.
Wär gar ein affront für die Jungfer Braut!

OCTAVIAN *faßt ihn am Ärmel*

Beim Satan, Er hat eine dicke Haut!
Auch dort die Tür passiert Er mir nicht!
Ich schreis Ihm jetzt in Sein Gesicht:
Ich acht Ihn für einen Filou,
einen Mitgiftjäger,
einen durchtriebenen Lumpen und schmutzigen Bauer,
einen Kerl ohne Anstand und Ehr!
Und wenns sein muß, geb ich Ihm auf dem Fleck die Lehr!
Sophie hat sich vom Baron losgerissen und ist hinter Octavian zurückgesprungen. Sie stehen links, ziemlich vor der Tür.

DER BARON *steckt zwei Finger in den Mund und tut einen gellenden Pfiff. Dann*

Was so ein Bub in Wien mit siebzehn Jahr
schon für ein vorlaut Mundwerk hat!
Er sieht sich nach der Mitteltür um
Doch Gott sei Lob, man kennt in hiesiger Stadt
den Mann, der vor Ihm steht,
halt bis hinauf zur Kaiserlichen Majestät!

Man ist halt was man ist, und brauchts nicht zu beweisen.
Das laß Er sich gesagt sein und geb mir den Weg da frei.
Der Lerchenauische Livree ist vollzählig in der Mitteltür aufmarschiert; er vergewissert sich dessen durch einen Blick nach rückwärts. Er rückt jetzt gegen die beiden vor, entschlossen, sich Sophiens und des Ausganges zu bemächtigen.
Wär mir wahrhaftig leid, wenn meine Leut dahinten –

OCTAVIAN *wütend*
Ah, untersteht Er sich, Seine Bedienten
hineinzumischen in unsern Streit.
Jetzt zieh Er oder gnad Ihm Gott!
Er zieht.
Die Lerchenauischen, die schon einige Schritte vorgerückt waren, werden durch diesen Anblick einigermaßen unschlüssig und stellen ihren Vormarsch ein. Der Baron tut einen Schritt, sich Sophiens zu bemächtigen.

OCTAVIAN *schreit ihn an*
Zum Satan, zieh Er oder ich stech Ihn nieder!

SOPHIE
O Gott, was wird denn jetzt geschehn!

DER BARON *retiriert etwas*
Vor einer Dame! pfui, so sei Er doch gescheit!
Octavian fährt wütend auf ihn los.
Der Baron zieht, fällt ungeschickt aus und hat schon die Spitze von Octavians Degen im rechten Oberarm. Die Lerchenauischen stürzen vor.

DER BARON *indem er den Degen fallen läßt*
Mord! Mord! mein Blut! zu Hilfe! Mörder! Mörder! Mörder!
Die Diener stürzen alle zugleich auf Octavian los. Dieser springt nach rechts hinüber und hält sie sich vom Leib, indem er seinen Degen blitzschnell um sich kreisen läßt. Der Almosenier, Valzacchi und Annina eilen auf den Baron zu, den sie stützen und auf einen der Stühle in der Mitte niederlassen.

DER BARON *von ihnen umgeben und dem Publikum verstellt*
Ich hab ein hitzig Blut! Einen Arzt, eine Leinwand!
Verband her! Ich verblut mich auf eins zwei!
Aufhalten den! Um Polizei, um Polizei!

DIE LERCHENAUISCHEN *indem sie mit mehr Ostentation als Entschlossenheit auf Octavian eindringen*
Den hauts z'samm! Den hauts z'samm!

Spinnweb her! Feuerschwamm!
Reißts ihm den Spadi weg!
Schlagts ihn tot aufn Fleck!
Die sämtliche Faninalsche Dienerschaft, auch das weibliche Hausgesinde, Küchenpersonal, Stallpagen sind zur Mitteltür hereingeströmt.

ANNINA *auf sie zu*
Der junge Kavalier
und die Fräuln Braut, verstehts?
waren im geheimen
schon recht vertraut, verstehts?
Valzacchi und der Almosenier ziehen dem Baron, der stöhnt, seinen Rock aus.

DIE FANINALSCHE DIENERSCHAFT
Gstochen is einer? Wer?
Der dort? Der fremde Herr?
Welcher? Der Bräutigam?
Packts den Duellanten z'samm!
Welcher is der Duellant?
Der dort im weißen Gwand!
Was, der Rosenkavalier?
Wegen was denn? Wegen ihr?
Angepackt! Niederghaut!
Wegen der Braut?
Wegen der Liebschaft!
Wütender Haß is!
Schauts nur die Fräuln an,
schauts, wie sie blaß is!

DIE DUENNA *bahnt sich den Weg, auf den Baron zu; sie umgeben den Baron in dichter Gruppe, aus welcher zugleich mit allen übrigen die Stimme der Duenna klagend hervortönt*
So ein fescher Herr! So ein guter Herr!
So ein schwerer Schlag! So ein groß Malheur!

OCTAVIAN *indem er sich seine Angreifer vom Leib hält*
Wer mir zu nah kommt,
der lernt beten!
Was da passiert ist,
kann ich vertreten.

SOPHIE *links vorne*
Alles geht durcheinand!

Furchtbar wars, wie ein Blitz,
wie ers erzwungen hat,
ich spür nur seine Hand,
die mich umschlungen hat!
Ich spür nichts von Angst,
ich spür nichts von Schmerz,
nur das Feur, seinen Blick,
durch und durch, bis ins Herz!

DIE LERCHENAUISCHEN *lassen von Octavian ab und gehen auf die ihnen zunächst stehenden Mägde handgreiflich los*

Leinwand her! Verband machen!
Fetzen ausn Gwand machen!
Vorwärts, keine Spanponaden,
Leinwand für Seine Gnaden!

Sie machen Miene, sich zu diesem Zweck der Hemden der jüngeren und hübscheren Mägde zu bemächtigen. In diesem Augenblick kommt die Duenna, die fortgestürzt war, zurück, atemlos, beladen mit Leinwand; hinter ihr zwei Mägde mit Schwamm und Wasserbecken. Sie umgeben den Baron mit eifriger Hilfeleistung. Faninal kommt zur Türe links hereingestürzt, hinter ihm der Notar und der Schreiber, die in der Türe ängstlich stehenbleiben.

DER BARON *man hört seine Stimme, ohne viel von ihm zu sehen*

Ich kann ein jedes Blut mit Ruhe fließen sehen,
nur bloß das meinig nicht! Oh! Oh!
So tu Sie doch was Gscheits, so rett Sie doch mein Leben!
Oh! Oh!

Sophie ist, wie sie ihres Vaters ansichtig wird, nach rechts vorne hingelaufen, steht neben Octavian, der nun seinen Degen einsteckt.

ANNINA *knixend und eifrig zu Faninal links vorne*

Der junge Kavalier
und die Fräuln Braut, Gnaden,
waren im geheimen
schon recht vertraut, Gnaden!
Wir voller Eifer
fürn Herrn Baron, Gnaden,
haben sie betreten
in aller Devotion, Gnaden!

DIE DUENNA *um den Baron beschäftigt*
So ein fescher Herr! So ein groß Malheur!
So ein schwerer Schlag, so ein Unglückstag!

FANINAL *schlägt die Hände überm Kopf zusammen*
Herr Schwiegersohn! Wie ist Ihm denn? Mein Herr und Heiland!
Daß Ihm in mein' Palais hat das passieren müssen!
Gelaufen um den Medicus! Geflogen!
Meine zehn teuern Pferd zu Tod gehetzt!
Ja hat denn niemand von meiner Livree
dazwischenspringen mögen! Fütter ich dafür
ein Schock baumlange Lackeln, daß mir solche Schand
passieren muß in meinem neuchen Stadtpalais!
Auf Octavian zu
Hätt wohl von Euer Liebden eines andern Anstands mich versehn!

DER BARON
Oh! Oh!

FANINAL *abermals zu ihm hin*
Oh! Um das schöne freiherrliche Blut, was aufn Boden rinnt!
Gegen Octavian hin
O pfui! So eine ordinäre Metzgerei!

DER BARON
Hab halt ein jung und hitzig Blut, das ist ein Kreuz,
ist nicht zum Stillen! Oh!

FANINAL *auf Octavian losgehend*
War mir von Euer Liebden hochgräflicher Gegenwart allhier
wahrhaftig einer andern Freud gewärtig!

OCTAVIAN *höflich*
Er muß mich pardonieren.
Bin außer Maßen sehr betrübt über den Vorfall.
Bin aber ohne Schuld. Zu einer mehr gelegnen Zeit
erfahren Euer Liebden wohl den Hergang
aus Ihrer Fräulein Tochter Mund.

FANINAL *sich mühsam beherrschend*
Da möcht ich recht sehr bitten!

SOPHIE *entschlossen*
Wie Sie befehlen, Vater. Werd Ihnen alles sagen.
Der Herr dort hat sich nicht so wie er sollt betragen.

FANINAL *zornig*

Ei, von wem redt Sie da? Von Ihrem Herrn Zukünftigen?
Ich will nicht hoffen! Wär mir keine Manier.

SOPHIE *ruhig*

Ist nicht der Fall. Seh ihn mitnichten an dafür.
Der Arzt kommt, wird gleich zum Baron geführt.

FANINAL *immer zorniger*

Sieht ihn nicht an?

SOPHIE

Nicht mehr. Bitt Sie dafür um gnädigen Pardon.

FANINAL *zuerst dumpf vor sich hin, dann in helle Wut ausbrechend*

Sieht ihn nicht an. Nicht mehr. Mich um Pardon.
Liegt dort gestochen. Steht bei ihr. Der Junge.
Blamage. Mir auseinander meine Eh.
Alle Neidhammeln von der Wieden und der Leimgrub'n
auf! In der Höh! Der Medicus. Stirbt mir womöglich!
Auf Sophie zu, in höchster Wut
Sie heirat ihn!
Auf Octavian, indem der Respekt vor dem Grafen Rofrano seine Grobheit zu einer knirschenden Höflichkeit herabdämpft
Möcht Euer Liebden recht in aller Devotion
gebeten haben, schleunig sich von hier zu retirieren
und nimmerwieder zu erscheinen!
Zu Sophie
Hör Sie mich!
Sie heirat ihn! Und wenn er sich verbluten tät,
so heirat Sie ihn als Toter!
Der Arzt zeigt durch eine beruhigende Gebärde, daß der Verwundete sich in keiner Gefahr befindet.
Oktavian sucht nach seinem Hut, der unter die Füße der Dienerschaft geraten war.
Eine Magd überreicht ihm den Hut.
Faninal macht Octavian eine Verbeugung, übertrieben höflich, aber unzweideutig. Octavian muß wohl gehen, möchte aber gar zu gerne Sophie noch ein Wort sagen. Er erwidert zunächst Faninals Verbeugung durch ein gleich tiefes Kompliment.

SOPHIE *beeilt sich das folgende noch zu sagen, solange Octavian es hören kann. Mit einer Reverenz*

Heirat den Herrn dort nicht lebendig und nicht tot!
Sperr mich zuvor in meine Kammer ein!

FANINAL *in Wut und nachdem er abermals eine wütende Verbeugung gegen Octavian gemacht hat, die Octavian prompt erwidert*
Ah! Sperrst dich ein. Sind Leut genug im Haus,
die dich in Wagen tragen werden.

SOPHIE *mit einem neuen Knix*
Spring aus dem Wagen noch, der mich zur Kirchn führt!

FANINAL *mit dem gleichen Spiel zwischen ihr und Octavian, der immer einen Schritt gegen den Ausgang tut, aber von Sophie in diesem Augenblick nicht loskann*
Ah! Springst noch aus dem Wagen! Na, ich sitz neben dir,
werd dich schon halten!

SOPHIE *mit einem neuen Knix*
Geb halt dem Pfarrer am Altar
Nein anstatt Ja zur Antwort!
Der Haushofmeister macht indessen die Leute abtreten. Die Bühne leert sich. Nur die Lerchenauischen bleiben bei ihrem Herrn zurück.

FANINAL *mit gleichem Spiel*
Ah! Gibst Nein anstatt Ja zur Antwort!
Ich steck dich in ein Kloster stante pede!
Marsch! Mir aus meine Augen! Lieber heut als morgen!
Auf Lebenszeit!

SOPHIE *erschrocken*
Ich bitt Sie um Pardon! Bin doch kein schlechtes Kind!
Vergeben Sie mir nur dies eine Mal!

FANINAL *hält sich in Wut die Ohren zu*
Auf Lebenszeit. Auf Lebenszeit.

OCTAVIAN *schnell halblaut*
Sei Sie nur ruhig, Liebste, um alles!
Sie hört von mir!
Duenna stößt Octavian, sich zu entfernen.

FANINAL
Auf Lebenszeit!

DIE DUENNA *zieht Sophie mit sich nach rechts*
So geh doch nur dem Vater aus die Augen!
Zieht sie zur Türe rechts hinaus, schließt die Tür. Octavian ist zur Mitteltür abgegangen.

Baron, umgeben von seiner Dienerschaft, der Duenna, zwei Mägden, den Italienern und dem Arzt, wird auf einem aus Sitzmöbeln improvisierten Ruhebett jetzt in ganzer Gestalt sichtbar.

FANINAL *schreit nochmals durch die Türe rechts, durch die Sophie abgegangen ist*

Auf Lebenszeit!
Eilt dann dem Baron entgegen
Bin überglücklich! Muß Euer Liebden embrassieren!

DER BARON *dem er bei der Umarmung am Arm wehgetan*

Oh! Oh!

FANINAL

Jesus Maria!
Nach rechts hin in innerer Wut
Luderei! Ein Kloster.
Nach der Mitteltür
Ein Gefängnis!
Auf Lebenszeit!

DER BARON

Is gut! Is gut! Ein Schluck von was zu trinken!

FANINAL

Ein Wein? Ein Bier? Ein Hippokras mit Ingwer?
Der Arzt macht eine ängstlich abwehrende Bewegung.

FANINAL

So einen Herrn zurichten miserabel,
in meinem Stadtpalais! Sie heirat Ihn um desto früher!
Bin Manns genug!

DER BARON

Is gut, alls gut!

FANINAL *macht die Türe rechts, in aufflammender Wut*

Bin Manns genug!
Zum Baron zurück
Küß ihm die Hand für seine Güt und Nachsicht.
Gehört alls Ihm im Haus. Ich lauf – ich bring Ihm –
Nach rechts
Ein Kloster ist zu gut! Sei Er nur außer Sorg.
Weiß was ich Satisfaktion Ihm schuldig bin.
Stürzt ab. Desgleichen gehen Duenna und Mägde ab.
Die beiden Italiener sind schon während des obigen fortgeschlichen.

DER BARON *halb aufgerichtet*

Da lieg ich! Was ei'm Kavalier nicht alls passieren kann
in dieser Wienerstadt!
Wär nicht mein Gusto, – ist eins allzusehr in Gottes Hand,
wär lieber schon daheim!

Ein Diener ist aufgetreten, eine Kanne Wein zu servieren.

DER BARON *macht eine Bewegung, wodurch sich ihm der Schmerz im Arm erneuert*

Oh! Oh! Der Satan! Oh! Oh! Sakramentsverfluchter Bub,
nit trocken hintern Ohr und fuchtelt mitn Spadi!
Wällischer Hundsbub das! Wart, wenn ich dich erwisch!
In Hundezwinger sperr ich dich, bei meiner Seel,
in Hühnerstall! In Schweinekofen!
Tät dich kuranzen! Solltest alle Engel singen hören!

Der Arzt schenkt ihm ein Glas Wein ein, präsentiert es ihm.

DER BARON *nachdem er getrunken*

Und doch, muß lachen, wie sich so ein Bub
mit seine siebzehn Jahr die Welt imaginiert:
meint, Gott weiß wie er mich contrecarriert!
Hoho! umkehrt ist auch gfahren – möcht um alles nicht,
daß ich dem Mädel ihr rebellisch Aufbegehren nicht verspüret hätt:
Gibt auf der Welt nichts, was mich entflammiert
und also vehement verjüngt als wie ein rechter Trotz!

Zum Arzt gewandt

Bin willens, jetzt mich in mein Kabinettl zu verfügen und eins zu ruhn.
Herr Medicus, begeb Er sich indes voraus!
Mach Er das Bett aus lauter Federbetten.
Ich komm. Erst aber trink ich noch. Marschier Er nur indessen.

Der Arzt geht ab mit dem Leiblakai.

Annina ist durch den Vorsaal hereingekommen und schleicht sich verstohlen heran, einen Brief in der Hand.

DER BARON *vor sich, den zweiten Becher leerend*

Ein Federbett. Zwei Stunden bis zu Tisch. Werd Zeit lang haben.
»Ohne mich, ohne mich jeder Tag dir so bang,
mit mir, mit mir keine Nacht dir zu lang.«

Annina stellt sich so, daß der Baron sie sehen muß, und winkt ihm geheimnisvoll mit dem Brief.

DER BARON

Für mich?

ANNINA *näher*

Von der Bewußten.

DER BARON

Wer soll da gemeint sein?

ANNINA *ganz nahe*

Nur eigenhändig, insgeheim, zu übergeben.

DER BARON

Luft da!

Die Diener treten zurück, nehmen den Faninalschen ohne weiters die Weinkanne ab und trinken sie leer.

DER BARON

Zeig Sie den Wisch!

Reißt mit der Linken den Brief auf. Versucht ihn zu lesen, indem er ihn sehr weit von sich weghält

Such Sie in meiner Taschen meine Brillen.

Mißtrauisch, da sie sich dazu anschickt

Nein: Such Sie nicht! Kann Sie Geschriebnes lesen?

Da.

ANNINA *nimmt und liest*

»Herr Kavalier! Den Sonntagabend hätt i frei.
Sie ham mir schon gefallen, nur geschamt
hab i mi vor die Fürstli'n Gnadn
weil i noch gar so jung bin. Das bewußte Mariandel,
Kammerzofel und Verliebte.
Wenn der Herr Kavalier den Nam nit schon vergessn hat.
I wart auf Antwort.«

DER BARON

Sie wart auf Antwort.
Geht alles recht am Schnürl, so wie zu Haus,
und hat noch einen andern Schick dazu.
Ich hab halt schon einmal ein lerchenauisch Glück.
Komm Sie nach Tisch, geb Ihr die Antwort nachher schriftlich.

ANNINA

Ganz zu Befehl, Herr Kavalier. Vergessen nicht der Botin?

DER BARON *vor sich*

»Ohne mich, ohne mich jeder Tag dir so bang.«

ANNINA *dringlicher*
Vergessen nicht der Botin, Euer Gnadn?

DER BARON
Schon gut.
»Mit mir, mit mir keine Nacht dir zu lang.«
Das später. Alls auf einmal. Dann zum Schluß.
Sie wart auf Antwort! Tret Sie ab indessen.
Schaff Sie ein Schreibzeug in mein Zimmer. Hier dort drüben,
daß ich die Antwort dann diktier.
Annina ab.

DER BARON *noch einen letzten Schluck, im Abgehen von seinen Leuten begleitet, behaglich*
»Mit mir, mit mir keine Nacht dir zu lang!«

Vorhang.

DRITTER AKT

Ein Extrazimmer in einem Gasthaus. Im Hintergrunde links ein Alkoven, darin ein Bett. Der Alkoven durch einen Vorhang verschließbar, der sich auf- und zuziehen läßt. Vorne rechts Türe ins Nebenzimmer. Rechts steht ein für zwei Personen gedeckter Tisch, auf diesem ein großer, vielarmiger Leuchter. In der Mitte rückwärts Türe auf den Korridor. Daneben links ein Büfett. Rechts rückwärts ein blindes Fenster, vorne links ein Fenster auf die Gasse. Armleuchter mit Kerzen auf den Seitentischen sowie an den Wänden. Es brennt nur je eine Kerze in den Leuchtern auf den Seitentischen. Das Zimmer halbdunkel.

Annina steht da, als Dame in Trauer gekleidet. Valzacchi richtet Annina den Schleier, zupft da und dort das Kleid zurecht, tritt zurück, mustert sie, zieht einen Crayon aus der Tasche, untermalt ihr die Augen. Die Türe rechts wird vorsichtig geöffnet, ein Kopf erscheint, verschwindet wieder, dann kommt eine nicht ganz unbedenklich aussehende, aber ehrbar gekleidete Alte durch die rückwärtige Tür hereingeschlüpft, öffnet lautlos die Tür und läßt respektvoll Octavian eintreten, in Frauenkleidern, mit einem Häubchen, wie es die Bürgerstöchter tragen.

Octavian, hinter ihm die Alte, gehen auf die beiden anderen zu, werden sogleich von Valzacchi bemerkt, der in seiner Arbeit innehält und sich vor Octavian verneigt. Annina erkennt nicht sofort den Verkleideten, sie kann sich vor Staunen nicht fassen, knixt dann tief. Octavian greift in die Tasche (nicht wie eine Dame, sondern wie ein Herr, und man sieht, daß er unter dem Reifrock Männerkleider und Reitstiefel an hat, aber ohne Sporn) und wirft Valzacchi eine Börse zu.

Valzacchi und Annina küssen ihm die Hände, Annina richtet noch an Octavians Brusttuch. Indessen sind fünf verdächtige Herren unter Vorsichtsmaßregeln von rechts eingetreten. Valzacchi bedeutet sie mit einem Wink, zu warten. Sie stehen rechts nahe der Türe. Valzacchi zieht seine Uhr, zeigt Octavian: es ist hohe Zeit. Octavian geht eilig durch die Mitteltüre ab, gefolgt von der Alten, die als seine Begleiterin figuriert. Annina geht zum Spiegel (alles mit Vorsicht, jedes Geräusch vermeidend), arrangiert sich noch, zieht dann einen Zettel hervor, woraus sie ihre Rolle zu lernen scheint. Valzacchi nimmt die Verdächtigen nach vorne, indem er mit jeder Gebärde die Notwendig-

keit höchster Vorsicht andeutet. Die Verdächtigen folgen ihm auf den Zehen nach der Mitte. Er bedeutet ihrer einen, ihm zu folgen: lautlos, ganz lautlos. Führt ihn an die Wand rechts, öffnet lautlos eine Falltür unfern des gedeckten Tisches, läßt den Mann hinabsteigen, schließt wieder die Falltür. Dann winkt er zwei zu sich, schleicht ihnen voran bis an die Eingangstüre, steckt den Kopf heraus, vergewissert sich, daß niemand zusieht, winkt die zwei zu sich, läßt sie dort hinaus. Dann schließt er die Türe, führt die beiden letzten leise an die Tür zum Nebenzimmer vorne, schiebt sie hinaus. Winkt Annina zu sich, geht mit ihr leise links ab, die Türe lautlos hinter sich schließend. Nach einem Augenblick kommt er wieder herein: klatscht in die Hände. Der eine Versteckte hebt sich mit halbem Leib aus dem Boden hervor. Zugleich erscheinen ober dem Bett und an anderen Stellen Köpfe und verschwinden sogleich wieder, die geheimen Schiebtüren schließen sich ohne Geräusch. Valzacchi sieht abermals nach der Uhr, geht nach rückwärts, öffnet die Eingangstür, dann zieht er ein Feuerzeug hervor, beginnt eifrig die Kerzen auf dem Tisch anzuzünden. Ein Kellner und ein Kellnerjunge kommen durch die Mitteltüre gelaufen mit zwei Stöcken zum Kerzenanzünden und einer kleinen Leiter. Entzünden die Leuchter auf den Seitentischen, dann die zahlreichen Wandarme. Sie haben die Türe hinter sich offengelassen, man hört aus einem anderen Zimmer Tanzmusik spielen. Valzacchi eilt zur Mitteltür, öffnet dienstbeflissen auch den zweiten Flügel, springt unter Verneigung zur Seite.
Baron Ochs erscheint, den Arm in der Schlinge, Octavian mit der linken führend, hinter ihm der Leiblakai. Baron mustert den Raum. Octavian sieht herum, nimmt den Spiegel, richtet sein Haar. Baron bemerkt den Kellner und Kellnerjungen, die noch mehr Kerzen anzünden wollen, winkt ihnen, sie sollten es sein lassen. In ihrem Eifer bemerken sie es nicht.
Baron, ungeduldig, reißt den Kellnerjungen von der Leiter, löscht einige ihm zunächst brennende Kerzen mit der Hand aus. Valzacchi zeigt dem Baron diskret den Alkoven und durch eine Spalte des Vorhanges das Bett. Der Wirt mit noch mehreren Kellnern eilt herbei, den vornehmen Gast zu begrüßen.

WIRT
Haben Euer Gnaden weitere Befehle?

DIE KELLNER
Befehlen mehr Lichter? Ein größeres Zimmer? Befehlen noch mehr Silber auf den Tisch?

DER BARON *eifrig beschäftigt, mit einer Serviette, die er vom Tisch genommen und entfaltet hat, alle ihm erreichbaren Kerzen auszulöschen*

Verschwindts! Macht mir das Madel nicht verruckt!
Was will die Musik? Hab sie nicht bestellt.

WIRT

Schaffen vielleicht, daß man sie näher hört?
Im Vorsaal da, als Tafelmusik.

DER BARON

Laß Er die Musik wo sie ist.
Bemerkt das Fenster rechts rückwärts im Rücken des gedeckten Tisches
Was is das für ein Fenster da?
Probiert, ob es hereinzieht.

WIRT

Ein blindes Fenster nur.
Verneigt sich
Darf aufgetragen werdn?
Alle fünf Kellner wollen abeilen.

DER BARON

Halt, was wollen die Maikäfer da?

DIE KELLNER *an der Tür*

Servieren, Euer Gnaden!

DER BARON *winkt ab*

Brauch niemand nicht. Servieren wird mein Kammerdiener da,
einschenken tu ich selber. Versteht Er?
Valzacchi bedeutet sie, den Willen Seiner Gnaden wortlos zu respektieren.
Schiebt sie zur Tür hinaus.

DER BARON *zu Valzacchi, indem er aufs neue eine Anzahl von Kerzen auslöscht, darunter mit einiger Mühe die hoch an der Wand brennenden*

Er ist ein braver Kerl. Wenn Er mir hilft, die Rechnung
runterdrucken,
dann fallt was ab für Ihn. Kost' sicher hier ein Martergeld.
Valzacchi unter Verneigung ab.
Octavian ist nun fertig.
Baron führt ihn zu Tisch, sie setzen sich.
Der Lakai am Büfett sieht mit unverschämter Neugierde der Entwicklung des Tete-a-tete entgegen, stellt Karaffen mit Wein vom Büfett auf den Eßtisch.
Baron schenkt ein. Octavian nippt. Baron küßt Octavian die Hand. Octavian entzieht ihm die Hand. Baron winkt dem Lakaien abzugehen, muß es mehrmals wiederholen, bis der Lakai endlich geht.

OCTAVIAN *schiebt sein Glas zurück*
Nein, nein, nein, nein! I trink kein Wein.

DER BARON
Geh, Herzerl, was denn? Mach doch keine Faxen.

OCTAVIAN
Nein, nein, i bleib net da.
Springt auf, tut, als wenn er fort wollte.

DER BARON *packt ihn mit seiner Linken*
Sie macht mich deschparat.

OCTAVIAN
Ich weiß schon, was Sie glauben! O Sie schlimmer Herr!

DER BARON *sehr laut*
Saperdipix! Ich schwör bei meinem Schutzpatron!

OCTAVIAN *tut sehr erschrocken, läuft, als ob er sich irrte, statt zur Ausgangstür gegen den Alkoven, reißt den Vorhang auseinander, erblickt das Bett. Gerät in übermäßiges Staunen, kommt ganz betroffen auf den Zehen zurück*
Jesus Maria, steht a Bett drin, a mordsmäßig großes.
Ja mei, wer schlaft denn da?

DER BARON *führt ihn zurück an den Tisch*
Das wird Sie schon sehen. Jetzt komm Sie, setz Sie sich schön.
Kommt gleich der mitn Essen, Hat Sie denn kein' Hunger nicht?
Legt ihm die Linke um die Taille.

OCTAVIAN
Au weh, wo Sie ja doch ein Bräutigam tun sein.
Wehrt ihn ab.

DER BARON
Ah laß Sie schon einmal das fade Wort!
Sie hat doch einen Kavalier vor sich
und keinen Seifensieder:
Ein Kavalier läßt alles,
was ihm nicht konveniert,
da draußen vor der Tür. Hier sitzt kein Bräutigam
und keine Kammerjungfer nicht.
Hier sitzt mit seiner Allerschönsten ein Verliebter beim Souper.
Zieht ihn zu sich.
Octavian lehnt sich kokett in den Sessel zurück, mit halbgeschlossenen Augen.

DER BARON *erhebt sich, der Moment für den ersten Kuß scheint ihm gekommen. Wie sein Gesicht dem der Partnerin ganz nahe ist, durchzuckt ihn jäh die Ähnlichkeit mit Octavian. Er fährt zurück und greift unwillkürlich nach dem verwundeten Arm*

Is ein Gesicht! Verfluchter Bub!
Verfolgt mich als a Wacher und im Traum!

Octavian öffnet die Augen, blickt ihn frech und kokett an. Baron, nun wieder versichert, daß es die Zofe ist, zwingt sich zu einem Lächeln. Aber der Schreck ist ihm nicht ganz aus den Gliedern. Er muß Luft schöpfen, und der Kuß bleibt aufgeschoben. Der Mann unter der Falltür öffnet zu früh und kommt zum Vorschein. Octavian, der ihm gegenübersitzt, winkt ihm eifrig zu verschwinden. Der Mann verschwindet sofort. Baron, der, um den unangenehmen Eindruck von sich abzuschütteln, ein paar Schritte getan hat und sie von rückwärts umschlingen und küssen will, sieht gerade noch den Mann. Er erschrickt heftig, zeigt hin.

OCTAVIAN *als verstünde er nicht*

Was ist mit Ihm?

DER BARON *auf die Stelle deutend, wo die Erscheinung verschwunden ist*

Was war denn das? Hat Sie den nicht gesehn?

OCTAVIAN

Da is ja nix!

DER BARON

Da is nix?
Nun wieder ihr Gesicht angstvoll musternd
So?
Und da is auch nix?
Fährt mit der Hand über ihr Gesicht.

OCTAVIAN

Da is mei G'sicht.

DER BARON *atmet schwer, schenkt sich ein Glas Wasser ein*

Da is Ihr Gsicht – und da is nix – mir scheint,
ich hab die Kongestion.
Setzt sich schwer, es ist ihm ängstlich zumute. Der Lakai kommt, serviert. Die Musik von draußen stärker.

OCTAVIAN

Die schöne Musik!

DER BARON *wieder sehr laut*

Is mei Leiblied, weiß Sie das?
Winkt dem Lakaien abzugehen, Lakai geht.

OCTAVIAN *horcht auf die Musik*
Da muß ma weinen.

DER BARON
Was?

OCTAVIAN
Weils gar so schön is.

DER BARON
Was, weinen? Wär nicht schlecht.
Kreuzlustig muß Sie sein, die Musik geht ins Blut.
Gspürt Sies jetzt
auf die letzt, gspürt Sies dahier,
daß Sie aus mir
kann machen alles frei, was Sie nur will?

OCTAVIAN *zurückgelehnt, wie zu sich selbst sprechend, mit unmäßiger Traurigkeit*
Es is ja eh alls eins, es is ja eh alls eins,
was ein Herz auch noch so gach begehrt.
Indes der Baron ihre Hand faßt
Na was willst denn halt, so mit aller Gwalt,
geh, es is ja alls net drumi wert.

DER BARON
Was hat Sie? Is sehr wohl der Müh wert!

OCTAVIAN *immer gleich melancholisch*
Wie die Stund hingeht, wie der Wind verweht,
so sind wir bald alle zwei dahin.
Menschen sein ma halt, richt'ns nicht mit Gwalt,
weint uns niemand nach, net dir net und net mir.

DER BARON
Macht Sie der Wein leicht immer so? Is ganz gewiß Ihr Mieder, das aufs Herz Ihr druckt.

Octavian mit geschlossenen Augen gibt keine Antwort.

DER BARON *steht auf und will ihr aufschnüren*
Jetzt wirds frei mir ein bisserl heiß.
Schnell entschlossen nimmt er seine Perücke ab und sucht sich einen Platz, sie abzulegen. Indem erblickt er ein Gesicht, das sich über dem Alkoven zeigt und ihn anstarrt. Das Gesicht verschwindet gleich wieder. Er sagt sich: Kongestionen! und verscheucht sich den Schrecken, muß sich aber doch die Stirne abwischen. Sieht nun wieder die Zofe willenlos, wie mit gelösten

Gliedern, dasitzen. Das ist stärker als alles, und er nähert sich ihr zärtlich. Da meint er wieder das Gesicht Octavians ganz nahe dem seinigen zu erkennen, und er fährt abermals zurück. Mariandl rührt sich kaum. Abermals verscheucht der Baron sich den Schreck, zwingt Munterkeit in sein Gesicht zurück, da fällt sein Auge von neuem auf einen fremden Kopf, welcher aus der Wand hervorstarrt. Nun ist er maßlos geängstigt, er schreit dumpf auf, ergreift die Tischglocke und schwingt sie wie rasend.

Da, da, da, da!

Plötzlich springt das angeblich blinde Fenster auf, Annina in schwarzer Trauerkleidung erscheint und zeigt mit ausgestreckten Armen auf den Baron.

DER BARON *außer sich vor Angst*

Da, da, da, da!

Sucht sich den Rücken zu decken.

ANNINA

Er ists! Es ist mein Mann! Er ist es!

Verschwindet.

DER BARON *angstvoll*

Was ist denn das?

OCTAVIAN

Das Zimmer ist verhext!

Schlägt ein Kreuz.

ANNINA *gefolgt von dem Intriganten, der sie scheinbar abzuhalten sucht, vom Wirt und von drei Kellnern, stürzt zur Mitteltür herein; sie bedient sich des böhmisch-deutschen Akzents, aber gebildeter Sprechweise*

Es ist mein Mann, ich leg Beschlag auf ihn!
Gott ist mein Zeuge, Sie sind meine Zeugen!
Gerichte! Hohe Obrigkeit! Die Kaiserin
muß ihn mir wiedergeben!

DER BARON *zum Wirt*

Was will das Weibsbild da von mir, Herr Wirt?
Was will der dort und der und der?

Zeigt nach allen Richtungen

Der Teufel frequentier sein gottverfluchtes Extrazimmer.

ANNINA

Er wagt mich zu verleugnen, ah!
Er tut, als ob er mich nicht täte kennen.

DER BARON *hat sich eine kalte Kompresse auf den Kopf gelegt, hält sie mit der*

Linken fest, geht dann dicht auf die Kellner, den Wirt, zuletzt auf Annina zu, mustert sie ganz scharf, um sich über ihre Realität klarzuwerden. Vor Annina
Is auch lebendig!
Wirft die Kompresse weg. Sehr bestimmt
Ich hab wahrhaftigen Gott das Möbel nie gesehn!

ANNINA *klagenden Tons*
Aah!

DER BARON *zum Wirt*
Debarassier Er mich und laß Er fortservieren.
Ich hab Sein Beisl heut zum letztenmal betreten.

ANNINA *als entdeckte sie erst jetzt die Gegenwart Octavians*
Aah! Es ist wahr, was mir berichtet wurde,
er will ein zweites Mal heiraten, der Infame,
ein zweites unschuldiges Mädchen, so wie ich es war.

DER WIRT, DIE KELLNER
Oh, Euer Gnaden!

DER BARON
Bin ich in einem Narrnturm? Kreuzelement!
Schüttelt kräftig mit der Linken Valzacchi, der ihm zunächst steht
Bin ich der Baron Lerchenau oder bin ich es nicht?
Fährt mit dem Finger ins Licht
Is das ein Kerzl, is das ein Serviettl?
Schlägt mit der Serviette durch die Luft
Bin ich bei mir?

ANNINA
Ja, ja, du bist es, und so wahr als du es bist,
bin ich es auch, und du erkennst mich wohl,
Leupold Anton von Lerchenau,
bedenkt, dort oben ist ein Höherer,
der deine Schlechtigkeit durchschaut und richten wird.

DER BARON *starrt sie fassungslos an. Für sich*
Kommt mir bekannt vor.
Sieht wieder auf Octavian
Habn doppelte Gesichter, alle miteinander.
Sieht angstvoll nach den Stellen in der Wand und im Fußboden
Is was los mit mir, was Fürchterliches!
Geht wie verloren ganz nach vorne an die Rampe.

DIE KELLNER *dumpf*
Die arme Frau, die arme Frau Baronin!
ANNINA
Kinder! herein! und hebts die Hände auf zu ihm!
Vier Kinder zwischen vier und zehn Jahren stürzen herein und auf Anninas Wink auf den Baron zu.
DIE KINDER *durchdringend*
Papa! Papa! Papa!
ANNINA
Hörst du die Stimme deines Bluts!?
DER BARON *schlägt wütend mit einer Serviette, die er vom Tisch reißt, nach ihnen.*
Debarassier Er mich von denen da,
von der, von dem, von dem, von dem!
Zeigt nach allen Richtungen.
WIRT *im Rücken des Barons leise*
Halten zu Gnaden, gehen nicht zu weit,
Könnten recht bitter-böse Folgen von der Sach gespüren.
DER BARON
Was? Ich was gspüren? Von dem Möbel da?
Habs nie nicht angerührt, nicht mit der Feuerzang!
ANNINA *schreit klagend auf*
Aah!
WIRT *wie oben*
Die Bigamie ist halt kein Gspaß – ist – haben schon die Gnad – ein Kapitalverbrechen!
VALZACCHI *sich ebenfalls an den Baron heranschleichend*
Ik rat Euer Gnadn, seien vorsicktig!
Die Sittenpolizei sein gar nit tolerant!
DER BARON *in Wut*
Die Bigamie? Nit tolerant? Papa, Papa, Papa?
Greift sich an den Kopf
Schmeiß Er hinaus das Trauerpferd! Wer? Was? Er will nicht?
Was? Polizei! Die Lackln wolln nicht? Spielt das Gelichter
leicht alles unter einem Leder gegen meiner?
Sein wir in Frankreich? Sein wir unter die Kurutzen?
Oder in Kaiserlicher Hauptstadt? Polizei!
Reißt das Gassenfenster auf

Herauf da, Polizei! Gilt Ordnung herzustellen
und einer Standsperson zu Hilf zu eilen.

WIRT

Mein renommiertes Haus! Das muß mein Haus erleben!

DIE KINDER

Papa! Papa! Papa!

Valzacchi indessen leise zu Octavian.

OCTAVIAN *leise*

Ist gleich wer fort, den Faninal zu holen?

VALZACCHI

Sogleich in Anfang. Wird sogleich zur Stelle sein.

STIMMEN VON AUSSEN *dumpf*

Die Polizei, die Polizei!

Kommissarius und zwei Wächter treten auf. Alles rangiert sich, ihnen Platz zu machen.

VALZACCHI *zu Octavian leise*

O weh, was macken wir?

OCTAVIAN

Verlaß Er sich auf mich und laß Ers gehn wies geht.

VALZACCHI

Zu Euer Exzellenz Befehl!

KOMMISSARIUS *scharf*

Halt! Keiner rührt sich! Was ist los?
Wer hat um Hilf geschrien? Wer hat Skandal gemacht?

DER BARON *auf ihn zu, mit der Sicherheit des großen Herrn*

Is alls in Ordnung jetzt. Bin mit Ihm wohl zufrieden.
Hab gleich verhofft, daß in der Wienerstadt alls wie am Schnürl geht.
Schaff Er mir da das Pack vom Hals; ich will in Ruh soupieren.

KOMMISSARIUS

Wer ist der Herr? Was gibt dem Herrn Befugnis?
Ist Er der Wirt?

Baron sperrt den Mund auf.

KOMMISSARIUS *scharf*

Dann halt Er sich gefällig still
und wart Er, bis man Ihn vernehmen wird.

Der Baron retiriert sich etwas perplex, beginnt nach seiner Perücke zu suchen, die in dem Tumult abhanden gekommen ist und unauffindbar bleibt.

KOMMISSARIUS *nimmt Platz, die zwei Wächter nehmen hinter ihm Stellung*
Wo ist der Wirt?

WIRT *devot*
Mich dem Herrn Oberkommissarius schönstens zu
rekommandieren.

KOMMISSARIUS
Die Wirtschaft da rekommandiert Ihn schlecht!
Bericht Er jetzt.

WIRT
Herr Oberkommissar!

KOMMISSARIUS
Ich will nicht hoffen, daß Er mir mit Leugnen kommt.

WIRT
Herr Kommissarius!

KOMMISSARIUS
Vom Anfang!

WIRT
Da hier, der Herr Baron!

KOMMISSARIUS
Der große Dicke da? Wo hat er sein Paruckl?

DER BARON *der die ganze Zeit gesucht hat*
Das frag ich Ihn!

WIRT
Das ist der Herr Baron von Lerchenau!

KOMMISSARIUS
Genügt nicht.

DER BARON
Was?

KOMMISSARIUS
Hat Er Personen nahebei?
Die für Ihn Zeugnis geben?

DER BARON
Gleich bei der Hand! Da, hier mein Sekretär, ein Italiener.

VALZACCHI *wechselt mit Octavian einen Blick des Einverständnisses*
Ich excusier mick. Ick weiß nix. Die Herr
kann sein Baron, kann sein auch nit. Ick weiß von nix.

DER BARON *außer sich*
Das ist doch stark, wällischer Bruder, falscher!

*Geht mit erhobener Linken auf ihn los. [Leiblakai ist sehr betreten über die Situation. Jetzt scheint er einen rettenden Einfall zu haben und stürzt plötzlich zur Mitteltür fort, ab.]**

KOMMISSARIUS *zum Baron scharf*
Fürs erste moderier Er sich.
Wächter springt vor, hält den Baron zurück.

OCTAVIAN *der bisher ruhig rechts gestanden, tut nun, als ob er, in Verzweiflung hin- und herirrend, den Ausweg nicht fände, und das Fenster für eine Ausgangstür hält*
O mein Gott, in die Erdn möcht ich sinken!
Heilige Mutter von Maria Taferl!

KOMMISSARIUS
Wer ist dort die junge Person?

DER BARON
Die? Niemand. Sie steht unter meiner Protektion!

KOMMISSARIUS
Er selber wird bald eine Protektion sehr nötig haben.
Wer ist das junge Ding, was macht sie hier?
Blickt um sich
Ich will nicht hoffen, daß Er ein gottverdammter Deboschierer
und Verführer ist. Da könnts Ihm schlecht ergehn.
Wie kommt Er zu dem Mädel? Antwort will ich.

OCTAVIAN
Ich geh ins Wasser!
Rennt gegen den Alkoven, wie um zu flüchten, und reißt den Vorhang auf, so daß man das Bett friedlich beleuchtet dastehen sieht.

KOMMISSARIUS *erhebt sich*
Herr Wirt, was seh ich da?
Was für ein Handwerk treibt denn Er?

WIRT *verlegen*
Wenn ich Personen von Stand zum Speisen oder Nachtmahl hab –

KOMMISSARIUS
Halt Er den Mund. Ich nehm Ihn später vor.
Zum Baron
Jetzt zähl ich noch bis drei, dann will ich wissen,
wie Er da zu dem jungen Bürgermädchen kommt.

* [...] Nur in der Partitur enthalten.

Ich will nicht hoffen, daß Er sich einer falschen Aussag wird unterfangen.

Wirt und Valzacchi deuten dem Baron durch Gebärden die Gefährlichkeit der Situation und die Wichtigkeit seiner Aussage an.

DER BARON *winkt ihnen mit großer Sicherheit, sich auf ihn zu verlassen, er sei kein heuriger Has*

Wird wohl kein Anstand sein bei Ihm, Herr Kommissar,
wenn eine Standsperson mit seiner ihm verlobten Braut
um neune abends ein Souper einnehmen tut.

Blickt um sich, die Wirkung seiner schlauen Aussage abzuwarten.

KOMMISSARIUS

Das wäre Seine Braut? Geb Er den Namen an
vom Vater unds Logis; wenn Seine Angab stimmt,
mag Er sich mit der Jungfer retirieren.

DER BARON

Ich bin wahrhaftig nicht gewöhnt, in dieser Weise –

KOMMISSARIUS *scharf*

Mach Er die Aussag oder ich zieh andre Saiten auf.

DER BARON

Werd nicht manquieren. Ist die Jungfer Faninal
Sophia, Anna Barbara, eheliche Tochter
des wohlgeborenen Herrn von Faninal,
wohnhaft am Hof im eigenen Palais.

An der Tür haben sich Gasthofpersonal, andere Gäste, auch einige der Musiker aus dem anderen Zimmer neugierig angesammelt.
Herr von Faninal drängt sich durch sie durch, eilig, aufgeregt, in Hut und Mantel

FANINAL

Zur Stell! Was wird von mir gewünscht?
Auf den Baron zu
Wie sieht Er aus?
War mir vermutend nicht, zu dieser Stunde
in ein gemeines Beisl depeschiert zu werdn!

DER BARON *sehr erstaunt und unangenehm berührt*

Wer hat Ihn hierher depeschiert? In des Dreiteufels Namen?

FANINAL *halblaut zu ihm*

Was soll mir die saudumme Frag, Herr Schwiegersohn?
Wo Er mir schier die Tür einrennen läßt mit Botschaft,

ich soll sehr schnell herbei und Ihn in einer üblen Lage soutenieren,
in die Er unverschuldeterweis geratn ist!
Baron greift sich an den Kopf.

KOMMISSARIUS
Wer ist der Herr? Was schafft der Herr mit Ihm?

DER BARON
Nichts von Bedeutung. Is bloß ein Bekannter,
hält sich per Zufall hier im Gasthaus auf.

KOMMISSARIUS
Der Herr geb seinen Namen an!

FANINAL
Ich bin der Edle von Faninal.

KOMMISSARIUS
Somit ist dies der Vater –

DER BARON *stellt sich dazwischen, deckt Octavian vor Faninals Blick, eifrig*
Beileib gar nicht die Spur. Ist ein Verwandter,
ein Bruder, ein Neveu! Der wirkliche
ist noch einmal so dick!

FANINAL
Was geht hier vor? Wie sieht Er aus? Ich bin der Vater, freilich!

DER BARON *will ihn fort haben*
Das weitere findet sich, verzieh Er sich.

FANINAL
Ich muß schon bitten –

DER BARON
Fahr Er heim in Teufels Namen.

FANINAL
Mein Nam und Ehr in einem solchen Händel zu melieren,
Herr Schwiegersohn!

DER BARON *versucht ihm den Mund zuzuhalten, zum Kommissarius*
Ist eine idée fixe!
Benennt mich also nur im Gspaß!

KOMMISSARIUS
Ja, ja, genügt schon. Er erkennt demnach
Zu Faninal
in diesem Herrn hier Seinen Schwiegersohn?

FANINAL
Sehr wohl! Wieso sollt ich ihn nicht erkennen?
Leicht weil er keine Haar nicht hat?

KOMMISSARIUS *zum Baron*

Und Er erkennt nunmehr wohl auch in diesem Herrn
wohl oder übel Seinen Schwiegervater?

DER BARON *nimmt den Leuchter vom Tisch, beleuchtet sich Faninal genau*

Soso, lala! Ja, ja, wird schon derselbe sein.
War heut den ganzen Abend gar nicht recht beinand.
Kann meinen Augen heut nicht traun. Muß Ihm sagen,
liegt hier was in der Luft, man kriegt die Kongestion davon.

KOMMISSARIUS *zu Faninal*

Dagegen wird von Ihm die Vaterschaft
zu dieser Ihm verbatim zugeschobenen Tochter
geleugnet?

FANINAL *bemerkt jetzt erst Octavian*

Meine Tochter? Da der Fetzen
gibt sich für meine Tochter aus?

DER BARON *gezwungen lächelnd*

Ein Gspaß! Ein purer Mißverstand! Der Wirt
hat dem Herrn Kommissarius da was vorerzählt
von meiner Brautschaft mit der Faninalischen.

WIRT *aufgeregt*

Kein Wort! Kein Wort, Herr Kommissarius! Laut eigner Aussag –

FANINAL *außer sich*

Das Weibsbild arretieren! Kommt an Pranger!
Wird ausgepeitscht! Wird eingekastelt in ein Kloster!
Ich – ich –

DER BARON

Fahr Er nach Haus, – auf morgen in der Früh!
Ich klär Ihm alles auf. Er weiß, was Er mir schuldig ist.

FANINAL *außer sich vor Wut*

Laut eigner Aussag! Meine Tochter soll herauf!
Sitzt unten in der Tragchaise! Im Galopp herauf!
Einige rückwärts gehen.
Das zahlt Er teuer! Bring Ihn vors Gericht!

DER BARON

Jetzt macht Er einen rechten Palawatsch
für nichts und wieder nichts! Ghört ein' Roßgeduld dazu
für einen Kavalier, Sein Schwiegersohn zu sein.
Schüttelt den Wirt

Meine Perückn will ich sehn!
Im wilden Herumfahren, um die Perücke zu suchen, faßt er einige der Kinder an und stößt sie zur Seite

DIE KINDER *automatisch*
Papa! Papa! Papa!

FANINAL *fährt zurück*
Was ist denn das?

DER BARON *findet im Suchen wenigstens seinen Hut, schlägt mit dem Hut nach den Kindern*
Gar nix, ein Schwindel! Kenn nit das Bagagi!
Sie sagt, daß sie verheirat war mit mir.
Käm zu der Schand so wie der Pontius ins Credo!
Sophie kommt im Mantel, man macht ihr Platz. An der Tür sieht man die Faninalschen Bedienten, die linke Tragstange der Sänfte haltend. Baron sucht die Kahlheit seines Kopfes vor Sophie mit dem Hut zu beschatten.

VIELE STIMMEN *indes Sophie auf ihren Vater zugeht*
Da ist die Braut! Oh, was für ein Skandal!

FANINAL *zu Sophie*
Da schau dich um! Da hast du den Herrn Bräutigam!
Da die Famili von dem saubern Herrn.
Die Frau mitsamt die Kinder! Da das Weibsbild
ghört linker Hand dazu. Nein, das bist du, laut eigner Aussag.
Möchtst in die Erdn sinken, was? Ich auch!

SOPHIE
Bin herzensfroh, seh ihn mitnichten an dafür.

FANINAL
Sieht ihn nicht an dafür! Sieht ihn nicht an dafür!
Mein schöner Nam! Die ganze Wienerstadt! Die schwarze Zeitung!
Zerreißen sich die Mäuler bis hinauf
zu Kaiserlicher Antecamera! I trau mi nimmer übern Grab'n!
Kein Hund nimmt mehr ein Stückl Brot von mir.
Er ist dem Weinen nahe.

DIE KÖPFE *in der Wand und aus dem Erdboden auftauchend, dumpf*
Der Skandal! Der Skandal!
Für den Herrn von Faninal!
Verschwinden wieder, man hört noch dumpf aus der Erde und den Wänden klingen
Der Skandal! Der Skandal!

FANINAL

Da! Aus dem Keller! Aus der Luft! Die ganze Wienerstadt!

Auf den Baron zu, mit geballter Faust

Oh, Er Filou! Mir wird nicht gut! Ein' Sessel!

Bediente springen hinzu, fangen ihn auf.

Sophie ist angstvoll um ihn bemüht. Wirt springt gleichfalls hinzu. Sie nehmen ihn auf und tragen ihn ins Nebenzimmer. Mehrere Kellner, den Weg weisend, die Tür öffnend, voran.

Baron wird in diesem Augenblick seiner Perücke ansichtig, die wie durch Zauberhand wieder zum Vorschein gekommen ist; stürzt darauf los, stülpt sie sich auf und gibt ihr den richtigen Sitz. Mit dieser Veränderung gewinnt er seine Haltung so ziemlich wieder, begnügt sich aber, Annina und den Kindern, deren Gegenwart ihm trotz allem nicht geheuer ist, den Rücken zu kehren. Hinter Herrn von Faninal und seiner Begleitung hat sich die Tür rechts geschlossen. Wirt und Kellner kommen bald darauf leise wieder heraus, holen Medikamente, Karaffen mit Wasser und anderes, das in die Tür getragen und von Sophie in der Türspalte übernommen wird.

DER BARON *nunmehr mit dem alten Selbstgefühl auf den Kommissarius zu*

Sind nunmehr wohl im klaren. Ich zahl, ich geh!

Zu Octavian

Ich führ Sie jetzt nach Haus.

KOMMISSARIUS

Da irrt Er sich. Mit Ihm jetzt weiter im Verhör!

Auf den Wink des Kommissarius entfernen die beiden Wächter alle übrigen Personen aus dem Zimmer, nur Annina mit den Kindern bleibt an der linken Wand stehen.

DER BARON

Laß Ers jetzt gut sein. War ein Gspaß. Ich sag Ihm später, wer das Mädel ist!

Geb Ihm mein Wort, i heirat sie wahrscheinlich noch einmal.

Da hinten, dort, das Glumpert is schon stad.

Da sieht Er, wer ich bin und wer ich nicht bin!

Macht Miene, Octavian abzuführen.

OCTAVIAN *macht sich los*

I geh nit mit dem Herrn!

DER BARON *halblaut*

I heirat Sie, verhalt Sie sich mit mir.

Sie wird noch Frau Baronin, so gut gfallt Sie mir!

OCTAVIAN
Herr Kommissari, i gib was zu Protokoll!
Aber der Herr Baron darf nicht zuhörn dabei.
Auf den Wink des Kommissarius drängen die beiden Wächter den Baron nach vorne rechts.
Octavian scheint dem Kommissarius etwas zu melden, was ihn sehr überrascht.

DER BARON *zu den Wächtern, familiär, halblaut auf Annina hindeutend*
Kenn nicht das Weibsbild dort, auf Ehr. War grad beim Essen!
Hab keine Ahnung, was sie will. Hätt sonst nicht selber um die Polizei geschrien! –
Der Kommissarius begleitet Octavian bis an den Alkoven. Octavian verschwindet hinter dem Vorhang. Der Kommissarius scheint sich zu amüsieren und ist den Spalten des Vorhangs in ungenierter Weise nahe.

DER BARON *sehr aufgeregt über den unerklärlichen Vorfall*
Was gschieht denn dort? Ist wohl nicht möglich das! Der Lackl!
Das heißts ihr Sittenpolizei?
Er ist schwer zu halten. Ist eine Jungfer!
Steht unter meiner Protektion. Beschwer mich,
hab da ein Wörtel dreinzureden!
Reißt sich los, will gegen das Bett hin. Sie fangen und halten ihn wieder.
Aus dem Alkoven erscheinen Stück für Stück die Kleider der Mariandel.
Der Kommissarius macht ein Bündel daraus.

DER BARON *immer aufgeregt, ringt, seine beiden Wächter loszuwerden*
Muß jetzt partout zu ihr!
Sie halten ihn mühsam, während Octavians Kopf aus einer Spalte des Vorhangs hervorsieht.

WIRT *herein*
Ihre hochfürstliche Gnaden, die Frau Fürstin Feldmarschallin!
Kellner herein, reißen die Türe auf. Zuerst werden einige Menschen in der Marschallin Livree sichtbar, rangieren sich. Marschallin tritt ein, der kleine Neger trägt ihre Schleppe.

DER BARON *hat sich von den Wächtern losgerissen, wischt sich den Schweiß von der Stirne, eilt auf die Marschallin zu*
Bin glücklich übermaßen, hab die Gnad kaum meritiert,
schätz Dero Gegenwart hier als ein Freundstück ohnegleichen.

OCTAVIAN *streckt den Kopf zwischen den Vorhängen hervor*
Marie Theres, wie kommt Sie her?
Marschallin regungslos, antwortet nicht, sieht sich fragend um.

KOMMISSARIUS *auf die Fürstin zu*
Fürstliche Gnaden, melde mich gehorsamst
als vorstädtischer Unterkommissarius.

DER BARON *gleichzeitig*
Er sieht, Herr Kommissar, die Durchlaucht haben selber sich bemüht.
Ich denk, Er weiß, woran Er ist.

MARSCHALLIN *zum Kommissar; ohne den Baron zu beachten*
Er kennt mich? Kenn ich Ihn nicht auch? Mir scheint beinah.

KOMMISSARIUS
Sehr wohl!

MARSCHALLIN
Dem Herrn Feldmarschall seine brave Ordonnanz gewest?

KOMMISSARIUS
Fürstliche Gnaden, zu Befehl!
Octavian steckt abermals den Kopf zwischen den Vorhängen hervor.

DER BARON *winkt ihm heftig, zu verschwinden, zugleich ängstlich bemüht, daß die Marschallin nichts merke. Halblaut*
Bleib Sie, zum Sakra, hinten dort!
Dann hört er, wie sich Schritte der Türe rechts vorne nähern; stürzt hin, stellt sich mit dem Rücken gegen die Türe, ist zugleich durch verbindliche Gebärden gegen die Marschallin bestrebt, seinem Gehaben den Schein völliger Unbefangenheit zu geben.
Marschallin kommt gegen rechts, mit zuwartender Miene den Baron anblickend.
Die Türe rechts wird mit Kraft geöffnet, so daß der Baron wütend zurückzutreten genötigt ist.

OCTAVIAN *als Mann halb angekleidet, tritt zwischen den Vorhängen hervor, sobald der Baron ihm den Rücken kehrt; halblaut*
War anders abgemacht! Marie Theres, ich wunder mich.
Marschallin, als hörte sie ihn nicht; den verbindlich erwartungsvollen Blick auf den Baron geheftet, der in äußerster Verlegenheit zwischen der Tür und der Marschallin seine Aufmerksamkeit teilt.
Die zwei Faninalschen Diener haben mit einiger Gewalt die Türe aufgedrückt, lassen jetzt Sophie eintreten.
Baron tritt zurück, auf dem Gipfel der Verlegenheit.

SOPHIE *ohne die Marschallin zu sehen, die ihr durch den Baron verdeckt ist*
Hab Ihm von mei'm Herrn Vater zu vermelden!

DER BARON *ihr ins Wort, halblaut*
Ist jetzo nicht die Zeit, Kreuzelement!
Kann Sie nicht warten, bis daß man Ihr rufen wird?
Meint Sie, daß ich Sie hier im Beisl präsentieren werd?
Will sie hinausschieben.
Zugleit tritt
OCTAVIAN *leise hervor, zur Marschallin, halblaut*
Das ist die Fräulein – die – um derentwillen –
MARSCHALLIN *über die Schulter zu Octavian, halblaut*
Find Ihn ein bißl empressiert, Rofrano.
Kann mir wohl denken, wer sie ist. Find sie charmant.
Octavian schlüpft zwischen die Vorhänge zurück.
SOPHIE *den Rücken an der Tür, so scharf, daß der Baron unwillkürlich einen Schritt zurückweicht*
Er wird mich keinem Menschen auf der Welt nicht präsentieren,
dieweilen ich mit Ihm auch nicht so viel zu schaffen hab.
Und mein Herr Vater laßt Ihm sagen: wenn Er allsoweit
die Frechheit sollte treiben, daß man Seine Nasen nur
erblicken tät auf hundert Schritt von unserm Stadtpalais,
so hätt Er sich die bösen Folgen selber zuzuschreiben,
das ist, was mein Herr Vater Ihm vermelden laßt.
DER BARON *außer sich, will an ihr vorbei, zur Tür hinein*
He Faninal, ich muß –
SOPHIE
Er untersteh sich nicht!
Die zwei Faninalschen Diener treten hervor, halten ihn auf, schieben ihn zurück. Sophie tritt in die Tür, die sich hinter ihr schließt.
DER BARON *gegen die Tür, brüllend*
Bin willens, alles Vorgefallene
vergeben und vergessen sein zu lassen!
MARSCHALLIN *von rückwärts an den Baron herantretend, klopft ihm auf die Schulter*
Laß Er nur gut sein und verschwind Er auf eins zwei!
DER BARON *dreht sich um, starrt sie an*
Wieso denn?
MARSCHALLIN *munter, überlegen*
Wahr Er seine dignité und fahr Er ab.
DER BARON *sprachlos*
Ich! Was?

MARSCHALLIN

Mach Er bonne mine à mauvais jeu,
so bleibt Er quasi doch noch eine Standsperson.

Der Baron starrt sie an, stumm.

Sophie ist leise wieder herausgetreten. Ihre Augen suchen Octavian.

MARSCHALLIN *zum Kommissar, der hinten rechts steht, desgleichen seine Wächter*

Er sieht, Herr Kommissar,
das Ganze war halt eine Farce und weiter nichts.

KOMMISSARIUS

Genügt mir! Retirier mich ganz gehorsamst.

Tritt ab, die beiden Wächter hinter ihm.

SOPHIE *vor sich, erschrocken*

Das Ganze war halt eine Farce und weiter nichts.

Die Blicke der beiden Frauen begegnen sich; Sophie macht der Marschallin einen verlegenen Knix.

DER BARON *zwischen Sophie und der Marschallin stehend*

Bin gar nichts willens!

MARSCHALLIN *ungeduldig, stampft auf; zu Octavian*

Mon cousin, bedeut Er ihn!

Kehrt dem Baron den Rücken.

OCTAVIAN *geht von rückwärts auf den Baron zu, sehr männlich*

Möcht Ihn sehr bitten!

DER BARON *fährt herum*

Wer! Was?

MARSCHALLIN *von links, wo sie nun steht*

Sein' Gnaden der Herr Graf Rofrano, wer denn sonst?

DER BARON *nachdem er sich Octavians Gesicht scharf in der Nähe betrachtet, mit Resignation vor sich*

Is schon aso! Hab gnug von dem Gesicht.
Sein doch nicht meine Augen schuld. Is schon ein Manndl.

Octavian steht frech und hochmütig da.

MARSCHALLIN *einen Schritt näher tretend*

War eine wienerische Maskerad und weiter nichts.

DER BARON *sehr vor den Kopf geschlagen*

Aha!

Für sich

Spieln alle unter einem Leder gegen meiner!

MARSCHALLIN *von oben herab*
Ich hätt Ihm nicht gewunschen,
daß Er mein Mariandl in der Wirklichkeit
mir hätte debauchiert!

DER BARON *wie oben, vor sich hin sinnierend*
Ha!

MARSCHALLIN *wie oben und ohne Octavian anzusehen*
Hab jetzt einen montierten Kopf gegen die Männer –
so ganz im allgemeinen!

DER BARON *allmählich der Situation beikommend*
Kreuzelement! Komm aus dem Staunen nicht heraus!
Mit einem ausgiebigen Blick, der von der Marschallin zu Octavian, von Octavian wieder zurück zur Marschallin wandert
Weiß bereits nicht, was ich von diesem ganzen qui pro quo mir denken soll!

MARSCHALLIN *mit einem langen Blick, dann mit großer Sicherheit*
Er ist, mein ich, ein Kavalier? Da wird Er sich halt gar nichts denken.
Das ist, was ich von Ihm erwart.
Pause

DER BARON *mit Verneigung und weltmännisch*
Bin von so viel Finesse charmiert, kann gar nicht sagen wie.
Ein Lerchenauer war noch nie kein Spielverderber nicht.
Einen Schritt an sie herantretend
Find deliziös das ganze qui pro quo,
bedarf aber dafür nunmehro Ihrer Protektion:
Bin willens, alles Vorgefallene
vergeben und vergessen sein zu lassen.
Pause
Eh bien, darf ich den Faninal –
Er macht Miene, an die Türe rechts zu gehen.

MARSCHALLIN *ungeduldig*
Er darf, Er darf in aller Still sich retirieren!
Baron aus allen Himmeln gefallen.

MARSCHALLIN
Versteht Er nicht, wenn eine Sach ein End hat?
Die ganze Brautschaft und Affär' und alles sonst,
was drum und dran hängt, ist mit dieser Stund vorbei.

SOPHIE *sehr betreten, für sich*
Was drum und dran hängt, ist mit dieser Stund vorbei.

DER BARON *für sich, empört, halblaut*

Mit dieser Stund vorbei! Mit dieser Stund vorbei!

MARSCHALLIN *scheint sich nach einem Stuhl umzusehen, Octavian springt hin, gibt ihr einen Stuhl. Marschallin setzt sich links, mit Bedeutung, für sich*

Is halt vorbei.

SOPHIE *rechts, vor sich, blaß*

Is halt vorbei!

Baron findet sich durchaus nicht in diese Wendung, rollt verlegen und aufgebracht die Augen.

In diesem Augenblick kommt der Mann aus der Falltür hervor.

Von rechts tritt Valzacchi ein, die Verdächtigen in bescheidener Haltung hinter ihm. Annina nimmt Witwenhaube und Schleier ab, wischt sich die Schminke weg und zeigt ihr gewöhnliches Gesicht. Dies alles zu immer gesteigertem Staunen des Barons. Der Wirt, eine lange Rechnung in der Hand, tritt zur Mitteltüre herein, hinter ihm Kellner, Musikanten, Hausknechte, Kutscher.

DER BARON *wie er sie alle erblickt, gibt sein Spiel verloren. Ruft schnell entschlossen*

Leupold, wir gehen!

Macht der Marschallin ein tiefes, aber zorniges Kompliment. Leiblakai ergreift einen Leuchter vom Tisch und will seinem Herrn voran. Annina stellt sich frech dem Baron in den Weg. Die Kinder kommen dem Baron unter die Füße. Er schlägt mit dem Hut unter sie.

DIE KINDER

Papa! Papa! Papa!

Leiblakai hat sich den Weg gegen die Türe hin gebahnt. Baron will hinter ihm durch.

DIE KELLNER

Entschuldigen Euer Gnaden,
uns gehn die Kerzen an!

DIE MUSIKANTEN

Tafelmusik über zwei Stunden.

DIE KUTSCHER

Für die Fuhr, für die Fuhr, Rösser gschunden ham ma gnua!

DER HAUSKNECHT

Sö fürs Aufsperrn, Sö, Herr Baron.

DIE KELLNER

Zwei Schock Kerzen, uns gehn die Kerzen an.

DER BARON *im Gedränge*

Platz da, zurück da, Kreuzmillion!

DIE KINDER

Papa, Papa, Papa!

Baron drängt sich mit Macht durch gegen die Ausgangstür, alle dicht um ihn in einem Knäuel.

DER HAUSKNECHT

Führagfahrn, aussagruckt, Sö, Herr Baron!

Alle sind schon in der Tür, dem Lakai wird der Armleuchter entwunden.

DIE KELLNER

Uns gehn die Kerzen an!

Stürmen nach, der Lärm verhallt. Die zwei Faninalschen Diener sind indessen links abgetreten.

SOPHIE *rechts stehend, blaß*

Mein Gott, es war nicht mehr als eine Farce.
Mein Gott, mein Gott!
Wie er bei ihr steht, und ich bin die leere Luft für ihn.

OCTAVIAN *hinter dem Stuhl der Marschallin, verlegen*

War anders abgemacht, Marie Theres, ich wunder mich.
In höchster Verlegenheit
Befiehlt Sie, daß ich – soll ich nicht – die Jungfer – der Vater –

MARSCHALLIN

Geh Er doch schnell und tu Er, was sein Herz Ihm sagt.

OCTAVIAN

Theres, ich weiß gar nicht.

MARSCHALLIN *lacht zornig*

Er ist ein rechtes Mannsbild, geh Er hin.

OCTAVIAN

Wie Sie befiehlt.
Geht hinüber.
Sophie wortlos.

OCTAVIAN *bei ihr*

Eh bien, hat Sie kein freundlich Wort für mich?
Nicht einen Blick, nicht einen lieben Gruß!

SOPHIE

Verkriech mich in ein Kloster lieber heut als morgen, so jung ich bin.
Laß Er mich gehn.

OCTAVIAN

Ich laß Sie nicht.

Faßt ihre Hand.

SOPHIE

Das sagt sich leicht.

OCTAVIAN

Ich hab Sie übermäßig lieb.

SOPHIE

Er hat mich nicht so lieb als wie Er spricht.
Vergeß Er mich.

OCTAVIAN

Ist mir um Sie und nur um Sie!

SOPHIE

Vergeß Er mich.

OCTAVIAN

Seh allweil Ihr Gesicht.

SOPHIE *schwach abwehrend*

Vergeß Er mich.

OCTAVIAN

Hab allzu lieb Ihr lieb Gesicht!

Faßt mit beiden Händen ihre beiden.

MARSCHALLIN *vor sich, gleichzeitig mit Octavian und Sophie*

Heut oder morgen oder den übernächsten Tag.
Hab ich mirs denn nicht vorgesagt?
Das alles kommt halt über jede Frau.
Hab ichs denn nicht gewußt?
Hab ich nicht ein Gelübde tan,
daß ichs mit einem ganz gefaßten Herzen
ertragen werd...
Heut oder morgen oder den übernächsten Tag.
So hat halt Gott die Welt geschaffen
und anders hat ers halt nicht können machen!

Sie wischt sich die Augen, steht auf.

SOPHIE *leise*

Die Fürstin da, sie ruft Ihn hin, so geh Er doch.

Octavian ist ein paar Schritte gegen die Marschallin hingegangen, steht jetzt zwischen beiden verlegen.

Pause

Sophie in der Tür, unschlüssig, ob sie gehen oder bleiben soll. Octavian in der Mitte, dreht den Kopf von einer zur andern. Marschallin sieht seine Verlegenheit; ein trauriges Lächeln huscht über ihr Gesicht.

SOPHIE *an der Tür*
Ich muß hinein und fragen, wies dem Vater geht.

OCTAVIAN
Ich muß jetzt etwas reden und mir verschlagts die Red.

MARSCHALLIN
Der Bub, wie er verlegen da in der Mitten steht.

OCTAVIAN *zu Sophie*
Bleib Sie um alles hier.
Zur Marschallin
Wie, hat Sie was gesagt?

SOPHIE *zugleich mit der Marschallin, vor sich*
Für nichts und wieder nichts wird sie nicht kommen sein.
Wird schon recht eine gute Freundin sein zu ihm.
Ich wollt, ich wär in meinem Kloster bliebn.
Und wüßt halt gar nichts von der ganzen Welt.

MARSCHALLIN *zugleich mit Sophie, vor sich*
Hab mirs gelobt, ihn liebzuhaben in der richtigen Weis,
daß ich selbst seine Lieb zu einer andern
noch liebhab...
Hab mirs freilich nicht gedacht,
daß es so bald mir aufgelegt sollt werden.
Sie geht hinüber zu Sophie.
Octavian tritt einen Schritt zurück.
Marschallin steht vor Sophie, sieht sie prüfend, aber gütig an.
Sophie in Verlegenheit, knixt.

MARSCHALLIN
So schnell hat Sie ihn gar so lieb?

SOPHIE
Ich weiß nicht, was Euer Gnaden meinen mit der Frag.

MARSCHALLIN
Ihr blaß Gesicht gibt schon die rechte Antwort drauf.

SOPHIE
Wär gar kein Wunder, wenn ich blaß bin, Euer Gnaden.
Hab einen großen Schreck erlebt mit dem Herrn Vater.
Gar nicht zu reden vom gerechten Emportement
gegen den skandalösen Herrn Baron.

MARSCHALLIN

Red Sie nur nicht zuviel, Sie ist ja hübsch genug.
Gegen den Herrn Papa sein Übel weiß ich etwa eine Medizin.
Und für die Blässe weiß vielleicht mein Vetter da die Medizin.

OCTAVIAN

Marie Theres, wie gut Sie ist!
Marie Theres, ich weiß gar nicht –

MARSCHALLIN *mit einem undefinierbaren Ausdruck*

Ich weiß auch nix.
Gar nix.
Winkt ihm zurückzubleiben.

OCTAVIAN

Marie Theres!
Marschallin bleibt in der Tür stehen. Octavian steht ihr zunächst, Sophie weiter rechts.

MARSCHALLIN *zugleich mit Octavian und Sophie, aber ohne die beiden anzusehen*

Es sind die mehreren Dinge auf der Welt
so, daß sie eins nicht glauben tät,
wenn man sie möcht erzählen hören.
Alleinig wers erlebt, der glaubt daran und weiß nicht wie...
Da steht der Bub und da steh ich und mit dem fremdem Mädel dort
wird er so glücklich sein, als wie halt Männer
Das Glücklichsein verstehn. In Gottes Namen.

OCTAVIAN *zugleich mit der Marschallin und Sophie, erst vor sich, dann Aug in Aug mit Sophie*

Es ist was kommen und ist was geschehen.
Ich möcht sie fragen: Darfs denn sein? und grad die Frag,
die spür ich, daß sie mir verboten ist.
Ich möcht sie fragen: Warum zittert was in mir, –
ist denn ein großes Unrecht gschehn? Und grad an sie
darf ich die Frag nicht tun – und dann seh ich dich an,
Sophie, und seh nur dich und spür nur dich,
Sophie, und weiß von nichts als nur: Dich hab ich lieb.

SOPHIE *zugleich mit der Marschallin und Octavian, erst vor sich, dann Aug in Aug*

Mir ist wie in der Kirchn, heilig ist mir und so bang
und doch ist mir unheilig auch! Ich weiß nicht, wie mir ist.

Ich möcht mich niederknien dort vor der Frau und möcht ihr auch
was antun, denn ich spür, sie gibt mir ihn
und nimmt mir was von ihm zugleich. Weiß gar nicht wie mir ist.
Möcht alls verstehn und möcht auch nichts verstehen.
Möcht fragen und nicht fragen, wird mir heiß und kalt
und spür nur dich und weiß nur eins: Dich hab ich lieb.
Marschallin geht leise rechts hinein, die beiden bemerken es gar nicht. Octavian ist dicht an Sophie herangetreten, einen Augenblick später liegt sie in seinen Armen.

OCTAVIAN *zugleich mit Sophie*
Spür nur dich, spür nur dich allein
und daß wir beieinander sein!
Geht alls sonst wie ein Traum dahin
vor meinem Sinn!

SOPHIE *zugleich mit Octavian*
Ist ein Traum, kann nicht wirklich sein,
daß wir zwei beieinander sein,
beieinand für alle Zeit
und Ewigkeit!

OCTAVIAN *ebenso*
War ein Haus wo, da warst du drein,
und die Leut schicken mich hinein,
mich gradaus in die Seligkeit!
Die waren gscheit!

SOPHIE *ebenso*
Kannst du lachen! Mir ist zur Stell
bang wie an der himmlischen Schwell!
Halt mich, ein schwach Ding wie ich bin,
sink dir dahin!
Sie muß sich an ihn lehnen. In diesem Augenblick öffnen die Faninalschen Lakaien die Tür und treten heraus, jeder mit einem Leuchter. Durch die Tür kommt Faninal, die Marschallin an der Hand führend. Die beiden Jungen stehen einen Augenblick verwirrt, dann machen sie ein tiefes Kompliment, das Faninal und die Marschallin erwidern.

FANINAL *tupft Sophie väterlich gutmütig auf die Wange*
Sein schon aso, die jungen Leut!
Gibt dann der Marschallin die Hand und führt sie zur Mitteltür, die zugleich durch die Livree der Marschallin, darunter der kleine Neger, geöffnet

wurde. Draußen hell, herinnen halbdunkel, da die beiden Diener mit den Leuchtern der Marschallin voraustreten. Octavian und Sophie, allein im halbdunklen Zimmer.

OCTAVIAN

Spür nur dich, spür nur dich allein
und daß wir beieinander sein!
Geht alls sonst wie ein Traum dahin
vor meinem Sinn!

SOPHIE

Ist ein Traum, kann nicht wirklich sein,
daß wir zwei beieinander sein,
beieinand für alle Zeit
und Ewigkeit!

Sie sinkt an ihn hin, er küßt sie schnell. Ihr fällt, ohne daß sie es merkt, ihr Taschentuch aus der Hand. Dann laufen sie Hand in Hand hinaus. Die Bühne bleibt leer, dann geht nochmals die Mitteltür auf. Herein kommt der kleine Neger mit einer Kerze in der Hand. Sucht das Taschentuch, findet es, hebt es auf, trippelt hinaus.

Vorhang.

19. 4. 81

DIE HOCHZEIT DER SOBEIDE

DRAMATISCHES GEDICHT

Des Kerkermeisters Tochter:
»Lieber Gott, wie verschieden sind Männer!«
Altes englisches Trauerspiel »Palamon und Arcite«

Personen

EIN REICHER KAUFMANN
SOBEIDE, seine junge Frau
BACHTJAR, der Juwelier, Sobeidens Vater
SOBEIDENS MUTTER
SCHALNASSAR, der Teppichhändler
GANEM, sein Sohn
GÜLISTANE, eines Schiffshauptmanns Witwe } im Hause
EIN ARMENISCHER SKLAVE } Schalnassars
EIN ALTER KAMELTREIBER
EIN GÄRTNER
SEINE FRAU
BAHRAM, Diener des Kaufmanns
EIN SCHULDNER DES SCHALNASSAR

In einer alten Stadt im Königreich Persien.
Die Zeit ist der Abend und die Nacht nach dem Hochzeitsfest des reichen Kaufmanns.

I

Das Schlafzimmer im Hause des reichen Kaufmanns. Rückwärts ein Alkoven mit dunklen Vorhängen. Links eine Tür, rechts eine kleine Tür in den Garten und ein Fenster. Lichter.
Es treten auf: Der Kaufmann und sein alter Diener Bahram.

KAUFMANN
Bahram, gabst du gut acht auf meine Frau?
DIENER
Acht, inwiefern?
KAUFMANN Sie ist nicht fröhlich, Bahram.
DIENER
Sie ist ein ernstes Mädchen. Und die Stunde
liegt schwer auch auf der leichtesten, bedenk.
KAUFMANN
Und auch die Andern: je mehr Lichter ich
befahl zu bringen, um so trüber hing
ein Schleier über dieser Hochzeitstafel.
Sie lächelten wie Masken, und ich fing
mitleidige und finstre Blicke auf,
die hin und wider flogen, und ihr Vater
versank zuweilen in ein düsteres Sinnen,
aus dem er selbst sich mit gezwungnem Lachen
aufschreckte.
DIENER Herr, der allgemeine Stoff
der Menschen hält nicht gut den stillen Glanz
von solchen Stunden. Wir sind nicht gewohnt
was andres, als nur mit den nächsten Dingen
uns abzuschleppen. Kommt ein solcher Tag,
so fühlen wir: still tut ein Tor sich auf,
daraus uns eine fremde, kühle Luft
anweht, und denken gleich ans kühle Grab.
Aus einem Spiegel sehen wir unser eignes
vergessenes Gesicht entgegenkommen
und sind dem Weinen näher als dem Lachen.

KAUFMANN

Sie nahm von keiner Speise, die du ihr
vorschnittest.

DIENER Herr, ihr mädchenhaftes Blut
hielt ihr die Kehle zugeschnürt; sie nahm
doch übrigens vom Obst.

KAUFMANN Ja, einen Kern!
ich habs gesehen, vom Granatapfel.

DIENER

Auf einmal auch besann sie sich, daß Wein,
wie flüssig Blut durchfunkelnd durch Kristall,
vor ihr stand, und sie hob den schönen Kelch
und trank ihn wie mit plötzlichem Entschluß
zur Hälfte aus, und Röte flog ihr in
die Wangen, und sie mußte tief aufatmen.

KAUFMANN

Mir scheint, das war kein fröhlicher Entschluß,
so tut, wer selber sich betrügen will,
den Blick umwölken, weil der Weg ihn schaudert.

DIENER

Du quälst dich, Herr. So sind die Frauen nun.

KAUFMANN *im Zimmer herumschauend, lächelt*

Auch einen Spiegel hast du her gestellt.

DIENER

Herr, du befahlst mirs selbst, der Spiegel ists
aus deiner Mutter Kammer, wie das andre.
Und selbst befahlst du mir, gerade den...

KAUFMANN

So? tat ich das? Dann wars ein Augenblick,
in dem ich klüger war als eben nun.
Ja, eine junge Frau braucht einen Spiegel.

DIENER

Nun geh ich noch, den Becher deiner Mutter
zu holen, mit dem kühlen Abendtrunk.

KAUFMANN

Ja, hol den Abendtrunk, geh, guter Bahram.
Bahram ab.
Du, Spiegel meiner Mutter, wohnt kein Schimmer

von ihrem blassen Lächeln drin und steigt
wie aus dem feuchten Spiegel eines Brunnens
empor? Ihr Lächeln war das matteste
und lieblichste, das ich gekannt, es glich
dem Flügelschlagen eines kleinen Vogels,
bevor er einschläft in der hohlen Hand.
Vor dem Spiegel
Nein, nichts als Glas. Er stand zu lange leer.
Nur ein Gesicht, das lächelt nicht: das meine.
Mein Selbst, gesehen von den eignen Augen:
so inhaltslos, als würfen nur zwei Spiegel
das unbewußte Bild einander zu.
O könnte ich darüber weg! nur einen,
den kleinsten Augenblick darüber weg,
und wissen, wie das Innre i h r e s Blicks
mich nimmt! Bin ich für sie ein alter Mann?
Bin ich so jung, als manchesmal mich dünkt,
wenn ich in stiller Nacht in mich hinein
auf den gewundnen Lauf des Blutes horche?
Heißt das nicht jung sein, wenn so wenig Hartes
und Starres noch in meinem Wesen liegt?
Mich dünkt, daß meine Seele, aufgenährt
mit dünner, traumhafter, blutloser Nahrung,
so jung geblieben ist. Wie hätt ich sonst
dies schwankende Gefühl, ganz wie als Knabe,
und diese seltsame Beklommenheit
des Glücks, als müßt es jeden Augenblick
mir aus den Händen schlüpfen und zerrinnen
wie Schatten? Kann ein alter Mensch so sein?
Nein, alten Menschen ist die Welt ein hartes,
traumloses Ding; was ihre Hände halten,
das halten sie. Mich schauert diese Stunde
mit ihrem Inhalt an, kein junger König
kann trunkner dieses rätselhafte Wort
»Besitz« vernehmen, wenns die Luft ihm zuträgt!
Dem Fenster nah
Ihr schönen Sterne, seid ihr da, wie immer!
Aus meinem sterblichen, haltlosen Leib

heraus dem Lauf von euch in kreisenden,
ewigen Bahnen zuzusehen, das war
die Kost, die meine Jahre leicht erhielt,
daß ich den Boden kaum mit meinen Füßen
zu treten glaubte. Bin ich wirklich welk
geworden, während meine Augen immer
an diesen goldnen hingen, die nicht welken?
Und hab ich aller stillen Pflanzen Art,
ihr Leben zu begreifen, ihre Glieder
gelernt, und wie sie anders auf den Bergen
und anders wieder nah am Wasser werden,
sich selber fast entfremdet, doch im tiefsten
sich selber treu; und konnte sicher sagen:
der geht es wohl, von reiner Luft genährt,
leicht spielt sie mit der Last der edlen Blätter,
der hat ein schlechter Grund und dumpfes Leben
den Halm verdickt, die Blätter aufgeschwemmt –
und mehr... und von mir selber weiß ich nichts,
und dicke Schalen legen sich ums Auge
und hemmen dieses Urteil...
Er geht hastig wieder vor den Spiegel
Leeres Werkzeug!
Auch überrumpelt läßt du nicht die Wahrheit,
wie Menschen oder Bücher doch zuweilen,
in einem Blitz erkennen.

DIENER *zurückkommend* Herr!

KAUFMANN Was ist?

DIENER
Die Gäste brechen auf. Dein Schwiegervater,
auch andre, haben schon nach dir gefragt.

KAUFMANN
Und meine Frau?

DIENER Nimmt Abschied von den Eltern.

Kaufmann steht einen Augenblick mit starrem Blick, dann geht er mit starken Schritten durch die Tür links.
Diener folgt ihm.
Die Bühne bleibt eine kurze Zeit leer. Dann tritt der Kaufmann wieder ein, einen Leuchter tragend, den er auf den Tisch neben den Becher mit dem

Abendtrunk stellt. Hinter ihm tritt Sobeide ein, von ihrem Vater und ihrer Mutter geführt. Alle bleiben in der Mitte des Zimmers, etwas links, stehen, der Kaufmann etwas abseits.
Sobeide löst sich sanft von den Eltern. Der Schleier hängt ihr rückwärts herab. Sie trägt eine Perlenschnur im Haar und eine größere um den Hals.

DER VATER
Ich hab von vielem Abschied nehmen müssen.
Dies ist das Schwerste. Meine gute Tochter,
das ist der Tag, den ich zu fürchten anfing,
als ich dich in der Wiege lächeln sah,
und der der Alp in meinen Träumen war.
Zum Kaufmann
Vergib mir das. Sie ist mehr als mein Kind.
Ich geb dir, was ich nicht benennen kann,
denn jeder Name faßt nur einen Teil –
sie aber war mir alles!

SOBEIDE Lieber Vater!
die Mutter bleibt bei dir.

DIE MUTTER *sanft* O laß ihn doch:
er hat ganz recht, daß er mich übersieht;
ich bin ein Teil von seinem Selbst geworden:
was mich trifft, trifft ihn auch zugleich; doch was ich tu,
berührt ihn anders nicht, als wenn die Rechte
und Linke sich des gleichen Leibs begegnen.
Die Seele bleibt indes ein ewig saugend Kind
und drängt sich nach den lebensvollern Brüsten.
Leb wohl. Sei keine schlechtre Frau als ich,
und keine minder glückliche. Dies Wort
schließt alles ein.

SOBEIDE Einschließen ist das Wort!
In euer Schicksal war ich eingeschlossen:
nun tut das Leben dieses Mannes hier
die Pforten auf, und diesen Augenblick,
den einzgen, atme ich in freier Luft:
nicht eure mehr, und noch die Seine nicht.
Ich bitt euch, geht, ich fühl, dies Ungewohnte,
so ungewohnt wie Wein, hat größre Kraft
und macht mich mein und sein und euer Dasein
mit andren Blicken ansehn, als mir ziemt.

Mühsam lächelnd

Ich bitt euch, seht mich nicht verwundert an:
mir gehn oft solche Dinge durch den Kopf,
nicht Traum, nicht Wirklichkeit. Ihr wißt, als Kind
war ich noch ärger. Und ist nicht der Tanz,
den ich erfunden hab, auch solch ein Ding:
wo ich aus Fackelschein und tiefer Nacht
mir einen flüssigen Palast erschuf,
drin aufzutauchen, wie die Königinnen
des Feuers und des Meers im Märchen tun.

Die Mutter hat indes dem Vater einen Blick zugeworfen und ist lautlos zur Tür gegangen. Lautlos ist ihr der Vater gefolgt. Nun stehen sie, Hand in Hand, in der Tür und verschwinden im nächsten Augenblick.

SOBEIDE

Geht ihr so leise! Wie? Und seid schon fort!

Sie wendet sich, geht schweigend, den Blick zu Boden.

DER KAUFMANN *umfängt sie mit einem langen Blick, geht dann nach rückwärts, bleibt wieder unschlüssig stehen*

Willst du den Schleier nicht ablegen?

Sobeide schrickt auf, sieht sich zerstreut um.

KAUFMANN *deutet nach dem Spiegel*

Dort.

Sobeide bleibt stehen, löst mit mechanischen Bewegungen den Schleier aus dem Haar.

KAUFMANN

Es wird dir hier – in deinem Haus – vielleicht
im ersten Augenblick an manchem fehlen.
Dies Haus ist seit dem Tode meiner Mutter
entwöhnt, dem Leben einer Frau zu dienen.
Auch trägt, was etwa an Geräten da ist,
kaum solchen Prunk an sich, womit ich gern
dich eingerahmt erblickte, doch mir schien
das nicht sehr schön, was jeder haben kann:
ich ließ aus der gepreßten Luft der stillen,
verschloßnen Schränke, die mir selbst den Atem
ergriff, wie Sandelholz im Heiligtum,
dies alles nehmen und zu deinem Dienst
in deine Kammer stellen, dort hinein,

woran vom Leben meiner Mutter etwas –
verzeih – für mich noch hängt. Mir war, ich könnte
dir damit etwas zeigen... Manchen Dingen
sind stumme Zeichen eingedrückt, womit
die Luft in stillen Stunden sich belädt
und etwas ins Bewußtsein gleiten läßt,
was nicht zu sagen war, auch nicht gesagt sein sollte.
Pause
Es tut mir weh, dich so zu sehn, betäubt
von diesen überladnen Stunden, die
kaum aufrecht gehen unter ihrer Last.
Es ist zu sagen, alles Gute kommt
auf eine unscheinbare, stille Art
in uns hinein, nicht so mit Prunk und Lärm.
Lang meint man, plötzlich werd es fern am Rand
des Himmels wie ein neues Land auftauchen:
das Leben, wie ein nie betretnes Land.
Doch bleibt die Ferne leer, allein die Augen
begreifen langsam da und dort die Spur,
und daß es rings ergossen ist, uns einschließt,
uns trägt, und in uns ist, und nirgends nicht ist.
Ich rede Sachen, die dir wenig Freude
zu hören macht. Sie klingen wie Entsagung.
Bei Gott! mir klingen sie nicht so. Mein Kind,
nicht wie ein Bettler fühl ich mich vor dir,
Mit einem großen Blick auf sie
wie schön dir auch der große Glanz der Jugend
vom Scheitel niederfließt bis an die Sohlen...
Du weißt nicht viel von meinem Leben, hast
gerade nur ein Stück von seiner Schale
durch eine Hecke schimmern sehn im Schatten.
Ich wollt, du sähest in den Kern davon:
so völlig als den Boden untern Füßen,
hab ich Gemeines von mir abgetan.
Scheint dir das leicht, weil ich schon alt genug bin?
Freilich, mir sind auch Freunde schon gestorben, –
dir höchstens die Großeltern, – viele Freunde,
und die noch leben, wo sind die zerstreut?

An ihnen hing der längst verlernte Schauer
der jungen Nächte, jener Abendstunden,
in denen eine unbestimmte Angst
mit einem ungeheuren, dumpfen Glück
sich mengte, und der Duft von jungem Haar
mit dunklem Wind, der von den Sternen kam.

– –

Der Glanz, der auf den bunten Städten lag,
der blaue Duft der Ferne, das ist weg,
ich fänd es nicht, wenn ich auch suchen ginge.
Allein im Innern, wenn ich rufe, kommts,
ergreift die Seele, und mir ist, es könnte
auch deine –

Er wechselt den Ton

Weißt du den Tag, an dem du tanzen mußtest
vor deines Vaters Gästen, wie? Ein Lächeln
blieb immerfort auf deinen Lippen, schöner
als jedes Perlenband und trauriger
als meiner Mutter Lächeln, das du nie
gesehen hast. Der Tanz hat alle Schuld:
dies Lächeln und der Tanz, die beiden waren
verflochten wie die wundervollen Finger
traumhafter Möglichkeiten. Möchtest du,
sie wären nie gewesen, da sies sind,
die schuld sind, meine Frau, daß du hier stehst?

SOBEIDE *in einem Ton, in welchem man hört, wie die Stimme die Zähne berührt*

Befiehlst du, daß ich tanzen solle, oder
befiehlst du etwas andres?

KAUFMANN Meine Frau,
wie sonderbar und wild sprichst du mit mir?

SOBEIDE

Wild? Hart, kann sein: mein Schicksal ist nicht weich.
Du redest wie ein guter Mensch, so sei
so gut und rede heute nicht mit mir!
Ich bin dein Ding, so nimm mich für dein Ding,
und laß mich wie ein Ding auch meinen Mund
vergraben tragen und nach innen reden!

Sie weint lautlos, mit zusammengepreßten Lippen, das Gesicht gegen das Dunkel gewandt.

KAUFMANN

So stille Tränen und so viele! Dies
ist nicht der Schauer, drin der Krampf der Jugend
sich löst. Hier ist ein Tieferes zu stillen
als angeborne Starrheit scheuer Seelen.

SOBEIDE

Herr, wenn du in der Nacht erwachst und mich
so weinen hörst aus meinem Schlaf heraus,
dann weck mich auf! Dann tu ich, was dein Recht
ist, mir zu wehren, denn dann träume ich
in deinem Bette von einem andren Mann
und sehne mich nach ihm, das ziemt mir nicht,
mich schaudert vor mir selber, es zu denken:
versprich mir, daß du mich dann wecken wirst!
Pause.
Der Kaufmann schweigt: tiefe Erregung färbt sein Gesicht dunkel
Du fragst nicht, wer es ist? Ist dirs so gleich?
Nein? Dein Gesicht ist dunkel, und dein Atem
geht schwer? So will ich selber dir es sagen:
du hast ihn hie und da bei uns gesehn,
sein Name ist Ganem – des Schalnassar Sohn,
des Teppichhändlers – und ich kannte ihn
drei Jahre lang. Doch nun seit einem Jahr
hab ich ihn nicht gesehn.
Dies sag ich dir, dies letzte geb ich preis,
weil ichs nicht leide, daß ein Bodensatz
von Heimlichkeit und Lüge in mir bleibt:
ob dus erführst, ist gleich: ich bin kein Becher,
für rein gekauft und giftger Grünspan drin,
der seinen Boden frißt – und dann, damit
du mir ersparst, in meinem Haus als Gast
ihn etwa oft zu sehn, denn das ertrüg ich schwer.

KAUFMANN *drohend, aber schnell von Zorn und Schmerz erstickt*

Du! du hast... du hast...
Er schlägt die Hände vors Gesicht.

SOBEIDE

So weinst du auch an deinem Hochzeitstag?
Hab ich dir einen Traum verdorben? Sieh,
du sagst, ich bin so jung, und das, und das –
Zeigt auf Haar und Wangen
ist wirklich jung, doch innen bin ich müd,
so müd, es gibt kein Wort, das sagen kann,
wie müd und wie gealtert vor der Zeit.
Wir sind gleich alt, vielleicht bist du noch jünger.
Du hast mir im Gespräch einmal gesagt:
seitdem ich lebe, diese ganze Zeit
wär dir beinahe nur in deinen Gärten
dahingegangen und im stillen Turm,
den du gebaut, den Sternen nachzuschauen.
An diesem Tage hielt ich es in mir
zum erstenmal für denkbar, deinen Wunsch
und meines Vaters, das wars noch viel mehr,
ja... zu erfüllen. Denn mir schien, die Luft
im Haus bei dir müßt etwas Leichtes haben,
so leicht! so ohne Last! und die bei mir
war so beladen mit Erinnerung,
der luftige Leib schlafloser Nächte schwamm
darin umher, an allen Wänden hing
die Last der immer wieder durchgedachten,
verblaßten, jetzt schon toten Möglichkeiten;
die Blicke meiner Eltern lagen immer
auf mir, ihr ganzes Leben... viel zu gut
verstand ich jedes Zucken ihrer Augen,
und über allem diesem war der Druck
von deinem Willen, der sich über mich
wie eine Decke schweren Schlafes legte.
Es war gemein, daß ich mich endlich gab:
ich such kein andres Wort, doch das Gemeine
ist stark, das ganze Leben voll davon:
wie konnt ichs unter meine Füße bringen,
da ich darinnen war bis an den Hals?

KAUFMANN

So wie ein böser Alpdruck lag mein Wunsch
auf deiner Brust! so hassest du mich doch...

SOBEIDE

Ich haß dich nicht, ich hab zu hassen nicht
gelernt, vom Lieben nur den Anfang erst,
der brach dann ab, doch kann ich andre Dinge
schon besser, als: mit Lächeln, wie du weißt,
zu tanzen, wenn mir schwerer als ein Stein
das Herz drin hing, und jedem schweren Tag
entgegen, jedem Übel ins Gesicht
zu lächeln: alle Kraft von meiner Jugend
ging auf in diesem Lächeln, doch ich triebs
bis an das Ende, und nun steh ich da.

KAUFMANN

Dies alles hängt nur schattenhaft zusammen.

SOBEIDE

Wie dies zusammenhängt, daß ich lächeln mußte
und endlich deine Frau geworden bin?
Willst du das wissen? muß ich dir das sagen?
So weißt du, weil du reich bist, gar so wenig
vom Leben, hast nur Augen für die Sterne
und deine Blumen in erwärmten Häusern?
Merk, so hängt dies zusamm: arm war mein Vater,
nicht immer arm, viel schlimmer: arm geworden,
und vieler Leute Schuldner, doch am meisten
der deine; und von meinem Lächeln lebte
die kummervolle Seele meines Vaters,
wie andrer Leute Herz von andren Lügen.
Die letzten Jahre, seit du uns besuchst,
da konnt ichs schon, vorher war meine Schulzeit.

KAUFMANN

Meine Frau geworden!
Sie hätt sich ebenso mit einer Schere
die Adern aufgetan und in ein Bad
mit ihrem Blut ihr Leben rinnen lassen,
wär das der Preis gewesen, ihren Vater
von seinem großen Gläubiger zu lösen!
... So wird ein Wunsch erfüllt!

SOBEIDE

Nimms nicht so hart. Das Leben ist nun so.

Ich selber nehms schon wie im halben Traum.
Wie einer, wenn er krank ist, nicht mehr recht
vergleichen kann und nicht mehr sich entsinnen,
wie er am letzten Tag dies angesehen,
und was er dann gefürchtet und gehofft:
er hat den Blick von gestern schon nicht mehr...
so, wenn wir in die große Krankheit »Leben«
recht tief hineingekommen sind. Ich weiß
kaum selber mehr, wie stark ich manche Dinge
gefürchtet, andere wie sehr ersehnt,
und manches, was mir einfällt, ist mir so,
als wärs das Schicksal einer andern Frau,
grad etwas, das ich weiß, doch nicht das meine.
Schau, meine Art ist bitter, doch nicht schlimm:
war ich im ersten Augenblick zu wild,
so wird auch kein Betrug dabei sein, wenn ich
sanft sitzen werd und deinen Gärtnern zusehn.
Mein Kopf ist abgemüdet. Mir wird schwindlig,
wenn ich zwei Dinge in mir halten soll,
die miteinander streiten. Viel zu lang
hab ich das tuen müssen. Ich will Ruh!
Die gibst du mir, dafür bin ich dir dankbar.
Denk nicht, das wäre wenig: furchtbar schwach
ist alles, was auf zweifelhaftem Grund
aufwächst. Doch hier ist nichts als Sicherheit.

KAUFMANN

Und dieser Mensch?

SOBEIDE Auch das nimm nicht so schwer.

Schwer wars zu nehmen, hätt ich dirs verschwiegen;
nun hab ichs hergegeben. Laß es nun!

KAUFMANN

Du bist nicht los von ihm!

SOBEIDE Meinst du? Was heißt

denn »los«? Die Dinge haben keinen Halt,
als nur in unserm Willen, sie zu halten.
Das ist vorbei.
Handbewegung.

KAUFMANN *nach einer Pause*

Du warst ihm, was er dir?

Sobeide nickt.

KAUFMANN

Wie aber, wie nur denn ist dies gekommen,
daß dich zur Frau nicht er –

SOBEIDE

Wir waren arm!
Nein, mehr als arm, du weißts. Sein Vater auch.
Auch arm. Dazu ein harter, düstrer Mensch,
wie meiner allzu weich, und auf ihm lastend,
so wie der meinige auf mir. Das Ganze
viel leichter zu erleben, als mit Worten
zu sagen. Alles ging durch Jahre hin.
Wir waren Kinder, als es anging, müde
am End wie Füllen, die man allzu früh
am Acker braucht vor schweren Erntewagen.

KAUFMANN

Es ist zu sagen: das kann nicht so sein,
das mit dem Vater. Diesen Schalnassar,
den Teppichhändler, kenn ich. Nun, es ist
ein alter Mensch; von ihm mag Gutes reden,
wer will, ich nicht. Ein schlechter alter Mensch!

SOBEIDE

Kann sein, gleichviel! Ihm ists der Vater eben.
Ich hab ihn nie gesehn. Er sieht ihn so.
Er nennt ihn krank, wird traurig, wenn er redet
von ihm. Deswegen hab ich ihn auch nie
gesehn, das heißt, seit meiner Kinderzeit,
und da nur hie und da am Fenster lehnen.

KAUFMANN

Doch gar nicht arm, nichts weniger als arm!

SOBEIDE *ihrer Sache völlig sicher, traurig lächelnd*

Meinst du, dann stünd ich hier?

KAUFMANN

Und er?

SOBEIDE

Wie, er?

KAUFMANN

Er ließ dich deutlich sehn,

daß ihm unmöglich schien, was er und du
durch Jahre wünschtet und lang möglich hieltet?

SOBEIDE

Da es unmöglich war!... und dann, zudem
»durch Jahre wünschtet« – alle diese Dinge
sind anders, und die Worte, die wir brauchen,
sind wieder anders. Hier ist dies gereift,
und hier vermodert. Augenblicke gibts,
die Wangen haben, brennend wie die Sonnen –
und irgendwo schwebt ein uneingestanden
Geständnis, irgendwo zergeht in Luft
der Widerhall von einem Ruf, der nie
gerufen wurde; irgend etwas flüstert:
»Ich gab mich ihm«, merk: in Gedanken! »gab« –
der nächste Augenblick schluckt alles ein,
so wie die Nacht den Blitz... Wie alles anfing
und endete? Nun so: ich tat die Lippen
nicht auf und bald auch meine Augenlider nicht,
und er –

KAUFMANN

Wie war denn er?

SOBEIDE Mich dünkt, sehr vornehm.

Wie einer, der im Andern selbst sein Bild
zerstören will, dem Andern Schmerz zu sparen –
ganz ungleich, nicht so gütig mehr wie sonst
– die größte Güte lag drin, so zu sein –,
zerrissen, voll von einem Spott, der ihm
im Innern weher tat vielleicht als mir,
wie ein Schauspieler manches Mal, so seltsam
voll Absicht. Andre Male wieder so
von meiner Zukunft redend, von der Zeit,
da ich mit einem Anderen –

KAUFMANN *heftig* Mit mir?

SOBEIDE *kalt*

Mit irgendeinem Anderen vermählt,
so redend, wie er wußte, daß ich nie
ertragen würde, daß es sich gestalte.
So wenig, als er selbst es eine Stunde

ertrüge, denn er gab sich nur den Schein,
mein Wesen kennend, wissend, daß ich so
mit mindren Schmerzen mich losmachen würde,
sobald ich irr an ihm geworden wäre.
– –
Es war zu künstlich, aber welche Güte
lag drin.

KAUFMANN

Sehr große Güte, wenn es wirklich
nichts war, als nur ein angenommner Schein.

SOBEIDE *heftig*

Mein Mann, ich bitte, dieses eine bitt ich
von dir: verstöre unser Leben nicht:
es ist noch blind und klein wie junge Vögel:
mit einer solchen Rede kannst dus töten!
Nicht eine schlechte Frau werd ich dir sein:
ich meine, langsam finde ich vielleicht
in andern Dingen etwas von dem Glück,
nach dem ich meine Hände streckte, meinend,
es wär ein Land ganz voll damit, die Luft,
der Boden! und man könnte dort hinein:
jetzt weiß ich schon, ich sollte nicht hinein...
Ich werde dann beinahe glücklich sein,
und alle Sehnsucht ohne Schmerz verteilt
an Gegenwart und an Vergangenheit
wie helle Sonne in den lichten Bäumen,
und wie ein leichter Himmel hinterm Garten
die Zukunft: leer, doch alles voller Licht...
Nur werden muß mans lassen:
jetzt ist noch alles voll Verworrenheit,
du mußt mir helfen, das darf nicht geschehn,
daß du mit einem falschen Wort dies Leben
zu stark an mein vergangnes knüpfst: sie müssen
geschieden sein durch eine gläserne,
luftlose Mauer wie in einem Traum.
Am Fenster
Der Abend darf nicht kommen, der mich hier
an diesem Fenster fände ohne dich:

– schon nicht zu Haus zu sein, nicht aus dem Fenster
von meiner Mädchenkammer in die Nacht
hinauszuschaun, hat eine sonderbare,
gefährliche, verwirrende Gewalt:
als läg ich auf der Straße, niemands eigen,
so meine Herrin, wie noch nie im Traum!
Ein Mädchenleben ist viel mehr beherrscht
von einem Druck der Luft als du begreifst,
dem Freisein das Natürliche erscheint.
Der Abend darf nie kommen, wo ich hier
so stünde, aller Druck der schweren Schatten,
der Eltern Augen, alles hinter mir,
im dunklen Vorhang hinter mir verwühlt,
und diese Landschaft mit den goldnen Sternen,
dem schwachen Wind, den Büschen so vor mir!
Immer erregter
Der Abend darf nie kommen, wo ich dies
mit solchen Augen sähe, die mir sagten:
Hier liegt ein Weg, er schimmert weiß im Mond:
bevor der schwache Wind die nächste Wolke
dem Mond entgegentreibt, kann den ein Mensch
zu Ende laufen, zwischen Hecken hin,
dann aber einen Kreuzweg, einen Rain
im Schatten dann vom hohen Mais, zuletzt
in einem Garten! und dann hätt er schon
die Hand an einem Vorhang, hinter dem
ist alles: Küssen, Lachen, alles Glück
der Welt so durcheinander hingewirrt
wie Knäuel goldner Wolle, solches Glück,
davon ein Tropfen auf verbrannten Lippen
genügt, so leicht zu sein wie eine Flamme,
und gar nichts Schweres mehr zu sehen, nichts
mehr zu begreifen von der Häßlichkeit!
Fast schreiend
Der Abend darf nie kommen, der mit tausend
gelösten Zungen schreit: Warum denn nicht?
warum bist du ihn nicht in einer Nacht
gelaufen? Deine Füße waren jung,

dein Atem stark genug, was hast du ihn
gespart, damit dir reichlich überbleibt,
in deine Kissen nachts hineinzuweinen?
Sie kehrt dem Fenster den Rücken, klammert sich an den Tisch, sinkt in sich zusammen und bleibt auf den Knien liegen, das Gesicht an den Tisch gedrückt, den Leib vom Weinen durchschüttert.
Lange Pause

KAUFMANN
Und wenn ich dir die erste Tür auftäte,
die einzige verschloßne auf dem Weg?
Er tuts; durch die geöffnete kleine Tür in den Garten rechts fällt Mond herein.

SOBEIDE *auf den Knien, beim Tisch*
Bist du so grausam, in der ersten Stunde
ein abgeschmacktes Spiel aus meinem Weinen
zu machen, bist du so, mich recht zu höhnen?
so stolz darauf, daß du mich sicher hältst?

KAUFMANN *mit aller Beherrschung*
Ich hätte sehr gewünscht, du hättest anders
gelernt von mir zu denken, doch dazu
ist jetzt nicht Zeit.
Dein Vater, wenns das ist, was dich so drückt,
dein Vater ist mir nichts mehr schuldig, vielmehr
ist zwischen mir und ihm seit kurzer Zeit
dergleichen abgemacht, wovon ihm Vorteil
und damit hoffentlich ein später Schimmer
von Freudigkeit erwächst.
Sie hat sich auf den Knien, zuhörend, ihm näher geschoben.
Du könntest also –
du kannst, ich meine, wenn es dieses war,
was dich am meisten lähmte, wenn du hier,
in einem – fremden Haus, den Mut des Lebens,
der dir verloren war, neu eingeatmet,
dich wie aus einem schweren Traum zur Hälfte
aufrichtest, und es diese Tür hier ist,
von der du fühlst, sie führt zum wachen Leben:
so geb ich dir vor Gott und diesen Sternen
den Urlaub, hinzugehn, wohin zu willst.

SOBEIDE *immer auf den Knien*
Wie?

KAUFMANN
Ich seh in dir so wenig meine Frau
als sonst in einem Mädchen, das, vor Sturm,
vor Räubern von der Straße, sich zu schützen
für kurz hier in mein Haus getreten wäre,
und spreche mir mein Recht ab über dich,
so wie mir keines zusteht über eine,
die solcher Zufall in mein Haus verschlüge.

SOBEIDE
Was sagst du da?

KAUFMANN Ich sage, du bist frei,
durch diese Tür zu gehn, wohin du willst:
frei wie der Wind, die Biene und das Wasser.

SOBEIDE *halb aufgerichtet*
Zu gehn?

KAUFMANN Zu gehn.

SOBEIDE Wohin ich will?

KAUFMANN Wohin
du willst, zu welcher Zeit du willst.

SOBEIDE *noch immer betäubt, jetzt an der Tür*
Jetzt?! hier?!

KAUFMANN
Jetzt, so wie später. Hier, wie anderswo.

SOBEIDE *zweifelnd*
Doch zu den Eltern nur?

KAUFMANN *in stärkerem Tone*
Wohin du willst.

SOBEIDE *zwischen Lachen und Weinen*
Das tust du mir? Das hab ich nie im Traum
gewagt zu denken, nie im tollsten Traum
wär ich auf meinen Knien mit dieser Bitte
Sie fällt vor ihm auf die Knie
zu dir gekrochen, um dein Lachen nicht
zu sehn bei solchem Wahnsinn... und du tusts,
du tust es! Du! Du guter, guter Mensch!
Er hebt sie sanft auf, sie steht verwirrt.

KAUFMANN *sich abwendend*

Wann willst du gehen?

SOBEIDE Jetzt! Im Augenblick!

Oh, sei nicht zornig, denk nicht schlecht von mir!
Sag selber: kann ich denn die Nacht bei dir,
bei einem Fremden bleiben? muß ich nicht
sogleich zu ihm, gehör ich ihm denn nicht?
Wie darf sein Gut in einem fremden Haus
die Nacht verweilen, als wärs herrenlos?

KAUFMANN *bitter*

Gehörst ihm schon?

SOBEIDE Herr, eine rechte Frau

ist niemals ohne Herrn: von ihrem Vater
nimmt sie der Gatte, dem gehört sie dann,
sei er lebendig oder in der Erde;
der nächste und der letzte ist der Tod.

KAUFMANN

So willst du nicht, zumindest bis zum Tag,
zurück zu deinen Eltern?

SOBEIDE Nein, mein Lieber.

Das ist vorbei. Mein Weg ist nun einmal
nicht der gemeine: diese Stunde trennt
mich völlig ab von mädchenhaften Dingen.
So laß mich ihn in dieser einen Nacht
auch bis ans Ende gehn, daß alles später
mir wie ein Traum erscheint, und ich mich nie
zu schämen brauch.

KAUFMANN So geh!

SOBEIDE Ich tu dir weh?

Kaufmann wendet sich ab.

SOBEIDE

Erlaub, daß ich aus diesem Becher trinke.

KAUFMANN

Er ist von meiner Mutter, nimm ihn dir.

SOBEIDE

Ich kann nicht, Herr. Doch trinken laß mich draus.
Sie trinkt.

KAUFMANN
Trink dies und sei dir nie im Leben not,
aus einem Becher deinen Durst zu löschen,
der minder rein als der.

SOBEIDE
Leb wohl.

KAUFMANN
Leb wohl.
Sie ist schon auf der Schwelle
Hast du nicht Furcht? Du bist noch nie allein
gegangen. Wir sind außerhalb der Stadt.

SOBEIDE
Mein Lieber, mir ist über alle Furcht
und leichter, als noch je am hellen Tage.
Sie geht.

KAUFMANN *nachdem er ihr lange nachgesehen, mit einer schmerzlichen Bewegung*
Als zög jetzt etwas seine stillen Wurzeln
aus meiner Brust, ihr hinterdrein zu fliegen,
und in die leeren Höhlen träte Luft!
Vom Fenster wegtretend
Scheint sie mir nicht im Grund jetzt minder schön,
so hastig, gar so gierig, hinzulaufen,
wo sie kaum weiß, ob einer auf sie wartet!
Nein: ihre Jugend muß ich nur recht fassen,
ganz eins mit allem Schönen ist auch dies,
und diese Hast steht diesem Wesen so,
wie schönen Blumen ihre stummen Mienen.
Pause
Ich glaube, was ich tat, ist einer Art
mit dem, wie ich den Lauf der Welt erkenne:
Ich will nicht andere Gedanken haben,
wenn ich die hohen Sterne kreisen seh,
und andre, wenn ein junges Weib vor mir steht.
Was dort die Wahrheit, muß es hier auch sein.
Auch ist zu sagen, wenn es diese Frau,
wenn dieses Kind es nicht ertragen kann,
zwei Dinge gleichzeitig in sich zu halten,
von denen eins das andre Lügen straft,
soll ich es können, mit der Tat verleugnen,

was ich mit der Vernunft und dumpfer Ahnung
dem Ungeheuren abgelernt, das draußen
sich auftürmt von der Erde zu den Sternen?
Ich nenn es Leben, jenes Ungeheure,
und Leben ist auch dies, wer dürft es trennen?
Was ist denn Reifsein, wenn nicht: ein Gesetz
für sich und für die Sterne anerkennen!
Jetzt gab mir also mein Geschick den Wink,
so einsam fortzuleben, wie bis nun,
und – kommt einmal das Letzte – ohne Erben
und keine Hand in meiner Hand, zu sterben.

Verwandlung.

II

Ein getäfelter Raum im Haus des Schalnassar. Links rückwärts kommt die Treppe herauf, rechts rückwärts steigt sie empor, eng und steil. In Stockhöhe läuft eine Galerie aus durchbrochenem Holzwerk mit Öffnungen, inneren Balkonen, um die ganze Bühne. Offene Ampeln. Links und rechts vorne Türen mit Vorhängen. An der linken Wand eine niedrige Bank zum Sitzen, weiter rückwärts ein Tisch mit Sitzen.
Auf der Sitzbank neben der Tür links sitzt der alte Schalnassar, in seinen Mantel gewickelt. Vor ihm steht ein junger Mensch, der verarmte Kaufmann.

SCHALNASSAR

Wär ich so reich, als Ihr mich haltet – wahrlich,
ich bins nicht, weit davon entfernt, mein Lieber –,
ich könnt Euch dennoch diesen Aufschub nicht
gewähren, wirklich, Freund, um Euretwillen:
allzu nachsichtige Gläubiger sind, bei Gott,
des Schuldners Untergang.

DER SCHULDNER Schalnassar, hört mich!

SCHALNASSAR

Nichts mehr! Ich kann nichts hören! Meine Taubheit
wächst immerfort mit Euren Reden. Geht!
Geht nur nach Haus: bedenkt, Euch einzuschränken:
Ich kenn Eur Haus, Ihr habt viel Ungeziefer,
Dienstboten mein ich. Drückt den Aufwand nieder,
den Eure Frau Euch macht: er schickt sich nicht
für Eure Lage. Was? ich bin nicht da,
Euch zu beraten! Geht nach Hause, sag ich.

DER SCHULDNER

Ich wollte schon, mein Herz läßt mich nicht gehn,
dies Herz, das so aufschwillt! Nach Haus! Mir ist
die Tür von meinem Haus schon so verhaßt!
Ich kann nicht durch, daß nicht ein Gläubiger
den Weg mir sperrte.

SCHALNASSAR Welch ein Narr wart Ihr!
Geht heim zu Eurer schönen Frau, so geht!
Geht hin! Setzt Kinder in die Welt! Verhungert!
Klatscht in die Hände. Der armenische Sklave kommt die Stiege herauf. Schalnassar flüstert mit ihm, ohne den andern zu beachten.

DER SCHULDNER
Nicht fünfzig Goldstück hab ich in der Welt!
Dienstboten, sagtet Ihr? Ein altes Weib,
die Wasser trägt, sonst nichts! Und die, wie lang noch?
Kein armer Teufel, den Almosen füttert,
ist elend dran wie ich: ich hab gekannt
die Süßigkeit des Reichtums: jede Nacht
hab ich geschlafen, und Zufriedenheit
war rings um meinen Kopf, und süß der Morgen.
Doch still! sie liebt mich noch, und mein Zusammenbruch
ist ganz vergoldet! Oh, sie ist mein Weib!

SCHALNASSAR
ich bitt Euch, geht, ich muß die Lampen brennen,
solang Ihr hier herumsteht!
Zu dem armenischen Sklaven Geh mit ihm.
Da sind die Schlüssel.

DER SCHULDNER *seine Angst überwindend*
Guter Schalnassar!
Ich wollt Euch nicht um einen Aufschub bitten!

SCHALNASSAR
Wie? meine Taubheit spiegelt mir was vor?

DER SCHULDNER
Nein, wirklich!

SCHALNASSAR Sondern?

DER SCHULDNER Um ein neues Darlehn!

SCHALNASSAR *wütend*
Was wollt Ihr?

DER SCHULDNER Nein, ich will ja nicht, ich muß!
Du hast sie nie gesehn, du mußt sie sehn!
Mein schweres Herz hört auf, so dumpf zu pochen
und hüpft vor Freude, wenn mein Aug sie sieht.
Immer erregter
Dies alles muß sich wenden! Ihre Glieder

sind für den Dienst der Zärtlichkeit geschaffen,
nicht für die wilden Klauen der Verzweiflung!
Sie kann nicht betteln gehn mit solchem Haar!
Ihr Mund ist ganz so stolz als süß: das Schicksal
will mich nur überlisten – doch ich lache –
wenn du sie sähest, alter Mann –

SCHALNASSAR Das will ich!
Sagt ihr: der alte Mann, von dessen Gold
ihr junger Mann so abhängt – merkt Euch, sagt:
der gute alte Mann, der schwache Greis –,
verlangte, sie zu sehn. Sagt: alte Männer
sind kindisch: warum sollt es der nicht sein?
Doch ein Besuch ist wenig. Sagt ihr noch:
es ist beinah ein Grab, das sie besucht,
ein Grab, das grad noch atmet. Wollt Ihr das?

DER SCHULDNER
Ich hörte sagen, daß Ihr Euer Gold
anbetet wie was Heiliges, und zunächst dann
den Anblick von gequälten Menschen liebt
und Mienen, die den Schmerz der Seele spiegeln.
Doch seid Ihr alt, habt Söhne, und ich glaub nicht,
daß diese bösen Dinge wahr sind. Drum
will ich ihrs sagen, und wenn sie mich fragt,
wie mir das deucht, so will ich sagen: »Liebste,
nur wunderlich, nicht schlimm!« – Lebt wohl, doch laßt,
wenn Euer Wunsch gewährt ist, die Erfüllung
des meinen, Schalnassar, nicht lange anstehn!
Der Schuldner und der armenische Sklave gehen ab, die Stiege hinab.

SCHALNASSAR *allein. Er steht auf, dehnt sich, scheint nun viel größer*
Ein süßer Narr ist das, ein süßer Schwätzer!
»Hört, alter Mann!« – »Ich bitt Euch, alter Mann!«
Ich hörte sagen, seine Frau ist schön
und hat so feuerfarbnes Haar, darin
die Hände, wenn sie wühlen, Glut und Wellen
zugleich zu spüren meinen. Kommt sie nicht,
so soll sie lernen, auf der nackten Streu
zu schlafen!...
... Schlafenszeit wär nun für mich!

Man sagt, Genesne brauchen langen Schlaf.
Allein, bin ich schon taub, so will ich taub sein
für solche Weisheit. Schlafen ist nichts andres
als voraus sterben. Ich will meine Nächte
zugießen noch den Tagen, die mir bleiben.
Freigebig will ich sein, wos mir gefällt:
der Gülistane will ich heute abend
mehr schenken, als sie träumt. Dies gibt den Vorwand,
daß sie die Kammer tauscht und eine größre
bezieht, die näher meiner. Wenn sies tut,
soll Saft von Nelken, Veilchen oder Rosen
ihr Bad sein, Gold und Bernstein soll sie trinken,
bis sich das Dach in tollem Schwindel dreht.

Er klatscht in die Hände, ein Sklave kommt, er geht links ab, der Sklave folgt ihm.

Gülistane kommt die Treppe links rückwärts herauf, hinter ihr eine alte Sklavin. Ganem beugt sich spähend oben aus einer Nische vor, kommt die Treppe rechts rückwärts herab.

GANEM *nimmt sie bei der Hand*

Mein Traum! wo kommst du her? Ich lag so lang
und lauerte.

Die alte Sklavin steigt die Treppe hinauf.

GÜLISTANE Ich? aus dem Bade steig ich
und geh in meine Kammer.

GANEM Wie du funkelst
vom Bad!

GÜLISTANE Mein Bad war flüssig glühendes Silber
vom Mond.

GANEM Wär ich der Bäume einer, die dort stehn,
ich würf mein ganzes Laubwerk bebend ab
und spräng zu dir! O wär ich hier der Herr!

GÜLISTANE

Ja, wärest du! Dein Vater ist sehr wohl.
Er bat mich, heut zur Nacht mit ihm zu speisen.

GANEM

Verdammte Kunst, die dieses Blut erweckte,
das schon so nahe am Erstarren war.
Ich sah ihn diesen Morgen mit dir reden.
Was wars?

GÜLISTANE Ich habs gesagt.

GANEM

Sag, wars nicht mehr? Du lügst! es war noch mehr!

GÜLISTANE

Er fragte –

GANEM Was? Doch still, die Wände hören.

Sie flüstert.

GANEM

Geliebtes!
Indes du redest, reift in mir ein Plan,
höchst wundervoll, merk auf! und so begründet:
er ist nur mehr der Schatten seines Selbst,
er steht noch drohend da, doch seine Füße
sind Lehm. Sein Zorn ist Donner ohne Blitz,
und – merk wohl – all seine Begehrlichkeit
ist nichts als Prahlerei des Alters.

GÜLISTANE Nun,

was gründest du auf dies?

GANEM Die größte Hoffnung.

Er flüstert.

GÜLISTANE

Allein dies Gift –
gesetzt, es gäbe eins mit solcher Wirkung:
dem Geist nur tödlich und dem Körper spurlos –
dies Gift verkauft dir niemand!

GANEM Nein, kein Mann,

doch eine Frau –

GÜLISTANE Um welchen Preis?

GANEM Um den,

daß sie vermählt mich wähnt und zu besitzen
mich wähnt – nachher.

GÜLISTANE Dies machst du keine glauben.

GANEM

Es gibt schon lange eine, die dies glaubt.

GÜLISTANE

Du lügst: gerade, sprachst du, wär der Plan gereift,
nun aber sagst du: lange gibts schon eine.

GANEM

Die gibts: ich hab in dieses Lügennetz
sie eingesponnen, eh ich recht gewußt,
zu welchem Ende. Heute ist mirs klar.

GÜLISTANE

Wer ists?

GANEM Des ärmlichsten Pastetenbäckers
hinkende Tochter, in der letzten Gasse
des Schifferviertels.

GÜLISTANE Wer?

GANEM

Was tut ein Name? Ihre Augen hingen
so hündisch bang an mir, wenn ich vorbeiging:
es war von den Gesichtern, die mich reizen,
weil sie die Lüge so begierig trinken
und solche Träumereien aus sich spinnen!
Und so blieb ich dort stehn und sprach sie an.

GÜLISTANE

Und wer schafft ihr das Gift?

GANEM Das tut ihr Vater,
indem ers dort verwahrt, von wo sies stiehlt.

GÜLISTANE

Wie? ein Pastetenbäcker?

GANEM Doch sehr arm
und sehr geschickt, – jedoch für keinen Preis
von uns zu kaufen: denn er ist von denen,
die heimlich einen Teil der heiligen Bücher
verwerfen und von keiner Speise essen,
auf die von unsereinem Schatten fiel.
Ich geh zu ihr, indessen du mit ihm
zu Abend ißt.

GÜLISTANE So hat ein jedes sein Geschäft.

GANEM

Das meine aber soll dem deinigen
die Wiederholung sparen. Ich bin früh
zurück. Brauch einen Vorwand. Geh von ihm.
Denn träf ich dich mit ihm –

GÜLISTANE *hält ihm den Mund zu* O still, nur still!

GANEM *bezwungen*

Wie kühl sind deine Hände, und wie glüht
zugleich dein Blut hindurch, du Zauberin!
Du hältst gefangen mich im tiefsten Turm
und fütterst mich um Mitternacht mit dem,
was deine Hunde übriglassen, schlägst mich,
läßt mich im Staube kriechen.

GÜLISTANE Recht! und du?

GANEM *gebrochen von ihrem Blick*

Und ich?

Sieht zu Boden

Nun eben Ganem heiß ich doch!
Ganem der Liebessklave!

Er sinkt vor ihr nieder, umschlingt ihre Füße.

GÜLISTANE Geh nur, geh!

Ich hör den Vater, geh! Ich heiß dich gehn!
Ich will nicht, daß man uns beisammen trifft!

GANEM

Ich hab ein eitles inhaltsloses Lächeln,
das trefflich dient, ihm ins Gesicht zu sehn.

Gülistane geht die Treppe hinauf. Der armenische Sklave kommt von unten. Ganem wendet sich, rechts vorne abzugehen.

DER SKLAVE

War Gülistane hier?

Ganem zuckt die Achseln.

DER SKLAVE Doch sprachst du eben.

GANEM

Mit meinem Hund!

DER SKLAVE So find ich sie wohl hier.

Geht hinauf.

Die Bühne bleibt kurze Zeit leer, dann tritt von links Schalnassar auf mit drei Sklaven, die Geräte und Schmuck tragen. Er läßt alles an der linken Wand niederstellen, wo ein Tisch mit niedrigen Sitzen befindlich ist.

SCHALNASSAR

Hier legt dies her! hier dies! und tragt nun auf!

Er geht an die unterste Stufe der Treppe rechts

Ah, der Genesne, sagt man, soll der Sonne
entgegengehn. Nun denn, ich steh schon hier,

Gülistane kommt die Treppe herab, er führt sie zu den Geschenken.
und weiß nichts mehr von Krankheit, als daß Perlen
ihr Werk sind und der Bernstein, wenn sie Muscheln
zu ihrem Sitz wählt oder Bäume. Wahrlich,
die liegen beide da! Und hier sind Vögel
der Seide recht lebendig eingewebt,
wenn dirs der Mühe wert, sie anzusehen.

GÜLISTANE
Dies ist zuviel.

SCHALNASSAR Für einen Taubenschlag,
doch nicht für ein Gemach, das groß genug ist,
um unbetäubt den Duft von Rosenöl
zu tragen, den die Krüge hier ausatmen.

GÜLISTANE
Die wundervollen Krüge!

SCHALNASSAR Der ist Onyx,
der Chrysopras, wie? nicht der Rede wert.
Für undurchdringlich gelten sie und lassen
den Duft so durch, als wär es morsches Holz.

GÜLISTANE
Wie dank ich dir?
Schalnassar versteht nicht.

GÜLISTANE Wie ich dir danken kann?

SCHALNASSAR
Indem du alles dies
vergeudest: diesen Tisch von Sandelholz
und Perlmutter brauch in kühlen Nächten
statt dürrer Zweige, dir das Bad zu wärmen,
und achte, wie das Feuer sprüht und duftet.
Man hört unten einen Hund anschlagen, dann mehrere.

GÜLISTANE
Durchsichtige Gewebe!
Hebt sie empor.

SCHALNASSAR Totes Zeug!
Ich bring dir einen Zwerg, der zwanzig Stimmen
von Menschen und von Tieren in sich hat.
Statt Papageien und Affen schenk ich dir
sehr sonderbare Menschen, Ausgeburten

von Bäumen, die sich mit der Luft vermählen.
Die singen nachts.

GÜLISTANE
Ich will dich küssen!
Das Anschlagen der Hunde wird stärker, scheint näher.

SCHALNASSAR Sag, ob junge Männer besser
verstehn zu schenken?

GÜLISTANE Was für Stümper sind die
in dieser Kunst, und welch ein Meister du!
Der armenische Sklave kommt, zupft Schalnassar am Kleide, flüstert.

SCHALNASSAR
Ein Mädchen sagst du? wohl ein Weib, doch jung,
wie? ich versteh dich nicht!

GÜLISTANE Von welchem Weib ist da die Rede, Liebster?

SCHALNASSAR
Von keinem. »Bleib«, sprach ich zu diesem da,
und du mißhörtest mich.
Zum Sklaven Sprich hier, und leise!

DER SKLAVE
Sie ist halbtot vor Angst, ein Wegelagrer
war hinter ihr: dann rissen sie die Hunde
zu Boden. Ohne Atem fragte sie:
»Ist dies Schalnassars Haus, des Teppichhändlers?«

SCHALNASSAR
Es ist des süßen Narren Weib. Er schickt sie!
Sei still!
Geht zu Gülistane, die eine Perlenschnur um den Hals legt
O Schön! sie sind den Platz nicht wert!
Tritt wieder zu dem Sklaven.

DER SKLAVE
Sie redet auch von Ganem.

SCHALNASSAR Meinem Sohn!
Gleichviel! Sag: ist sie schön?

DER SKLAVE Mir schien sies.

SCHALNASSAR Wie?

DER SKLAVE
Allein entstellt von Angst.

GÜLISTANE Geschäfte?

SCHALNASSAR *zu ihr* Keines,
als dir zu dienen.
Greift hin, ihr die Spange am Nacken zu schließen; es gelingt ihm nicht.
GÜLISTANE Aber!
SCHALNASSAR *greift sich ans Auge*
Eine Ader
sprang mir im Aug. Ich muß dich tanzen sehn,
dann saugt das Blut sich auf.
GÜLISTANE Wie wunderlich!
SCHALNASSAR
Tus mir zulieb!
GÜLISTANE Da muß ich mir mein Haar
aufstecken.
SCHALNASSAR Steck dirs auf! Ich kann nicht leben,
solang du dich verweilst.
Gülistane geht die Treppe hinauf.
Zum Sklaven Führ sie herauf:
sag nichts als dies: hier stünde, den sie sucht.
Merk: den sie sucht, nicht mehr!
Geht auf und nieder, der Sklave ab.
So arglos ist kein Mensch, ich will nicht glauben,
daß es dergleichen Narren gibt! Was Wegelagrer!
Er schickt sie her, und was dem widerspricht,
ist aufgeschminkt.
Ich dachte nicht, daß diese Nacht dies bringt,
doch Gold treibt dieses alles aus dem Nichts!
Ich will sie hüten, wenn sie mir gefällt:
ihr eigner Mann soll ihr Gesicht nicht mehr
zu sehn bekommen! goldne Kettchen leg ich
um ihre Knöchel!
Ich will mit zweien hausen und sie zähmen,
daß sie in einem Reif wie Papageien
sich schaukeln.
Der Sklave führt Sobeide die Treppe herauf. Sie ist verstört, ihre Augen wie erweitert, ihr Haar zerrüttet, die Perlenschnüre herabgerissen. Sie trägt keinen Schleier mehr.
SCHALNASSAR Käm mein Sohn vor Ärger um!

Ei da! und wie sie sich verstellt und zittert!
Er winkt dem Sklaven, zu gehen.

SOBEIDE *sieht ihn angstvoll an*
Bist du der Schalnassar?

SCHALNASSAR Ja. Und dein Mann –

SOBEIDE
Mein Mann? wie weißt du das? bin ich denn nicht
gerade jetzt... war alles nicht heut nacht?...
Wie... oder du errätst?

SCHALNASSAR So neckisch rede
mit einem jungen Affen. Ich bin alt
und weiß, wie viel ich Macht hab über Euch.

SOBEIDE
Wohl hast du Macht, doch wirst du sie nicht brauchen,
mir wehzutun.

SCHALNASSAR Nein, beim wahrhaftigen Licht!
Doch ich bin nicht geschaffen, süß zu reden,
noch viel zu reden.
Beflißne Schmeichelei liegt hinter mir:
der Mund, der einer Frucht den Saft aussaugt,
ist stumm. Und dies ist das Geschäft des Herbstes.
Mag immerhin der Frühling süßer duften,
der Herbst verlacht den Frühling! Sieh nicht so
auf meine Hand. Weil sie voll Adern ist,
Gerank, darin der Lebenssaft erstarrt, –
oh, sie ergreift dich noch und kann dich halten!
Schon weh! ich wills mit einer Perlenschnur
umwickeln, komm!
Will sie fortziehen.

SOBEIDE *macht sich los*
Erbarm dich meiner, du, mein armer Kopf
ist ganz zerrüttet! Redest du mit mir?
Sag, du bist trunken oder willst mich narren!
Weißt du denn, wer ich bin? Doch ja, du sprachest
von meinem Mann! Heut war mein Hochzeitstag!
Weißt du das? Heut! wie ich mit ihm allein war,
mit meinem Mann, da kam es über mich,
ich weinte laut, und wie er fragte, dann

erhob ich meine Stimme gegen ihn
und sagte ihm von Ganem, deinem Sohn,
alles! ich sag dir später, wie es war.
Jetzt weiß ichs nicht. Nur dies: er hat die Tür
mir aufgetan, in Güte, nicht im Zorn,
und mir gesagt: ich bin nicht seine Frau:
ich kann hingehen, wo ich will. – So geh
und hol mir Ganem! geh und hol ihn mir!

SCHALNASSAR *greift zornig in seinen Bart*
Verdammtes Blendwerk! welcher Teufel ließ dich ein?

SOBEIDE
Die Tochter Bachtjars bin ich, lieber Herr,
des Juweliers.

SCHALNASSAR *klatscht in die Hände, der Sklave kommt*
Ruf Ganem!

SOBEIDE *unwillkürlich laut* Ruf ihn her!

SCHALNASSAR *zum Sklaven*
Hinauf die Mahlzeit! Ist der Zwerg bereit?

DER SKLAVE
Er wird gefüttert; wenn er hungrig ist,
ist er zu boshaft.

SCHALNASSAR Gut, dies will ich ansehn.
Geht mit dem Sklaven links vorne ab.

SOBEIDE *allein*
Nun bin ich hier. Wie, fängt das Glück so an?
Ja, dies hat kommen müssen, diese Farben
kenn ich aus meinen Träumen, so gemischt.
Aus Bechern trinken wir, die uns ein Kind,
durch Blumenkränze mit den Augen leuchtend,
hinhält – doch aus den Wipfeln eines Baumes,
da fallen schwarze Tropfen in den Becher
und mischen Nacht und Tod in unsern Trunk.
Sie setzt sich auf die Bank
In alles, was wir tuen, ist die Nacht
vermengt, selbst unser Aug hat was davon:
das Schillernde in unseren Geweben
ist nur ein Einschlag, seine wahren Fäden
sind Nacht.

der Tod ist überall: mit unsern Blicken
und unsern Worten decken wir ihn zu,
und wie die Kinder, wenn sie was verstecken
im Spiel, vergessen wir sogleich, daß wirs
nur selber sind, die ihn vor uns verstecken.
Oh, wenn wir Kinder haben, müssen sie
das alles lange, lange nicht begreifen.
Ich habs zu früh gewußt. Die schlimmen Bilder
sind immerfort in mir: sie sitzen immer
in mir wie Turteltauben in den Büschen
und schwärmen gleich hervor.
Sie sieht auf
Doch nun wird Ganem kommen! Wenn mein Herz
nur nicht mein ganzes Blut so in sich preßte.
Ich bin zum Sterben müd. Ich könnte schlafen.
Mit mühsamer Lebhaftigkeit
Ganem wird kommen! dann ist alles gut!
Sie atmet den Duft von Rosenöl und wird die kostbaren Dinge gewahr
Wie alles dies hier duftet! wie es funkelt!
Mit erschrockenem Staunen
Und da! Weh mir, dies ist des Reichtums Haus,
blödsinnige, belogne Augen, seht!
Sie erinnert sich fieberhaft
Und dieser Alte wollte Perlenschnüre
mir um die Hände winden: sie sind reich!
und »arm« war seines Mundes zweites Wort!
So log er, log nicht einmal, hundertmal!
ich sah sein Lächeln, wenn er log, ich fühls,
es würgt mich hier!
Sie sucht sich zu beruhigen
Oh! wenn er log – es gibt dergleichen Dinge,
die eine Seele zwingen! und sein Vater –
ich hab um meinen Vater viel getan! –
sein Vater dies? dies würgt mich noch viel mehr!
mutloses Herz, er kommt, und irgend etwas
enthüllt sich, alles dies begreif ich dann,
begreif ich dann –

Sie hört Schritte, blickt wild umher, dann angstvoll
Komm! laß mich nicht allein!
Gülistane und eine alte Dienerin steigen die Treppe herab und gehen zu den Geschenken bei dem Tisch.

SOBEIDE *auffahrend*
Ganem! bist du es nicht?

GÜLISTANE *halblaut* Sie ist verrückt.

Sie lädt der Sklavin die Geschenke eines nach dem anderen auf die Arme.

SOBEIDE *steht in einiger Entfernung von ihr*
Nein, Fräulein, nicht verrückt. Seid nur nicht bös.
Die Hunde sind mir nach! zuerst ein Mensch!
Ich bin fast tot vor Angst! Er ist mein Freund,
er wird Euch sagen, wer ich bin. Ihr wißt nicht,
was Angst aus einem Menschen machen kann.
Sagt, Fräulein, fürchten wir uns denn nicht alle
selbst vor Betrunknen? und der war ein Mörder!
Ich bin nicht mutig, und ich hab ihn doch
mit einer Lüge, die mir wie der Blitz
in meinen armen Kopf gefahren ist,
für eine Weile weggehalten – dann
ist er gekommen, seine Hände waren
schon da! Habt Mitleid mit mir, seid nicht zornig.
Ihr sitzt da an dem schönen Tisch mit Lichtern,
ich stör euch auf. Doch seid ihr seine Freunde,
er wird euch alles sagen. Und dann später,
wenn wir uns sehn und Ihr mich besser kennt,
dann lachen wir zusammen noch darüber.
Schaudernd
Jetzt könnt ich noch nicht lachen!

GÜLISTANE *sich zu ihr umwendend*
Wer ist dein Freund? wer wird uns alles sagen?

SOBEIDE *arglos freundlich*
Ei, Ganem.

GÜLISTANE
Was hast du hier für ein Geschäft?

SOBEIDE *tritt näher, sieht sie starr an*
Wie, bist du nicht die Witwe
Kamkars, des Schiffshauptmanns?

GÜLISTANE Und du die Tochter
Bachtjars, des Juweliers?
Sie betrachten einander aufmerksam.
SOBEIDE Es ist lang her,
daß wir einander sahn.
GÜLISTANE Was kommst du, hier
zu tun?
SOBEIDE So lebst du hier? – Ich komm den Ganem
Stockend
um ein Ding zu fragen – dran sehr viel hängt
– für meinen Vater –
GÜLISTANE Hast ihn lange nicht
gesehn, den Ganem?
SOBEIDE Fast ein Jahr ist das.
Daß Kamkar starb, dein Mann, ist nun vier Jahr.
Ich weiß den Tag. Und wie lang lebst du hier?
GÜLISTANE
Verwandte sinds zu mir. Was kümmerts dich,
wie lang. Zwar, eben drum: nun seit drei Jahren.
Sobeide schweigt.
GÜLISTANE *zu der Sklavin*
Sieh zu, daß nichts hinunterfällt! Die Matten
hast du?
Zu Sobeide
Kann sein, wenn eine liegen bliebe
und Ganem fände sie, es fiel ihm ein,
die Wange drauf zu betten, weil mein Fuß
darauf geruht, und was du dann auch redest,
so wär er taub für deine Sache! Fänd er
vielleicht die Nadel, die aus meinem Haar
gefallen ist und etwa danach duftet:
er säh dich nicht, so hingen seine Sinne
an dieser Nadel.
Zu der Sklavin Geh, heb sie mir auf!
Ei, bück dich doch!
Sie stößt die Sklavin, Sobeide bückt sich schnell und hält der Sklavin die Nadel hin. Gülistane nimmt ihr die Nadel aus der Hand und sticht nach Sobeide.

SOBEIDE Weh, warum stichst du mich?

GÜLISTANE Damit ich dir zuvorkomm, kleine Schlange,
geh, dein Gesicht ist solch ein eitles Nichts,
man sieht dir an, was du verbergen willst.
Geh wieder heim, ich rate dir.
Zu der Sklavin Du komm
und schlepp, soviel du kannst.
Zu Sobeide Was mein ist, merk,
das halte ich und wahr es mir vor Dieben!
Sie geht mit der Sklavin die Treppe hinauf.

SOBEIDE *allein*
Was bleibt mir nun? Wie kann das noch gut werden,
was so beginnt? Nein, nein, mein Schicksal will
mich prüfen! Was soll dieses Weib ihm sein?
Dies ist nicht Liebe, dies ist Lust, ein Ding,
das Männern nötig ist zu ihrem Leben.
Fieberhaft hastig
Er kommt und wirft dies ab mit einem Wort
und lacht mich aus. Steht auf, Erinnrungen!
jetzt oder nie bedarf ich eurer! weh,
daß ich euch rufen muß in dieser Stunde!
Kommt keine seiner Mienen mir zurück?
kein unzweideutig Wort? ah, Worte, Mienen,
aus Luft gewobner Trug! ein schweres Herz
hängt sich an euch, und ihr zerreißt wie Spinnweb.
Fahr hin, Erinnerung, ich hab mein Leben
heut hinter mich geworfen, und ich steh
auf einer Kugel, die ins Ungewisse rollt!
Immer erregter
Ganem wird kommen, ja, sein erstes Wort
zerreißt die Schlinge, die mich würgen will;
er kommt und nimmt mich in den Arm – ich triefe
von Schreck und Graun anstatt von Duft und Salben –
ich schweig von allem, ich häng mich an ihn
und trink die Worte ihm vom Mund. Sein erstes,
sein erstes Wort wird alle Angst betäuben...
er lächelt alle Zweifel weg... er scheucht...
wenn aber nicht?... ich will nicht denken! will nicht!
Ganem kommt die Treppe herauf.

SOBEIDE *schreit auf*

Ganem!

Sie läuft auf ihn zu, befühlt seine Haare, sein Gesicht, fällt vor ihm nieder, drückt den Kopf an ihn, zwischen krampfhaftem Lachen und Weinen

Hier bin ich! nimm mich, nimm mich! halt mich fest!
Sei gut zu mir! Du weißt ja alles nicht!
Ich kann noch nicht... Wie schaust du mich denn an?

Sie steht wieder auf, tritt zurück, sieht ihn mit entsetzlicher Spannung an.

GANEM *bleibt vor ihr stehen*

Du?

SOBEIDE *in fliegender Eile*

Ich gehör dir, Ganem! ich bin dein!
Frag mich jetzt nicht, wie dies gekommen ist:
dies ist der Kern von einem Labyrinth,
wir stehn nun einmal hier! Sieh mich doch an!
Er selber hat mich freigegeben! er...
mein Mann. Was wechselt dein Gesicht jetzt so?

GANEM

Um gar nichts. Tritt hierher, man hört uns etwa –

SOBEIDE

Ich fühl, es ist an meinem Wesen etwas,
das dir mißfällt. Warum verbirgst du mirs?

GANEM

Was willst du?

SOBEIDE Ich will nichts, als dir gefallen.
Hab Nachsicht mit mir. Sag, worin ich fehle:
ich will so folgsam sein! war ich zu kühn?
Siehst du, es ist nicht meine Art: mir ist,
als hätt mich diese Nacht mit ihren Fäusten
gepackt und hergeworfen, ja, mir schaudert
vor allem, was ich dort vermocht zu reden,
und daß ich dann vermocht, den Weg zu gehn.
Mißfällt dir, daß ichs konnte?

GANEM Warum weinst du?

SOBEIDE

Du hast die Macht, mich so veränderlich
zu machen. Ich muß lachen oder weinen,
erröten und erblassen, wie dus willst.

Ganem küßt sie.

SOBEIDE
Wenn du mich küssest, sieh mich anders an!
Nein. Ich bin deine Magd. Tu, wie du willst.
Laß mich hier lehnen. Ich will sein wie Lehm
in deinen Händen und an nichts mehr denken.
Was runzelst du die Stirn?

GANEM
Weil du nun bald schon
nach Hause mußt. Was lächelst du?

SOBEIDE
Ich weiß doch,
du willst mich nur versuchen.

GANEM
Nein, wahrhaftig,
da irrst du dich. Was meinst du denn? Ich kann dich
nicht hier behalten. Sag mir, ist dein Mann
denn über Land gereist, daß du nicht Furcht hast?

SOBEIDE
Ich bitte, hör nun auf, ich kann nicht lachen!

GANEM
Nein, ganz im Ernst: wann soll ich zu dir kommen?

SOBEIDE
Zu mir, wozu? Du siehst, ich bin doch hier:
Sieh, hier zu deinen Füßen setz ich mich:
ich hab sonst kein Daheim als wie die Streu
zur Seite deinem Hund, wenn du mich sonst
nicht betten willst. Und niemand wird mich holen!
Er hebt sie auf.

GANEM *klatscht vergnügt in die Hände*
Vortrefflich! wie du dich verstellen kannst,
wos die Gelegenheit erheischt! bei Gott,
es steht dir prächtig! and es soll uns nützen!
Jetzt wirds am freien Spielraum nicht mehr fehlen,
uns furchtlos unsrer Lust zu überlassen –
Wann soll ich zu dir kommen?

SOBEIDE *zurücktretend*
Ich bin wahnsinnig!
mein Kopf ist schuld, daß ich dich andre Worte,
als du in Wahrheit redest, reden höre!
Ganem, so hilf mir! hab Geduld mit mir!
Was ist heut für ein Tag?

GANEM Wozu das jetzt!

SOBEIDE

Es bleibt nicht so, es ist nur von der Angst,
und weil ich in der einen Nacht zuviel
hab fühlen müssen, das hat mich zerrüttet.
Heut war mein Hochzeitstag: wie ich allein war
mit meinem Mann, hab ich geweint und ihm
gesagt, es ist um dich: er hat die Tür
mir aufgetan. –

GANEM Ich wett, er hat die Fallsucht
und wollte frische Luft. Du bist zu närrisch!
Laß mich dein Haar auflösen und dich küssen.
Dann aber schnell nach Haus: was später kommt,
soll besser werden als der Anfang heute!
Er will sie an sich ziehen.

SOBEIDE *macht sich los, tritt zurück*

Ganem! er hat die Tür mir aufgetan
und mir gesagt, ich bin nicht seine Frau,
ich kann hingehen, wo ich will... der Vater
ist los von seinen Schulden... und mich läßt er
hingehen, wo ich will... zu dir, zu dir!
Sie bricht in Schluchzen aus
Ich lief, da war der Mensch, der mir den Schmuck
wegnahm und mich umbringen wollte – dann
die Hunde –
Mit dem Ausdruck kläglicher Verlassenheit
und jetzt bin ich hier, bei dir!

GANEM *unaufmerksam, nach rückwärts horchend*

Mir ist, ich hör Musik! hörst dus nicht auch –
von unten?

SOBEIDE Dein Gesicht und noch etwas,
Ganem, erfüllen mich mit großer Angst –
Hör nicht auf dies, hör mich! hör mich, ich bitte!
Hör mich, die deinem Blick mit offner Seele
daliegt, die ihres Blutes Flut und Ebbe
vom Wechsel deines Angesichts empfängt:
du hast mich einst geliebt – dies, scheint mir, ist vorbei –
Was dann geschah, ist meine Schuld allein:

dein Glanz schwoll an in meinem trüben Sinn
wie Mond im Dunst – –
Ganem horcht nach rückwärts

SOBEIDE *immer wilder* Gesetzt, ich war dir nichts:
warum dann logst du? wenn ich dir was war,
warum hast du gelogen? Sprich zu mir –
Bin ich dir nicht der Antwort wert?
Sonderbare Musik draußen und Stimmen.

GANEM Bei Gott,
es ist des Alten Stimme und die ihre!
Die Treppe herunter kommt ein flötenspielender Zwerg und ein weibisch aussehender Sklave, der eine Laute spielt, voraus andere mit Lichtern, dann Schalnassar, auf Gülistane gestützt, zuletzt ein Verschnittener, mit einer Peitsche im Gürtel.
Gülistane macht sich los, tritt nach vorne, scheinbar auf dem Boden etwas suchend, die anderen kommen auch nach vorne.
Die Musik verstummt.

GÜLISTANE *über die Schulter, zu Schalnassar*
Mir fehlt ein Büchslein, ganz von dunklem Onyx,
mit Salbe voll. Bist du noch immer da,
du Tochter Bachtjars! Auf, und bück dich doch,
ob dus nicht finden kannst!
Sobeide schweigt, sieht auf Ganem.

SCHALNASSAR So laß und komm!
ich schenk dir hundert andre.

GÜLISTANE Doch die Salbe
war ein Geheimnis!

GANEM *dicht bei Gülistane*
Wozu soll der Aufzug?

SCHALNASSAR
Was kommst du nicht? wer alt ist, kann nicht warten!
Und ihr voran! macht Lärm und tragt die Lichter!
Betrinkt euch: was hat Nacht mit Schlaf zu tun!
Voran bis an die Tür, dort bleibt zurück!
Die Sklaven stellen sich wieder in Ordnung.

GANEM *wütend*
Was Tür? an welche Tür?

SCHALNASSAR *zu Gülistane, die sich an ihn lehnt*
Antwort ich ihm?
Es ist, um dir zu schmeicheln! Tu ichs nicht,
geschiehts, um dir zu zeigen, daß mein Glück
der Schmeichelei des Neides nicht bedarf.

GANEM *zu Gülistane*
Sag nein! sag, daß er lügt!

GÜLISTANE Geh, guter Ganem,
und laß uns durch. Dein Vater ist genesen,
darüber freun wir uns. Was stehst du finster?
Man muß sich doch mit den Lebendgen freun,
solang sie leben.
Sieht ihm unter die Augen.

GANEM *reißt dem Verschnittenen die Peitsche weg*
Wozu trägst du die Peitsche, altes Weib?
Stieb auseinander, krüppelhafte Narrheit!
Er schlägt auf die Musiker und die Lichter ein, wirft dann die Peitsche weg
Schamlose Lichter, aus! und du, zu Bett,
geschwollner Leib! ihr, aufgeblähte Adern!
ihr, rote Augen! du, verfaulter Mund!
fort in ein ungesellig Bett! und Nacht,
lautlose Nacht statt unverschämter Fackeln
und frecher Pfeifen!
Er weist den Alten hinaus.

SCHALNASSAR *bückt sich mühsam um die Peitsche*
Mir die Peitsche, mir!

SOBEIDE *schreit auf*
Sein Vater! beide, um das Weib! die beiden!

GÜLISTANE *windet dem Alten die Peitsche aus der Hand*
Geh selber doch zu Bett, jähzorniger Ganem,
und laß beisammen, was beisamm sein will!
Schilt deinen Vater nicht! Ein alter Mann
weiß richtiger zu schätzen, und ist treuer
als eitle Jugend. Hast du nicht Gesellschaft?
Des Bachtjar Tochter steht doch da im Dunkeln:
ich hab oft sagen hören, sie wär schön.
Auch weiß ich wohl, du warst verliebt in sie.
Nun gute Nacht.
Sie wenden sich alle zum Gehen.

GANEM *wild* Geh nicht mit ihm!

GÜLISTANE *über die Schulter zurück* Ich geh,
wohin mein Herz mich heißt.

GANEM *flehend* Geh nicht mit ihm!

GÜLISTANE
Ei, laß uns durch! auch morgen ist ein Tag.

GANEM *an der Treppe vor ihr liegend*
Geh nicht mit ihm!

GÜLISTANE *umgewandt* Du Tochter Bachtjars,
so halt ihn doch! ich will ihn nicht! ich trete
mit meinem Fuß nach seinen Händen! Du!

SOBEIDE *wie von Sinnen*
Ja! ja! wir wollen einen Reigen tanzen!
Gib mir die Hand! und ihm! und ich dem Alten!
Wir wollen unser Haar auflösen: welche
das längre Haar hat, soll den Jungen haben
für heut – und morgen wieder umgekehrt!
Gemeinheit hat den Thron! die Lügen triefen
vom menschlichen Gesicht wie Gift vom Molch!
Ich will mein Teil von eurer Lustigkeit!
Zu Ganem, der den Hinaufsteigenden zornig nachsieht
Hinauf! stiehl sie dem Vater aus dem Bett,
würg ihn im Schlaf: ein Trunkner wehrt sich nicht!
Ich seh dirs an: du stirbst, mit ihr zu liegen!
Wenn du sie satt bist oder wechseln willst,
dann komm zu mir, wir wollen leise gehn,
mein alter Mann hat keinen tiefen Schlaf,
nicht so wie die, die dies anhören können
und schlafengehn dabei!
Sie wirft sich zu Boden
Ich will dies ganze Haus
aufheulen aus dem Schlaf mit Schmach und Zorn
und Jammer…
Sie liegt stöhnend
… Oh, dich hab ich so geliebt,
und du zertrittst mich so!

Ein alter Sklave zeigt sich rückwärts, löscht die Lichter aus, ißt eine herabgefallene Frucht.

GANEM *schlägt jähzornig in die Hände*
Auf! schafft sie fort! hier ist ein Weib, das schreit.
Ich kenn sie kaum! sie sagt, es ist um mich!
Ihr Vater wollte sie dem reichen Mann
verkuppeln, aber sie verdreht das Ganze
und sagt, ihr Mann wär auch ein solcher Kuppler,
und der ist nur ein Narr, soviel mich dünkt.
Er tritt nahe an sie heran, mitleidig spöttisch
Ihr seid doch allzu gläubig. Doch daran
ist eure Art mehr schuld als unsre Kunst.
Nein, steh nur auf, ich will dich nicht mehr ärgern.

SOBEIDE *richtet sich auf, ihre Stimme ist hart*
So war an allem nichts, und hinter allem
ist nichts. Von allem dem werd ich nicht rein:
was heut in mich kam, kann nicht mehr heraus.
Aus anderen vielleicht. Ich bin zu müd.
Sie steht
Fort, fort! ich weiß, wohin ich geh! nur hier
hinaus!
Der alte Sklave ist langsam die Stiege hinabgegangen.

GANEM Ich halt dich nicht. Allein den Weg –
wirst du den finden? Zwar, du fandest ihn...

SOBEIDE
Den Weg! den gleichen Weg!
Sie schaudert Der alte Mann
soll mit mir gehn. Ich hab nicht Furcht, ich will
nur nicht allein sein: erst bis wieder Tag ist –
Ganem geht nach rückwärts, holt den alten Sklaven zurück.

SOBEIDE
Mir ist, ich trüg ein Kleid, daran die Pest
und grauenvolle Spur von Trunkenheit
und wilden Nächten klebte, und ich brächte
es nicht herunter als mit meinem Leib zugleich.
Jetzt muß ich sterben, dann ist alles gut.
Doch schnell, bevor dies schattenhafte Denken
an meinen Vater wieder Blut gewinnt:
sonst wird es stark und zieht mich noch zurück,
und ich muß weitergehn in meinem Leib.

GANEM *führt den Alten langsam vor*
Merk auf. Dies ist des reichen Chorab Frau.
Verstehst du mich?
DER ALTE *nickt* Des reichen!
GANEM Wohl. Die sollst du
begleiten.
DER ALTE Wie?
GANEM Du sollst den Weg sie führen
bis an ihr Haus.
Der Alte nickt.
SOBEIDE Bis an die Gartenmauer.
Von dort weiß ich allein, wohin ich soll.
Will er das tun? Ich dank dir. Das ist gut,
sehr gut. Komm, alter Mann, ich geh mit dir.
GANEM
Geht hier den Gang, der Alte weiß den Weg.
SOBEIDE
Er weiß ihn, das ist gut, sehr gut. Wir gehn.
Sie gehen durch die Tür rechts ab. Ganem wendet sich, die Treppe hinaufzugehen.

Verwandlung.

III

Der Garten des reichen Kaufmanns. Von vorne rechts läuft die hohe Gartenmauer nach links rückwärts. In ihr ist ein kleines vergittertes Pförtchen, zu dem Stufen führen. Links verläuft sich ein gewundener Weg zwischen Bäumen. Es ist früher Morgen. Die Büsche sind mit Blüten beladen und die Wiesen stehen voller Blumen. Im Vordergrund sind der Gärtner und seine Frau beschäftigt, zarte blühende Sträucher aus einer offenen Trage zu nehmen und im ausgegrabenen Boden umzusetzen.

DER GÄRTNER
Dort kommen schon die andern. Nein, das ist
ein einzelner... der Herr!

DIE FRAU Der Herr? am Morgen
nach seiner Hochzeit vor der Sonne auf,
im Garten und allein. Das ist kein Mann
wie andre Männer.

DER GÄRTNER Schweig. Er kommt hierher.

DER KAUFMANN *tritt langsam von links her auf*
Die Stunde, wo die Sonne noch nicht auf ist
und alle Zweige in dem toten Licht
dahängen ohne Glanz, ist fürchterlich.
Mir ist, als säh ich diese ganze Welt
zurückgestrahlt von einem grauenhaft
entseelten Spiegel, öde wie mein innres Auge!
O welkten alle Blumen! wär mein Garten
ein giftiger Morast, ganz ausgefüllt
mit den verfaulten Leibern seiner Bäume!
und meiner mitten drunter!
Er zerpflückt einen blühenden Zweig, dann hält er inne und läßt ihn fallen
Ei, ein Geck!
ein alter Geck, so alt als melancholisch,
so lächerlich als alt! ich will mich setzen
und Kränze winden und ins Wasser weinen!
Er geht ein paar Schritte weiter, fährt wie unwillkürlich mit der Hand nach dem Herzen

O wie ist dies von Glas, und wie der Finger,
mit dem das Schicksal daran pocht, von Eisen!
Die Jahre setzen keine Ringe an
und legen keine Panzer hier herum.

Er geht wieder ein paar Schritte, stößt dabei auf den Gärtner, der seinen Strohhut abnimmt; fährt aus seinen Gedanken auf, sieht den Gärtner fragend an.

DER GÄRTNER

Dein Diener Scheriar, Herr, der dritte Gärtner.

DER KAUFMANN

Wie? Scheriar, wohl. Und diese ist dein Weib?

DER GÄRTNER

Ja, Herr.

DER KAUFMANN

Allein sie ist um vieles jünger
wie du. Und einmal kamst du zu mir klagen,
daß sie mit einem Burschen – welcher wars?

DER GÄRTNER

Der Eseltreiber wars.

DER KAUFMANN Da jagt ich den
aus meinem Dienst, und sie lief dir davon.

DER GÄRTNER *sich verneigend*

Du kennst die Wege aller heiligen Sterne,
doch du erinnerst dich der Raupe auch,
die einmal neben deinen Füßen kroch.
Es ist so, Herr. Doch kam sie mir zurück
und lebt seitdem mit mir.

DER KAUFMANN Und lebt mit dir!
Der Bursche schlug sie wohl! Du aber nicht!
Er wendet sich ab, sein Ton wird bitter
Wir wollen uns nur zueinander setzen
ins Gras, und eins dem andern die Geschichte
erzählen! Lebt mit ihr! er hat sie doch!
Besitz ist alles! Welch ein Narr ist das,
der das Gemeine schmäht, da doch das Leben
gemacht ist aus Gemeinem durch und durch!
Er geht mit starken Schritten rechts vorne weg.

DIE FRAU *zum Gärtner*

Was hat er dir gesagt?

DER GÄRTNER Nichts, nichts.

Sobeide und der Kameltreiber erscheinen an dem Gittertürchen.

DIE FRAU

Du, weißt du was?

Näher kommend Schau! dort

die Frau! das ist die junge Frau

des Herrn! schau, wie verstört sie aussieht.

DER GÄRTNER Kümmer dich

um deine Sach!

DIE FRAU Schau, sie ist ohne Schleier,

und wer bei ihr ist. Schau. Das ist doch keiner

von unsern Dienern, sag?

DER GÄRTNER Ich weiß nicht.

Sobeide streckt ihren Arm durch das Gitter, nach dem Schloß suchend

DIE FRAU Du!

Sie will herein. Hast du den Schlüssel?

DER GÄRTNER *aufschauend* Wohl,

den hab ich, und da sie die Herrin ist,

so dient man ihr, eh sie den Mund auftut.

Er geht hin und sperrt auf. Sobeide tritt ein, hinter ihr der Alte. Der Gärtner sperrt wieder zu. Sobeide geht mit verlorenem Blick nach vorne, der Alte hinter ihr. Der Gärtner geht an ihr vorbei, nimmt den Strohhut ab, will wieder an seine Arbeit. Die Frau steht ein paar Schritte rückwärts, biegt neugierig das Buschwerk auseinander.

SOBEIDE

Sag, hier ganz nah ist doch der Teich, nicht wahr,

der große Teich, an dem die Weiden stehen?

DER GÄRTNER *nach rechts hin zeigend*

Hier unten liegt er, Frau, du mußt ihn sehen.

Soll ich dich führen?

SOBEIDE *heftig abwehrend*

Nein, nein, geh nur, geh!

Sie will rechts abgehen, da hält sie der Alte am Kleid zurück. Sie wendet sich um.

Der Alte hält bettelnd die Hand hin, zieht sie verlegen gleich wieder zurück.

SOBEIDE

Was?

DER ALTE

Du bist nun daheim, ich geh zurück.

SOBEIDE

Ja, und ich hab dir deinen Schlaf gestohlen
und geb dir nichts dafür. Und du bist alt
und arm. Allein ich hab nichts, nichts, gar nichts!
So arm wie ich, war auch kein Bettler je.
Der Alte verzieht sein Gesicht zum Lachen, hält wiederum seine Hand hin.

SOBEIDE *sieht ratlos umher, fährt sich mit der Hand ins Haar, spürt ihre Ohrgehänge von Perlen, macht eines los, dann das andere, gibt sie ihm.*

Da nimm, da nimm und geh!

DER ALTE *schüttelt den Kopf*

O nein, o nein!

SOBEIDE *qualvoll eilig*

Ich geb sie gern, geh, geh!
Will weg.

DER ALTE *hält die Ohrgehänge in der Hand*

Nimm sie zurück. Gib mir ein kleines Stück Geld!
Ich bin ein armer Narr. Sie kämen her,
Schalnassar und die andern, über mich
und nähmen mir die Perlen. Ich bin alt
und solch ein Bettler! Dies wär nur mein Unglück!

SOBEIDE

Ich hab nichts andres. Komm heute abend wieder
und bring sie hier dem Herrn, er ist mein Mann,
er gibt dir Geld dafür.

DER ALTE Bist du auch hier?

SOBEIDE

Frag nur nach ihm, jetzt geh und laß mich gehn!
Will weg.

DER ALTE *sie zurückhaltend*

O wenn er gut ist, bitt ihn du für mich,
daß er mich in sein Haus nimmt: er ist reich
und hat so viel Gesinde. Ich bin fleißig,
brauch wenig Schlaf. Doch in Schalnassars Haus
hungert mich abends immer so. Ich will –

SOBEIDE *sich losmachend*

Wenn du heut abend kommst, so sprich zu ihm:
ich ließ ihn bitten, daß er dirs erfüllt.
Nun geh, ich bitte dich, ich hab nicht Zeit.

Der Alte geht gegen die kleine Türe, bleibt aber im Gebüsch stehen. Die Gärtnersfrau hat sich von links Sobeiden genähert. Sobeide geht ein paar Schritte, dann läßt sie den leeren Blick umherschweifen, schlägt sich an die Stirn, als ob sie etwas vergessen hätte. Sie bleibt plötzlich vor der Gärtnersfrau stehen, sieht diese verloren an, dann fragt sie hastig

Der Teich ist dort? wie? dort? der Teich?

Zeigt nach links.

DIE FRAU Nein, hier.

Zeigt nach rechts

Hier diesen Weg hinab. Er biegt sich dort.
Du willst den Herrn einholen? er geht langsam:
wenn du zum Kreuzweg kommst, wirst du ihn sehn.
Du kannst ihn nicht verfehlen.

SOBEIDE *noch verstörter* Ich, den Herrn?

DIE FRAU

Ei ja, du suchst ihn doch?

SOBEIDE Ich, ihn? – Ja, ja,

ich – geh – dann – hin.

Ihr Blick schweift angstvoll umher, haftet plötzlich auf einem unsichtbaren Ziel links rückwärts Der Turm! Er ist verschlossen?

DIE FRAU

Der Turm?

SOBEIDE Die Stiege, ja, zum Turm?

DIE FRAU O nein!

Der Turm ist nie verschlossen. Auch zur Nacht nicht.
Weißt du das nicht?

SOBEIDE

Ei, ja.

DIE FRAU

Willst du hinaufgehn?

SOBEIDE *mühsam lächelnd*

Nein, nein, jetzt nicht. Vielleicht ein andermal.

Lächelnd, mit einer freundlichen Handbewegung

Geh nur. Geh, geh.

Allein Der Turm! der Turm!
Und schnell. Er kommt von dort. Gleich ists zu spät.
Sie sieht sich spähend um, geht erst langsam nach links, läuft dann durchs Gebüsch. Der Alte, der sie aufmerksam beobachtet hat, folgt ihr langsam.

DER GÄRTNER *ist mit seiner Arbeit fertig*
Komm her und hilf mir tragen.

DIE FRAU Ei, ja, gleich.
Sie nehmen die Trage auf und tragen sie weiter nach rechts.

DER KAUFMANN *tritt von rechts auf*
Ich hab sie so geliebt! wie gleicht das Leben
betrügerischen Träumen! Heute, hier
und immer hätt ich sie besessen! ich!
Besitz ist alles! langsame Gewalt,
einsickernd durch die unsichtbaren Spalten
der Seele, nährt die wundervolle Lampe
im Innern, und bald bricht aus solchen Augen
ein mächtigres und süßres Licht als Mond.
Ich hab sie so geliebt! ich will sie sehn,
noch einmal sehn. Mein Aug sieht nichts als Tod:
die Blumen welken sehends wie die Kerzen,
wenn sie ins Laufen kommen, alles stirbt,
und alles stirbt vergeblich, denn sie ist
nicht da –
Der alte Kameltreiber kommt von links her über die Bühne auf den Gärtner zugelaufen und zeigt diesem etwas, das links in einiger Entfernung und in der Höhe vorzugehen scheint, der Gärtner macht die Frau aufmerksam, alle sehen hin.

DER KAUFMANN *wird dies plötzlich gewahr, folgt mit den Blicken der gleichen Richtung, wird totenblaß*
Gott, Gott! gebt Antwort! da! da! da!
die Frau! da! auf dem Turm! sie beugt sich vor!
was beugt sie sich so vor? schaut hin! schaut hin!
Die Frau schreit auf und schlägt die Hände vors Gesicht.

DER GÄRTNER *läuft nach links, sieht hin, ruft zurück*
Sie lebt und regt sich! Herr! komm diesen Weg!
Der Kaufmann läuft hin. Die Frau hinter ihm.
Gleich darauf bringen der Kaufmann, der Gärtner und die Frau Sobeide getragen, lassen sie im Gras nieder. Der Gärtner legt sein Oberkleid ab und

schiebt es ihr unter den Kopf. Der alte Kameltreiber steht in einiger Entfernung.

DER KAUFMANN *auf den Knien*

Du atmest! Du wirst leben, du mußt leben!
Du bist zu schön, zu sterben!

SOBEIDE *schlägt die Augen auf*

Laß! ich muß sterben; still, ich weiß es gut.
Mein Lieber, still, ich bitte. Ich hab nicht
gedacht, dich noch zu sehn –
Ich hab dir abzubitten.

DER KAUFMANN *zärtlich* Du!

SOBEIDE Nicht dies!

Dies mußte sein. – Von früher, heute nacht:
ich war mit dir, wie's keiner Frau geziemt zu sein:
ich tat mit meinem ganzen Schicksal so,
wie ichs beim Tanzen tu mit meinen Schleiern:
mit eitlen Händen rührt ich an mein Selbst.
Sprich nicht! versteh mich!

DER KAUFMANN Was geschah dir – dann?

SOBEIDE

Nicht fragen, was geschah; nicht fragen, bitte.
Ich war schon vorher müd, und so am Ende!
Nun ist es leicht. Du bist so gut, ich will
dir noch was sagen: merk nur auf. Die Eltern –
du weißt ja, wie sie sind – du mußt sie nehmen:
ganz zu dir nehmen.

DER KAUFMANN Ja, doch du wirst leben.

SOBEIDE

Nein, sag das nicht: merk auf: ich möchte manches
noch sagen. Ja, da ist ein alter Mann.
Der ist sehr arm: den nimm auch in dein Haus
um meinetwillen.

DER KAUFMANN Nun bleibst du bei mir:

ich will erraten, was du willst: so leise
du atmest, will ich doch die Harfe sein,
die jedem Hauch mit Harmonie antwortet,
bis du dich langweilst und sie schweigen heißt.

SOBEIDE

Laß solche Worte: mir ist schwindlig und
sie flimmern vor den Augen. Klag nicht viel,
ich bitte dich. Wenn ich jetzt leben bliebe,
verstümmelt wie ich bin, so könnt ich dir
kein Kind je zur Welt bringen, und mein Leib
wär häßlich anzusehn, und früher, weiß ich,
war ich zuweilen schön. Das könntest du
nur schwer ertragen und vor mir verbergen.
Allein ich werde ja gleich sterben, Lieber.
Dies ist so seltsam: unsre Seele lebt in uns
wie ein gefangner Vogel. Wenn der Käfig
zerschlagen wird, so ist sie frei. Nein, nein,
du darfst nicht lächeln: nein, ich fühl es so;
es ist so. Sieh, die Blumen wissens auch
und starren so vor Glanz, seit ich es weiß.
Kannst du es nicht verstehen? merk auf.

Pause

Du bist noch da und ich auch immer noch?
Jetzt seh ich dein Gesicht, so wie ichs nie
gesehn hab. Bist dus denn, du, mein Mann?

DER KAUFMANN

Mein Kind!

SOBEIDE Aus deinen Augen lehnt sich so
die Seele! und die Worte, die du redest, zucken
noch in der Luft, weil dir das Herz so zuckt,
aus dem sie kommen. Weine nicht, ich kanns
nicht sehn, weil ich dich nun so liebhab. Laß
mich deine Augen sehn zuletzt. Wir hätten lang
zusammen sein und Kinder haben sollen,
nun ist es schrecklich – für die Eltern!

Sie stirbt.

DER KAUFMANN *halb gebückt*

So lautlos fällt ein Stern. Mich dünkt, ihr Herz
war mit der Welt nicht fest verbunden. Nichts
bleibt mir von ihr als dieser Blick, des Ende
getaucht schon war in starrendes Vergessen,
und Worte, die der falsche Hauch des Lebens

noch im Entfliehen trüglich schwellen ließ,
so wie der Wind, eh er sich schlafen legt
zum Trug die Segel bläht wie nie zuvor.
Er erhebt sich
Ja, hebt sie auf. So bitter ist dies Leben:
ihr ward ein Wunsch erfüllt: die eine Tür,
an der sie lag mit Sehnsucht und Verlangen,
ihr aufgetan – und so kam sie zurück
und trug den Tod sich heim, die abends ausgegangen
– wie Fischer, Sonn und Mond auf ihren Wangen,
den Fischzug rüsten – um ein großes Glück.
Sie heben sie auf, den Leichnam hineinzutragen.

Der Vorhang fällt.

FLORINDO UND DIE UNBEKANNTE

AUS ›CRISTINAS HEIMREISE‹, ÄLTESTE FASSUNG

Ein Platz in Venedig, der im Hintergrunde an die offene Lagune stößt. Nach links vorne geht eine kleine, enge Gasse mit einem Bogen überwölbt, ebenso geht rechts eine schiefe, schmale Gasse. Im Erdgeschosse eines Eckhauses links ist ein Kaffeehaus, das erleuchtet ist und worin einige Gäste Billard spielen; vor diesem stehen kleine Tische im Freien. Der Platz ist mit Laternen beleuchtet. In einem kleinen Hause, das mit einer Seite in dem Gäßchen rechts, mit einer gegen den Platz heraus steht, ist im ersten Stock ein Zimmer erleuchtet. An den Tischen sitzen: links Graf Prampero und seine Frau und rechts gegen die Mitte des Platzes Herr Paretti. Weiter rückwärts ein paar Schachspieler, ferner Lavache, ein Mann unbestimmten Alters, in einem dürftigen, bis an den Hals zugeknöpften Mantel, der eifrig schreibt und eine große Menge beschriebenen Papieres vor sich hat. Mehrere Tische sind leer. Benedetto, der Oberkellner, steht bei den Schachspielern. Tofolo, der Kellnerbursche, bedient. Teresa sieht aus dem erleuchteten Fenster des kleinen Hauses, man sieht sie dann ein schwarzes Tuch um die Schulter schlagen.

LAVACHE Herr Benedetto, darf ich Sie noch um etwas Papier bitten? Sie werden Ihre Großmut nicht bereuen.

BENEDETTO *winkt Tofolo* Schreibpapier dem Herrn Lavache!

GRAF PRAMPERO *ein mit dürftiger Eleganz angezogener, sehr hagerer, alter Mann zu seiner Frau, nachdem er auf die Uhr gesehen* Wünschst du noch zu bleiben oder soll ich –

Die Gräfin, eine sehr blasse Dame, um dreißig Jahre jünger als ihr Mann, zuckt die Achseln und sieht ins Leere.

Der eine Schachspieler läßt eine Figur hinunterfallen. Graf Prampero steht eilig auf und überreicht sie, indem er den Hut abnimmt, dem Schachspieler. Der Schachspieler nickt dankend und spielt weiter. Teresa kommt aus dem Hause, steht in der Mitte und sucht Benedettos Aufmerksamkeit auf sich zu ziehen.

GRAF PRAMPERO *zu seiner Frau* Es ist mehr als eine Woche, daß wir Florindo hier nicht gesehen haben.

Die Gräfin gibt keine Antwort.

GRAF PRAMPERO Er scheint seine Gewohnheiten geändert zu haben.
Seufzt.
Die Gräfin gibt keine Antwort.

GRAF PRAMPERO Es kann sein, daß man ihm begegnen würde, wenn man länger bliebe.
Sieht nach der Uhr.

DIE GRÄFIN Ich denke nicht daran. Warum sprichst du von ihm? Ich möchte wissen, was Herr Florindo uns angeht. Ich gehe fort.

GRAF PRAMPERO Sofort. Darf ich dich nur um die Gnade bitten, einen Augenblick zu warten, bis ich Benedetto rufe? Benedetto, ich zahle.

BENEDETTO *zu dem Schachspieler* Sie haben unverantwortlich gespielt, Herr. Man kann Ihnen nicht zusehen.
Geht langsam nach rechts zu Teresa.

GRAF PRAMPERO *mit erhobener, aber schwacher Stimme* Benedetto!

BENEDETTO Ich komme!
Tritt zu Teresa.
Tofolo bringt Lavache Schreibpapier, stößt dabei dessen Hut herunter. Graf Prampero steht auf, hebt den Hut auf, staubt ihn mit seinem Taschentuch ab und überreicht ihn dem Schreiber.

LAVACHE Mein Herr, ich danke Ihnen sehr.
Graf Prampero grüßt höflich.
Die Gräfin sitzt unbeweglich und sieht finster vor sich hin.

BENEDETTO *Tofolo rufend* Frisches Wasser dem Herrn Paretti!

TERESA *zu Benedetto* Wie ists mit dem Paretti?
Benedetto zuckt die Achseln.

TERESA Er will nichts hergeben?

BENEDETTO Gib acht, er ist mißtrauisch wie ein Dachs.

TERESA Also?

BENEDETTO Ich habe getan, was ich konnte.

TERESA Ich bin drinnen schon auf Kohlen gesessen.

BENEDETTO Er wollte vom Anfang an nicht.

TERESA Am Anfang macht er doch immer seine Komödien.

BENEDETTO Ich habe den Eindruck, für jeden andern als für Florindo wäre etwas zu machen.

TERESA Was soll er gerade gegen Florindo haben?

BENEDETTO Ich weiß nicht. Eine Laune, ein Mißtrauen. Mit Frauen und mit Wucherern lernt man nicht aus.

TERESA Wenn er vom Anfang an nicht gewollt hätte, so wäre er nicht gekommen. Er setzt sich nicht ins Kaffeehaus, um kein Geschäft zu machen. Du darfst ihn nicht auslassen.

GRAF PRAMPERO *aufstehend* Benedetto!

BENEDETTO *ohne sich zu regen* Ich komme, Herr Graf, ich bin auf dem Wege zu Ihnen!

TERESA Wenn er kein Geld gibt, so muß er anderes geben. Juwelen, Möbel, Ware, was immer.

BENEDETTO Würde Florindo Ware nehmen?

TERESA Sehr ungern natürlich, aber man nimmt schließlich, was man bekommt. Und es eilt.

BENEDETTO Du bist mir rätselhaft.

TERESA Du hast mir versprochen, daß du es machen wirst.

BENEDETTO Wenn du noch mit ihm wärest – Aber alles für seine schönen Augen?

TERESA Das verstehst du nicht. Er wird prolongieren müssen, ich werde es vermitteln. Er wird Ware übernehmen müssen, ich werde zu tun haben, sie für ihn zu verkaufen. Er wird zur mir kommen, wäre es nur um seinen Ärger auszulassen.

BENEDETTO Du verlangst nicht viel.

Graf Prampero macht alle Anstrengungen, Benedetto herbeizuwinken.

BENEDETTO Gewiß, Herr Graf, ich komme.

Bei Pramperos Tisch

Wir haben also die Mandelmilch der Frau Gräfin und was darf ich noch rechnen?

GRAF PRAMPERO Sie wissen ja, Benedetto, daß ich abends nichts zu mir nehmen darf.

Gibt ihm eine Silbermünze.

BENEDETTO Sehr wohl!

Gibt aus einem Schälchen Kupfermünzen zurück, geht dann zu Teresa hinüber.

TERESA Das wäre was, wenn es einem Menschen wie dir nicht gelingen sollte, einen solch alten Halunken herumzukriegen. Brr, das Gesicht!

BENEDETTO Ein sehr gutes Gesicht für sein Gewerbe. Sein Kopf ist so viel wert wie ein diskretes Aushängeschild. Er sieht aus wie der wandelnde Verfallstag.

GRAF PRAMPERO *zu seiner Frau* Wenn es dir jetzt gefällig ist, meine Liebste –

Die Gräfin fährt aus ihrer Träumerei auf.
Graf Prampero reicht ihr ihr Täschchen.
Die Gräfin steht auf.

GRAF PRAMPERO Wird dir der gewöhnliche kleine Rundgang belieben? Ich würde gerne beim Uhrmacher meine Uhr vergleichen. Oder der direkte Weg nach Hause?

DIE GRÄFIN Es ist mir namenlos gleichgültig.

Graf Prampero grüßt die übrigen Gäste, sie gehen über die Bühne und verschwinden in dem Gäßchen rechts.

BENEDETTO *zu Teresa* Übrigens: Herr Barozzi spielt drinnen und du weißt, daß er es nicht gern hat, wenn er dich hier sitzen oder herumstehen sieht.

TERESA *heftig* Das geht ihn gar nichts an, er hat mir nichts zu verbieten.

Sie setzt sich an einen leeren Tisch, Tofolo bedient sie, Paretti winkt Benedetto. Benedetto schnell zu Paretti.

PARETTI Wie kommen Sie dazu, dem Menschen das Schreibpapier zu kreditieren? Sind Sie der Wohltäter der Menschheit?

BENEDETTO Im Ernst, Herr Paretti, es kann das früher nicht Ihr letztes Wort gewesen sein. Daß Herr Florindo –

PARETTI Wenn Sie den Namen noch einmal aussprechen, zahle ich und gehe.

BENEDETTO Sehr gut!

Geht zu Teresa

Ich glaube, es wird etwas zu machen sein.

TERESA Ja, Gott sei Dank! Was hat er gesagt?

BENEDETTO Er hat gesagt, wenn ich den Namen noch einmal ausspreche, so zahlt er und geht.

TERESA Nun, und?

BENEDETTO Wenn er mit dem Fortgehen droht, so will er mit sich reden lassen.

Geht zu den Spielern.

PARETTI *winkt Benedetto zu sich* Wovon hält der Graf Prampero einen Bedienten? Die Leute haben nicht auf Brot. Was? Die Frau hat einen Liebhaber. Ja? Nein? Wieso nein?

BENEDETTO Sie hat keinen, der erste und einzige, den sie jemals hatte, war eben der Herr, dessen Namen auszusprechen Sie mir verboten haben.

PARETTI Der Florindo? Der Mensch ist eine öffentliche Person. Ein Faß ohne Boden, und da soll ich mein gutes Geld, das heißt meinen guten Namen, meine Verbindungen hineinwerfen?

Eine maskierte Dame, begleitet von einer alten Frau, zeigt sich rechts, mustert die Gäste und verschwindet wieder.

BENEDETTO Die Geschichte wäre unterhaltend genug, aber ich werde mich hüten, sie Ihnen zu erzählen. Ich fürchte ohnedies, daß Sie meine Stellung in der ganzen Sache sehr falsch auffassen, Herr Paretti. Ich interessiere mich einfach für den jungen Mann, das ist alles. *Geht zu Teresa.*

TERESA *ist aufgestanden* Hast du die Maskierte gesehen?

BENEDETTO Es wird eine Dame gewesen sein, die aus dem Theater kommt.

TERESA Ah, es ist Florindos Geliebte.

BENEDETTO Die Schneidersfrau?

TERESA Kein Gedanke, wo ist die! Es ist die jetzige, ein junges Mädchen aus gutem Hause. Sie heißt Henriette. Sie ist eine Waise und hat einen einzigen Bruder, der in einem Amt ist. Ich freue mich, ich finde das unbezahlbar!

BENEDETTO Was?

TERESA Daß er jetzt die auch schon warten läßt.

BENEDETTO Bestellt er sie hieher?

TERESA Natürlich. Sie ist pünktlich wie die Uhr und läßt sich immer von derselben alten Person begleiten, die dann verschwindet. Ach Gott, das arme Geschöpf.

Lacht

Bis jetzt war er noch immer der erste und heute bleibt er schon aus. Jetzt hat sie noch vierzehn Tage vor sich, höchstens drei Wochen.

Zwei Herren kommen aus dem Kaffeehaus, gehen zwischen den Tischen durch.

DER EINE Guten Abend!

TERESA Guten Abend!

Die Herren gehen nach links ab.

BENEDETTO *steht bei Paretti* Nach einigen Wochen war Florindo der Gräfin überdrüssig. Er hat ein außerordentliches Talent, rasch ein Ende zu machen. Er verschwindet von einem Tag auf den andern. Er ist einfach nicht mehr zu finden. Er hat immer zwei oder drei Wohnungen, die er jedes Vierteljahr wechselt, und in keiner ist er je zu sprechen.

PARETTI Mit der Bekanntschaft werden Sie sich bei mir nicht beliebt machen.

Florindo ist von rückwärts aufgetreten und kommt langsam nach vorne. Anscheinend jemand suchend. Gleichzeitig treten Prampero und seine Frau aus der kleinen Gasse rechts und stoßen fast mit ihm zusammen, aber Florindo kommt geschickt an ihnen vorbei, indem er sie scheinbar übersieht.

BENEDETTO *weitersprechend* Aber er hatte ohne die unglaubliche Anhänglichkeit gerechnet, die er dem Manne eingeflößt hatte. Der Graf kann einfach ohne Florindo nicht leben. Er hat hier im Kaffeehaus Szenen gemacht: ob er ihn beleidigt hätte? Ob die Gräfin ihn beleidigt hätte? Welche Art Genugtuung er ihm anbieten könne? Da haben Sie das Manöver. Da kommt Florindo und da die Pramperos, ach sehen Sie, er schneidet sie einfach. Gewöhnlich spricht er wenigstens ein paar Worte mit ihnen. Sehen Sie sich die kostbare Miene des Alten an und sehen Sie sich die Frau an. Schnell: wie sie dunkelrot wird. Ich glaube, es ist ihr einziges Vergnügen, sich jeden zweiten oder dritten Tag dieser Beschimpfung auszusetzen. Aber was wollen Sie, das ist wirklich die einzige einigermaßen aufregende Zerstreuung, die ihr Mann ihr bieten kann.

Florindo eilig nach vorne, sich umsehend. Prampero und seine Frau gehen quer über die Bühne rückwärts ab.

TERESA *tritt schnell zu Florindo, flüstert* Das Fräulein war schon da.

FLORINDO Was?

TERESA Dort in der Gasse ist sie auf und ab spaziert. Tummeln Sie sich nur.

Die Maskierte und die Alte treten aus dem Gäßchen rechts. Florindo zu ihnen.

FLORINDO Henriette!

DIE UNBEKANNTE Ich bin nicht Henriette!

Florindo stutzt.

Aber es ist Henriette, die mich geschickt hat, um Ihnen etwas zu sagen.

Die Alte verschwindet lautlos.

FLORINDO Henriette ist krank?

DIE UNBEKANNTE Seien Sie ruhig, sie ist ganz wohl. Aber sie hat es nicht gewagt auszugehen, weil sie fürchtet, daß ihr Bruder heute ankommt.

FLORINDO Ach, er sollte länger ausbleiben.

DIE UNBEKANNTE Und Sie sind ärgerlich. Das ist sehr begreiflich. Es wäre peinlich für Henriette, wenn Sie nicht ärgerlich wären. Aber das erklärt Ihnen noch nicht, warum sie mich hergeschickt hat. Es handelt sich um etwas, das man schwer schreibt und noch weniger einer alten Begleiterin anvertraut.

FLORINDO Sie machen mich recht unruhig.

DIE UNBEKANNTE Wo kann ich fünf Minuten mit Ihnen sprechen?

FLORINDO Hier, wenn Sie es nicht vorziehen, mit mir in eine Gondel zu steigen.

DIE UNBEKANNTE Hier.

FLORINDO Dann setzen wir uns.

Die Unbekannte zögert.

FLORINDO Es ist unendlich weniger auffällig, als wenn wir hier stehen und uns unterhalten.

Sie setzen sich.

Sie wollen sich nicht demaskieren?

DIE UNBEKANNTE Ich weiß nicht, ob ich es soll!

FLORINDO Ich denke, daß das, was Sie mir zu sagen haben, wichtig ist. Bedenken Sie, um wieviel aufmerksamer ich Ihnen zuhören werde, wenn ich Ihr Gesicht sehe, als wenn ich mir die ganze Zeit den Kopf zerbreche, wie Sie aussehen können.

DIE UNBEKANNTE Gut! Sie sollen mein Gesicht sehen, aber da ich unvergleichlich weniger hübsch bin als Henriette, so werden Sie so zartfühlend sein, mir kein Kompliment zu machen.

Nimmt die Maske ab.

FLORINDO Oh, es tut mir so leid, daß Sie mir verboten haben –

DIE UNBEKANNTE Es ist ein gewöhnliches Gesicht. Aber man hat mir gesagt, es ist eines von den Gesichtern, an die man sich mit der Zeit attachiert.

FLORINDO Man braucht sehr wenig Zeit dazu. Ein Augenblick genügt.

Küßt ihre Hand.

DIE UNBEKANNTE *entzieht ihm ihre Hand* Bleiben wir bei Henriette. Ich bin Henriettes beste Freundin. Wenn sie Ihnen nicht von mir gesprochen hat –

FLORINDO O doch. Ich hatte Sie mir nicht so jung gedacht. Denn Sie müssen die verheiratete Freundin sein, von der –

DIE UNBEKANNTE Ganz richtig!

FLORINDO Deren Namen sie mir niemals nannte.

DIE UNBEKANNTE Das war mein Wunsch. Lassen wir mich aus dem Spiel, meine Rolle in eurem Stück ist nicht der Rede wert.

FLORINDO Es ist die Sache des guten Schauspielers, aus der unbedeutendsten Rolle die erste zu machen.

DIE UNBEKANNTE Wer sagt Ihnen, daß ich hier diesen Ehrgeiz habe? Jemals haben könnte?

FLORINDO Ein ganz bestimmtes Gefühl, das ich viel lieber mitteilen als aussprechen möchte.

DIE UNBEKANNTE Es gibt aber doch keine andere Möglichkeit ein Gefühl mitzuteilen als durch Worte.

FLORINDO Ach!

Sieht sie an.

DIE UNBEKANNTE Mein lieber Herr Florindo, ich werde mich meines Auftrages entledigen und Ihnen dann gute Nacht sagen!

FLORINDO Ich danke Ihnen jedenfalls für dieses kleine Zugeständnis.

DIE UNBEKANNTE Welches denn?

FLORINDO Daß Sie mich nicht mehr für einen ganz gleichgültigen Fremden ansehen.

DIE UNBEKANNTE Wie hätte ich das zugestanden?

FLORINDO Indem Sie mir mit dem drohen, was vor zwei Minuten die natürlichste Sache von der Welt gewesen wäre: daß Sie fortgehen werden, sobald Sie mir nichts mehr von Henriette zu sagen haben.

DIE UNBEKANNTE Sie sind sehr rasch bei der Hand, etwas was man Ihnen gesagt hat so aufzufassen, wie es Ihnen passen könnte.

FLORINDO Das ist der gewöhnliche Kunstgriff, um sich durch das, was der andere spricht, möglichst viel Vergnügen zu verschaffen.

DIE UNBEKANNTE Ja, bei einer Person, in die man verliebt ist.

FLORINDO Ganz richtig, oder verliebt zu sein anfängt.

DIE UNBEKANNTE Mein Gott! Sie kennen mich seit fünf Minuten, seien Sie nicht abgeschmackt.

FLORINDO Mit dieser Sache hat die kürzere oder längere Zeit absolut nichts zu schaffen.

DIE UNBEKANNTE Wollen Sie anhören, was ich Ihnen von Ihrer Freundin zu sagen habe?

FLORINDO Ich warte darauf.

DIE UNBEKANNTE Sagen Sie mir, wer ist die kleine Person, die hier herumschleicht? Sie macht Ihnen Grimassen, sie horcht auf jedes Wort, das wir sprechen.

FLORINDO Ach das ist niemand.

DIE UNBEKANNTE Wie, niemand?

FLORINDO Das ist Teresa. Es ist die Nichte des Kellners hier. Die guten Leute besorgen alle möglichen Kommissionen für mich. Wollen Sie, daß ich sie Ihnen herrufe?

Winkt Benedetto

Er ist der größte Weltweise unter den Kellnern, den ich kenne.

DIE UNBEKANNTE Der Dicke da? Es scheint, das Mädchen hat Ihnen etwas zu sagen.

Benedetto tritt an den Tisch.

FLORINDO Benedetto, ich habe dieser Dame von Ihnen gesprochen!

DIE UNBEKANNTE Dieser Herr hat eine sehr hohe Meinung von Ihnen.

Florindo ist rasch aufgestanden, geht zu Teresa. Sie sprechen miteinander.

BENEDETTO Die aber noch nicht an meine Meinung von ihm heranreicht. Denn ich halte ihn geradezu für ein Genie. Freilich gehts ihm wie allen Genies –

DIE UNBEKANNTE Inwieferne?

BENEDETTO Daß er schließlich nur zu einer Sache auf der Welt gut ist.

DIE UNBEKANNTE Und welche Sache ist das bei ihm?

BENEDETTO Das werde ich mich wohl hüten, mit dürren Worten vor einer Dame auszusprechen, die alle Qualitäten hat, um bei dieser einen Sache sehr in Frage zu kommen.

FLORINDO *zu Teresa* Hör zu!

TERESA *zu Florindo* Ach, wer dir zuhört, ist betrogen, aber die dich hat, der ist wohl.

FLORINDO *nimmt seinen Platz an dem Tisch* Wie finden Sie ihn?

DIE UNBEKANNTE Mehr unverschämt als unterhaltend. Er macht mir kein Verlangen nach der Nichte.

FLORINDO Das ist ein braves gutes Mädchen. Aber darf ich jetzt wissen, was Henriette –

DIE UNBEKANNTE Diese Person ist Ihre Geliebte gleichzeitig mit Henriette!

FLORINDO Sie irren sich.

DIE UNBEKANNTE Lügen Sie nicht!

FLORINDO Es steht Ihnen sehr gut, wenn Sie zornig sind. Ihre Art, vor Ärger zu erröten, ist ganz persönlich.

DIE UNBEKANNTE Sie sind unverschämt. Es ist um Henriettes willen, daß mir das Blut ins Gesicht steigt.

FLORINDO Ich schwöre Ihnen, es ist die unschuldigste Sache von der Welt. Es ist heute absolut nichts zwischen mir und ihr. Ich bin ihr Doyen.

DIE UNBEKANNTE Was sind Sie?

FLORINDO Ich bin der älteste ihrer näheren Bekannten.

DIE UNBEKANNTE Und Sie finden es geschmackvoll, eine solche Bekanntschaft, wie Sie es nennen, ins Unbestimmte fortzusetzen?

FLORINDO Ich würde es verächtlich finden, sie mutwillig abzubrechen. Ich habe eine reizende Erinnerung. Es ist eine gute und liebe Person.

DIE UNBEKANNTE Ich denke, es wird richtiger sein, ich entledige mich meines Auftrages. Lassen wir also Ihre Freundin, die in Pantoffeln im Kaffeehaus sitzt. Es handelt sich darum, daß Carlo, Henriettes Bruder, wieder heute nach Venedig zurückkommt.

FLORINDO Aber ich kenne ja Carlo!

DIE UNBEKANNTE Sie begreifen, daß es Henriette sehr ängstlich macht, Sie und ihn in derselben Stadt zu wissen.

FLORINDO Wir waren doch nahezu zeitlebens in derselben Stadt. Wissen Sie denn nicht, daß ich Henriette seit Jahren kenne? In Treviso im Hause ihrer Mutter verkehrt habe?

DIE UNBEKANNTE Sie mögen zeitlebens in derselben Stadt gewesen sein, aber Sie waren nicht zeitlebens –

FLORINDO Der Liebhaber seiner Schwester.

DIE UNBEKANNTE Das wollte ich ungefähr sagen.

FLORINDO Pah! Ein Bruder ist wie ein Ehemann. Er ist immer der letzte und schließlich –

DIE UNBEKANNTE Ich glaube, mein Lieber, daß Sie Carlo sehr wenig genau kennen.

FLORINDO Aber ich kenne ihn wie meinen Handschuh. Es ist sehr viel Ähnlichkeit zwischen Henriette und ihm. Beide sind melancholisch und hochmütig. Beide verachten das Geld und beide leiden entsetzlich darunter, keines zu haben. Es ist übrigens sonderbar: dieselben Züge, die mich an Henriette entzücken, habe ich an Carlo immer unerträglich gefunden. Aber er wird nichts erfahren.

DIE UNBEKANNTE Er wird es eines Tages erfahren und das wird Ihr letzter Tag sein.

FLORINDO Er wird mich herausfordern, ich werde in die Luft schießen, er wird mich fehlen. Beruhigen Sie Henriette.

DIE UNBEKANNTE Aber Sie haben keine Ahnung, wie Carlo ist, wenn ihm wirklich etwas nahekommt. Carlo liebt seine Schwester zärtlich. An dem Tag, wo er es erfährt, sind Sie ein toter Mann, genau wie der Marchese Papafava.

FLORINDO Wie welcher Herr?

DIE UNBEKANNTE Ach Gott, die alte Geschichte in Treviso.

FLORINDO Welche Geschichte?

DIE UNBEKANNTE Was? Sie werden mir nicht sagen, daß Sie die Geschichte nicht kennen. Die Geschichte von Carlos Tante. Die Geschichte von dem schwarzen Pflaster. Mit einem Wort, die Geschichte mit dem Duell, das Carlo hatte, als er neunzehn Jahre alt war.

FLORINDO Vielleicht habe ich sie gehört und wieder vergessen.

DIE UNBEKANNTE Man vergißt sie nicht, wenn man sie einmal gehört hat. Ich habe übrigens Henriette geschworen, Sie an diese Geschichte zu erinnern.

FLORINDO Und was soll welche Geschichte immer für einen Einfluß auf meine Beziehungen zu Henriette haben?

DIE UNBEKANNTE Den, Sie fürs nächste sehr zurückhaltend, sehr vorsichtig zu machen.

FLORINDO Das müßte eine sonderbare Geschichte sein.

DIE UNBEKANNTE Es ist eine sehr sonderbare Geschichte. Und jedenfalls werden Sie um Henriettes willen so handeln müssen.

Florindo zuckt die Achseln.

DIE UNBEKANNTE Hören Sie mir nur zu. Die Tante war noch jung und sehr hübsch.

FLORINDO Eine Tante von Carlo und Henriette? Ich müßte sie kennen.

DIE UNBEKANNTE Sie lebt nicht mehr. Sie hatte keine feste Gesundheit. Sie ist an den Folgen dieser Sache gestorben.

FLORINDO Sie war Witwe?

DIE UNBEKANNTE So gut als das. Ihr Mann lebt zwar heute noch, aber er hat niemals mitgezählt. Carlo war damals wie gesagt neunzehn Jahre alt und verliebte sich mit aller Leidenschaft einer scheuen verschlossenen Natur in die Tante.

FLORINDO Die Tante verlangte sich nichts Besseres.

DIE UNBEKANNTE Ganz richtig. Aber das Bessere war wie so oft der Feind des Guten. Es existierte schon jemand, der seit vier oder fünf Jahren alle Rechte innehatte.

FLORINDO Die jetzt dem Neffen eingeräumt werden sollten.

DIE UNBEKANNTE Erzählen Sie oder erzähle ich?

FLORINDO Sie natürlich, ich wäre in der größten Verlegenheit.

DIE UNBEKANNTE Der Marchese Papafava, das ist der Herr, um den es sich handelt, war nicht sehr tolerant. Gelegentlich im Hause der Dame äußerte er sich ziemlich scharf über den jungen Menschen und sagte: wäre der Respekt nicht, den er der Hausfrau schuldig sei, so hätte eine gewisse Unbescheidenheit dem Herrn Neffen unlängst eine Ohrfeige von seiner Hand eingetragen. In diesem Augenblick tritt Carlo in den Salon, und während alle sehr stille sind, sagt er: Ich nehme die Ohrfeige als empfangen an, Herr Marchese.

FLORINDO Sie gehen miteinander in den Park.

DIE UNBEKANNTE Nicht so schnell. Sie vergessen, daß die Tante und ein paar andere Menschen den kleinen Dialog mit angehört hatten.

FLORINDO Man konnte die beiden doch nicht hindern.

DIE UNBEKANNTE Man versuchte es wenigstens, das heißt, die andern Menschen verschwanden und die Tante blieb allein mit den beiden Herren. Sie weint, sie bittet, sie wirft sich glaube ich vor ihnen nieder.

FLORINDO Die arme Frau!

DIE UNBEKANNTE Sie schwört ihnen, daß, wenn einer von ihnen den andern tötet, sie für den Überlebenden weder Liebe noch Freundschaft, sondern nichts als unauslöschlichen Haß hegen werde.

FLORINDO Wie kann sie das wissen?

DIE UNBEKANNTE Was wollen Sie.

FLORINDO Wie kann man wissen, ob man jemand hassen wird? Es ist ebenso töricht, auf Jahre hinaus Haß zu versprechen als Liebe.

DIE UNBEKANNTE Kurz, die arme Tante fiel schließlich ohnmächtig zusammen, ohne es erreicht zu haben. Am nächsten Morgen duellierten sich die beiden. Carlo bleibt unverwundet und läßt den Marchese mit einem Stich durch die Lunge in den Händen der Ärzte. In der gleichen Stunde erscheint Carlo als wenn nichts geschehen wäre –

FLORINDO Ihm war ja nichts geschehen.

DIE UNBEKANNTE Im Salon der Tante, die erstaunt ist, auf seiner Wange ein handgroßes schwarzes Pflaster zu sehen. Was bedeutet das, fragte sie, ohne zu lachen, denn es war etwas in seiner Miene, was nicht zum Lachen stimmte. Haben Sie Zahnschmerzen oder was sonst? Ich trage das seit gestern abend, sagte er in einem gewissen Ton. –

FLORINDO Sie erzählen sehr gut.

DIE UNBEKANNTE Was machen Sie für ein zerstreutes Gesicht?

FLORINDO Ich dachte an den Augenblick, da Sie die Tante und ich Carlo wären, daß wir beide allein in Ihrem Zimmer wären und was jetzt geschehen würde.

DIE UNBEKANNTE Es geschieht gar nichts, als daß er aufsteht, in den Spiegel sieht und sagt: Ja, es kommt mir wirklich etwas groß vor, dann vom Toilettentisch eine Schere nimmt –

FLORINDO Ah, es war also ein Schlafzimmer, wo sie ihn empfangen hatte, und nicht ihr Salon.

DIE UNBEKANNTE Schweigen Sie.

FLORINDO Ich finde das durchaus begreiflich.

DIE UNBEKANNTE Eine Schere nimmt, das Pflaster herunternimmt, ringsum davon einen kleinen Rand abschneidet und es dann wieder an seine Wange drückt. Wie finden Sie mich jetzt, liebe Tante, sagte er dann. Jedenfalls um eine Kleinigkeit weniger lächerlich als früher, sagte sie.

FLORINDO Und?

DIE UNBEKANNTE Der Marchese Papafava wird unverhoffterweise gesund. Carlo fordert ihn zum zweitenmal und verwundet ihn zum zweitenmal, dann zum dritten- und endlich zum viertenmal. Nach jedem Duell schneidet er von seinem Pflaster einen kleinen Rand weg. Es war schließlich nicht mehr viel größer als eine *mouche* –

FLORINDO Und die?

DIE UNBEKANNTE Die nahm er an dem Tag herunter, da er die Nachricht bekam, daß der Marchese an einem Rückfall seines Wundfiebers gestorben war.

FLORINDO Und die Tante?

DIE UNBEKANNTE Ihre Gesundheit war nie sehr stark gewesen, sie konnte die Sache nicht aushalten.

Eine kleine Pause

FLORINDO Ich sage, daß ich diese Handlungsweise hinter einem Menschen wie Carlo nie gesucht hätte, und daß er mich jetzt mehr interessiert als früher.

DIE UNBEKANNTE Sie werden mir Ihr Wort geben, Henriette von jetzt an nur zu den Stunden und an den Orten zu sehen, die sie selbst Ihnen vorschlägt; vor allem keinen Versuch zu machen, eine Begegnung zu erzwingen, wenn eine solche durch Tage, vielleicht durch Wochen unmöglich sein sollte.

FLORINDO Ach, wie können Sie oder wie kann Henriette das verlangen. Sie muß mich für einen ausgemachten Feigling halten.

DIE UNBEKANNTE Aber zum Teufel, mein guter Mann, es handelt sich nicht allein um Sie, es handelt sich vor allem um Henriette. Sie kennen Henriette ebensowenig, als Sie Carlo kennen.

FLORINDO Ich kenne Henriette nicht? Sie überraschen mich.

DIE UNBEKANNTE Ein Mann kennt niemanden weniger als eine Frau, die zu rasch seine Geliebte geworden ist. Henriette, daß Sie es wissen, ist genau aus dem gleichen Holz geschnitten wie Carlo. Wenn Sie und Carlo aneinandergeraten, so sind Sie ein verlorener Mensch. Aber noch vorher wirft sich Henriette aus dem Fenster.

FLORINDO Was soll ich machen?

DIE UNBEKANNTE Mir Ihr Wort geben, daß Sie sie, wenn es notwendig wird, in diesen nächsten Wochen sehr wenig sehen werden.

FLORINDO Gut, ich gebe es, aber unter einer Bedingung.

DIE UNBEKANNTE Die wäre?

FLORINDO Daß ich dafür Sie sehr oft sehen werde.

DIE UNBEKANNTE *in unsicherem Ton* Mich? Was soll dieser Unsinn?

FLORINDO *zwischen den Zähnen* Es ist ernst!

DIE UNBEKANNTE *lehnt sich zurück* Sie sind ein sonderbarer Mensch. Ich weiß wirklich nicht, was ich aus Ihnen machen soll.

FLORINDO Demnächst Ihren Liebhaber ganz einfach.

DIE UNBEKANNTE *steht auf* Abgesehen davon, daß Sie sehr unverschämt sind. – Es würde Sie also nichts kosten, ein Wesen wie Henriette, das ihr Götzenbild aus Ihnen gemacht hat, zu betrügen. Mit mir, die Sie zum ersten Male sehen, mit der kleinen Person dort, mit wem immer!

FLORINDO *steht auf* Mit wem immer natürlich nicht.

DIE UNBEKANNTE Jetzt begreife ich allerdings, daß Sie Henriette nicht heiraten. Ich war recht naiv, mir darüber den Kopf zu zerbrechen.

FLORINDO Ich habe Henriette sehr lieb.

DIE UNBEKANNTE Arme Henriette!

FLORINDO Ich sage Ihnen, daß ich Henriette liebhabe.

DIE UNBEKANNTE Sind Sie ernsthaft?

FLORINDO Ich bin sehr ernsthaft und ich frage Sie sehr ernsthaft, was entziehe ich Henriette von dem Maße von Glück, das ich ihr zu schenken fähig bin, wenn ich heute, jetzt, hier, wo ich nicht so viel für Henriette tun kann, Sie sehr liebenswürdig finde?

DIE UNBEKANNTE Was Sie da reden ist ja monströs!

FLORINDO *kalt* Finden Sie? Dann haben Sie in gewissen Dingen wenig erlebt, oder über das, was Sie erlebt haben, sehr wenig nachgedacht. Sie wiederholen entweder gedankenlos eine Allerweltsheuchelei oder –

DIE UNBEKANNTE Oder?

FLORINDO Oder Ihre Natur wäre sehr arm, sehr dürftig.

DIE UNBEKANNTE Und wenn sie weder arm noch dürftig ist, wenn sie es nicht ist?

FLORINDO *dicht an ihr* Da sie es nicht ist –

BENEDETTO *hat sich Florindo genähert* Herr Paretti, mit dem Sie zu sprechen wünschen.

FLORINDO Später!

BENEDETTO Er will nicht länger warten.

FLORINDO Später!

Benedetto geht ab.

FLORINDO *fortfahrend* Da Sie weit davon entfernt sind, eine karge und dürftige Natur zu sein, so brauchen Sie nur den Halbschlaf verschnörkelter Begriffe abzuwerfen, um mir zuzugestehen –

DIE UNBEKANNTE Niemals werden Sie mich dazu bringen, Ihnen das zuzugestehen. Wenn Sie das, was wir nun einmal Liebe nennen, jeder Verpflichtung gegen das andere Wesen entkleiden, so ist es eine recht gemeine kleine Pantomime, die übrigbleibt.

FLORINDO Verpflichtung? Ich kenne nur eine: das andere Wesen so glücklich zu machen als in meinen Kräften steht. Aber in der kleinen Pantomime, die, wie Sie sagen, dann übrigbleibt, verehre ich auf den Knien das einzig wahrhaft göttliche Geheimnis, den einzigen Anhauch überirdischer Seligkeit, den dieses Dasein in sich faßt. Liebhaben, das ist wenig? Glücklich machen, im Atem eines geliebten Wesens die ganze Welt einsaugen, das ist die verächtliche kleine Pantomime, vor der Sie das Kreuz schlagen? Arme Frau! Ich möchte nicht Ihr Mann sein.

DIE UNBEKANNTE Lassen Sie meinen Mann aus dem Spiel, wenn ich bitten darf.

FLORINDO Aber ist es nicht über alle Begriffe wundervoll, daß uns diese Kraft gegeben ist, diese Zauberkraft von Geschöpf zu Geschöpf? Gibt es etwas Zweites so Ungeheueres als den Blick des Wesens, das sich gibt! Ist denn nicht die geringste unbeträchtlichste Erinnerung an eine Gebärde der Liebe stark genug, uns in den Tagen der Stumpfheit und Verzweiflung durch die Adern zu fließen wie Öl und Feuer? Wie? Hören Sie mich an! Es gibt eine Frau, die einmal ein paar Wochen lang meine Geliebte war –

DIE UNBEKANNTE Es muß kurzweilig sein, auf Schritt und Tritt seinen Ariadnen zu begegnen.

FLORINDO Diese Frau –

DIE UNBEKANNTE Und noch kurzweiliger, selber eine davon zu sein.

FLORINDO Diese Frau –

DIE UNBEKANNTE Unbegreiflich genug, daß sich immer wieder ein Wesen findet –

FLORINDO Diese Frau –

DIE UNBEKANNTE Wenn alle Frauen Sie sehen würden, wie ich diesen Augenblick Sie sehe!

FLORINDO Diese Frau war nicht sehr schön und nicht geschaffen, ein reines dauerndes Glück weder zu geben noch zu empfangen.

DIE UNBEKANNTE Um so besser für die Frau in diesem Falle.

FLORINDO Sie irren sich. Man ist um so viel beneidenswerter als man fähig ist, rein und stark zu fühlen. Aber dieser Frau war eines gegeben, sie verstand zu erröten. Ihre verworrene Natur hätte nie das entscheidend süße Wort, nie den völlig hingebenden Blick gefunden. Aber das dunkelglühende Erröten ihres blassen Gesichtes, wenn sie mich ins Zimmer treten sah, werde ich niemals vergessen, und wenn die Erinnerung daran in mir aufsteigt, so liebe ich diese Frau mit einer schrankenlosen Zärtlichkeit.

DIE UNBEKANNTE Indessen haben Sie diese Frau den Hunden vorgeworfen, und wenn Sie sie in einem Salon oder auf der Straße begegnen, kehren Sie ihr den Rücken, das wette ich.

FLORINDO Seien Sie gut, Sie werden sehen, es ist nicht häßlich, meine Geliebte gewesen zu sein.

DIE UNBEKANNTE Sie sind unverschämt.

FLORINDO Es ist Ihnen übrigens seit langem bestimmt, es zu werden. Sie selbst –

DIE UNBEKANNTE Was?

FLORINDO Sie selbst, in dem Sie nicht wollten, daß Henriette mir Ihren Namen sage... – Was war das anderes als eine versteckte Zärtlichkeit, ein leises Sichannähern im Dunkeln? Und heute dieses Herkommen, dieses verliebte Lauern in der Ecke dort drüben –

DIE UNBEKANNTE Ich habe für heute genug von Ihnen, gute Nacht!

FLORINDO *hält sie an den Handgelenken, lachend* Nicht so schnell! Wer gute Nacht sagt, muß auch guten Morgen sagen.

DIE UNBEKANNTE Sie sind frech und zudem irren Sie sich sehr.

Florindo schüttelt den Kopf.

DIE UNBEKANNTE Und wenn Sie sich nicht irrten – Was sollte denn das alles?

FLORINDO Die Frage verdient keine Antwort.

DIE UNBEKANNTE Im Augenblick, wo man weiß –

FLORINDO Wollen Sie dem Geist der Natur Vorschriften machen? –

DIE UNBEKANNTE – daß es doch so schnell endet.

FLORINDO Der uns glühen macht und uns, wenn wir erkaltet sind, wieder zur Seite wirft? Sind Sie so stumpf und kennen nicht den Unterschied zwischen erwählten und verworfenen Stunden? Wenn es endet! Wenn es da ist, daß es da ist! Darüber wollen wir uns miteinander erstaunen! Daß es uns würdigt, einander zum Werkzeug der ungeheuersten Bezauberung zu werden!

DIE UNBEKANNTE So ist es nicht, lassen Sie mich. Es kann sein, daß Sie mir gefallen. Ich will nicht ableugnen, aber Sie sind nicht so verliebt in mich, wie Sie es sagen. Sie wollen mich haben, das ist alles. Ihnen ist nicht, als wenn Sie sterben müßten, wenn ich dort hinter der nächsten Ecke verschwinde.

FLORINDO Das weiß ich, aber ich weiß, daß es deinesgleichen gegeben hat, und niemand sagt dir, daß sie schöner waren als du, die aus mir einen Menschen machen konnten, der sich mit geschlossenen Augen wie ein Verzückter ins Wasser oder ins Feuer geworfen hätte, wenn das der Weg in ihre Arme gewesen wäre. Einen Menschen, der über die Seligkeit eines Kusses weinen konnte wie ein kleines Kind, und wenn er in dem Schoß der Geliebten einschlief, von seinem Herzen geweckt wurde, das vor Seligkeit zu zerspringen drohte.

DIE UNBEKANNTE *eifersüchtig* In Henriette waren Sie so verliebt? Ich glaube es nicht!

FLORINDO Was kümmert uns jetzt, ob es Henriette war oder eine andere. Wer sagt dir, daß du nicht heute nacht hierher gekommen bist, um es mich aufs neue erleben zu machen.

DIE UNBEKANNTE Ich fühle, daß Sie mich nicht so liebhaben, wie Sie es sagen.

FLORINDO Ich fühle nichts, als daß eine göttliche Empfindung mir sehr nahe ist. Und da du es bist, die vor mir steht, so wird wohl nicht die leere Luft daran schuld sein, daß du jetzt mit mir gehen wirst.

DIE UNBEKANNTE *sich zusammennehmend* Nein, du hast mich nicht lieb genug.

FLORINDO Sie sind eine sonderbare Frau.

DIE UNBEKANNTE Gar nicht. Worüber beklagen Sie sich? Eben war ich ja ganz nahe daran, den Kopf zu verlieren. Kommen Sie, gehen wir zu den Leuten. Dort hinüber. Nein, sehen Sie nur den alten Mann! Den alten Abbate da! Sehen Sie doch den Menschen.

Sie nimmt Florindos Arm.

FLORINDO *ärgerlich* Was finden Sie an ihm so Besonderes?

DIE UNBEKANNTE Sehen Sie doch nur seine Augen an. Wie er da herumgeht, wie ein Heiliger! Wie ein Mensch aus einer ganz anderen Zeit.

Sie bleiben stehen.

Der Pfarrer ist von rückwärts aufgetreten und steht schon seit einer Weile unschlüssig vor dem Kaffeehaus.

TERESA *geht auf den Pfarrer zu, knixt vor ihm* Suchen Sie etwas, Herr Abbate? Kann ich Ihnen mit etwas dienen?

DER PFARRER *grüßend* Sie sind sehr gütig, gnädige Frau. Allerdings suche ich jemand, an den ich mich wenden kann, um eine Auskunft zu erbitten.

TERESA Vielleicht kann ich sie Ihnen geben.

DIE UNBEKANNTE *gleichzeitig zu Florindo* So werden Sie nie aussehen, auch wenn Sie noch so alt werden.

DER PFARRER *zu Teresa* Nämlich ob das Passagierschiff, die Barke meine ich, die nach Mestre fährt, wirklich hier an diesem Platze anlegt.

FLORINDO *zur Unbekannten* Ich verzichte darauf.

TERESA *zum Pfarrer* Hier, Herr Abbate, jeden Morgen pünktlich um sechs Uhr.

DER PFARRER Ich danke sehr, und wenn ich mir noch eine Frage erlauben dürfte: die Barke befördert doch mehrere Personen?

TERESA Vier oder fünf ganz leicht, wenn sie nicht zu viel Gepäck haben.

DIE UNBEKANNTE *zu Florindo* Niemals werden einer Frau die Tränen in den Hals steigen über den Ausdruck Ihrer Augen!

DER PFARRER *nachdenklich* Wenn sie nicht zu viel Gepäck haben! Es handelt sich um meine Nichte und eine dritte Person, die Magd meiner Nichte, eine sehr brave Magd. – Da kann ich also hoffen, daß alles in

Ordnung gehen wird. Aber gnädige Frau, Sie stehen, während ich mich mit Ihnen unterhalte. Verzeihen Sie meine Ungeschliffenheit.
Führt sie an einen der Tische, beide setzen sich.
Es ist nämlich schon fünfunddreißig Jahre her, daß ich Venedig nicht betreten habe. Ich bin der Pfarrer von Capodiponte, einem kleinen Dorf im Gebirge, und heute bin ich gekommen, um meine Nichte abzuholen, die sich hier in Venedig einige Wochen aufgehalten hat.
Teresa knixt.

DER PFARRER Da werden Sie mir gewiß auch sagen können, gnädige Frau, ob diese Zetteln, die mir heute morgen der Barkenführer gegeben hat, Ihnen richtig ausgestellt und verläßlich scheinen.

TERESA *erstaunt* Ah, Sie haben also schon mit dem Barkenführer gesprochen?

DER PFARRER Ja gewiß! Er hat mir genau die Stelle gezeigt, wo seine Barke anlegt, ganz dieselbe, die Sie so gütig waren mir zu zeigen, und hat mir die Stunde der Abfahrt aufgeschrieben. Hier, sehen Sie, sechs Uhr und hier wieder sechs Uhr.
Hält ihr die Scheine hin
Und er hat mir auch versichert, daß er mein Gepäck und das meiner Nichte mühelos in seiner Barke unterbringen wird.

DIE UNBEKANNTE *gleichzeitig zu Florindo* Er hat Augen wie ein Kind, ich finde ihn unaussprechlich rührend. Er ist auf der Reise und er ist sicherlich sehr arm. Ich möchte ihm etwas schenken.

FLORINDO Wo denken Sie hin?

DIE UNBEKANNTE Ja, ich möchte ihm etwas schenken. Wenn ich nur Geld bei mir hätte.
Der Pfarrer verabschiedet sich mit abgezogenem Hut von Teresa.

FLORINDO *zieht seine Börse* Da nehmen Sie so viel Sie wollen, aber Sie werden ihn beleidigen.

DIE UNBEKANNTE Ich wette, er nimmt es, wie ein Kind es nehmen würde.
Tritt auf den Pfarrer zu
Herr Abbate –
Der Pfarrer nimmt den Hut ab.

DIE UNBEKANNTE Dieser Herr dort und ich habe eine Wette miteinander gemacht, und ich hoffe, Sie werden mir helfen sie zu gewinnen.

DER PFARRER Ganz gewiß, gnädige Frau, wenn ich etwas dazu tun kann.

DIE UNBEKANNTE Dann habe ich schon gewonnen, denn Ihr guter Wille entscheidet. Nicht wahr, Sie sind auf der Reise, Herr Abbate, und das Reisen ist eine unbequeme Sache? Es gibt die Postillons und die Schiffsleute und die Wirte und die Kellner und was nicht noch alles. Es schwirrt einem der Kopf davon.

DER PFARRER Sie haben sehr recht, gnädige Frau.

DIE UNBEKANNTE Sehen Sie, man gibt sein Geld aus, man weiß nicht wie.

DER PFARRER Sie sind gewiß schon sehr viel gereist, gnädige Frau.

DIE UNBEKANNTE Es geht, aber sehen Sie, wie ich da vor Ihnen stehe, habe ich heute eine kleine Summe im Spiel gewonnen. Ein paar Goldstücke, nicht der Rede wert, aber die mir doch sehr zustatten kämen, wenn ich gerade eine Reise vor mir hätte.

DER PFARRER Sicherlich, man verbraucht sehr viel Geld, wenn man reist.

DIE UNBEKANNTE Nicht wahr! Und da ist nun das Ärgerliche, ich reise nicht. Gerade die nächste Zeit werde ich kaum über Venedig hinauskommen; da habe ich mir gedacht, ob Sie nicht so liebenswürdig sein wollten, die kleine Reise, für die diese Goldstücke nun schon einmal bestimmt waren, an meiner Stelle zu tun.

DER PFARRER Ich verstehe Sie nicht ganz. Sie wünschen mir einen Auftrag zu geben?

DIE UNBEKANNTE Der Auftrag bestünde darin, daß Sie mir den Gefallen erweisen müßten, und da Sie ohnehin reisen, geht es ja in einem, diese paar Münzen hier unter die Leute zu bringen.

DER PFARRER Diese Münzen?

DIE UNBEKANNTE Indem Sie sie ausgeben, an Postillons, Schiffsleute, Wirte und Kellner, ganz nach Ihrer Bequemlichkeit.

DER PFARRER Aber wofür?

DIE UNBEKANNTE An Vorwänden, Ihnen Geld abzunehmen, wird es den Leuten schwerlich fehlen.

DER PFARRER Ah, jetzt verstehe ich Sie, meine Dame. Sie sind sehr gütig, meine Dame, aber diesen Auftrag auszuführen, bin ich ein zu ungeschickter Reisender. Verzeihen Sie mir, meine Dame.

Nimmt den Hut ab, grüßt auch noch gegen Teresa hin und geht links vorne ab.

DIE UNBEKANNTE *zu Florindo* Laufen Sie ihm nach, bitten Sie ihn, mir meine Unüberlegtheit zu verzeihen. Schnell, Florindo. Ich habe nicht den Mut, es zu tun.

DER PFARRER *tritt von links wieder auf und geht auf sie zu, indem er den Hut abnimmt* Ich komme zurück, denn ich habe Sie um Verzeihung zu bitten, meine Dame.

DIE UNBEKANNTE Ich bin es, mein Herr, die Sie um Verzeihung bitten muß.

DER PFARRER Das sagen Sie nur, um mir eine verdiente Verlegenheit zu ersparen, aber ich muß Sie bitten, mir die Ungeschicklichkeit eines Landbewohners zugute zu halten. Sie haben unstreitig aus der Dürftigkeit meines Auftretens darauf geschlossen, daß meine Gemeinde arm ist. Und wirklich, es gibt unter meinen Pfarrkindern sehr arme, sehr dürftige. Es war an mir, gnädige Frau, die geistreiche Form zu verstehen, um diesen Bedürftigen durch mich eine Wohltat zu erweisen, die ich mit dankbarem Herzen annehme.

DIE UNBEKANNTE Sie beschämen mich, mein Herr.

DER PFARRER Da sei Gott vor, gnädige Frau.

FLORINDO *leise* Jetzt müssen Sie ihm mehr geben. Schnell, nehmen Sie, nehmen Sie alles.

DIE UNBEKANNTE *strahlend* Wir haben unsere Wette fortgesetzt und durch Ihr Zurückkommen haben Sie mich das Vierfache gewinnen lassen.

Gibt ihm das Geld.

Paretti, der von seinem Platz aus gespannt zusieht, fährt zusammen.

DER PFARRER Wir werden Ihrer Güte in vielen Gebeten gedenken. Sie werden in vielen Familien unseres kleinen Dorfes die unbekannte Wohltäterin heißen.

DIE UNBEKANNTE Das verdiene ich nicht.

Verneigt sich.

Der Pfarrer geht ab.

DIE UNBEKANNTE Haben Sie je etwas Ähnliches gesehen? Ich glaube, das ist der einzige Mensch, der mir je begegnet ist, der des Namens eines Christen würdig ist.

Florindo küßt ihr beide Hände.

PARETTI *indem er seinen Stock nimmt und den Stuhl, auf dem er gesessen ist, umstößt* Das ist ein Verrückter! Das ist ein Dieb! Mit diesem Menschen will ich nichts zu tun haben.

Benedetto sucht vergeblich ihn zu beruhigen.

FLORINDO Sie waren entzückend!

DIE UNBEKANNTE Ich war gerührt und war vergnügt, daß ich freigebig sein durfte wie eine große Dame.

FLORINDO Sie haben mein Herz klopfen gemacht.

DIE UNBEKANNTE Und ich habe meinen Kopf wiedergefunden.

FLORINDO Was soll das?

DIE UNBEKANNTE Still, mein Lieber. Wir spielen nicht mit gleichen Einsätzen. Sie waren niemals in Gefahr, den Ihren um meinetwillen zu verlieren.

FLORINDO Ah!

DIE UNBEKANNTE Und ich werde Ihnen jetzt gute Nacht sagen und sehr vergnügt und glücklich nach Hause gehen.

FLORINDO Das dürfen Sie nicht!

DIE UNBEKANNTE Das muß ich, mein Lieber. Ich bin allzu sehr überzeugt, daß Sie ein reizender Liebhaber sein können.

FLORINDO In welch traurigem Ton Sie das sagen.

DIE UNBEKANNTE Es wäre unverantwortlich von mir, wenn das Beispiel der armen Henriette –

FLORINDO Was heißt das?

DIE UNBEKANNTE Henriette ist allzu rasch Ihre Geliebte geworden, und ich wie Henriette bin keine von denen, um derentwillen Sie sich ins Wasser oder ins Feuer stürzen.

FLORINDO Wie können Sie das wissen?

DIE UNBEKANNTE Pst! Alles was mir übrigbleibt, ist, Sie an mich zu binden, durch das einzige, was Ihnen meinen Besitz ein wenig kostbar machen kann: die Mühe, die Sie aufwenden müssen, um ihn zu erlangen, und die kleinen Schmerzen, die hoffentlich mit dieser Mühe verbunden sein werden. Sie werden mich vielleicht einmal von einem Tag auf den andern verlassen, aber Sie sollen mich nicht von einem Tag auf den andern gehabt haben. Adieu!
Will gehen.

FLORINDO Ich werde Sie begleiten!
Allmählich haben sich die Tische und das Kaffeehaus geleert. Benedetto und der andere Kellner verschließen mit Holzladen die Türe und die Fenster.

DIE UNBEKANNTE Das werden Sie nicht tun. Sie werden mir Ihr Wort geben, mir weder nachzugehen, noch sich zu kümmern, wo ich in meine Gondel steige. Jetzt werden Sie mir Adieu sagen und sich dort in das Kaffeehaus setzen.

FLORINDO Sie sehen, man hat es eben geschlossen.

DIE UNBEKANNTE Dann werden Sie mir den Rücken kehren und nach dieser Richtung dort fortgehen.

FLORINDO Nicht einmal Ihren Namen soll ich wissen?
DIE UNBEKANNTE Sehen Sie, ob niemand hersieht, und dann geben Sie mir schnell einen Kuß.
FLORINDO Niemand!
DIE UNBEKANNTE *tritt schnell zurück* Doch! Dort im Dunkeln ist jemand. Das ist ja wieder diese Person. Was will sie noch?
FLORINDO Sie wohnt in diesem Hause, ganz einfach.
DIE UNBEKANNTE Das ist kein Grund, auf der Schwelle herumzulungern.
FLORINDO Ich kann mir denken, was sie will, aber –
DIE UNBEKANNTE Ah! Sie sind also in einem ununterbrochenen Kontakt mit ihr?
FLORINDO Es ist weiter nichts, als daß das arme Geschöpf darüber traurig ist, weil sie mir Geld verschaffen wollte und nichts daraus geworden ist. Aber hören Sie –
DIE UNBEKANNTE Geld? Diese Person Ihnen?
FLORINDO Ja, von einem alten Herrn, der dort saß. Einem Wucherer, um das Kind beim Namen zu nennen.
DIE UNBEKANNTE Geld Ihnen?
FLORINDO Ja! Sie hören doch. Aber es handelt sich –
DIE UNBEKANNTE Wie? Sie sind nicht reich?
FLORINDO Ich?
DIE UNBEKANNTE Wie alle Welt behauptet.
FLORINDO Ärmer als die Möglichkeit. Aber ich gewinne zuweilen oder ich verschaffe es mir auf andere Weise. Aber nicht davon –
DIE UNBEKANNTE Und Sie haben mir eine solche Summe geschenkt, um mich eine kindische Laune befriedigen zu lassen?
FLORINDO Ich beschwöre Sie, verderben Sie nicht alles, indem Sie davon sprechen. Es gibt nichts Widerlicheres, als über Geld zu sprechen.
DIE UNBEKANNTE Wem sagen Sie das? Mein Mann spricht nie von etwas anderem.
FLORINDO Sie sind entzückend.
DIE UNBEKANNTE Ach, ich sehe schon, ich werde Sie nicht los. Bitte, rufen Sie mir die kleine Person dort her..
FLORINDO Ich? Hierher?
DIE UNBEKANNTE Ja, Ihre Freundin dort! Die Dame mit den Pantoffeln. Ich möchte mit ihr sprechen. Es wäre mir sehr leid, wenn Sie mir

doch nachgingen und mich dadurch zwängen, anzunehmen, Sie hätten keine Diskretion – für die Zukunft. Bitte rufen Sie mir Fräulein Teresa her. Wie? Sie wollten mir wirklich diesen Gefallen nicht tun?

Florindo geht hin, Teresa ziert sich, endlich kommt sie, knixt.

DIE UNBEKANNTE *zu Teresa* Sie sind sehr gefällig für den Herrn Florindo!

TERESA Es ist darum, weil er so gut ist. Er ist das einzig gute Mannsbild, das ich kenne. Sie werden sehen, gnädige Frau.

Die Unbekannte lacht.

TERESA Oder wahrscheinlich wissen Sie es schon.

Florindo geht zu Benedetto, sagt ihm etwas. Benedetto schließt noch einmal die Tür des Kaffeehauses auf, geht hinein. Florindo wartet vor der Türe auf ihn.

DIE UNBEKANNTE *schnell zu Teresa* Wenn Sie ihn liebhaben, wie können Sie es ertragen, daß er jeden Monat eine neue Geliebte hat?

TERESA Mein Gott! Ich kenne ihn so lange, und dann, was kann ich da machen? Nehmen Sie an, Sie haben ein Kind, das Sie recht liebhaben, und es macht sich alle Augenblicke schmutzig. Werden Sie es darum weggeben? Es bleibt doch Ihr Kind und Sie werden es ihm immer wieder verzeihen. Und wenn er dann wieder einmal zu mir kommt –

DIE UNBEKANNTE Ah! Er kommt doch zuweilen?

Benedetto ist herausgekommen, zählt Florindo Geld auf, das dieser zu sich steckt.

TERESA O weh! Wenn Sie wüßten, wie selten. Es ist nicht der Rede wert.

DIE UNBEKANNTE Armes Ding, und Sie sind wirklich sehr hübsch.

TERESA Das sagt die gnädige Frau nur so, um schmeichelhaft zu sein. Aber dann ist er wirklich so gut, so gut. Wenn man ihn unter vier Augen hat, kann er einem nichts abschlagen. Sie werden sehen.

Florindo tritt zu ihnen.

TERESA Man spricht so gut mit der gnädigen Frau. Man möchte ihr alles sagen.

FLORINDO Das finde ich auch.

Benedetto und der Kellnerbursche sind abgegangen.

DIE UNBEKANNTE *halblaut zu Florindo* Sie werden jetzt mit ihr da hineingehen. Da wo sie wohnt. Das verlange ich zu meiner Sicherheit. Ich werde nicht eher von hier fortgehen, bis Sie mit ihr im Hause sind.

Nicht wahr, Teresa, Sie haben dem Herrn Florindo verschiedenes zu sagen?

FLORINDO Aber –

DIE UNBEKANNTE Gehen Sie, es handelt sich um Ihre kleinen Geschäftsangelegenheiten.

FLORINDO Aber Sie –

DIE UNBEKANNTE Gehen Sie jetzt. Was tut es Ihnen, für fünf Minuten in dieses Haus zu gehen?

Florindo fügt sich.

DIE UNBEKANNTE Schnell, schaffen Sie ihn fort.

Florindo und Teresa gehen ins Haus, erscheinen gleich darauf am Fenster.

DIE UNBEKANNTE Teresa, machen Sie die Fensterladen zu! Ich will nicht, daß er sieht, wohin ich gehe.

Florindo wirft der Unbekannten einen Kuß zu. Teresa drängt ihn vom Fenster weg.

DIE UNBEKANNTE *hinaufsprechend* Ach, und was soll ich Henriette sagen?

Florindo wirft ihr über Teresa weg noch einen Kuß zu.

DIE UNBEKANNTE Ich werde sie jedenfalls sehr beruhigen.

Teresa schließt den Fensterladen.

Die Unbekannte geht nach rückwärts ab, indem sie ein Liedchen summt.

DER TOR UND DER TOD

Personen

DER TOD
CLAUDIO, ein Edelmann
SEIN KAMMERDIENER
CLAUDIOS MUTTER
EINE GELIEBTE DES CLAUDIO } Tote
EIN JUGENDFREUND

Claudios Haus.
Kostüm der zwanziger Jahre des vorigen Jahrhunderts.

Studierzimmer des Claudio, im Empiregeschmack. Im Hintergrund links und rechts große Fenster, in der Mitte eine Glastüre auf den Balkon hinaus, von dem eine hängende Holztreppe in den Garten führt. Links eine weiße Flügeltür, rechts eine gleiche nach dem Schlafzimmer, mit einem grünen Samtvorhang geschlossen. Am Fenster links steht ein Schreibtisch, davor ein Lehnstuhl. An den Pfeilern Glaskasten mit Altertümern. An der Wand rechts eine gotische, dunkle, geschnitzte Truhe; darüber altertümliche Musikinstrumente. Ein fast schwarzgedunkeltes Bild eines italienischen Meisters. Der Grundton der Tapete licht, fast weiß; mit Stukkatur und Gold.

CLAUDIO *allein*

Er sitzt am Fenster. Abendsonne.

Die letzten Berge liegen nun im Glanz,
In feuchten Schmelz durchsonnter Luft gewandet,
Es schwebt ein Alabasterwolkenkranz
Zuhöchst, mit grauen Schatten, goldumrandet:
So malen Meister von den frühen Tagen
Die Wolken, welche die Madonna tragen.
Am Abhang liegen blaue Wolkenschatten,
Der Bergesschatten füllt das weite Tal
Und dämpft zu grauem Grün den Glanz der Matten;
Der Gipfel glänzt im vollen letzten Strahl.
Wie nah sind meiner Sehnsucht die gerückt,
Die dort auf weiten Halden einsam wohnen
Und denen Güter, mit der Hand gepflückt,
Die gute Mattigkeit der Glieder lohnen.
Der wundervolle wilde Morgenwind,
Der nackten Fußes läuft im Heidenduft,
Der weckt sie auf; die wilden Bienen sind
Um sie und Gottes helle, heiße Luft.
Es gab Natur sich ihnen zum Geschäfte,
In allen ihren Wünschen quillt Natur,
Im Wechselspiel der frisch und müden Kräfte

Wird ihnen jedes warmen Glückes Spur.
Jetzt rückt der goldne Ball, und er versinkt
In fernster Meere grünlichem Kristall;
Das letzte Licht durch ferne Bäume blinkt,
Jetzt atmet roter Rauch, ein Glutenwall
Den Strand erfüllend, wo die Städte liegen,
Die mit Najadenarmen, flutenttaucht,
In hohen Schiffen ihre Kinder wiegen,
Ein Volk, verwegen, listig und erlaucht.
Sie gleiten über ferne, wunderschwere,
Verschwiegne Flut, die nie ein Kiel geteilt,
Es regt die Brust der Zorn der wilden Meere,
Da wird sie jedem Wahn und Weh geheilt.
So seh ich Sinn und Segen fern gebreitet
Und starre voller Sehnsucht stets hinüber,
Doch wie mein Blick dem Nahen näher gleitet,
Wird alles öd, verletzender und trüber;
Es scheint mein ganzes so versäumtes Leben,
Verlorne Lust und nie geweinte Tränen,
Um diese Gassen, dieses Haus zu weben
Und ewig sinnlos Suchen, wirres Sehnen.
Am Fenster stehend
Jetzt zünden sie die Lichter an und haben
In engen Wänden eine dumpfe Welt
Mit allen Rausch- und Tränengaben
Und was noch sonst ein Herz gefangenhält.
Sie sind einander herzlich nah
Und härmen sich um einen, der entfernt;
Und wenn wohl einem Leid geschah,
So trösten sie... ich habe Trösten nie gelernt.
Sie können sich mit einfachen Worten,
Was nötig zum Weinen und Lachen, sagen.
Müssen nicht an sieben vernagelte Pforten
Mit blutigen Fingern schlagen.
Was weiß denn ich vom Menschenleben?
Bin freilich scheinbar drin gestanden,
Aber ich hab es höchstens verstanden,
Konnte mich nie darein verweben.

Hab mich niemals daran verloren.
Wo andre nehmen, andre geben,
Blieb ich beiseit, im Innern stummgeboren.
Ich hab von allen lieben Lippen
Den wahren Trank des Lebens nie gesogen,
Bin nie, von wahrem Schmerz durchschüttert,
Die Straße einsam, schluchzend, nie! gezogen.
Wenn ich von guten Gaben der Natur
Je eine Regung, einen Hauch erfuhr,
So nannte ihn mein überwacher Sinn,
Unfähig des Vergessens, grell beim Namen.
Und wie dann tausende Vergleiche kamen,
War das Vertrauen, war das Glück dahin.
Und auch das Leid! zerfasert und zerfressen
Vom Denken, abgeblaßt und ausgelaugt!
Wie wollte ich an meine Brust es pressen,
Wie hätt ich Wonne aus dem Schmerz gesaugt:
Sein Flügel streifte mich, ich wurde matt,
Und Unbehagen kam an Schmerzes Statt...
Aufschreckend
Es dunkelt schon. Ich fall in Grübelei.
Ja, ja: die Zeit hat Kinder mancherlei.
Doch ich bin müd und soll wohl schlafen gehen.
Der Diener bringt eine Lampe, geht dann wieder.
Jetzt läßt der Lampe Glanz mich wieder sehen
Die Rumpelkammer voller totem Tand,
Wodurch ich doch mich einzuschleichen wähnte,
Wenn ich den graden Weg auch nimmer fand
In jenes Leben, das ich so ersehnte.
Vor dem Kruzifix
Zu deinen wunden, elfenbeinern' Füßen,
Du Herr am Kreuz, sind etliche gelegen,
Die Flammen niederbetend, jene süßen,
Ins eigne Herz, die wundervoll bewegen,
Und wenn statt Gluten öde Kälte kam,
Vergingen sie in Reue, Angst und Scham.
Vor einem alten Bild
Gioconda, du, aus wundervollem Grund

Herleuchtend mit dem Glanz durchseelter Glieder,
Dem rätselhaften, süßen, herben Mund,
Dem Prunk der träumeschweren Augenlider:
Gerad so viel verrietest du mir Leben,
Als fragend ich vermocht dir einzuweben!
Sich abwendend, vor einer Truhe
Ihr Becher, ihr, an deren kühlem Rand
Wohl etlich Lippen selig hingen,
Ihr alten Lauten, ihr, bei deren Klingen
Sich manches Herz die tiefste Rührung fand,
Was gäb ich, könnt mich euer Bann erfassen,
Wie wollt ich mich gefangen finden lassen!
Ihr hölzern, ehern Schilderwerk,
Verwirrend, formenquellend Bilderwerk,
Ihr Kröten, Engel, Greife, Faunen,
Phantastsche Vögel, goldnes Fruchtgeschlinge,
Berauschende und ängstigende Dinge,
Ihr wart doch all einmal gefühlt,
Gezeugt von zuckenden, lebendgen Launen,
Vom großen Meer emporgespült,
Und wie den Fisch das Netz, hat euch die Form gefangen!
Umsonst bin ich, umsonst euch nachgegangen,
Von eurem Reize allzusehr gebunden:
Und wie ich eurer eigensinngen Seelen
Jedwede, wie die Masken, durchempfunden,
War mir verschleiert Leben, Herz und Welt,
Ihr hieltet mich, ein Flatterschwarm, umstellt,
Abweidend, unerbittliche Harpyen,
An frischen Quellen jedes frische Blühen...
Ich hab mich so an Künstliches verloren,
Daß ich die Sonne sah aus toten Augen
Und nicht mehr hörte als durch tote Ohren:
Stets schleppte ich den rätselhaften Fluch,
Nie ganz bewußt, nie völlig unbewußt,
Mit kleinem Leid und schaler Lust
Mein Leben zu erleben wie ein Buch,
Das man zur Hälft noch nicht und halb nicht mehr begreift,
Und hinter dem der Sinn erst nach Lebendgem schweift –

Und was mich quälte und was mich erfreute,
Mir war, als ob es nie sich selbst bedeute,
Nein, künftgen Lebens vorgeliehnen Schein
Und hohles Bild von einem vollern Sein.
So hab ich mich in Leid und jeder Liebe
Verwirrt mit Schatten nur herumgeschlagen,
Verbraucht, doch nicht genossen alle Triebe,
In dumpfem Traum, es würde endlich tagen.
Ich wandte mich und sah das Leben an:
Darinnen Schnellsein nicht zum Laufen nützt
Und Tapfersein nicht hilft zum Streit; darin
Unheil nicht traurig macht und Glück nicht froh;
Auf Frag ohn Sinn folgt Antwort ohne Sinn;
Verworrner Traum entsteigt der dunklen Schwelle,
Und Glück ist alles, Stunde, Wind und Welle!
So schmerzlich klug und so enttäuschten Sinn
In müdem Hochmut hegend, in Entsagen
Tief eingesponnen, leb ich ohne Klagen
In diesen Stuben, dieser Stadt dahin.
Die Leute haben sich entwöhnt zu fragen
Und finden, daß ich recht gewöhnlich bin.

Der Diener kommt und stellt einen Teller Kirschen auf den Tisch, dann will er die Balkontüre schließen.

CLAUDIO
Laß noch die Türen offen... Was erschreckt dich?

DIENER
Euer Gnaden glauben mirs wohl nicht.
Halb für sich, mit Angst
Jetzt haben sie im Lusthaus sich versteckt.

CLAUDIO
Wer denn?

DIENER Entschuldigen, ich weiß es nicht.
Ein ganzer Schwarm unheimliches Gesindel.

CLAUDIO
Bettler?

DIENER Ich weiß es nicht.

CLAUDIO So sperr die Tür,
Die von der Gasse in den Garten, zu,
Und leg dich schlafen und laß mich in Ruh.

DIENER

Das eben macht mir solches Graun. Ich hab
Die Gartentür verriegelt. Aber...

CLAUDIO Nun?

DIENER

Jetzt sitzen sie im Garten. Auf der Bank,
Wo der sandsteinerne Apollo steht,
Ein paar im Schatten dort am Brunnenrand,
Und einer hat sich auf die Sphinx gesetzt.
Man sieht ihn nicht, der Taxus steht davor.

CLAUDIO

Sinds Männer?

DIENER Einige. Allein auch Frauen.
Nicht bettelhaft, altmodisch nur von Tracht,
Wie Kupferstiche angezogen sind.
Mit einer solchen grauenvollen Art,
Still dazusitzen und mit toten Augen
Auf einen wie in leere Luft zu schauen,
Das sind nicht Menschen. Euer Gnaden sei'n
Nicht ungehalten, nur um keinen Preis
Der Welt möcht ich in ihre Nähe gehen.
So Gott will, sind sie morgen früh verschwunden;
Ich will – mit gnädiger Erlaubnis – jetzt
Die Tür vom Haus verriegeln und das Schloß
Einsprengen mit geweihtem Wasser. Denn
Ich habe solche Menschen nie gesehn,
Und solche Augen haben Menschen nicht.

CLAUDIO

Tu, was du willst, und gute Nacht.
Er geht eine Weile nachdenklich auf und nieder. Hinter der Szene erklingt das sehnsüchtige und ergreifende Spiel einer Geige, zuerst ferner, allmählich näher, endlich warm und voll, als wenn es aus dem Nebenzimmer dränge. Musik?
Und seltsam zu der Seele redende!
Hat mich des Menschen Unsinn auch verstört?
Mich dünkt, als hätt ich solche Töne
Von Menschengeigen nie gehört...
Er bleibt horchend gegen die rechte Seite gewandt

In tiefen, scheinbar langersehnten Schauern
Dringts allgewaltig auf mich ein;
Es scheint unendliches Bedauern,
Unendlich Hoffen scheints zu sein,
Als strömte von den alten, stillen Mauern
Mein Leben flutend und verklärt herein.
Wie der Geliebten, wie der Mutter Kommen,
Wie jedes Langverlornen Wiederkehr,
Regt es Gedanken auf, die warmen, frommen,
Und wirft mich in ein jugendliches Meer:
Ein Knabe stand ich so im Frühlingsglänzen
Und meinte aufzuschweben in das All,
Unendlich Sehnen über alle Grenzen
Durchwehte mich in ahnungsvollem Schwall!
Und Wanderzeiten kamen, rauschumfangen,
Da leuchtete manchmal die ganze Welt,
Und Rosen glühten, und die Glocken klangen,
Von fremdem Lichte jubelnd und erhellt:
Wie waren da lebendig alle Dinge,
Dem liebenden Erfassen nahgerückt,
Wie fühlt ich mich beseelt und tief entzückt,
Ein lebend Glied im großen Lebensringe!
Da ahnte ich, durch mein Herz auch geleitet,
Den Liebesstrom, der alle Herzen nährt,
Und ein Genügen hielt mein Ich geweitet,
Das heute kaum mir noch den Traum verklärt.
Tön fort, Musik, noch eine Weile so
Und rühr mein Innres also innig auf:
Leicht wähn ich dann mein Leben warm und froh,
Rücklebend so verzaubert seinen Lauf:
Denn alle süßen Flammen, Loh an Loh
Das Starre schmelzend, schlagen jetzt herauf!
Des allzu alten, allzu wirren Wissens
Auf diesen Nacken vielgehäufte Last
Vergeht, von diesem Laut des Urgewissens,
Den kindisch-tiefen Tönen angefaßt.
Weither mit großem Glockenläuten
Ankündigt sich ein kaum geahntes Leben,

In Formen, die unendlich viel bedeuten,
Gewaltig-schlicht im Nehmen und im Geben.
Die Musik verstummt fast plötzlich.
Da, da verstummt, was mich so tief gerührt,
Worin ich Göttlich-Menschliches gespürt!
Der diese Wunderwelt unwissend hergesandt,
Er hebt wohl jetzt nach Kupfergeld die Kappe,
Ein abendlicher Bettelmusikant.
Am Fenster rechts
Hier unten steht er nicht. Wie sonderbar!
Wo denn? Ich will durchs andre Fenster schaun…
Wie er nach der Türe rechts geht, wird der Vorhang leise zurückgeschlagen, und in der Tür steht der Tod, den Fiedelbogen in der Hand, die Geige am Gürtel hängend. Er sieht Claudio, der entsetzt zurückfährt, ruhig an.
Wie packt mich sinnlos namenloses Grauen!
Wenn deiner Fiedel Klang so lieblich war,
Was bringt es solchen Krampf, dich anzuschauen?
Und schnürt die Kehle so und sträubt das Haar?
Geh weg! Du bist der Tod. Was willst du hier?
Ich fürchte mich. Geh weg! Ich kann nicht schrein.
Sinkend
Der Halt, die Luft des Lebens schwindet mir!
Geh weg! Wer rief dich? Geh! Wer ließ dich ein?

DER TOD

Steh auf! Wirf dies ererbte Graun von dir!
Ich bin nicht schauerlich, bin kein Gerippe!
Aus des Dionysos, der Venus Sippe,
Ein großer Gott der Seele steht vor dir.
Wenn in der lauen Sommerabendfeier
Durch goldne Luft ein Blatt herabgeschwebt,
Hat dich mein Wehen angeschauert,
Das traumhaft um die reifen Dinge webt;
Wenn Überschwellen der Gefühle
Mit warmer Flut die Seele zitternd füllte,
Wenn sich im plötzlichen Durchzucken
Das Ungeheure als verwandt enthüllte,
Und du, hingebend dich im großen Reigen,
Die Welt empfingest als dein eigen:

In jeder wahrhaft großen Stunde,
Die schauern deine Erdenform gemacht,
Hab ich dich angerührt im Seelengrunde
Mit heiliger, geheimnisvoller Macht.

CLAUDIO

Genug. Ich grüße dich, wenngleich beklommen.
Kleine Pause
Doch wozu bist du eigentlich gekommen?

DER TOD

Mein Kommen, Freund, hat stets nur einen Sinn!

CLAUDIO

Bei mir hats eine Weile noch dahin!
Merk: eh das Blatt zu Boden schwebt,
Hat es zur Neige seinen Saft gesogen!
Dazu fehlt viel: Ich habe nicht gelebt!

DER TOD

Bist doch, wie alle, deinen Weg gezogen!

CLAUDIO

Wie abgerißne Wiesenblumen
Ein dunkles Wasser mit sich reißt,
So glitten mir die jungen Tage,
Und ich hab nie gewußt, daß das schon Leben heißt.
Dann... stand ich an den Lebensgittern,
Der Wunder bang, von Sehnsucht süß bedrängt,
Daß sie in majestätischen Gewittern
Auffliegen sollten, wundervoll gesprengt.
Es kam nicht so... und einmal stand ich drinnen,
Der Weihe bar, und konnte mich auf mich
Und alle tiefsten Wünsche nicht besinnen,
Von einem Bann befangen, der nicht wich.
Von Dämmerung verwirrt und wie verschüttet,
Verdrießlich und im Innersten zerrüttet,
Mit halbem Herzen, unterbundnen Sinnen
In jedem Ganzen rätselhaft gehemmt,
Fühlt ich mich niemals recht durchglutet innen,
Von großen Wellen nie so recht geschwemmt,
Bin nie auf meinem Weg dem Gott begegnet,
Mit dem man ringt, bis daß er einen segnet.

DER TOD

Was allen, ward auch dir gegeben,
Ein Erdenleben, irdisch es zu leben.
Im Innern quillt euch allen treu ein Geist,
Der diesem Chaos toter Sachen
Beziehung einzuhauchen heißt
Und euren Garten draus zu machen
Für Wirksamkeit, Beglückung und Verdruß.
Weh dir, wenn ich dir das erst sagen muß!
Man bindet und man wird gebunden,
Entfaltung wirken schwül und wilde Stunden;
In Schlaf geweint und müd geplagt,
Noch wollend, schwer von Sehnsucht, halbverzagt,
Tiefatmend und vom Drang des Lebens warm...
Doch alle reif, fallt ihr in meinen Arm.

CLAUDIO

Ich bin aber nicht reif, drum laß mich hier.
Ich will nicht länger töricht jammern,
Ich will mich an die Erdenscholle klammern,
Die tiefste Lebenssehnsucht schreit in mir.
Die höchste Angst zerreißt den alten Bann;
Jetzt fühl ich – laß mich – daß ich leben kann!
Ich fühls an diesem grenzenlosen Drängen:
Ich kann mein Herz an Erdendinge hängen.
Oh, du sollst sehn, nicht mehr wie stumme Tiere,
Nicht Puppen werden mir die andern sein!
Zum Herzen reden soll mir all das Ihre,
Ich dränge mich in jede Lust und Pein.
Ich will die Treue lernen, die der Halt
Von allem Leben ist... Ich füg mich so,
Daß Gut und Böse über mich Gewalt
Soll haben und mich machen wild und froh.
Dann werden sich die Schemen mir beleben!
Ich werde Menschen auf dem Wege finden,
Nicht länger stumm im Nehmen und im Geben,
Gebunden werden – ja! – und kräftig binden.
Da er die ungerührte Miene des Todes wahrnimmt, mit steigender Angst
Denn schau, glaub mir, das war nicht so bisher:

Du meinst, ich hätte doch geliebt, gehaßt...
Nein, nie hab ich den Kern davon erfaßt,
Es war ein Tausch von Schein und Worten leer!
Da schau, ich kann dir zeigen: Briefe, sieh,
Er reißt eine Lade auf und entnimmt ihr Pakete geordneter alter Briefe
Mit Schwüren voll und Liebeswort und Klagen;
Meinst du, ich hätte je gespürt, was die –
Gespürt, was ich als Antwort schien zu sagen?!
Er wirft ihm die Pakete vor die Füße, daß die einzelnen Briefe herausfliegen
Da hast du dieses ganze Liebesleben,
Daraus nur ich und ich nur widertönte,
Wie ich, der Stimmung Auf- und Niederbeben
Mitbebend, jeden heilgen Halt verhöhnte!
Da! da! und alles andre ist wie das:
Ohn Sinn, ohn Glück, ohn Schmerz, ohn Lieb, ohn Haß!

DER TOD

Du Tor! Du schlimmer Tor, ich will dich lehren,
Das Leben, eh dus endest, einmal ehren.
Stell dich dorthin und schweig und sieh hierher
Und lern, daß alle andern diesen Schollen
Mit lieberfülltem Erdensinn entquollen,
Und nur du selber schellenlaut und leer.

Der Tod tut ein paar Geigenstriche, gleichsam rufend. Er steht an der Schlafzimmertüre, im Vordergrund rechts, Claudio an der Wand links, im Halbdunkel. Aus der Tür rechts tritt die Mutter. Sie ist nicht sehr alt. Sie trägt ein langes schwarzes Samtkleid, eine schwarze Samthaube mit einer weißen Rüsche, die das Gesicht umrahmt. In den feinen blassen Fingern ein weißes Spitzentaschentuch. Sie tritt leise aus der Tür und geht lautlos im Zimmer umher.

DIE MUTTER

Wie viele süße Schmerzen saug ich ein
Mit dieser Luft. Wie von Lavendelkraut
Ein feiner toter Atem weht die Hälfte
Von meinem Erdendasein hier umher:
Ein Mutterleben, nun, ein Dritteil Schmerzen,
Eins Plage, Sorge eins. Was weiß ein Mann
Davon?
An der Truhe

Die Kante da noch immer scharf?
Da schlug er sich einmal die Schläfe blutig;
Freilich, er war auch klein und heftig, wild
Im Laufen, nicht zu halten. Da, das Fenster!
Da stand ich oft und horchte in die Nacht
Hinaus auf seinen Schritt mit solcher Gier,
Wenn mich die Angst im Bett nicht länger litt,
Wenn er nicht kam, und schlug doch zwei, und schlug
Dann drei und fing schon blaß zu dämmern an...
Wie oft... Doch hat er nie etwas gewußt –
Ich war ja auch bei Tag hübsch viel allein.
Die Hand, die gießt die Blumen, klopft den Staub
Vom Kissen, reibt die Messingklinken blank,
So läuft der Tag: allein der Kopf hat nichts
Zu tun: da geht im Kreis ein dumpfes Rad
Mit Ahnungen und traumbeklommenem,
Geheimnisvollem Schmerzgefühle, das
Wohl mit der Mutterschaft unfaßlichem
Geheimem Heiligtum zusammenhängt
Und allem tiefstem Weben dieser Welt
Verwandt ist. Aber mir ist nicht gegönnt,
Der süß beklemmend, schmerzlich nährenden,
Der Luft vergangnen Lebens mehr zu atmen.
Ich muß ja gehen, gehen...
Sie geht durch die Mitteltüre ab.

CLAUDIO
Mutter!

DER TOD
Schweig!
Du bringst sie nicht zurück.

CLAUDIO
Ah! Mutter, komm!
Laß mich dir einmal mit den Lippen hier,
Den zuckenden, die immer schmalgepreßt,
Hochmütig schwiegen, laß mich doch vor dir
So auf den Knieen... Ruf sie! Halt sie fest!
Sie wollte nicht! Hast du denn nicht gesehn?!
Was zwingst du sie, Entsetzlicher, zu gehn?

DER TOD
Laß mir, was mein. Dein war es.

CLAUDIO
Ah! und nie

Gefühlt! Dürr, alles dürr! Wann hab ich je
Gespürt, daß alle Wurzeln meines Seins
Nach ihr sich zuckend drängten, ihre Näh
Wie einer Gottheit Nähe wundervoll
Durchschauert mich und quellend füllen soll
Mit Menschensehnsucht, Menschenlust – und -weh?!

Der Tod, um seine Klagen unbekümmert, spielt die Melodie eines alten Volksliedes. Langsam tritt ein junges Mädchen ein; sie trägt ein einfaches großgeblümtes Kleid, Kreuzbandschuhe, um den Hals ein Stückchen Schleier, bloßer Kopf.

DAS JUNGE MÄDCHEN

Es war doch schön... Denkst du nie mehr daran?
Freilich, du hast mir weh getan, so weh...
Allein was hört denn nicht in Schmerzen auf?
Ich hab so wenig frohe Tag gesehn,
Und die, die waren schön als wie ein Traum!
Die Blumen vor dem Fenster, meine Blumen,
Das kleine wacklige Spinett, der Schrank,
In den ich deine Briefe legte und
Was du mir etwa schenktest... alles das
– Lach mich nicht aus – das wurde alles schön
Und redete mit wachen lieben Lippen!
Wenn nach dem schwülen Abend Regen kam
Und wir am Fenster standen – ah, der Duft
Der nassen Bäume! – Alles das ist hin,
Gestorben, was daran lebendig war!
Und liegt in unsrer Liebe kleinem Grab.
Allein es war so schön, und du bist schuld,
Daß es so schön war. Und daß du mich dann
Fortwarfest, achtlos grausam, wie ein Kind,
Des Spielens müd, die Blumen fallen läßt...
Mein Gott, ich hatte nichts, dich festzubinden.

Kleine Pause

Wie dann dein Brief, der letzte, schlimme, kam,
Da wollt ich sterben. Nicht um dich zu quälen,
Sag ich dir das. Ich wollte einen Brief
Zum Abschied an dich schreiben, ohne Klag,
Nicht heftig, ohne wilde Traurigkeit;

Nur so, daß du nach meiner Lieb und mir
Noch einmal solltest Heimweh haben und
Ein wenig weinen, weils dazu zu spät.
Ich hab dir nicht geschrieben. Nein. Wozu?
Was weiß denn ich, wieviel von deinem Herzen
In all dem war, was meinen armen Sinn
Mit Glanz und Fieber so erfüllte, daß
Ich wie im Traum am lichten Tage ging.
Aus Untreu macht kein guter Wille Treu,
Und Tränen machen kein Erstorbnes wach.
Man stirbt auch nicht daran. Viel später erst,
Nach langem, ödem Elend durft ich mich
Hinlegen, um zu sterben. Und ich bat,
In deiner Todesstund bei dir zu sein.
Nicht grauenvoll, um dich zu quälen nicht,
Nur wie wenn einer einen Becher Wein
Austrinkt und flüchtig ihn der Duft gemahnt
An irgendwo vergeßne leise Lust.

Sie geht ab; Claudio birgt sein Gesicht in den Händen. Unmittelbar nach ihrem Abgehen tritt ein Mann ein. Er hat beiläufig Claudios Alter. Er trägt einen unordentlichen, bestaubten Reiseanzug. In seiner linken Brust steckt mit herausragendem Holzgriff ein Messer. Er bleibt in der Mitte der Bühne, Claudio zugewendet, stehen.

DER MANN

Lebst du noch immer, Ewigspielender?
Liest immer noch Horaz und freuest dich
Am spöttisch-klugen, nie bewegten Sinn?
Mit feinen Worten bist du mir genaht,
Scheinbar gepackt von was auch mich bewegte...
Ich hab dich, sagtest du, gemahnt an Dinge,
Die heimlich in dir schliefen, wie der Wind
Der Nacht von fernem Ziel zuweilen redet...
O ja, ein feines Saitenspiel im Wind
Warst du, und der verliebte Wind dafür
Stets eines andern ausgenützter Atem,
Der meine oder sonst. Wir waren ja
Sehr lange Freunde. Freunde? Heißt: gemein
War zwischen uns Gespräch bei Tag und Nacht,

Verkehr mit gleichen Menschen. Tändelei
Mit einer gleichen Frau. Gemein: so wie
Gemeinsam zwischen Herr und Sklave ist
Haus, Sänfte, Hund, und Mittagstisch und Peitsche:
Dem ist das Haus zur Lust, ein Kerker dem,
Den trägt die Sänfte, jenem drückt die Schulter
Ihr Schnitzwerk wund; der läßt den Hund im Garten
Durch Reifen springen, jener wartet ihn!...
Halbfertige Gefühle, meiner Seele
Schmerzlich geborne Perlen, nahmst du mir
Und warfst sie als dein Spielzeug in die Luft,
Du, schnellbefreundet, fertig schnell mit jedem,
Ich mit dem stummen Werben in der Seele
Und Zähne zugepreßt, du ohne Scheu
An allem tastend, während mir das Wort
Mißtrauisch und verschüchtert starb am Weg.
Da kam uns in den Weg ein Weib. Was mich
Ergriff, wie Krankheit über einen kommt,
Wo alle Sinne taumeln, überwach
Von allzu vielem Schaun nach einem Ziel...
Nach einem solchen Ziel, voll süßer Schwermut
Und wildem Glanz und Duft, aus tiefem Dunkel
Wie Wetterleuchten webend... Alles das,
Du sahst es auch, es reizte dich!... »Ja, weil
Ich selber ähnlich bin zu mancher Zeit,
So reizte mich des Mädchens müde Art
Und herbe Hoheit, so enttäuschten Sinns
Bei solcher Jugend.« Hast du mirs denn nicht
Dann später so erzählt? Es reizte dich!
Mir war es mehr als dieses Blut und Hirn!
Und sattgespielt warfst du die Puppe mir,
Mir zu, ihr ganzes Bild vom Überdruß
In dir entstellt, so fürchterlich verzerrt,
Des wundervollen Zaubers so entblößt,
Die Züge sinnlos, das lebendge Haar
Tot hängend, warfst mir eine Larve zu,
In schnödes Nichts mit widerlicher Kunst
Zersetzend rätselhaften süßen Reiz.

Für dieses haßte endlich ich dich so,
Wie dich mein dunkles Ahnen stets gehaßt,
Und wich dir aus.
Dann trieb mich mein Geschick,
Das endlich mich Zerbrochnen segnete
Mit einem Ziel und Willen in der Brust –
Die nicht in deiner giftgen Nähe ganz
Für alle Triebe abgestorben war –
Ja, für ein Hohes trieb mich mein Geschick
In dieser Mörderklinge herben Tod,
Der mich in einen Straßengraben warf,
Darin ich liegend langsam moderte
Um Dinge, die du nicht begreifen kannst,
Und dreimal selig dennoch gegen dich,
Der keinem etwas war und keiner ihm.
Er geht ab.

CLAUDIO
Wohl keinem etwas, keiner etwas mir.
Sich langsam aufrichtend
Wie auf der Bühn ein schlechter Komödiant –
Aufs Stichwort kommt er, redt sein Teil und geht,
Gleichgültig gegen alles andre, stumpf,
Vom Klang der eignen Stimme ungerührt
Und hohlen Tones andre rührend nicht:
So über diese Lebensbühne hin
Bin ich gegangen ohne Kraft und Wert.
Warum geschah mir das? Warum, du Tod,
Mußt du mich lehren erst das Leben sehen,
Nicht wie durch einen Schleier, wach und ganz,
Da etwas weckend, so vorübergehen?
Warum bemächtigt sich des Kindersinns
So hohe Ahnung von den Lebensdingen,
Daß dann die Dinge, wenn sie wirklich sind,
Nur schale Schauer des Erinnerns bringen?
Warum erklingt uns nicht dein Geigenspiel,
Aufwühlend die verborgne Geisterwelt,
Die unser Busen heimlich hält,
Verschüttet, dem Bewußtsein so verschwiegen,

Wie Blumen im Geröll verschüttet liegen?
Könnt ich mit dir sein, wo man dich nur hört,
Nicht von verworrner Kleinlichkeit verstört!
Ich kanns! Gewähre, was du mir gedroht:
Da tot mein Leben war, sei du mein Leben, Tod!
Was zwingt mich, der ich beides nicht erkenne,
Daß ich dich Tod und jenes Leben nenne?
In eine Stunde kannst du Leben pressen,
Mehr als das ganze Leben konnte halten,
Das schattenhafte will ich ganz vergessen
Und weih mich deinen Wundern und Gewalten.
Er besinnt sich einen Augenblick
Kann sein, dies ist nur sterbendes Besinnen,
Heraufgespült vom tödlich wachen Blut,
Doch hab ich nie mit allen Lebenssinnen
So viel ergriffen, und so nenn ichs gut!
Wenn ich jetzt ausgelöscht hinsterben soll,
Mein Hirn von dieser Stunde also voll,
Dann schwinde alles blasse Leben hin:
Erst, da ich sterbe, spür ich, daß ich bin.
Wenn einer träumt, so kann ein Übermaß
Geträumten Fühlens ihn erwachen machen,
So wach ich jetzt, im Fühlensübermaß,
Vom Lebenstraum wohl auf im Todeswachen.
Er sinkt tot zu den Füßen des Todes nieder.

DER TOD *indem er kopfschüttelnd langsam abgeht*
Wie wundervoll sind diese Wesen,
Die, was nicht deutbar, dennoch deuten,
Was nie geschrieben wurde, lesen,
Verworrenes beherrschend binden
Und Wege noch im Ewig-Dunkeln finden.
Er verschwindet in der Mitteltür, seine Worte verklingen.
Im Zimmer bleibt es still. Draußen sieht man durchs Fenster den Tod geigenspielend vorübergehen, hinter ihm die Mutter, auch das Mädchen, dicht bei ihnen eine Claudio gleichende Gestalt.

10.5.81

DER SCHWIERIGE

LUSTSPIEL IN DREI AKTEN

Personen

HANS KARL BÜHL
CRESCENCE, seine Schwester
STANI, ihr Sohn
HELENE ALTENWYL
ALTENWYL
ANTOINETTE HECHINGEN
HECHINGEN
NEUHOFF
EDINE, NANNI, HUBERTA – Antoinettes Freundinnen
AGATHE, Kammerjungfer
NEUGEBAUER, Sekretär
LUKAS, erster Diener bei Hans Karl
VINZENZ, ein neuer Diener
EIN BERÜHMTER MANN
Bühlsche und Altenwylsche Diener

ERSTER AKT

Mittelgroßer Raum eines Wiener älteren Stadtpalais, als Arbeitszimmer des Hausherrn eingerichtet.

ERSTE SZENE

Lukas herein mit Vinzenz.

LUKAS Hier ist das sogenannte Arbeitszimmer. Verwandtschaft und sehr gute Freunde werden hier hereingeführt, oder nur wenn speziell gesagt wird, in den grünen Salon.

VINZENZ *tritt ein* Was arbeitet er? Majoratsverwaltung? Oder was? Politische Sachen?

LUKAS Durch diese Spalettür kommt der Sekretär herein.

VINZENZ Privatsekretär hat er auch? Das sind doch Hungerleider! Verfehlte Existenzen! Hat er bei ihm was zu sagen?

LUKAS Hier gehts durch ins Toilettezimmer. Dort werden wir jetzt hineingehen und Smoking und Frack herrichten zur Auswahl je nachdem, weil nichts Spezielles angeordnet ist.

VINZENZ *schnüffelt an allen Möbeln herum* Also was? Sie wollen mir jetzt den Dienst zeigen? Es hätte Zeit gehabt bis morgen früh, und wir hätten uns jetzt kollegial unterhalten können. Was eine Herrenbedienung ist, das ist mir seit vielen Jahren zum Bewußtsein gekommen, also beschränken Sie sich auf das Nötige; damit meine ich die Besonderheiten. Also was? Fangen Sie schon an!

LUKAS *richtet ein Bild, das nicht ganz gerade hängt* Er kann kein Bild und keinen Spiegel schief hängen sehen. Wenn er anfängt, alle Laden aufzusperren oder einen verlegten Schlüssel zu suchen, dann ist er sehr schlechter Laune.

VINZENZ Lassen Sie jetzt solche Lappalien. Sie haben mir doch gesagt, daß die Schwester und der Neffe, die hier im Hause wohnen, auch jedesmal angemeldet werden müssen.

LUKAS *putzt mit dem Taschentuch an einem Spiegel* Genau wie jeder Besuch. Darauf hält er sehr streng.

VINZENZ Was steckt da dahinter? Da will er sie sich vom Leibe halten. Warum läßt er sie dann hier wohnen? Er wird doch mehrere Häuser haben? Das sind doch seine Erben. Die wünschen doch seinen Tod.

LUKAS Die Frau Gräfin Crescence und der Graf Stani? Ja, da sei Gott vor! Ich weiß nicht, wie Sie mir vorkommen!

VINZENZ Lassen Sie Ihre Ansichten. Was bezweckt er also, wenn er die im Haus hat? Das interessiert mich. Nämlich: es wirft ein Licht auf gewisse Absichten. Die muß ich kennen, bevor ich mich mit ihm einlasse.

LUKAS Auf was für gewisse Absichten?

VINZENZ Wiederholen Sie nicht meine Worte! Für mich ist das eine ernste Sache. Konvenierendenfalls ist das hier eine Unterbringung für mein Leben. Wenn Sie sich zurückgezogen haben als Verwalter, werde ich hier alles in die Hand nehmen. Das Haus paßt mir eventuell soweit nach allem, was ich höre. Aber ich will wissen, woran ich bin. Wenn er sich die Verwandten da ins Haus setzt, heißt das soviel als: er will ein neues Leben anfangen. Bei seinem Alter und nach der Kriegszeit ist das ganz erklärlich. Wenn man einmal die geschlagene Vierzig auf dem Rücken hat. –

LUKAS Der Erlaucht vierzigste Geburtstag ist kommendes Jahr.

VINZENZ Kurz und gut, er will ein Ende machen mit den Weibergeschichten. Er hat genug von den Spanponaden.

LUKAS Ich verstehe Ihr Gewäsch nicht.

VINZENZ Aber natürlich verstehen Sie mich ganz gut, Sie Herr Schätz. – Es stimmt das insofern mit dem überein, was mir die Portierin erzählt hat. Jetzt kommt alles darauf an: geht er mit der Absicht um, zu heiraten? In diesem Fall kommt eine legitime Weiberwirtschaft ins Haus, was hab ich da zu suchen? – Oder er will sein Leben als Junggeselle mit mir beschließen! Äußern Sie mir also darüber Ihre Vermutungen. Das ist der Punkt, der für mich der Hauptpunkt ist, nämlich.

Lukas räuspert sich.

VINZENZ Was erschrecken Sie mich?

LUKAS Er steht manchmal im Zimmer, ohne daß man ihn gehen hört.

VINZENZ Was bezweckt er damit? Will er einen hineinlegen? Ist er überhaupt so heimtückisch?

LUKAS In diesem Fall haben Sie lautlos zu verschwinden.

VINZENZ Das sind mir ekelhafte Gewohnheiten. Die werde ich ihm zeitig abgewöhnen.

ZWEITE SZENE

HANS KARL *ist leise eingetreten* Bleiben Sie nur, Lukas. Sind Sies, Neugebauer?

Vinzenz steht seitwärts im Dunkeln.

LUKAS Erlaucht melde untertänigst, das ist der neue Diener, der vier Jahre beim Durchlaucht Fürst Palm war.

HANS KARL Machen Sie nur weiter mit ihm. Der Herr Neugebauer soll herüberkommen mit den Akten, betreffend Hohenbühl. Im übrigen bin ich für niemand zu Hause.

Man hört eine Glocke.

LUKAS Das ist die Glocke vom kleinen Vorzimmer.

Geht.

Vinzenz bleibt.

Hans Karl ist an den Schreibtisch getreten.

DRITTE SZENE

LUKAS *tritt ein und meldet* Frau Gräfin Freudenberg.

Crescence ist gleich nach ihm eingetreten.

Lukas tritt ab, Vinzenz ebenfalls.

CRESCENCE Stört man dich, Kari? Pardon –

HANS KARL Aber, meine gute Crescence.

CRESCENCE Ich geh hinauf, mich anziehen – für die Soiree.

HANS KARL Bei Altenwyls?

CRESCENCE Du erscheinst doch auch? Oder nicht? Ich möchte nur wissen, mein Lieber.

HANS KARL Wenns dir gleich gewesen wäre, hätte ich mich eventuell später entschlossen und vom Kasino aus eventuell abtelephoniert. Du weißt, ich binde mich so ungern.

CRESCENCE Ah ja.

HANS KARL Aber wenn du auf mich gezählt hättest –

CRESCENCE Mein lieber Kari, ich bin alt genug, um allein nach Hause zu fahren – überdies kommt der Stani hin und holt mich ab. Also du kommst nicht?

HANS KARL Ich hätt mirs gern noch überlegt.

CRESCENCE Eine Soiree wird nicht attraktiver, wenn man über sie nachdenkt, mein Lieber. Und dann hab ich geglaubt, du hast dir draußen das viele Nachdenken ein bißl abgewöhnt.

Setzt sich zu ihm, der beim Schreibtisch steht

Sei Er gut, Kari, hab Er das nicht mehr, dieses Unleidliche, Sprunghafte, Entschlußlose, daß man sich hat aufs Messer streiten müssen mit Seinen Freunden, weil der eine Ihn einen Hypochonder nennt, der andere einen Spielverderber, der dritte einen Menschen, auf den man sich nicht verlassen kann. – Du bist in einer so ausgezeichneten Verfassung zurückgekommen, jetzt bist du wieder so, wie du mit zweiundzwanzig Jahren warst, wo ich beinah verliebt war in meinen Bruder.

HANS KARL Meine gute Crescence, machst du mir Komplimente?

CRESCENCE Aber nein, ich sags, wie's ist: da ist der Stani ein unbestechlicher Richter; er findet dich einfach den ersten Herrn in der großen Welt, bei ihm heißts jetzt Onkel Kari hin, Onkel Kari her, man kann ihm kein größeres Kompliment machen, als daß er dir ähnlich sieht, und das tut er ja auch – in den Bewegungen ist er ja dein zweites Selbst –, er kennt nichts Eleganteres als die Art, wie du die Menschen behandelst, das große air, die distance, die du allen Leuten gibst – dabei die komplette Gleichmäßigkeit und Bonhomie auch gegen den Niedrigsten – aber er hat natürlich, wie ich auch, deine Schwächen heraus; er adoriert den Entschluß, die Kraft, das Definitive, er haßt den Wiegel-Wagel, darin ist er wie ich!

HANS KARL Ich gratuliere dir zu deinem Sohn, Crescence. Ich bin sicher, daß du immer viel Freud an ihm erleben wirst.

CRESCENCE Aber – pour revenir à nos moutons, Herr Gott, wenn man durchgemacht hat, was du durchgemacht hast, und sich dabei benommen hat, als wenn es nichts wäre –

HANS KARL *geniert* Das hat doch jeder getan!

CRESCENCE Ah, pardon, jeder nicht. Aber da hätte ich doch geglaubt, daß man seine Hypochondrien überwunden haben könnte!

HANS KARL Die vor den Leuten in einem Salon hab ich halt noch immer. Eine Soiree ist mir ein Graus, ich kann mir halt nicht helfen. Ich begreife noch allenfalls, daß sich Leute finden, die ein Haus machen, aber nicht, daß es welche gibt, die hingehen.

CRESCENCE Also wovor fürchtest du dich? Das muß sich doch diskutieren lassen. Langweilen dich die alten Leut?

HANS KARL Ah, die sind ja charmant, die sind so artig.

CRESCENCE Oder gehen dir die Jungen auf die Nerven?

HANS KARL Gegen die hab ich gar nichts. Aber die Sache selbst ist mir halt so eine horreur, weißt du, das Ganze – das Ganze ist so ein unentwirrbarer Knäuel von Mißverständnissen. Ah, diese chronischen Mißverständnisse!

CRESCENCE Nach allem, was du draußen durchgemacht hast, ist mir das eben unbegreiflich, daß man da nicht abgehärtet ist.

HANS KARL Crescence, das macht einen ja nicht weniger empfindlich, sondern mehr. Wieso verstehst du das nicht? Mir können über eine Dummheit die Tränen in die Augen kommen – oder es wird mir heiß vor gêne über eine ganze Kleinigkeit, über eine Nuance, die kein Mensch merkt, oder es passiert mir, daß ich ganz laut sag, was ich mir denk – das sind doch unmögliche Zuständ, um unter Leut zu gehen. Ich kann dir gar nicht definieren, aber es ist stärker als ich. Aufrichtig gestanden: ich habe vor zwei Stunden Auftrag gegeben, bei Altenwyls abzusagen. Vielleicht eine andere Soiree, nächstens, aber die nicht.

CRESCENCE Die nicht. Also warum grad die nicht?

HANS KARL Es ist stärker als ich, so ganz im allgemeinen.

CRESCENCE Wenn du sagt, im allgemeinen, so meinst du was Spezielles.

HANS KARL Nicht die Spur, Crescence.

CRESCENCE Natürlich. Aha. Also, in diesem Punkt kann ich dich beruhigen.

HANS KARL In welchem Punkt?

CRESCENCE Was die Helen betrifft.

HANS KARL Wie kommst du auf die Helen?

CRESCENCE Mein Lieber, ich bin weder taub noch blind, und daß die Helen von ihrem fünfzehnten Lebensjahr an bis vor kurzem, na, sagen wir, bis ins zweite Kriegsjahr, in dich verliebt war bis über die Ohren, dafür hab ich meine Indizien, erstens, zweitens und drittens.

HANS KARL Aber Crescence, da redest du dir etwas ein –

CRESCENCE Weißt du, daß ich mir früher, so vor drei, vier Jahren, wie sie eine ganz junge Debütantin war, eingebildet hab, das wär die eine Person auf der Welt, die dich fixieren könnt, die deine Frau werden könnt. Aber ich bin zu Tode froh, daß es nicht so gekommen ist. Zwei so komplizierte Menschen, das tut kein gut.

HANS KARL Du tust mir zuviel Ehre an. Ich bin der unkomplizierteste Mensch von der Welt.

Er hat eine Lade am Schreibtisch herausgezogen
Aber ich weiß gar nicht, wie du auf die Idee – ich bin der Helen attachiert, sie ist doch eine Art von Kusine, ich hab sie so klein gekannt – sie könnte meine Tochter sein.
Sucht in der Lade nach etwas.

CRESCENCE Meine schon eher. Aber ich möcht sie nicht als Tochter. Und ich möcht erst recht nicht diesen Baron Neuhoff als Schwiegersohn.

HANS KARL Den Neuhoff? Ist das eine so ernste Geschichte?

CRESCENCE Sie wird ihn heiraten.
Hans Karl stößt die Lade zu.

CRESCENCE Ich betrachte es als vollzogene Tatsache, dem zu Trotz, daß er ein wildfremder Mensch ist, dahergeschneit aus irgendeiner Ostseeprovinz, wo sich die Wölf gute Nacht sagen –

HANS KARL Geographie war nie deine Stärke. Crescence, die Neuhoffs sind eine holsteinische Familie.

CRESCENCE Aber das ist doch ganz gleich. Kurz, wildfremde Leut.

HANS KARL Übrigens eine ganz erste Familie. So gut alliiert, als man überhaupt sein kann.

CRESCENCE Aber, ich bitt dich, das steht im Gotha. Wer kann denn das von hier aus kontrollieren?

HANS KARL Du bist aber sehr acharniert gegen den Menschen.

CRESCENCE Es ist aber auch danach! Wenn eins der ersten Mädeln, wie die Helen, sich auf einen wildfremden Menschen entêtiert, dem zu Trotz, daß er hier in seinem Leben keine Position haben wird –

HANS KARL Glaubst du?

CRESCENCE In seinem Leben! dem zu Trotz, daß sie sich aus seiner Suada nichts macht, kurz, sich und der Welt zu Trotz –
Eine kleine Pause.
Hans Karl zieht mit einiger Heftigkeit eine andere Lade heraus.

CRESCENCE Kann ich dir suchen helfen? Du enervierst dich.

HANS KARL Ich dank dir tausendmal, ich such eigentlich gar nichts, ich hab den falschen Schlüssel hineingesteckt.

SEKRETÄR *erscheint an der kleinen Tür* Oh, ich bitte untertänigst um Verzeihung.

HANS KARL Ein bissel später bin ich frei, lieber Neugebauer.
Sekretär zieht sich zurück.

CRESCENCE *tritt an den Tisch* Kari, wenn dir nur ein ganz kleiner Gefallen damit geschieht, so hintertreib ich diese Geschichte.

HANS KARL Was für eine Geschichte?

CRESCENCE Die, von der wir sprechen: Helen-Neuhoff. Ich hintertreib sie von heut auf morgen.

HANS KARL Was?

CRESCENCE Ich nehm Gift darauf, daß sie heute noch genau so verliebt in dich ist wie vor sechs Jahren, und daß es nur ein Wort, nur den Schatten einer Andeutung braucht –

HANS KARL Die ich dich um Gottes willen nicht zu machen bitte –

CRESCENCE Ah so, bitte sehr. Auch gut.

HANS KARL Meine Liebe, allen Respekt vor deiner energischen Art, aber so einfach sind doch gottlob die Menschen nicht.

CRESCENCE Mein Lieber, die Menschen sind gottlob sehr einfach, wenn man sie einfach nimmt. Ich seh also, daß diese Nachricht kein großer Schlag für dich ist. Um so besser – du hast dich von der Helen desinteressiert, ich nehm das zur Kenntnis.

HANS KARL *aufstehend* Aber ich weiß nicht, wie du nur auf den Gedanken kommst, daß ich es nötig gehabt hätt, mich zu desinteressieren. Haben denn andere Personen auch diese bizarren Gedanken?

CRESCENCE Sehr wahrscheinlich.

HANS KARL Weißt du, daß mir das direkt Lust macht, hinzugehen?

CRESCENCE Und dem Theophil deinen Segen zu geben? Er wird entzückt sein. Er wird die größten Bassessen machen, um deine Intimität zu erwerben.

HANS KARL Findest du nicht, daß es sehr richtig gewesen wäre, wenn ich mich unter diesen Umständen schon längst bei Altenwyls gezeigt hätte? Es tut mir außerordentlich leid, daß ich abgesagt habe.

CRESCENCE Also laß wieder anrufen: es war ein Mißverständnis durch einen neuen Diener und du wirst kommen.

Lukas tritt ein.

HANS KARL *zu Crescence* Weißt du, ich möchte es doch noch überlegen.

LUKAS Ich hätte für später untertänigst jemanden anzumelden.

CRESCENCE *zu Lukas* Ich geh. Telephonieren Sie schnell zum Grafen Altenwyl, Seine Erlaucht würden heut abend dort erscheinen. Es war ein Mißverständnis.

Lukas sieht Hans Karl an.

HANS KARL *ohne Lukas anzusehen* Da müßt er allerdings auch noch vorher ins Kasino telephonieren, ich laß den Grafen Hechingen bitten, zum Diner und auch nachher nicht auf mich zu warten.

CRESCENCE Natürlich, das macht er gleich. Aber zuerst zum Grafen Altenwyl, damit die Leut wissen, woran sie sind.

Lukas ab.

CRESCENCE *steht auf* So, und jetzt laß ich dich deinen Geschäften.

Im Gehen

Mit welchem Hechingen warst du besprochen? Mit dem Nandi?

HANS KARL Nein, mit dem Adolf.

CRESCENCE *kommt zurück* Der Antoinette ihrem Mann? Ist er nicht ein kompletter Dummkopf?

HANS KARL Weißt du, Crescence, darüber hab ich gar kein Urteil. Mir kommt bei Konversationen auf die Länge alles sogenannte Gescheite dumm und noch eher das Dumme gescheit vor –

CRESCENCE Und ich bin von vornherein überzeugt, daß an ihm mehr ist als an ihr.

HANS KARL Weißt du, ich hab ihn ja früher gar nicht gekannt, oder –

Er hat sich gegen die Wand gewendet und richtet an einem Bild, das nicht gerade hängt

nur als Mann seiner Frau – und dann draußen, da haben wir uns miteinander angefreundet. Weißt du, er ist ein so völlig anständiger Mensch. Wir waren miteinander, im Winter Fünfzehn, zwanzig Wochen in der Stellung in den Waldkarpathen, ich mit meinen Schützen und er mit seinen Pionieren, und wir haben das letzte Stückl Brot miteinander geteilt. Ich hab sehr viel Respekt vor ihm bekommen. Brave Menschen hats draußen viele gegeben, aber ich habe nie einen gesehen, der vis-à-vis dem Tod sich eine solche Ruhe bewahrt hätte, beinahe eine Art Behaglichkeit.

CRESCENCE Wenn dich seine Verwandten reden hören könnten, die würden dich umarmen. So geh hin zu dieser Närrin und versöhn sie mit dem Menschen, du machst zwei Familien glücklich. Diese ewig in der Luft hängende Idee einer Scheidung oder Trennung, ghupft wie gsprungen, geht ja allen auf die Nerven. Und außerdem wär es für dich selbst gut, wenn die Geschichte in eine Form käme.

HANS KARL Inwiefern das?

CRESCENCE Also, damit ich dirs sage: es gibt Leut, die den ungereimten Gedanken aussprechen, wenn die Ehe annulliert werden könnt, du würdest sie heiraten.

Hans Karl schweigt.

CRESCENCE Ich sag ja nicht, daß es seriöse Leut sind, die diesen bei den Haaren herbeigezogenen Unsinn zusammenreden.

Hans Karl schweigt.

CRESCENCE Hast du sie schon besucht, seit du aus dem Feld zurück bist?

HANS KARL Nein, ich sollte natürlich.

CRESCENCE *nach der Seite sehend* So besuch sie doch morgen und red ihr ins Gewissen.

HANS KARL *bückt sich, wie um etwas aufzuheben* Ich weiß wirklich nicht, ob ich gerade der richtige Mensch dafür wäre.

CRESCENCE Du tust sogar direkt ein gutes Werk. Dadurch gibst du ihr deutlich zu verstehen, daß sie auf dem Holzweg war, wie sie mit aller Gewalt sich hat vor zwei Jahren mit dir affichieren wollen.

HANS KARL *ohne sie anzusehen* Das ist eine Idee von dir.

CRESCENCE Ganz genau so, wie sie es heut auf den Stani abgesehen hat.

HANS KARL *erstaunt* Deinen Stani?

CRESCENCE Seit dem Frühjahr.

Sie war bis zur Tür gegangen, kehrt wieder um, kommt bis zum Schreibtisch

Er könnte mir da einen großen Gefallen tun, Kari –

HANS KARL Aber ich bitte doch um Gottes willen, so sag Sie doch!

Er bietet ihr Platz an, sie bleibt stehen.

CRESCENCE Ich schick Ihm den Stani auf einen Moment herunter. Mach Er ihm den Standpunkt klar. Sag Er ihm, daß die Antoinette – eine Frau ist, die einen unnötig kompromittiert. Kurz und gut, verleid Er sie ihm.

HANS KARL Ja, wie stellst du dir denn das vor? Wenn er verliebt in sie ist?

CRESCENCE Aber Männer sind doch nie so verliebt, und du bist doch das Orakel für den Stani. Wenn du die Konversation benützen wolltest – versprichst du mirs?

HANS KARL Ja, weißt du – wenn sich ein zwangloser Übergang findet –

CRESCENCE *ist wieder bis zur Tür gegangen, spricht von dort aus* Du wirst schon das Richtige finden. Du machst dir keine Idee, was du für eine Autorität für ihn bist.

Im Begriff hinauszugehen, macht sie wiederum kehrt, kommt bis an den Schreibtisch vor

Sag ihm, daß du sie unelegant findest – und daß du dich nie mit ihr eingelassen hättest. Dann läßt er sie von morgen an stehen.

Sie geht wieder zur Tür, das gleiche Spiel

Weißt du, sags ihm nicht zu scharf, aber auch nicht gar zu leicht. Nicht gar so sous-entendu. Und daß er ja keinen Verdacht hat, daß es von mir kommt – er hat die fixe Idee, ich will ihn verheiraten, natürlich will ich, aber – er darfs nicht merken: darin ist er ja so ähnlich mit dir: die bloße Idee, daß man ihn beeinflussen möcht – !
Noch einmal das gleiche Spiel
Weißt du, mir liegt sehr viel daran, daß es heute noch gesagt wird, wozu einen Abend verlieren? Auf die Weise hast du auch dein Programm: du machst der Antoinette klar, wie du das Ganze mißbilligst – du bringst sie auf ihre Ehre – du singst dem Adolf sein Lob – so hast du eine Mission, und der ganze Abend hat einen Sinn für dich.
Sie geht.

VIERTE SZENE

VINZENZ *ist von rechts hereingekommen, sieht sich zuerst um, ob Crescence fort ist, dann* Ich weiß nicht, ob der erste Diener gemeldet hat, es ist draußen eine jüngere Person, eine Kammerfrau oder so etwas –
HANS KARL Um was handelt sichs?
VINZENZ Sie kommt von der Frau Gräfin Hechingen nämlich. Sie scheint so eine Vertrauensperson zu sein.
Nochmals näher tretend
Eine verschämte Arme ist es nicht.
HANS KARL Ich werde das alles selbst sehen, führen Sie sie herein.
Vinzenz rechts ab.

FÜNFTE SZENE

LUKAS *schnell herein durch die Mitte* Ist untertänigst Euer Erlaucht gemeldet worden? Von Frau Gräfin Hechingen die Kammerfrau, die Agathe. Ich habe gesagt: Ich weiß durchaus nicht, ob Erlaucht zu Hause sind.
HANS KARL Gut. Ich habe sagen lassen, ich bin da. Haben Sie zum Grafen Altenwyl telephoniert?
LUKAS Ich bitte Erlaucht untertänigst um Vergebung. Ich habe be-

merkt, Erlaucht wünschen nicht, daß telephoniert wird, wünschen aber auch nicht, der Frau Gräfin zu widersprechen – so habe ich vorläufig nichts telephoniert.

HANS KARL *lächelnd* Gut, Lukas.

Lukas geht bis an die Tür.

HANS KARL Lukas, wie finden Sie den neuen Diener?

LUKAS *zögernd* Man wird vielleicht sehen, wie er sich macht.

HANS KARL Unmöglicher Mann. Auszahlen. Wegexpedieren!

LUKAS Sehr wohl, Euer Erlaucht. So hab ich mir gedacht.

HANS KARL Heute abend nichts erwähnen.

SECHSTE SZENE

Vinzenz führt Agathe herein. Beide Diener ab.

HANS KARL Guten Abend, Agathe.

AGATHE Daß ich Sie sehe, Euer Gnaden Erlaucht! Ich zittre ja.

HANS KARL Wollen Sie sich nicht setzen?

AGATHE *stehend* Oh, Euer Gnaden, seien nur nicht ungehalten darüber, daß ich gekommen bin, statt dem Brandstätter.

HANS KARL Aber liebe Agathe, wir sind ja doch alte Bekannte. Was bringt Sie denn zu mir?

AGATHE Mein Gott, das wissen doch Erlaucht. Ich komm wegen der Briefe.

Hans Karl ist betroffen.

AGATHE O Verzeihung, o Gott, es ist ja nicht zum Ausdenken, wie mir meine Frau Gräfin eingeschärft hat, durch mein Betragen nichts zu verderben.

HANS KARL *zögernd* Die Frau Gräfin hat mir allerdings geschrieben, daß gewisse in meiner Hand befindliche, ihr gehörige Briefe, würden von einem Herrn Brandstätter am Fünfzehnten abgeholt werden. Heute ist der Zwölfte, aber ich kann natürlich die Briefe auch Ihnen übergeben. Sofort, wenn es der Wunsch der Frau Gräfin ist. Ich weiß ja, Sie sind der Frau Gräfin sehr ergeben.

AGATHE Gewisse Briefe – wie Sie das sagen, Erlaucht. Ich weiß ja doch, was das für Briefe sind.

HANS KARL *kühl* Ich werde sofort den Auftrag geben.

AGATHE Wenn sie uns so beisammen sehen könnte, meine Frau Gräfin. Das wäre ihr eine Beruhigung, eine kleine Linderung.

Hans Karl fängt an, in der Lade zu suchen.

AGATHE Nach diesen entsetzlichen sieben Wochen, seitdem wir wissen, daß unser Herr Graf aus dem Felde zurück ist und wir kein Lebenszeichen von ihm haben –

HANS KARL *sieht auf* Sie haben vom Grafen Hechingen kein Lebenszeichen?

AGATHE Von dem! Wenn ich sage »unser Herr Graf«, das heißt in unserer Sprache Sie, Erlaucht! Vom Grafen Hechingen sagen wir nicht »unser Herr Graf«!

HANS KARL *sehr geniert* Ah, pardon, das konnte ich nicht wissen.

AGATHE *schüchtern* Bis heute nachmittag haben wir ja geglaubt, daß heute bei der gräflich Altenwylschen Soiree das Wiedersehen sein wird. Da telephoniert mir die Jungfer von der Komtesse Altenwyl: Er hat abgesagt!

Hans Karl steht auf.

AGATHE Er hat abgesagt, Agathe, ruft die Frau Gräfin, abgesagt, weil er gehört hat, daß ich hinkomme! Dann ist doch alles vorbei, und dabei schaut sie mich an mit einem Blick, der einen Stein erweichen könnte.

HANS KARL *sehr höflich, aber mit dem Wunsche, ein Ende zu machen* Ich fürchte, ich habe die gewünschten Briefe nicht hier in meinem Schreibtisch, ich werde gleich meinen Sekretär rufen.

AGATHE O Gott, in der Hand eines Sekretärs sind diese Briefe! Das dürfte meine Frau Gräfin nie erfahren!

HANS KARL Die Briefe sind natürlich eingesiegelt.

AGATHE Eingesiegelt! So weit ist es schon gekommen?

HANS KARL *spricht ins Telephon* Lieber Neugebauer, wenn Sie für einen Augenblick herüberkommen würden! Ja, ich bin jetzt frei – Aber ohne die Akten – es handelt sich um etwas anderes. Augenblicklich? Nein, rechnen Sie nur zu Ende. In drei Minuten, das genügt.

AGATHE Er darf mich nicht sehen, er kennt mich von früher!

HANS KARL Sie können in die Bibliothek treten, ich mach Ihnen Licht.

AGATHE Wie hätten wir uns denn das denken können, daß alles auf einmal vorbei ist.

HANS KARL *im Begriff, sie hinüberzuführen, bleibt stehen, runzelt die Stirn* Liebe Agathe, da Sie ja von allem informiert sind – ich verstehe nicht ganz, ich habe ja doch der Frau Gräfin aus dem Feldspital einen langen Brief geschrieben, dieses Frühjahr.

AGATHE Ja, den abscheulichen Brief.

HANS KARL Ich verstehe Sie nicht. Es war ein sehr freundschaftlicher Brief.

AGATHE Das war ein perfider Brief. So gezittert haben wir, als wir ihn gelesen haben, diesen Brief. Erbittert waren wir und gedemütigt!

HANS KARL Ja, worüber denn, ich bitt Sie um alles!

AGATHE *sieht ihn an* Darüber, daß Sie darin den Grafen Hechingen so herausgestrichen haben – und gesagt haben, auf die Letzt ist ein Mann wie der andere, und ein jeder kann zum Ersatz für einen jeden genommen werden.

HANS KARL Aber so habe ich mich doch gar nicht ausgedrückt. Das waren doch niemals meine Gedanken!

AGATHE Aber das war der Sinn davon. Ah, wir haben den Brief oft und oft gelesen! Das, hat meine Frau Gräfin ausgerufen, das ist also das Resultat der Sternennächte und des einsamen Nachdenkens, dieser Brief, wo er mir mit dürren Worten sagt: ein Mann ist wie der andere, unsere Liebe war nur eine Einbildung, vergiß mich, nimm wieder den Hechingen –

HANS KARL Aber nichts von all diesen Worten ist in dem Brief gestanden.

AGATHE Auf die Worte kommts nicht an. Aber den Sinn haben wir gut herausbekommen. Diesen demütigenden Sinn, diese erniedrigenden Folgerungen. Oh, das wissen wir genau. Dieses Sichselbsterniedrigen ist eine perfide Kunst. Wo der Mann sich anklagt in einer Liebschaft, da klagt er die Liebschaft an. Und im Handumdrehen sind wir die Angeklagten.

Hans Karl schweigt.

AGATHE *einen Schritt näher tretend* Ich habe gekämpft für unsern Herrn Grafen, wie meine Frau Gräfin gesagt hat: Agathe, du wirst es sehen, er will die Komtesse Altenwyl heiraten, und nur darum will er meine Ehe wieder zusammenleimen.

HANS KARL Das hat die Frau Gräfin mir zugemutet?

AGATHE Das waren ihre bösesten Stunden, wenn sie über dem gegrübelt hat. Dann ist wieder ein Hoffnungsstrahl gekommen. Nein, vor der Helen, hat sie dann gerufen, nein, vor der fürcht ich mich nicht – denn die lauft ihm nach; und wenn dem Kari eine nachlauft, die ist bei ihm schon verloren, und sie verdient ihn auch nicht, denn sie hat kein Herz.

HANS KARL *richtet etwas* Wenn ich Sie überzeugen könnte –

AGATHE Aber dann plötzlich wieder die Angst –

HANS KARL Wie fern mir das alles liegt –

AGATHE O Gott, ruft sie aus, er war noch nirgends! Wenn das bedeutungsvoll sein sollte –

HANS KARL Wie fern mir das liegt!

AGATHE Wenn er vor meinen Augen sich mit ihr verlobt –

HANS KARL Wie kann nur die Frau Gräfin –

AGATHE Oh, so etwas tun Männer, aber Sie tuns nicht, nicht wahr, Erlaucht?

HANS KARL Es liegt mir nichts in der Welt ferner, meine liebe Agathe.

AGATHE Oh, küß die Hände, Erlaucht!

Küßt ihm schnell die Hand.

HANS KARL *entzieht ihr die Hand* Ich höre meinen Sekretär kommen.

AGATHE Denn wir wissen ja, wir Frauen, daß so etwas Schönes nicht für die Ewigkeit ist. Aber, daß es deswegen auf einmal plötzlich aufhören soll, in das können wir uns nicht hineinfinden!

HANS KARL Sie sehen mich dann. Ich gebe Ihnen selbst die Briefe und – Herein! Kommen Sie nur, Neugebauer.

Agathe rechts ab.

SIEBENTE SZENE

NEUGEBAUER *tritt ein* Euer Erlaucht haben befohlen.

HANS KARL Wenn Sie die Freundlichkeit hätten, meinem Gedächtnis etwas zu Hilfe zu kommen. Ich suche ein Paket Briefe – es sind private Briefe, versiegelt – ungefähr zwei Finger dick.

NEUGEBAUER Mit einem von Euer Erlaucht darauf geschriebenen Datum? Juni 15 bis 22. Oktober 16?

HANS KARL Ganz richtig. Sie wissen –

NEUGEBAUER Ich habe dieses Konvolut unter den Händen gehabt, aber ich kann mich im Moment nicht besinnen. Im Drang der Geschäfte unter so verschiedenartigen Agenden, die täglich zunehmen –

HANS KARL *ganz ohne Vorwurf* Es ist mir unbegreiflich, wie diese ganz privaten Briefe unter die Akten geraten sein können –

NEUGEBAUER Wenn ich befürchten müßte, daß Euer Erlaucht den leisesten Zweifel in meine Diskretion setzen –

HANS KARL Aber das ist mir ja gar nicht eingefallen.

NEUGEBAUER Ich bitte, mich sofort nachsuchen zu lassen; ich werde alle meine Kräfte daransetzen, dieses höchst bedauerliche Vorkommnis aufzuklären.

HANS KARL Mein lieber Neugebauer, Sie legen dem ganzen Vorfall viel zu viel Gewicht bei.

NEUGEBAUER Ich habe schon seit einiger Zeit die Bemerkung gemacht, daß etwas an mir neuerdings Euer Erlaucht zur Ungeduld reizt. Allerdings war mein Bildungsgang ganz auf das Innere gerichtet, und wenn ich dabei vielleicht keine tadellosen Salonmanieren erworben habe, so wird dieser Mangel vielleicht in den Augen eines wohlwollenden Beurteilers aufgewogen werden können durch Qualitäten, die persönlich hervorheben zu müssen meinem Charakter allerdings nicht leicht fallen würde.

HANS KARL Ich zweifle keinen Augenblick, lieber Neugebauer. Sie machen mir den Eindruck, überanstrengt zu sein. Ich möchte Sie bitten, sich abends etwas früher freizumachen. Machen Sie doch jeden Abend einen Spaziergang mit Ihrer Braut.

Neugebauer schweigt.

HANS KARL Falls es private Sorgen sind, die Sie irritieren, vielleicht könnte ich in irgendeiner Beziehung erleichternd eingreifen.

NEUGEBAUER Euer Erlaucht nehmen an, daß es sich bei unsereinem ausschließlich um das Materielle handeln könnte.

HANS KARL Ich habe gar nicht solches sagen wollen. Ich weiß, Sie sind Bräutigam, also gewiß glücklich –

NEUGEBAUER Ich weiß nicht, ob Euer Erlaucht auf die Beschließerin von Schloß Hohenbühl anspielen?

HANS KARL Ja, mit der Sie doch seit fünf Jahren verlobt sind.

NEUGEBAUER Meine gegenwärtige Verlobte ist die Tochter eines höheren Beamten. Sie war die Braut meines besten Freundes, der vor einem halben Jahr gefallen ist. Schon bei Lebzeiten ihres Verlobten bin ich ihrem Herzen nahegestanden – und ich habe es als ein heiliges Vermächtnis des Gefallenen betrachtet, diesem jungen Mädchen eine Stütze fürs Leben zu bieten.

HANS KARL *zögernd* Und die frühere langjährige Beziehung?

NEUGEBAUER Die habe ich natürlich gelöst. Selbstverständlich in der vornehmsten und gewissenhaftesten Weise.

HANS KARL Ah!

NEUGEBAUER Ich werde natürlich allen nach dieser Seite hin eingegangenen Verpflichtungen nachkommen und diese Last schon in die junge Ehe mitbringen. Allerdings keine Kleinigkeit.

Hans Karl schweigt.

NEUGEBAUER Vielleicht ermessen Euer Erlaucht doch nicht zur Genüge, mit welchem bitteren, sittlichen Ernst das Leben in unsern glanzlosen Sphären behaftet ist, und wie es sich hier nur darum handeln kann, für schwere Aufgaben noch schwerere einzutauschen.

HANS KARL Ich habe gemeint, wenn man heiratet, so freut man sich darauf.

NEUGEBAUER Der persönliche Standpunkt kann in unserer bescheidenen Welt nicht maßgebend sein.

HANS KARL Gewiß, gewiß. Also Sie werden mir die Briefe möglichst finden.

NEUGEBAUER Ich werde nachforschen, und wenn es sein müßte, bis Mitternacht.

Ab.

HANS KARL *vor sich* Was ich nur an mir habe, daß alle Menschen so tentiert sind, mir eine Lektion zu erteilen, und daß ich nie ganz bestimmt weiß, ob sie nicht das Recht dazu haben.

ACHTE SZENE

STANI *steht in der Mitteltür, im Frack* Pardon, nur um dir guten Abend zu sagen, Onkel Kari, wenn man dich nicht stört.

HANS KARL *war nach rechts gegangen, bleibt jedoch stehen* Aber gar nicht.

Bietet ihm Platz an und eine Zigarette.

STANI *nimmt die Zigarette* Aber natürlich chipotierts dich, wenn man unangemeldet hereinkommt. Darin bist du ganz wie ich. Ich haß es auch, wenn man mir die Tür einrennt. Ich will immer zuerst meine Ideen ein bißl ordnen.

HANS KARL Ich bitte, genier dich nicht, du bist doch zu Hause.

STANI O pardon, ich bin bei dir –

HANS KARL Setz dich doch.

STANI Nein wirklich, ich hätte nie gewagt, wenn ich nicht so deutlich die krähende Stimm vom Neugebauer –

HANS KARL Er ist im Moment gegangen.

STANI Sonst wäre ich ja nie – Nämlich der neue Diener lauft mir vor fünf Minuten im Korridor nach und meldet mir, notabene ungefragt, du hättest die Jungfer von der Antoinette Hechingen bei dir und wärest schwerlich zu sprechen.

HANS KARL *halblaut* Ah, das hat er dir – ein reizender Mann!

STANI Da wäre ich ja natürlich unter keinen Umständen –

HANS KARL Sie hat ein paar Bücher zurückgebracht.

STANI Die Toinette Hechingen liest Bücher?

HANS KARL Es scheint. Ein paar alte französische Sachen.

STANI Aus dem Dixhuitième. Das paßt zu ihren Möbeln.

Hans Karl schweigt.

STANI Das Boudoir ist charmant. Die kleine Chaiselongue! Sie ist signiert.

HANS KARL Ja, die kleine Chaiselongue. Riesener.

STANI Ja, Riesener. Was du für ein Namengedächtnis hast! Unten ist die Signatur.

HANS KARL Ja, unten am Fußende.

STANI Sie verliert immer ihre kleinen Kämme aus den Haaren, und wenn man sich dann bückt, um die zusammenzusuchen, dann sieht man die Inschrift.

Hans Karl geht nach rechts hinüber und schließt die Tür nach der Bibliothek.

STANI Ziehts dir, bist du empfindlich?

HANS KARL Ja, meine Schützen und ich, wir sind da draußen rheumatisch geworden wie die alten Jagdhunde.

STANI Weißt du, sie spricht charmant von dir, die Antoinette.

HANS KARL *raucht* Ah! –

STANI Nein, ohne Vergleich. Ich verdanke den Anfang meiner Chance bei ihr ganz gewiß dem Umstand, daß sie mich so fabelhaft ähnlich mit dir findet. Zum Beispiel unsere Hände. Sie ist in Ekstase vor deinen Händen.

Er sieht seine eigene Hand an

Aber bitte, erwähn nichts von allem gegen die Mamu. Es ist halt ein weitgehender Flirt, aber deswegen doch keine Bandelei. Aber die Mamu übertreibt sich alles.

HANS KARL Aber mein guter Stani, wie käme ich denn auf das Thema?

STANI Allmählich ist sie natürlich auch auf die Unterschiede zwischen uns gekommen. Ça va sans dire.

HANS KARL Die Antoinette?

STANI Sie hat mir geschildert, wie der Anfang eurer Freundschaft war.

HANS KARL Ich kenne sie ja ewig lang.

STANI Nein, aber das vor zwei Jahren. Im zweiten Kriegsjahr. Wie du nach der ersten Verwundung auf Urlaub warst, die paar Tage in der Grünleiten.

HANS KARL Datiert sie von daher unsere Freundschaft?

STANI Natürlich. Seit damals bist du ihr großer Freund. Als Ratgeber, als Vertrauter, als was du willst, einfach hors ligne. Du hättest dich benommen wie ein Engel.

HANS KARL Sie übertreibt sehr leicht, die gute Antoinette.

STANI Aber sie hat mir ja haarklein erzählt, wie sie aus Angst vor dem Alleinsein in der Grünleiten mit ihrem Mann, der gerade auch auf Urlaub war, sich den Feri Uhlfeldt, der damals wie der Teufel hinter ihr her war, auf den nächsten Tag hinausbestellt, wie sie dann dich am Abend vorher im Theater sieht und es wie eine Inspiration über sie kommt, sie dich bittet, du solltest noch abends mit ihr hinausfahren und den Abend mit ihr und dem Adolf zu dritt verbringen.

HANS KARL Damals hab ich ihn noch kaum gekannt.

STANI Ja, das entre parenthèse, das begreift sie gar nicht! Daß du dich später mit ihm hast so einlassen können. Mit diesem öden Dummkopf, diesem Pedanten.

HANS KARL Da tut sie ihrem Mann unrecht, sehr!

STANI Na, da will ich mich nicht einmischen. Aber sie erzählt das reizend.

HANS KARL Da ist ja ihre Stärke, diese kleinen Konfidenzen.

STANI Ja, damit fangt sie an. Diesen ganzen Abend, ich sehe ihn vor mir, wie sie dann nach dem Souper dir den Garten zeigt, die reizenden Terrassen am Fluß, wie der Mond aufgeht –

HANS KARL Ah, so genau hat sie dir das erzählt.

STANI Und wie du in der einen nächtlichen Konversation die Kraft gehabt hast, ihr den Feri Uhlfeldt vollkommen auszureden.

Hans Karl raucht und schweigt.

STANI Das bewundere ich ja so an dir: du redest wenig, bist so zerstreut und wirkst so stark. Deswegen find ich auch ganz natürlich, worüber sich so viele Leut den Mund zerreißen: daß du im Herrenhaus seit anderthalb Jahren deinen Sitz eingenommen hast, aber nie das Wort ergreifst. Vollkommen in der Ordnung ist das für einen Herrn wie du bist! Ein solcher Herr spricht eben durch seine Person! Oh, ich studier dich. In ein paar Jahren hab ich das. Jetzt hab ich noch zuviel Passion in mir. Du gehst nie auf die Sache aus und hast so gar keine Suada, das ist gerade das Elegante an dir. Jeder andere wäre in dieser Situation ihr Liebhaber geworden.

HANS KARL *mit einem nur in den Augen merklichen Lächeln* Glaubst du?

STANI Unbedingt. Aber ich versteh natürlich sehr gut: in deinen Jahren bist du zu serios dafür. Es tentiert dich nicht mehr: so leg ich mirs zurecht. Weißt du, das liegt so in mir: ich denk über alles nach. Wenn ich Zeit gehabt hätt, auf der Universität zu bleiben – für mich: Wissenschaft, das wäre mein Fach gewesen. Ich wäre auf Sachen, auf Probleme gekommen, auf Fragestellungen, an die andere Menschen gar nicht streifen. Für mich ist das Leben ohne Nachdenken kein Leben. Zum Beispiel: Weiß man das auf einmal, so auf einen Ruck: Jetzt bin ich kein junger Herr mehr? – Das muß ein sehr unangenehmer Moment sein.

HANS KARL Weißt du, ich glaub, es kommt ganz allmählich. Wenn einem auf einmal der andere bei der Tür vorausgehen läßt und du merkst dann: ja, natürlich, er ist viel jünger, obwohl er auch schon ein erwachsener Mensch ist.

STANI Sehr interessant. Wie du alles gut beobachtest. Darin bist du ganz wie ich. Und dann wirds einem so zur Gewohnheit, das Ältersein?

HANS KARL Ja, es gibt immer noch gewisse Momente, die einen frappieren. Zum Beispiel, wenn man sich plötzlich klar wird, daß man nicht mehr glaubt, daß es Leute gibt, die einem alles erklären könnten.

STANI Eines versteh ich aber doch nicht, Onkel Kari, daß du mit dieser Reife und konserviert wie du bist nicht heiratest.

HANS KARL Jetzt.

STANI Ja, eben jetzt. Denn der Mann, der kleine Abenteuer sucht, bist du doch nicht mehr. Weißt du, ich würde natürlich sofort begreifen, daß sich jede Frau heut noch für dich interessiert. Aber die Toinette hat mir erklärt, warum ein Interesse für dich nie serios wird.

HANS KARL Ah!

STANI Ja, sie hat viel darüber nachgedacht. Sie sagt: du fixierst nicht, weil du nicht genug Herz hast.

HANS KARL Ah!

STANI Ja, dir fehlt das Eigentliche. Das, sagt sie, ist der enorme Unterschied zwischen dir und mir. Sie sagt: du hast das Handgelenk immer geschmeidig, um loszulassen, das spürt eine Frau, und wenn sie selbst im Begriff gewesen wäre, sich in dich zu verlieben, so verhindert das die Kristallisation.

HANS KARL Ah, so drückt sie sich aus?

STANI Das ist ja ihr großer Charme, daß sie eine Konversation hat. Weißt du, das brauch ich absolut: eine Frau die mich fixieren soll, die muß außer ihrer absoluten Hingebung auch eine Konversation haben.

HANS KARL Darin ist sie delizios.

STANI Absolut. Das hat sie: Charme, Geist und Temperament, so wie sie etwas anderes nicht hat: nämlich Rasse.

HANS KARL Du findest?

STANI Weißt du, Onkel Kari, ich bin ja so gerecht; eine Frau kann hundertmal das Äußerste an gutem Willen für mich gehabt haben – ich geb ihr, was sie hat, und ich sehe unerbittlich, was sie nicht hat. Du verstehst mich: Ich denk über alles nach, und mach mir immer zwei Kategorien. Also die Frauen teile ich in zwei große Kategorien: die Geliebte, und die Frau, die man heiratet. Die Antoinette gehört in die erste Kategorie, sie kann hundertmal die Frau vom Adolf Hechingen sein, für mich ist sie keine Frau, sondern – das andere.

HANS KARL Das ist ihre Genre, natürlich. Wenn man die Menschen so einteilen will.

STANI Absolut. Darum ist es, in Parenthese, die größte Dummheit, sie mit ihrem Mann versöhnen zu wollen.

HANS KARL Wenn er aber doch einmal ihr Mann ist? Verzeih, das ist vielleicht ein sehr spießbürgerlicher Gedanke.

STANI Weißt du, verzeih mir, ich mache mir meine Kategorien, und da bin ich dann absolut darin, ebenso über die Galanterie, ebenso über die Ehe. Die Ehe ist kein Experiment. Sie ist das Resultat eines richtigen Entschlusses.

HANS KARL Von dem du natürlich weit entfernt bist.

STANI Aber gar nicht. Augenblicklich bereit, ihn zu fassen.

HANS KARL Im jetzigen Moment?

STANI Ich finde mich außerordentlich geeignet, eine Frau glücklich zu machen, aber bitte, sag das der Mamu nicht, ich will mir in allen Dingen meine volle Freiheit bewahren. Darin bin ich ja haarklein wie du. Ich vertrage nicht, daß man mich beengt.

Hans Karl raucht.

STANI Der Entschluß muß aus dem Moment hervorgehen. Gleich oder gar nicht, das ist meine Devise!

HANS KARL Mich interessiert nichts auf der Welt so sehr, als wie man von einer Sache zur andern kommt. Du würdest also nie einen Entschluß vor dich hinschieben?

STANI Nie, das ist die absolute Schwäche.

HANS KARL Aber es gibt doch Komplikationen?

STANI Die negiere ich.

HANS KARL Beispielsweise sich kreuzende widersprechende Verpflichtungen.

STANI Von denen hat man die Wahl, welche man lösen will.

HANS KARL Aber man ist doch in dieser Wahl bisweilen sehr behindert.

STANI Wieso?

HANS KARL Sagen wir durch Selbstvorwürfe.

STANI Das sind Hypochondrien. Ich bin vollkommen gesund. Ich war im Feld nicht einen Tag krank.

HANS KARL Ah, du bist mit deinem Benehmen immer absolut zufrieden?

STANI Ja, wenn ich das nicht wäre, so hätte ich mich doch anders benommen.

HANS KARL Pardon, ich spreche nicht von Unkorrektheiten – aber du läßt mit einem Wort den Zufall, oder nennen wirs das Schicksal, unbedenklich walten?

STANI Wieso? Ich behalte immer alles in der Hand.

HANS KARL Zeitweise ist man aber halt doch versucht, bei solchen Entscheidungen einen bizarren Begriff einzuschieben: den der höheren Notwendigkeit.

STANI Was ich tue, ist eben notwendig, sonst würde ich es nicht tun.

HANS KARL *interessiert* Verzeih, wenn ich aus der aktuellen Wirklichkeit heraus exemplifiziere – das schickt sich ja eigentlich nicht –

STANI Aber bitte –

HANS KARL Eine Situation würde dir, sagen wir, den Entschluß zur Heirat nahelegen.

STANI Heute oder morgen.

HANS KARL Nun bist du mit der Antoinette in dieser Weise immerhin befreundet.

STANI Ich brouillier mich mit ihr, von heut auf morgen!

HANS KARL Ah! Ohne jeden Anlaß?

STANI Aber der Anlaß liegt doch immer in der Luft. Bitte. Unsere Beziehung dauert seit dem Frühjahr. Seit sechs, sieben Wochen ist irgend etwas an der Antoinette, ich kann nicht sagen, was – ein Verdacht wäre schon zuviel – aber die bloße Idee, daß sie sich außer mit mir noch mit jemandem andern beschäftigen könnte, weißt du, darin bin ich absolut.

HANS KARL Ah, ja.

STANI Weißt du, das ist stärker als ich. Ich möchte es gar nicht Eifersucht nennen, es ist ein derartiges Nichtbegreifenkönnen, daß eine Frau, der ich mich attachiert habe, zugleich mit einem andern – begreifst du?

HANS KARL Aber die Antoinette ist doch so unschuldig, wenn sie etwas anstellt. Sie hat dann fast noch mehr Charme.

STANI Da verstehe ich dich nicht.

NEUNTE SZENE

NEUGEBAUER *ist leise eingetreten* Hier sind die Briefe, Euer Erlaucht. Ich habe sie auf den ersten Griff –

HANS KARL Danke. Bitte, geben Sie mir sie.

Neugebauer gibt ihm die Briefe.

HANS KARL Danke.

Neugebauer ab.

ZEHNTE SZENE

HANS KARL *nach einer kleinen Pause* Weißt du, wen ich für den gebornen Ehemann halte?

STANI Nun?

HANS KARL Den Adolf Hechingen.

STANI Der Antoinette ihren Mann? Hahaha! –

HANS KARL Ich red ganz im Ernst.

STANI Aber Onkel Kari.

HANS KARL In seinem Attachement an diese Frau ist eine höhere Notwendigkeit.

STANI Der prädestinierte – ich will nicht sagen was!
HANS KARL Sein Schicksal geht mir nah.
STANI Für mich gehört er in eine Kategorie: der instinktlose Mensch. Weißt du, an wen er sich anhängt, wenn du nicht im Klub bist? An mich. Ausgerechnet an mich! Er hat einen Flair!
HANS KARL Ich habe ihn gern.
STANI Aber er ist doch unelegant bis über die Ohren.
HANS KARL Aber ein innerlich vornehmer Mensch.
STANI Ein uneleganter, schwerfälliger Kerl.
HANS KARL Er braucht eine Flasche Champagner ins Blut.
STANI Sag das nie vor ihm, er nimmts wörtlich. Ein uneleganter Mensch ist mir ein Greuel, wenn er getrunken hat.
HANS KARL Ich hab ihn gern.
STANI Er nimmt alles wörtlich, auch deine Freundschaft für ihn.
HANS KARL Aber er darf sie wörtlich nehmen.
STANI Pardon, Onkel Kari, bei dir darf man nichts wörtlich nehmen, wenn man das tut, gehört man in die Kategorie: Instinktlos.
HANS KARL Aber er ist ein so guter, vortrefflicher Mensch.
STANI Meinetwegen, wenn du das von ihm sagst, aber das ist noch gar kein Grund, daß er immer von deiner Güte spricht. Das geht mir auf die Nerven. Ein eleganter Mensch hat Bonhomie, aber er ist kein guter Mensch. Pardon, sag ich, der Onkel Kari ist ein großer Herr und darum auch ein großer Egoist, selbstverständlich. Du verzeihst.
HANS KARL Es nützt nichts, ich hab ihn gern.
STANI Das ist eine Bizarrerie von dir! Du hast es doch nicht notwendig, bizarr zu sein! Du hast doch das Wunderbare, daß du mühelos das vorstellst, was du bist: ein großer Herr! Mühelos! Das ist der große Punkt. Der Mensch zweiter Kategorie bemüht sich unablässig. Bitte, da ist dieser Theophil Neuhoff, den man seit einem Jahr überall sieht. Was ist eine solche Existenz anderes als eine fortgesetzte jämmerliche Bemühung, ein Genre zu kopieren, das eben nicht sein Genre ist.

ELFTE SZENE

LUKAS *kommt eilig* Darf ich fragen – haben Euer Erlaucht Befehl gegeben, daß fremder Besuch vorgelassen wird?

HANS KARL Aber absolut nicht. Was ist denn das?

LUKAS Da muß der neue Diener eine Konfusion gemacht haben. Eben wird vom Portier heraufteIephoniert, daß Herr Baron Neuhoff auf der Treppe ist. Bitte zu befehlen, was mit ihm geschehen soll.

STANI Also, im Moment, wo wir von ihm sprechen. Das ist kein Zufall. Onkel Kari, dieser Mensch ist mein guignon, und ich beschwöre sein Kommen herauf. Vor einer Woche bei der Helen, ich will ihr eben meine Ansicht über den Herrn von Neuhoff sagen, im Moment steht der Neuhoff auf der Schwelle. Vor drei Tagen, ich geh von der Antoinette weg – im Vorzimmer steht der Herr von Neuhoff. Gestern früh bei meiner Mutter, ich wollte dringend etwas mit ihr besprechen, im Vorzimmer find ich den Herrn von Neuhoff.

VINZENZ *tritt ein, meldet* Herr Baron Neuhoff sind im Vorzimmer.

HANS KARL Jetzt muß ich ihn natürlich empfangen.

Lukas winkt: Eintreten lassen.

Vinzenz öffnet die Flügeltür, läßt eintreten.

ZWÖLFTE SZENE

NEUHOFF *tritt ein* Guten Abend, Graf Bühl. Ich war so unbescheiden, nachzusehen, ob Sie zu Hause wären.

HANS KARL Sie kennen meinen Neffen Freudenberg?

STANI Wir haben uns getroffen.

Sie setzen sich.

NEUHOFF Ich sollte die Freude haben, Ihnen diesen Abend im Altenwylschen Hause zu begegnen. Gräfin Helene hatte sich ein wenig darauf gefreut, uns zusammenzuführen. Um so schmerzlicher war mein Bedauern, als ich durch Gräfin Helene diesen Nachmittag erfahren mußte, Sie hätten abgesagt.

HANS KARL Sie kennen meine Kusine seit dem letzten Winter?

NEUHOFF Kennen – wenn man das Wort von einem solchen Wesen brauchen darf. In gewissen Augenblicken gewahrt man erst, wie doppelsinnig das Wort ist: es bezeichnet das Oberflächlichste von der Welt und zugleich das tiefste Geheimnis des Daseins zwischen Mensch und Mensch.

Hans Karl und Stani wechseln einen Blick.

NEUHOFF Ich habe das Glück, Gräfin Helene nicht selten zu sehen und ihr in Verehrung anzugehören.

Eine kleine, etwas genierte Pause.

NEUHOFF Heute nachmittag – wir waren zusammen im Atelier von Bohuslawsky – Bohuslawsky macht mein Porträt, das heißt, er quält sich unverhältnismäßig, den Ausdruck meiner Augen festzuhalten: er spricht von einem gewissen Etwas darin, das nur in seltenen Momenten sichtbar wird – und es war seine Bitte, daß die Gräfin Helene einmal dieses Bild ansehen und ihm über diese Augen ihre Kritik geben möchte – da sagt sie mir: Graf Bühl kommt nicht, gehen Sie zu ihm. Besuchen Sie ihn, ganz einfach. Es ist ein Mann, bei dem die Natur, die Wahrheit alles erreicht und die Absicht nichts. Ein wunderbarer Mann in unserer absichtsvollen Welt, war meine Antwort – aber so hab ich mir ihn gedacht, so hab ich ihn erraten, bei der ersten Begegnung.

STANI Sie sind meinem Onkel im Felde begegnet?

NEUHOFF Bei einem Stab.

HANS KARL Nicht in der sympathischsten Gesellschaft.

NEUHOFF Das merkte man Ihnen an, Sie sprachen unendlich wenig.

HANS KARL *lächelnd* Ich bin kein großer Causeur, nicht wahr, Stani?

STANI In der Intimität schon!

NEUHOFF Sie sprechen es aus, Graf Freudenberg, Ihr Onkel liebt es, in Gold zu zahlen; er hat sich an das Papiergeld des täglichen Verkehrs nicht gewöhnen wollen. Er kann mit seiner Rede nur seine Intimität vergeben, und die ist unschätzbar.

HANS KARL Sie sind äußerst freundlich, Baron Neuhoff.

NEUHOFF Sie müßten sich von Bohuslawsky malen lassen, Graf Bühl. Sie würde er in drei Sitzungen treffen. Sie wissen, daß seine Stärke das Kinderporträt ist. Ihr Lächeln ist genau die Andeutung eines Kinderlachens. Mißverstehen Sie mich nicht. Warum ist denn Würde so ganz unnachahmlich? Weil ein Etwas von Kindlichkeit in ihr steckt. Auf dem Umweg über die Kindlichkeit würde Bohuslawsky vermögen, einem Bilde von Ihnen das zu geben, was in unserer Welt das Seltenste ist und was Ihre Erscheinung in hohem Maße auszeichnet: Würde. Denn wir leben in einer würdelosen Welt.

HANS KARL Ich weiß nicht, von welcher Welt Sie sprechen: uns allen ist draußen soviel Würde entgegengetreten –

NEUHOFF Deswegen war ein Mann wie Sie draußen so in seinem Element. Was haben Sie geleistet, Graf Bühl! Ich erinnere mich des Unteroffiziers im Spital, der mit Ihnen und den dreißig Schützen verschüttet war.

HANS KARL Mein braver Zugführer, der Hütter Franz! Meine Kusine hat Ihnen davon erzählt?

NEUHOFF Sie hat mir erlaubt, sie bei diesem Besuch ins Spital zu begleiten. Ich werde nie das Gesicht und die Rede dieses Sterbenden vergessen.

Hans Karl sagt nichts.

NEUHOFF Er sprach ausschließlich von Ihnen. Und in welchem Ton! Er wußte, daß sie eine Verwandte seines Hauptmanns war, mit der er sprach.

HANS KARL Der arme Hütter Franz!

NEUHOFF Vielleicht wollte mir die Gräfin Helene eine Idee von Ihrem Wesen geben, wie tausend Begegnungen im Salon sie nicht vermitteln können.

STANI *etwas scharf* Vielleicht hat sie vor allem den Mann selbst sehen und vom Onkel Kari hören wollen.

NEUHOFF In einer solchen Situation wird ein Wesen wie Helene Altenwyl erst ganz sie selbst. Unter dieser vollkommenen Einfachheit, diesem Stolz der guten Rasse verbirgt sich ein Strömen der Liebe, eine alle Poren durchdringende Sympathie: es gibt von ihr zu einem Wesen, das sie sehr liebt und achtet, namenlose Verbindungen, die nichts lösen könnte, und an die nichts rühren darf. Wehe dem Gatten, der nicht verstünde, diese namenlose Verbundenheit bei ihr zu achten, der engherzig genug wäre, alle diese verteilten Sympathien auf sich vereinigen zu wollen.

Eine kleine Pause.

Hans Karl raucht.

NEUHOFF Sie ist wie Sie: eines der Wesen, um die man nicht werben kann: die sich einem schenken müssen.

Abermals eine kleine Pause.

NEUHOFF *mit einer großen, vielleicht nicht ganz echten Sicherheit* Ich bin ein Wanderer, meine Neugierde hat mich um die halbe Welt getrieben. Das, was schwierig zu kennen ist, fasziniert mich; was sich verbirgt, zieht mich an. Ich möchte ein stolzes, kostbares Wesen, wie Gräfin Helene, in Ihrer Gesellschaft sehen, Graf Bühl. Sie würde eine andere werden, sie würde aufblühen: denn ich kenne niemanden, der so sensibel ist für menschliche Qualität.

HANS KARL Das sind wir hier ja alle ein bißchen. Vielleicht ist das gar nichts so Besonderes an meiner Kusine.

NEUHOFF Ich denke mir die Gesellschaft, die ein Wesen wie Helene Altenwyl umgeben müßte, aus Männern Ihrer Art bestehend. Jede Kultur hat ihre Blüten: Gehalt ohne Prätention, Vornehmheit gemildert durch eine unendliche Grazie, so ist die Blüte dieser alten Gesellschaft beschaffen, der es gelungen ist, was die Ruinen von Luxor und die Wälder des Kaukasus nicht vermochten, einen Unstäten, wie mich, in ihrem Bannkreis festzuhalten. Aber, erklären Sie mir eins, Graf Bühl. Gerade die Männer Ihres Schlages, von denen die Gesellschaft ihr eigentliches Gepräge empfängt, begegnet man allzu selten in ihr. Sie scheinen ihr auszuweichen.

STANI Aber gar nicht. Sie werden den Onkel Kari gleich heute abend bei Altenwyls sehen, und ich fürchte sogar, so gemütlich dieser kleine Plausch hier ist, so müssen wir ihm bald Gelegenheit geben, sich umzuziehen.

Er ist aufgestanden.

NEUHOFF Müssen wir das, so sage ich Ihnen für jetzt adieu, Graf Bühl. Wenn Sie jemals, sei es in welcher Lage immer, eines fahrenden Ritters bedürfen sollten,

Schon im Gehen

der dort, wo er das Edle, das Hohe ahnt, ihm unbedingt und ehrfürchtig zu dienen gewillt ist, so rufen Sie mich.

Hans Karl, dahinter Stani, begleiten ihn. Wie sie an der Tür sind, klingelt das Telephon.

NEUHOFF Bitte, bleiben Sie, der Apparat begehrt nach Ihnen.

STANI Darf ich Sie bis an die Stiege begleiten?

HANS KARL *an der Tür* Ich danke Ihnen sehr für Ihren guten Besuch, Baron Neuhoff.

Neuhoff und Stani ab.

HANS KARL *allein mit dem heftig klingelnden Apparat, geht an die Wand und drückt an den Zimmertelegraph, rufend* Lukas, abstellen! Ich mag diese indiskrete Maschine nicht! Lukas!

Das Klingeln hört auf.

DREIZEHNTE SZENE

STANI *kommt zurück* Nur für eine Sekunde, Onkel Kari, wenn du mir verzeihst. Ich hab müssen dein Urteil über diesen Herrn hören!

HANS KARL Das deinige scheint ja fix und fertig zu sein.

STANI Ah, ich find ihn einfach unmöglich. Ich verstehe einfach eine solche Figur nicht. Und dabei ist der Mensch ganz gut geboren!

HANS KARL Und du findest ihn so unannehmbar?

STANI Aber ich bitte: so viel Taktlosigkeiten als Worte.

HANS KARL Er will sehr freundlich sein, er will für sich gewinnen.

STANI Aber man hat doch eine assurance, man kriecht wildfremden Leuten doch nicht in die Westentasche.

HANS KARL Und er glaubt allerdings, daß man etwas aus sich machen kann – das würde ich als eine Naivität ansehen oder als Erziehungsfehler.

STANI *geht aufgeregt auf und ab* Diese Tiraden über die Helen!

HANS KARL Daß ein Mädel wie die Helen mit ihm Konversation über unsereinen führt, macht mir auch keinen Spaß.

STANI Daran ist gewiß kein wahres Wort. Ein Kerl, der kalt und warm aus einem Munde blast.

HANS KARL Es wird alles sehr ähnlich gewesen sein, wie er sagt. Aber es gibt Leute, in deren Mund sich alle Nuancen verändern, unwillkürlich.

STANI Du bist von einer Toleranz!

HANS KARL Ich bin halt sehr alt, Stani.

STANI Ich ärgere mich jedenfalls rasend, das ganze Genre bringt mich auf, diese falsche Sicherheit, diese ölige Suada, dieses Kokettieren mit seinem odiosen Spitzbart.

HANS KARL Er hat Geist, aber es wird einem nicht wohl dabei.

STANI Diese namenlosen Indiskretionen. Ich frage: was geht ihn dein Gesicht an?

HANS KARL Au fond ist man vielleicht ein bedauernswerter Mensch, wenn man so ist.

STANI Ich nenne ihn einen odiosen Kerl. Jetzt muß ich aber zur Mamu hinauf. Ich seh dich jedenfalls in der Nacht im Klub, Onkel Kari.

Agathe sieht leise bei der Tür rechts herein, sie glaubt Hans Karl allein.

Stani kommt noch einmal nach vorne.

Hans Karl winkt Agathe, zu verschwinden.

STANI Weißt du, ich kann mich nicht beruhigen. Erstens die Bassesse, einem Herrn wie dir ins Gesicht zu schmeicheln.

HANS KARL Das war nicht sehr elegant.

STANI Zweitens das Affichieren einer weiß Gott wie dicken Freundschaft mit der Helen. Drittens die Spionage, ob du dich für sie interessierst.

HANS KARL *lächelnd* Meinst du, er hat ein bißl das Terrain sondieren wollen?

STANI Viertens diese maßlos indiskrete Anspielung auf seine künftige Situation. Er hat sich uns ja geradezu als ihren Zukünftigen vorgestellt. Fünftens dieses odiose Perorieren, das es einem unmöglich macht, auch nur einmal die Replik zu geben. Sechstens dieser unmögliche Abgang. Das war ja ein Geburtstagswunsch, ein Leitartikel. Aber ich halt dich auf, Onkel Kari.

Agathe ist wieder in der Tür erschienen, gleiches Spiel wie früher.

STANI *war schon im Verschwinden, kommt wieder nach vorne* Darf ich noch einmal? Das eine kann ich nicht begreifen, daß dir die Sache wegen der Helen nicht nähergeht!

HANS KARL Inwiefern mir?

STANI Pardon, mir steht die Helen zu nahe, als daß ich diese unmögliche Phrase von »Verehrung« und »Angehören« goutieren könnt. Wenn man die Helen von klein auf kennt, wie eine Schwester!

HANS KARL Es kommt ein Moment, wo die Schwestern sich von den Brüdern trennen.

STANI Aber nicht für einen Neuhoff. Ah, ah!

HANS KARL Eine kleine Dosis von Unwahrheit ist den Frauen sehr sympathisch.

STANI So ein Kerl dürfte nicht in die Nähe von der Helen.

HANS KARL Wir werden es nicht hindern können.

STANI Ah, das möcht ich sehen. Nicht in die Nähe!

HANS KARL Er hat uns die kommende Verwandtschaft angekündigt.

STANI In welchem Zustand muß die Helen sein, wenn sie sich mit diesem Menschen einläßt.

HANS KARL Weißt du, ich habe mir abgewöhnt, aus irgendeiner Handlung von Frauen Folgerungen auf ihren Zustand zu ziehen.

STANI Nicht, daß ich eifersüchtig wäre, aber mir eine Person wie die Helen – als Frau dieses Neuhoff zu denken, das ist für mich eine derartige Unbegreiflichkeit – die Idee ist mir einfach unfaßlich – ich muß sofort mit der Mamu davon sprechen.

HANS KARL *lächelnd* Ja, tu das, Stani. –

Stani ab.

VIERZEHNTE SZENE

LUKAS *tritt ein* Ich fürchte, das Telephon war hereingestellt.

HANS KARL Ich will das nicht.

LUKAS Sehr wohl, Euer Erlaucht. Der neue Diener muß es umgestellt haben, ohne daß ichs bemerkt habe. Er hat überall die Hände und die Ohren, wo er sie nicht haben soll.

HANS KARL Morgen um sieben Uhr früh expedieren.

LUKAS Sehr wohl. Der Diener vom Herrn Grafen Hechingen war am Telephon. Der Herr Graf möchten selbst gern sprechen wegen heute abend: ob Erlaucht in die Soiree zu Graf Altenwyl gehen oder nicht. Nämlich, weil die Frau Gräfin auch dort sein wird.

HANS KARL Rufen Sie jetzt bei Graf Altenwyl an und sagen Sie, ich habe mich freigemacht, lasse um Erlaubnis bitten, trotz meiner Absage doch zu erscheinen. Und dann verbinden Sie mich mit dem Grafen Hechingen, ich werde selbst sprechen. Und bitten Sie indes die Kammerfrau, hereinzukommen.

LUKAS Sehr wohl.

Geht ab. Agathe herein.

FÜNFZEHNTE SZENE

HANS KARL *nimmt das Paket mit den Briefen* Hier sind die Briefe. Sagen Sie der Frau Gräfin, daß ich mich von diesen Briefen darum trennen kann, weil die Erinnerung an das Schöne für mich unzerstörbar ist; ich werde sie nicht in einem Brief finden, sondern überall.

AGATHE Oh, ich küß die Hand! Ich bin ja so glücklich. Jetzt weiß ich, daß meine Frau Gräfin unsern Herrn Grafen bald wiedersehen wird.

HANS KARL Sie wird mich heut abend sehen. Ich werde auf die Soiree kommen.

AGATHE Und dürften wir hoffen, daß sie – daß derjenige, der ihr entgegentritt, der gleiche sein wird, wie immer?

HANS KARL Sie hat keinen besseren Freund.

AGATHE Oh, ich küß die Hand.

HANS KARL Sie hat nur zwei wahre Freunde auf der Welt: mich und ihren Mann.

AGATHE Oh, mein Gott, das will ich nicht hören. O Gott, o Gott, das Unglück, daß sich unser Herr Graf mit dem Grafen Hechingen befreundet hat. Meiner Frau Gräfin bleibt wirklich nichts erspart.

HANS KARL *geht nervös ein paar Schritte von ihr weg* Ja, ahnen denn die Frauen so wenig, was ein Mann ist?! Und wer sie wirklich liebhat!

AGATHE Oh, nur das nicht. Wir lassen uns ja von Euer Erlaucht alles einreden, aber das nicht, das ist zu viel!

HANS KARL *auf und ab* Also nicht. Nicht helfen können! Nicht so viel!

Pause

AGATHE *schüchtern und an ihn herantretend* Oder versuchen Sies doch. Aber nicht durch mich: für eine solche Botschaft bin ich zu ungebildet. Da hätte ich nicht die richtigen Ausdrücke. Und auch nicht brieflich. Das gibt nur Mißverständnisse. Aber Aug in Aug: ja, gewiß! Da werden Sie schon was ausrichten! Was sollen Sie bei meiner Frau Gräfin nicht ausrichten! Nicht vielleicht beim erstenmal. Aber wiederholt – wenn Sie ihr recht eindringlich ins Gewissen reden – wie sollte Sie Ihnen denn da widerstehen können?

Das Telephon läutet wieder.

HANS KARL *geht ans Telephon und spricht hinein* Ja, ich bin es selbst. Hier. Ja, ich bin am Apparat. Ich bleibe. Graf Bühl. Ja, selbst.

AGATHE Ich küß die Hand.

Geht schnell ab, durch die Mitteltür.

HANS KARL *am Telephon* Hechingen, guten Abend! Ja, ich habs mir überlegt. Ich habe zugesagt. Ich werde Gelegenheit nehmen. Gewiß. Ja, das hat mich bewogen, hinzugehen. Gerade auf einer Soiree, da ich nicht Bridge spiele und deine Frau, wie ich glaube, auch nicht. Kein Anlaß. Auch dazu ist kein Anlaß. Zu deinem Pessimismus. Zu deinem Pessimismus! Du verstehst nicht? Zu deiner Traurigkeit ist kein Anlaß. Absolut bekämpfen! Allein? Also die berühmte Flasche Champagner. Ich bringe bestimmt das Resultat vor Mitternacht. Übertriebene Hoffnungen natürlich auch nicht. Du weißt, daß ich das Mögliche versuchen werde. Es entspricht doch auch meiner Empfindung. Es entspricht meiner Empfindung! Wie? Gestört? Ich habe gesagt: Es entspricht meiner Empfindung. Empfindung! Eine ganz gleichgültige Phrase! Keine Frage, eine Phrase! Ich habe eine gleichgültige Phrase gesagt! Welche? Es entspricht meiner Empfindung. Nein, ich nenne es nur eine gleichgültige Phrase, weil du es so lange nicht verstanden hast. Ja. Ja. Ja! Adieu. Schluß!

Läutet

Es gibt Menschen, mit denen sich alles kompliziert, und dabei ist das so ein exzellenter Kerl!

SECHZEHNTE SZENE

STANI *aufs neue in der Mitteltür* Ist es sehr unbescheiden, Onkel Kari?

HANS KARL Aber bitte, ich bin zur Verfügung.

STANI *vorne bei ihm* Ich muß dir melden, Onkel Kari, daß ich inzwischen eine Konversation mit der Mamu gehabt habe und zu einem Resultat gekommen bin.

Hans Karl sieht ihn an.

STANI Ich werde mich mit der Helen Altenwyl verloben.

HANS KARL Du wirst dich –

STANI Ja, ich bin entschlossen, die Helen zu heiraten. Nicht heute und nicht morgen, aber in der allernächsten Zeit. Ich habe alles durchgedacht. Auf der Stiege von hier bis in den zweiten Stock hinauf. Wie ich zur Mamu in den zweiten Stock gekommen bin, war alles fix und fertig. Weißt du, die Idee ist mir plötzlich gekommen, wie ich bemerkt hab, du interessierst dich nicht für die Helen.

HANS KARL Aha.

STANI Begreifst du? Es war so eine Idee von der Mamu. Sie behauptet, man weiß nie, woran man mit dir ist – am Ende hättest du doch daran gedacht, die Helen zu nehmen – und du bist doch für die Mamu immer der Familienchef, ihr Herz ist halt ganz Bühlisch.

HANS KARL *halb abgewandt* Die gute Crescence!

STANI Aber ich hab immer widersprochen. Ich verstehe ja jede Nuance von dir. Ich hab von jeher gefühlt, daß von einem Interesse für die Helen bei dir nicht die Idee sein kann.

HANS KARL *dreht sich plötzlich zu ihm um* Und deine Mutter?

STANI Die Mamu?

HANS KARL Ja, wie hat sie es aufgefaßt?

STANI Feuer und Flamme natürlich. Sie hat ein ganz rotes Gesicht bekommen vor Freude. Wundert dich das, Onkel Kari?

HANS KARL Nur ein bißl, nur eine Idee – ich hab immer den Eindruck gehabt, daß deine Mutter einen bestimmten Gedanken hat in bezug auf die Helen.
STANI Eine Aversion?
HANS KARL Gar nicht. Nur eine Ansicht. Eine Vermutung.
STANI Früher, die früheren Jahre?
HANS KARL Nein, vor einer halben Stunde.
STANI In welcher Richtung? Aber die Mamu ist ja so eine Windfahn! Das vergißt sie ja im Moment. Vor einem Entschluß von mir, da ist sie sofort auf den Knien. Da spürt sie den Mann. Sie adoriert das fait accompli.
HANS KARL Also, du hast dich entschlossen? –
STANI Ja, ich bin entschlossen.
HANS KARL So auf eins, zwei!
STANI Das ist doch genau das, worauf es ankommt. Das imponiert ja den Frauen so enorm an mir. Dadurch eben behalte ich immer die Führung in der Hand.
Hans Karl raucht.
STANI Siehst du, du hast vielleicht früher auch einmal daran gedacht, die Helen zu heiraten –
HANS KARL Gott, vor Jahren vielleicht. In irgendeinem Moment, wie man an tausend Sachen denkt.
STANI Begreifst du? Ich hab nie daran gedacht! Aber im Augenblick, wo ich es denke, bring ich es auch zu Ende. – Du bist verstimmt?
HANS KARL Ich habe ganz unwillkürlich einen Moment an die Antoinette denken müssen.
STANI Aber jede Sache auf der Welt muß doch ihr Ende haben.
HANS KARL Natürlich. Und das beschäftigt dich gar nicht, ob die Helen frei ist? Sie scheint doch zum Beispiel diesem Neuhoff Hoffnungen gegeben zu haben.
STANI Das ist ja genau mein Kalkul. Über Hoffnungen, die sich der Herr von Neuhoff macht, gehe ich einfach hinweg. Und daß für die Helen ein Theophil Neuhoff überhaupt in Frage kommen kann, das beweist doch gerade, daß eine ernste Okkupation bei ihr nicht vorhanden ist. Solche Komplikationen statuier ich nicht. Das sind Launen, oder sagen wir das Wort: Verirrungen.
HANS KARL Sie ist schwer zu kennen.
STANI Aber ich kenn doch ihre Genre. In letzter Linie kann die sich für

keinen Typ von Männern interessieren als für den unsrigen; alles andere ist eine Verirrung. Du bist so still, hast du dein Kopfweh?

HANS KARL Aber gar nicht. Ich bewundere deinen Mut.

STANI Du und Mut und bewundern?

HANS KARL Das ist eine andere Art von Mut als der im Graben.

STANI Ja, ich versteh dich ja so gut, Onkel Kari. Du denkst an die Chancen, die ich sonst noch im Leben gehabt hätte. Du hast das Gefühl, daß ich mich vielleicht zu billig weggeb. Aber siehst du, da bin ich wieder ganz anders: ich liebe das Vernünftige und Definitive. Du, Onkel Kari, bist au fond, verzeih, daß ich es heraussage, ein Idealist: deine Gedanken gehen auf das Absolute, auf das Vollkommene. Das ist ja sehr elegant gedacht, aber unrealisierbar. Au fond bist du da wie die Mamu; der ist nichts gut genug für mich. Ich habe die Sache durchgedacht, wie sie ist. Die Helen ist ein Jahr jünger wie ich.

HANS KARL Ein Jahr?

STANI Sie ist ausgezeichnet geboren.

HANS KARL Man kann nicht besser sein.

STANI Sie ist elegant.

HANS KARL Sehr elegant.

STANI Sie ist reich.

HANS KARL Und vor allem so hübsch.

STANI Sie hat Rasse.

HANS KARL Ohne Vergleich.

STANI Bitte, vor allem in den zwei Punkten, auf die in der Ehe alles ankommt. Primo: sie kann nicht lügen, secundo: sie hat die besten Manieren von der Welt.

HANS KARL Sie ist so delizios artig, wie sonst nur alte Frauen sind.

STANI Sie ist gescheit wie der Tag.

HANS KARL Wem sagst du das? Ich hab ihre Konversation so gern.

STANI Und sie wird mich mit der Zeit adorieren.

HANS KARL *vor sich, unwillkürlich* Auch das ist möglich.

STANI Aber nicht möglich. Ganz bestimmt. Bei diesem Genre von Frauen bringt das die Ehe mit sich. In der Liaison hängt alles von Umständen ab, da sind Bizarrerien möglich, Täuschungen, Gott weiß was. In der Ehe beruht alles auf der Dauer; auf die Dauer nimmt jeder die Qualität des andern derart in sich auf, daß von einer wirklichen Differenz nicht mehr die Rede sein kann: unter der einen Voraussetzung, daß die Ehe aus dem richtigen Entschluß hervorgeht. Das ist der Sinn der Ehe.

SIEBZEHNTE SZENE

LUKAS *eintretend* Frau Gräfin Freudenberg.

CRESCENCE *an Lukas vorbei, tritt schnell ein* Also, was sagt Er mir zu dem Buben, Kari? Ich bin ja überglücklich. Gratulier Er mir doch!

HANS KARL *ein wenig abwesend* Meine gute Crescence. Ich wünsch den allergrößten Erfolg.

Stani empfiehlt sich stumm.

CRESCENCE Schick Er mir das Auto retour.

STANI Bitte zu verfügen. Ich gehe zu Fuß.

Geht.

ACHTZEHNTE SZENE

CRESCENCE Der Erfolg wird sehr stark von dir abhängen.

HANS KARL Von mir? Ihm stehts doch auf der Stirne geschrieben, daß er erreicht, was er sich vornimmt.

CRESCENCE Für die Helen ist dein Urteil alles.

HANS KARL Wieso, Crescence, inwiefern?

CRESCENCE Für den Vater Altenwyl natürlich noch mehr. Der Stani ist eine sehr nette Partie, aber nicht epatant. Darüber mach ich mir keine Illusionen. Aber wenn Er ihn appuyiert, Kari, ein Wort von Ihm hat gerade für die alten Leut so viel Gewicht. Ich weiß gar nicht, woran das liegt.

HANS KARL Ich gehör halt selbst schon bald zu ihnen.

CRESCENCE Kokettier Er nicht mit seinem Alter. Wir zwei sind nicht alt und nicht jung. Aber ich hasse schiefe Positionen. Ich möcht schon lieber mit grauem Haar und einer Hornbrille dasitzen.

HANS KARL Darum legt Sie sich zeitig aufs Heiratstiften.

CRESCENCE Ich habe immer für Ihn tun wollen, Kari, schon vor zwölf Jahren. Aber Er hat immer diesen stillen obstinaten Widerspruch in sich gehabt.

HANS KARL Meine gute Crescence!

CRESCENCE Hundertmal hab ich Ihm gesagt: sag Er mir, was Er erreichen will, und ich nehms in die Hand.

HANS KARL Ja, das hat Sie mir oft gesagt, weiß Gott, Crescence.

CRESCENCE Aber man hat ja bei Ihm nicht gewußt, woran man ist!

Hans Karl nickt.

CRESCENCE Und jetzt macht halt der Stani, was Er nicht hat machen wollen. Ich kann gar nicht erwarten, daß wieder kleine Kinder in Hohenbühl und in Göllersdorf herumlaufen.

HANS KARL Und in den Schloßteich fallen! Weiß Sie noch, wie sie mich halbtot herausgezogen hat? Weiß Sie – ich hab manchmal die Idee, daß gar nichts Neues auf der Welt passiert.

CRESCENCE Wie meint Er das?

HANS KARL Daß alles schon längst irgendwo fertig dasteht und nur auf einmal erst sichtbar wird. Weißt du, wie im Hohenbühler Teich, wenn man im Herbst das Wasser abgelassen hat, auf einmal die Karpfen und die Schweife von den steinernen Tritonen da waren, die man früher kaum gesehen hat? Eine burleske Idee, was!

CRESCENCE Ist Er denn auf einmal schlecht aufgelegt, Kari?

HANS KARL *gibt sich einen Ruck* Im Gegenteil, Crescence. Ich danke euch so sehr als ich nur kann, Ihr und dem Stani, für das gute Tempo, das ihr mir gebt mit eurer Frische und eurer Entschiedenheit.
Er küßt ihr die Hand.

CRESCENCE Findet Er, daß Ihm das gut tut, uns in der Nähe zu haben?

HANS KARL Ich hab jetzt einen sehr guten Abend vor mir. Zuerst eine ernste Konversation mit der Toinette –

CRESCENCE Aber das brauchen wir ja jetzt gar nicht!

HANS KARL Ah, ich red doch mit ihr, jetzt hab ich es mir einmal vorgenommen, und dann soll ich also als Onkel vom Stani die gewissen seriosen Unterhaltungen anknüpfen.

CRESCENCE Das Wichtigste ist, daß du ihn bei der Helen ins richtige Licht stellst.

HANS KARL Da hab ich also ein richtiges Programm. Sieht Sie, wie Sie mich reformiert? Aber weiß Sie, vorher – ich hab eine Idee – vorher geh ich für eine Stunde in den Zirkus, da haben sie jetzt einen Clown – eine Art von dummen August –

CRESCENCE Der Furlani, über den ist die Nanni ganz verrückt. Ich hab gar keinen Sinn für diese Späße.

HANS KARL Ich find ihn delizios. Mich unterhält er viel mehr als die gescheiteste Konversation von Gott weiß wem. Ich freu mich rasend. Ich gehe in den Zirkus, dann esse ich einen Bissen in einem Restaurant, und dann komm ich sehr munter in die Soiree und absolvier mein Programm.

CRESCENCE Ja, Er kommt und richtet dem Stani die Helen in die Hand, so was kann Er ja so gut. Er wäre doch ein so wunderbarer Botschafter geworden, wenn Er hätt wollen in der Karriere bleiben.

HANS KARL Dazu is es halt auch zu spät.

CRESCENCE Also, amüsier Er sich gut und komm Er bald nach.

Hans Karl begleitet sie bis an die Tür, Crescence geht.

NEUNZEHNTE SZENE

Hans Karl kommt nach vorn.
Lukas ist mit ihm hereingetreten.

HANS KARL Ich ziehe den Frack an. Ich werde gleich läuten.

LUKAS Sehr wohl, Eure Erlaucht.

Hans Karl links ab.

ZWANZIGSTE SZENE

VINZENZ *tritt von rechts ein* Was machen Sie da?

LUKAS Ich warte auf das Glockenzeichen vom Toilettezimmer, dann geh ich hinein helfen.

VINZENZ Ich werde mit hineingehen. Es ist ganz gut, wenn ich mich an ihn gewöhne.

LUKAS Es ist nicht befohlen, also bleiben Sie draußen.

VINZENZ *nimmt sich eine Zigarre* Sie, das ist doch ganz ein einfacher, umgänglicher Mensch, die Verwandten machen ja mit ihm, was sie wollen. In einem Monat wickel ich ihn um den Finger.

Lukas schließt die Zigarren ein. Man hört eine Klingel. Lukas beeilt sich.

VINZENZ Bleiben Sie nur noch. Er soll zweimal läuten.

Setzt sich in einen Fauteuil.

Lukas ab in seinem Rücken.

VINZENZ *vor sich* Liebesbriefe stellt er zurück, den Neffen verheiratet er, und er selber hat sich entschlossen, als ältlicher Junggeselle so dahinzuleben mit mir. Das ist genau, wie ich mirs vorgestellt habe.

Über die Schulter nach rückwärts, ohne sich umzudrehen

Sie, Herr Schätz, ich bin ganz zufrieden, da bleib ich!

Der Vorhang fällt.

ZWEITER AKT

Bei Altenwyls. Kleiner Salon im Geschmack des achtzehnten Jahrhunderts. Türen links, rechts und in der Mitte. Altenwyl mit Hans Karl eintretend von rechts. Crescence mit Helene und Neuhoff stehen links im Gespräch.

ERSTE SZENE

ALTENWYL Mein lieber Kari, ich rechne dir dein Kommen doppelt hoch an, weil du nicht Bridge spielst und also mit den bescheidenen Fragmenten von Unterhaltung vorliebnehmen willst, die einem heutzutage in einem Salon noch geboten werden. Du findest bekanntlich bei mir immer nur die paar alten Gesichter, keine Künstler und sonstige Zelebritäten – die Edine Merenberg ist ja außerordentlich unzufrieden mit dieser altmodischen Hausführung, aber weder meine Helen noch ich goutieren das Genre von Geselligkeit, was der Edine ihr Höchstes ist: wo sie beim ersten Löffel Suppe ihren Tischnachbar interpelliert, ob er an die Seelenwanderung glaubt, oder ob er schon einmal mit einem Fakir Bruderschaft getrunken hat.

CRESCENCE Ich muß Sie dementieren, Graf Altenwyl, ich hab drüben an meinem Bridgetisch ein ganz neues Gesicht, und wie die Mariette Stradonitz mir zugewispelt hat, ist es ein weltberühmter Gelehrter, von dem wir noch nie was gehört haben, weil wir halt alle Analphabeten sind.

ALTENWYL Der Professor Brücke ist in seinem Fach eine große Zelebrität und mir ein lieber politischer Kollege. Er genießt es außerordentlich, in einem Salon zu sein, wo er keinen Kollegen aus der gelehrten Welt findet, sozusagen als der einzige Vertreter des Geistes in einem rein sozialen Milieu, und da ihm mein Haus diese bescheidene Annehmlichkeit bieten kann –

CRESCENCE Ist er verheiratet?

ALTENWYL Ich habe jedenfalls nie die Ehre gehabt, Madame Brücke zu Gesicht zu bekommen.

CRESCENCE Ich find die berühmten Männer odios, aber ihre Fraun noch ärger. Darin bin ich mit dem Kari einer Meinung. Wir schwärmen für triviale Menschen und triviale Unterhaltungen, nicht, Kari?

ALTENWYL Ich hab darüber meine altmodische Auffassung, die Helen kennt sie.

CRESCENCE Der Kari soll sagen, daß er mir recht gibt. Ich find, neun Zehntel von dem, was unter der Marke von Geist geht, ist nichts als Geschwätz.

NEUHOFF *zu Helene* Sind Sie auch so streng, Gräfin Helene?

HELENE Wir haben alle Ursache, wir jüngeren Menschen, wenn uns vor etwas auf der Welt grausen muß, so davor: daß es etwas gibt wie Konversation: Worte, die alles Wirkliche verflachen und im Geschwätz beruhigen.

CRESCENCE Sag, daß du mir recht gibst, Kari!

HANS KARL Ich bitte um Nachsicht. Der Furlani ist keine Vorbereitung darauf, etwas Gescheites zu sagen.

ALTENWYL In meinen Augen ist Konversation das, was jetzt kein Mensch mehr kennt: nicht selbst perorieren, wie ein Wasserfall, sondern dem andern das Stichwort bringen. Zu meiner Zeit hat man gesagt: wer zu mir kommt, mit dem muß ich die Konversation so führen, daß er, wenn er die Türschnallen in der Hand hat, sich gescheit vorkommt, dann wird er auf der Stiegen mich gescheit finden. – Heutzutag hat aber keiner, pardon für die Grobheit, den Verstand zum Konversationmachen und keiner den Verstand, seinen Mund zu halten – ah, erlaub, daß ich dich mit Baron Neuhoff bekannt mache, mein Vetter Graf Bühl.

NEUHOFF Ich habe die Ehre, von Graf Bühl gekannt zu sein.

CRESCENCE *zu Altenwyl* Alle diese gescheiten Sachen müßten Sie der Edine sagen – bei der geht der Kultus für die bedeutenden Menschen und die gedruckten Bücher ins Uferlose. Mir ist schon das Wort odios: bedeutende Menschen – es liegt so eine Präpotenz darin!

ALTENWYL Die Edine ist eine sehr gescheite Frau, aber sie will immer zwei Fliegen auf einen Schlag erwischen: ihre Bildung vermehren und etwas für ihre Wohltätigkeitsgeschichten herausschlagen.

HELENE Pardon, Papa, sie ist keine gescheite Frau, sie ist eine dumme Frau, die sich fürs Leben gern mit gescheiten Leuten umgeben möchte, aber dabei immer die falschen erwischt.

CRESCENCE Ich wundere mich, daß sie bei ihrer rasenden Zerstreutheit nicht mehr Konfusionen anstellt.

ALTENWYL Solche Wesen haben einen Schutzengel.

EDINE *tritt dazu durch die Mitteltür* Ich seh, ihr sprechts von mir, sprechts nur weiter, genierts euch nicht.

CRESCENCE Na, Edine, hast du den berühmten Mann schon kennengelernt?

EDINE Ich bin wütend, Graf Altenwyl, daß Sie ihn ihr als Partner gegeben haben und nicht mir.

Setzt sich zu Crescence

Ihr habts keine Idee, wie ich mich für ihn interessier. Ich les doch die Bücher von die Leut. Von diesem Brückner hab ich erst vor ein paar Wochen ein dickes Buch gelesen.

NEUHOFF Er heißt Brücke. Er ist der zweite Präsident der Akademie der Wissenschaften.

EDINE In Paris?

NEUHOFF Nein, hier in Wien.

EDINE Auf dem Buch ist gestanden: Brückner.

CRESCENCE Vielleicht war das ein Druckfehler.

EDINE Es hat geheißen: Über den Ursprung aller Religionen. Da ist eine Bildung drin, und eine Tiefe! Und so ein schöner Stil!

HELENE Ich werd ihn dir bringen, Tant Edine.

NEUHOFF Wenn Sie erlauben, werde ich ihn suchen und ihn herbringen, sobald er pausiert.

EDINE Ja, tun Sie das, Baron Neuhoff. Sagen Sie ihm, daß ich seit Jahren nach ihm fahnde.

Neuhoff geht links ab.

CRESCENCE Er wird sich nichts Besseres verlangen, mir scheint, er ist ein ziemlicher –

EDINE Sagts nicht immer gleich »snob«, der Goethe ist auch vor jeder Fürstin und Gräfin – ich hätt bald was gsagt.

CRESCENCE Jetzt ist sie schon wieder beim Goethe, die Edine!

Sieht sich nach Hans Karl um, der mit Helene nach rechts getreten ist.

HELENE *zu Hans Karl* Sie haben ihn so gern, den Furlani?

HANS KARL Für mich ist ein solcher Mensch eine wahre Rekreation.

HELENE Macht er so geschickte Tricks?

Sie setzt sich rechts, Hans Karl neben ihr.

Crescence geht durch die Mitte weg, Altenwyl und Edine haben sich links gesetzt.

HANS KARL Er macht gar keine Tricks. Er ist doch der dumme August!

HELENE Also ein Wurstel?

HANS KARL Nein, das wäre ja outriert! Er outriert nie, er karikiert auch nie. Er spielt seine Rolle: er ist der, der alle begreifen, der allen helfen möchte und dabei alles in die größte Konfusion bringt. Er macht die dümmsten Lazzi, die Galerie kugelt sich vor Lachen, und dabei behält er eine élégance, eine Diskretion, man merkt, daß er sich selbst und alles, was auf der Welt ist, respektiert. Er bringt alles durcheinander, wie Kraut und Rüben; wo er hingeht, geht alles drunter und drüber, und dabei möchte man rufen: »Er hat ja recht!«

EDINE *zu Altenwyl* Das Geistige gibt uns Frauen doch viel mehr Halt! Das geht der Antoinette zum Beispiel ganz ab. Ich sag ihr immer: sie soll ihren Geist kultivieren, das bringt einen auf andere Gedanken.

ALTENWYL Zu meiner Zeit hat man einen ganz anderen Maßstab an die Konversation angelegt. Man hat doch etwas auf eine schöne Replik gegeben, man hat sich ins Zeug gelegt, um brillant zu sein.

EDINE Ich sag: wenn ich Konversation mach, will ich doch woanders hingeführt werden. Ich will doch heraus aus der Banalität. Ich will doch wohintransportiert werden!

HANS KARL *zu Helene, in seiner Konversation fortfahrend* Sehen Sie, Helen, alle diese Sachen sind ja schwer: die Tricks von den Equilibristen und Jongleurs und alles – zu allem gehört ja ein fabelhaft angespannter Wille und direkt Geist. Ich glaub, mehr Geist, als zu den meisten Konversationen. –

HELENE Ah, das schon sicher.

HANS KARL Absolut. Aber das, was der Furlani macht, ist noch um eine ganze Stufe höher, als was alle andern tun. Alle andern lassen sich von einer Absicht leiten und schauen nicht rechts und nicht links, ja, sie atmen kaum, bis sie ihre Absicht erreicht haben: darin besteht eben ihr Trick. Er aber tut scheinbar nichts mit Absicht – er geht immer auf die Absicht der andern ein. Er möchte alles mittun, was die andern tun, soviel guten Willen hat er, so fasziniert ist er von jedem einzelnen Stückl, was irgendeiner vormacht: wenn er einen Blumentopf auf der Nase balanciert, so balanciert er ihn auch, sozusagen aus Höflichkeit.

HELENE Aber er wirft ihn hinunter?

HANS KARL Aber wie er ihn hinunterwirft, darin liegts! Er wirft ihn hinunter aus purer Begeisterung und Seligkeit darüber, daß er ihn so schön balancieren kann! Er glaubt, wenn mans ganz schön machen tät, müßts von selber gehen.

HELENE *vor sich* Und das hält der Blumentopf gewöhnlich nicht aus und fällt hinunter.

ALTENWYL *zu Edine* Dieser Geschäftston heutzutage! Und ich bitte dich, auch zwischen Männern und Frauen: dieses gewisse Zielbewußte in der Unterhaltung!

EDINE Ja, das ist mir auch eine horreur! Man will doch ein bißl eine schöne Art, ein Versteckenspielen –

ALTENWYL Die jungen Leut wissen ja gar nicht mehr, daß die Sauce mehr wert ist als der Braten – da herrscht ja eine Direktheit!

EDINE Weil die Leut zu wenig gelesen haben! Weil sie ihren Geist zu wenig kultivieren!

Sie sind im Reden aufgestanden und entfernen sich nach links.

HANS KARL *zu Helene* Wenn man dem Furlani zuschaut, kommen einem die geschicktesten Clowns vulgär vor. Er ist förmlich schön vor lauter Nonchalance – aber natürlich gehört zu dieser Nonchalance genau das Doppelte wie zu den andern ihrer Anspannung.

HELENE Ich begreif, daß Ihnen der Mensch sympathisch ist. Ich find auch alles, wo man eine Absicht merkt, die dahintersteckt, ein bißl vulgär.

HANS KARL Oho, heute bin ich selber mit Absichten geladen, und diese Absichten beziehen sich auf Sie, Gräfin Helene.

HELENE *mit einem Zusammenziehen der Augenbrauen* Oh, Gräfin Helene! Sie sagen »Gräfin Helene« zu mir?

Huberta erscheint in der Mitteltür und streift Hans Karl und Helene mit einem kurzen, aber indiskreten Blick.

HANS KARL *ohne Huberta zu bemerken* Nein, im Ernst, ich muß Sie um fünf Minuten Konversation bitten – dann später, irgendwann – wir spielen ja beide nicht.

HELENE *etwas unruhig, aber sehr beherrscht* Sie machen mir angst. Was können Sie mit mir zu reden haben? Das kann nichts Gutes sein.

HANS KARL Wenn Sies präokkupiert, dann um Gottes willen nicht!

Huberta ist verschwunden.

HELENE *nach einer kleinen Pause* Wann Sie wollen, aber später. Ich seh die Huberta, die sich langweilt. Ich muß zu ihr gehen.

Steht auf.

HANS KARL Sie sind so delizios artig.

Ist auch aufgestanden.

HELENE Sie müssen jetzt der Antoinette und den paar andern Frauen guten Abend sagen.

Sie geht von ihm fort, bleibt in der Mitteltür noch stehen
Ich bin nicht artig: ich spür nur, was in den Leuten vorgeht, und das belästigt mich – und da reagier ich dagegen mit égards, die ich für die Leut hab. Meine Manieren sind nur eine Art von Nervosität, mir die Leut vom Hals zu halten.
Sie geht.
Hans Karl geht langsam ihr nach.

ZWEITE SZENE

Neuhoff und der berühmte Mann sind gleichzeitig in der Tür links erschienen.

DER BERÜHMTE MANN *in der Mitte des Zimmers angelangt, durch die Tür rechts blickend* Dort in der Gruppe am Kamin befindet sich jetzt die Dame, um deren Namen ich Sie fragen wollte.
NEUHOFF Dort in Grau? Das ist die Fürstin Pergen.
DER BERÜHMTE MANN Nein, die kenne ich seit langem. Die Dame in Schwarz.
NEUHOFF Die spanische Botschafterin. Sind Sie ihr vorgestellt? Oder darf ich –
DER BERÜHMTE MANN Ich wünsche sehr, ihr vorgestellt zu werden. Aber wir wollen es vielleicht in folgender Weise einrichten –
NEUHOFF *mit kaum merklicher Ironie* Ganz wie Sie befehlen.
DER BERÜHMTE MANN Wenn Sie vielleicht die Güte haben, der Dame zuerst von mir zu sprechen, ihr, da sie eine Fremde ist, meine Bedeutung, meinen Rang in der wissenschaftlichen Welt und in der Gesellschaft klarzulegen – so würde ich mich dann sofort nachher durch den Grafen Altenwyl ihr vorstellen lassen.
NEUHOFF Aber mit dem größten Vergnügen.
DER BERÜHMTE MANN Es handelt sich für einen Gelehrten meines Ranges nicht darum, seine Bekanntschaften zu vermehren, sondern in der richtigen Weise gekannt und aufgenommen zu werden.
NEUHOFF Ohne jeden Zweifel. Hier kommt die Gräfin Merenberg, die sich besonders darauf gefreut hat, Sie kennenzulernen. Darf ich –
EDINE *kommt* Ich freue mich enorm. Einen Mann dieses Ranges bitte ich nicht mir vorzustellen, Baron Neuhoff, sondern mich ihm zu präsentieren.

DER BERÜHMTE MANN *verneigt sich* Ich bin sehr glücklich, Frau Gräfin.

EDINE Es hieße Eulen nach Athen tragen, wenn ich Ihnen sagen wollte, daß ich zu den eifrigsten Leserinnen Ihrer berühmten Werke gehöre. Ich bin jedesmal hingerissen von dieser philosophischen Tiefe, dieser immensen Bildung und diesem schönen Prosastil.

DER BERÜHMTE MANN Ich staune, Frau Gräfin. Meine Arbeiten sind keine leichte Lektüre. Sie wenden sich wohl nicht ausschließlich an ein Publikum von Fachgelehrten, aber sie setzen Leser von nicht gewöhnlicher Verinnerlichung voraus.

EDINE Aber gar nicht! Jede Frau sollte so schöne tiefsinnige Bücher lesen, damit sie sich selbst in eine höhere Sphäre bringt: das sag ich früh und spät der Toinette Hechingen.

DER BERÜHMTE MANN Dürfte ich fragen, welche meiner Arbeiten den Vorzug gehabt hat, Ihre Aufmerksamkeit zu erwecken?

EDINE Aber natürlich das wunderbare Werk »Über den Ursprung aller Religionen«. Das hat ja eine Tiefe, und eine erhebende Belehrung schöpft man da heraus –

DER BERÜHMTE MANN *eisig* Hm. Das ist allerdings ein Werk, von dem viel geredet wird.

EDINE Aber noch lange nicht genug. Ich sag gerade zur Toinette, das müßte jede von uns auf ihrem Nachtkastl liegen haben.

DER BERÜHMTE MANN Besonders die Presse hat ja für dieses Opus eine zügellose Reklame zu inszenieren gewußt.

EDINE Wie können Sie das sagen! Ein solches Werk ist ja doch das Grandioseste –

DER BERÜHMTE MANN Es hat mich sehr interessiert, Frau Gräfin, Sie gleichfalls unter den Lobrednern dieses Produktes zu sehen. Mir selbst ist das Buch allerdings unbekannt, und ich dürfte mich auch schwerlich entschließen, den Leserkreis dieses Elaborates zu vermehren.

EDINE Wie? Sie sind nicht der Verfasser?

DER BERÜHMTE MANN Der Verfasser dieser journalistischen Kompilation ist mein Fakultätsgenosse Brückner. Es besteht allerdings eine fatale Namensähnlichkeit, aber diese ist auch die einzige.

EDINE Das sollte auch nicht sein, daß zwei berühmte Philosophen so ähnliche Namen haben.

DER BERÜHMTE MANN Das ist allerdings bedauerlich, besonders für mich. Herr Brückner ist übrigens nichts weniger als Philosoph. Er ist Philologe, ich würde sagen, Salonphilologe, oder noch besser: philologischer Feuilletonist.

EDINE Es tut mir enorm leid, daß ich da eine Konfusion gemacht habe. Aber ich hab sicher auch von Ihren berühmten Werken was zu Haus, Herr Professor. Ich les ja alles, was einen ein bißl vorwärtsbringt. Jetzt hab ich gerad ein sehr interessantes Buch über den »Semipelagianismus« und eines über die »Seele des Radiums« zu Hause liegen. Wenn Sie mich einmal in der Heugasse besuchen –

DER BERÜHMTE MANN *kühl* Es wird mir eine Ehre sein, Frau Gräfin. Allerdings bin ich sehr in Anspruch genommen.

EDINE *wollte gehen, bleibt nochmals stehen* Aber das tut mir ewig leid, daß Sie nicht der Verfasser sind! Jetzt kann ich Ihnen auch meine Frage nicht vorlegen! Und ich wäre jede Wette eingegangen, daß Sie der Einzige sind, der sie so beantworten könnte, daß ich meine Beruhigung fände.

NEUHOFF Wollen Sie dem Herrn Professor nicht doch Ihre Frage vorlegen?

EDINE Sie sind ja gewiß ein Mann von noch profunderer Bildung als der andere Herr.

Zu Neuhoff

Soll ich wirklich? Es liegt mir ungeheuer viel an der Auskunft. Ich würde fürs Leben gern eine Beruhigung finden.

DER BERÜHMTE MANN Wollen sich Frau Gräfin nicht setzen?

EDINE *sich ängstlich umsehend, ob niemand hereintritt, dann schnell* Wie stellen Sie sich das Nirwana vor?

DER BERÜHMTE MANN Hm. Diese Frage aus dem Stegreif zu beantworten, dürfte allerdings Herr Brückner der richtige Mann sein.

Eine kleine Pause

EDINE Und jetzt muß ich auch zu meinem Bridge zurück. Auf Wiedersehen, Herr Professor.

Ab.

DER BERÜHMTE MANN *sichtlich verstimmt* Hm. –

NEUHOFF Die arme gute Gräfin Edine! Sie dürfen ihr nichts übelnehmen.

DER BERÜHMTE MANN *kalt* Es ist nicht das erste Mal, daß ich im Laienpublikum ähnlichen Verwechslungen begegne. Ich bin nicht weit davon, zu glauben, daß dieser Scharlatan Brückner mit Absicht auf dergleichen hinarbeitet. Sie können kaum ermessen, welche peinliche Erinnerung eine groteske und schiefe Situation, wie die in der wir uns soeben befunden haben, in meinem Innern hinterläßt. Das erbärmliche Scheinwissen, von den Trompetenstößen einer bübischen Presse begleitet, auf den breiten Wellen der Popularität hinsegeln zu sehen – sich mit dem konfundiert zu sehen, wogegen man sich mit dem eisigen Schweigen der Nichtachtung unverbrüchlich gewappnet glaubte –

NEUHOFF Aber wem sagen Sie das alles, mein verehrter Professor! Bis in die kleine Nuance fühle ich Ihnen nach. Sich verkannt zu sehen in seinem Besten, früh und spät – das ist das Schicksal –

DER BERÜHMTE MANN In seinem Besten.

NEUHOFF Genau die Seite verkannt zu sehen, auf die alles ankommt –

DER BERÜHMTE MANN Sein Lebenswerk mit einem journalistischen –

NEUHOFF Das ist das Schicksal –

DER BERÜHMTE MANN Die in einer bübischen Presse –

NEUHOFF – des ungewöhnlichen Menschen, sobald er sich der banalen Menschheit ausliefert, den Frauen, die im Grunde zwischen einer leeren Larve und einem Mann von Bedeutung nicht zu unterscheiden wissen!

DER BERÜHMTE MANN Den verhaßten Spuren der Pöbelherrschaft bis in den Salon zu begegnen –

NEUHOFF Erregen Sie sich nicht. Wie kann ein Mann Ihres Ranges – Nichts, was eine Edine Merenberg und tutti quanti vorbringen, reicht nur entfernt an Sie heran.

DER BERÜHMTE MANN Das ist die Presse, dieser Hexenbrei aus allem und allem! Aber hier hätte ich mich davor sicher gehalten. Ich sehe, ich habe die Exklusivität dieser Kreise überschätzt, wenigstens was das geistige Leben anlangt.

NEUHOFF Geist und diese Menschen! Das Leben – und diese Menschen! Alle diese Menschen, die Ihnen hier begegnen, existieren ja in Wirklichkeit gar nicht mehr. Das sind ja alles nur mehr Schatten. Niemand, der sich in diesen Salons bewegt, gehört zu der wirklichen Welt, in der die geistigen Krisen des Jahrhunderts sich entscheiden. Sehen Sie doch um sich: eine Erscheinung wie die Figur dort im nächsten Zimmer, vom Scheitel bis zur Sohle sich balancierend in der Selbstsicherheit der unbegrenzten Trivialität – von Frauen und Mädchen umlagert – Kari Bühl.

DER BERÜHMTE MANN Ist das Graf Bühl?

NEUHOFF Er selbst, der berühmte Kari.

DER BERÜHMTE MANN Ich habe bis jetzt keine Gelegenheit gehabt, ihn kennenzulernen. Sind Sie befreundet mit ihm?

NEUHOFF Nicht allzusehr, aber hinlänglich, um ihn Ihnen in zwei Worten erschöpfend zu charakterisieren: absolutes, anmaßendes Nichts.

DER BERÜHMTE MANN Er hat einen außerordentlichen Rang innerhalb der ersten Gesellschaft. Er gilt für eine Persönlichkeit.

NEUHOFF Es ist nichts an ihm, das der Prüfung standhielte. Rein gesellschaftlich goutiere ich ihn halb aus Gewohnheit; aber Sie haben weniger als nichts verloren, wenn Sie ihn nicht kennenlernen.

DER BERÜHMTE MANN *sieht unverwandt hin* Ich würde mich sehr interessieren, seine Bekanntschaft zu machen. Glauben Sie, daß ich mir etwas vergebe, wenn ich mich ihm nähere?

NEUHOFF Sie werden Ihre Zeit mit ihm verlieren, wie mit allen diesen Menschen hier.

DER BERÜHMTE MANN Ich würde großes Gewicht darauf legen, mit Graf Bühl in einer wirkungsvollen Weise bekannt gemacht zu werden, etwa durch einen seiner vertrauten Freunde.

NEUHOFF Zu diesen wünsche ich nicht gezählt zu werden, aber ich werde Ihnen das besorgen.

DER BERÜHMTE MANN Sie sind sehr liebenswürdig. Oder meinen Sie, daß ich mir nichts vergeben würde, wenn ich mich ihm spontan nähern würde?

NEUHOFF Sie erweisen dem guten Kari in jedem Fall zuviel Ehre, wenn Sie ihn so ernst nehmen.

DER BERÜHMTE MANN Ich verhehle nicht, daß ich großes Gewicht darauf lege, das feine und unbestechliche Votum der großen Welt den Huldigungen beizufügen, die meinem Wissen im breiten internationalen Laienpublikum zuteil geworden sind, und in denen ich die Abendröte einer nicht alltäglichen Gelehrtenlaufbahn erblicken darf.

Sie gehen ab.

DRITTE SZENE

Antoinette mit Edine, Nanni und Huberta sind indessen in der Mitteltür erschienen und kommen nach vorne.

ANTOINETTE So sagts mir doch was, so gebts mir doch einen Rat, wenn ihr sehts, daß ich so aufgeregt bin. Da mach ich doch die irreparablen Dummheiten, wenn man mir nicht beisteht.

EDINE Ich bin dafür, daß wir sie lassen. Sie muß wie zufällig ihm begegnen. Wenn wir sie alle convoyieren, so verscheuchen wir ihn ja geradezu.

HUBERTA Er geniert sich nicht. Wenn er mit ihr allein reden wollt, da wären wir Luft für ihn.

ANTOINETTE So setzen wir uns daher. Bleibts alle bei mir, aber nicht auffällig.

Sie haben sich gesetzt.

NANNI Wir plauschen hier ganz unbefangen: vor allem darfs nicht ausschauen, als ob du ihm nachlaufen tätest.

ANTOINETTE Wenn man nur das Raffinement von der Helen hätt, die lauft ihm nach auf Schritt und Tritt, und dabei schauts aus, als ob sie ihm aus dem Weg ging'.

EDINE Ich wär dafür, daß wir sie lassen, und daß sie ganz wie wenn nichts wär auf ihn zuging'.

HUBERTA In dem Zustand wie sie ist, kann sie doch nicht auf ihn zugehen wie wenn nichts wär.

ANTOINETTE *dem Weinen nah* Sagts mir doch nicht, daß ich in einem Zustand bin! Lenkts mich doch ab von mir! Sonst verlier ich ja meine ganze Contenance. Wenn ich nur wen zum Flirten da hätt!

NANNI *will aufstehen* Ich hol ihr den Stani her.

ANTOINETTE Der Stani tät mir nicht so viel nützen. Sobald ich weiß, daß der Kari wo in einer Wohnung ist, existieren die andern nicht mehr für mich.

HUBERTA Der Feri Uhlfeldt tät vielleicht doch noch existieren.

ANTOINETTE Wenn die Helen in meiner Situation wär, die wüßt sich zu helfen. Sie macht sich mit der größten Unverfrorenheit einen Paravent aus dem Theophil, und dahinter operiert sie.

HUBERTA Aber sie schaut ja den Theophil gar nicht an, sie is ja die ganze Zeit hinterm Kari her.

ANTOINETTE Sag mir das noch, damit mir die Farb ganz aus'm Gsicht geht.
Steht auf
Redt er denn mir ihr?

HUBERTA Natürlich redt er mit ihr.

ANTOINETTE Immerfort?

HUBERTA Sooft ich hingschaut hab.

ANTOINETTE O mein Gott, wenn du mir lauter unangenehme Sachen sagst, so werd ich ja so häßlich werden!
Sie setzt sich wieder.

NANNI *will aufstehen* Wenn dir deine drei Freundinnen zuviel sind, so laß uns fort, ich spiel ja auch sehr gern.

ANTOINETTE So bleibts doch hier, so gebts mir doch einen Rat, so sagts mir doch, was ich tun soll.

HUBERTA Wenn sie ihm vor einer Stunde die Jungfer ins Haus geschickt hat, so kann sie jetzt nicht die Hochmütige spielen.

NANNI Umgekehrt sag ich. Sie muß tun, als ob er ihr egal wär. Das weiß ich vom Kartenspielen: wenn man die Karten leichtsinnig in die Hand nimmt, dann kommt 's Glück. Man muß sich immer die innere Überlegenheit menagieren.

ANTOINETTE Mir is grad zumut, wie wenn ich die Überlegene wär!

HUBERTA Du behandelst ihn aber ganz falsch, wenn du dich so aus der Hand gibst.

EDINE Wenn sie sich nur eine Direktive geben ließ'! Ich kenn doch den Männern ihren Charakter.

HUBERTA Weißt, Edine, die Männer haben recht verschiedene Charaktere.

ANTOINETTE Das Gescheitste wär, ich fahr nach Haus.

NANNI Wer wird denn die Karten wegschmeißen, solang er noch eine Chance in der Hand hat.

EDINE Wenn sie sich nur ein vernünftiges Wort sagen ließe. Ich hab ja einen solchen Instinkt für solche psychologische Sachen. Es wär ja absolut zu machen, daß die Ehe annulliert wird, sie ist eben unter einem moralischen Zwang gestanden die ganzen Jahre, und dann, wenn sie annulliert ist, so heirat' sie ja der Kari, wenn die Sache halbwegs richtig eingefädelt wird.

HUBERTA *die nach rechts gesehen hat* Pst!

ANTOINETTE *fährt auf* Kommt er? Mein Gott, wie mir die Knie zittern.

HUBERTA Die Crescence kommt. Nimm dich zusammen.

ANTOINETTE *vor sich* Lieber Gott, ich kann sie nicht ausstehen, sie mich auch nicht, aber ich will jede Bassesse machen, weil sie ja seine Schwester is.

VIERTE SZENE

CRESCENCE *kommt von rechts* Grüß euch Gott, was machts ihr denn? Die Toinette schaut ja ganz zerbeutelt aus. Sprechts ihr denn nicht? So viele junge Frauen! Da hätt der Stani halt nicht in den Klub gehen dürfen, wie?

ANTOINETTE *mühsam* Wir unterhalten uns vorläufig ohne Herren sehr gut.

CRESCENCE *ohne sich zu setzen* Was sagts ihr, wie famos die Helen heut ausschaut? Die wird doch als junge Frau eine allure haben, daß überhaupt niemand gegen sie aufkommt!

HUBERTA Is die Helen auf einmal so in der Gnad bei dir?

CRESCENCE Ihr seids auch herzig. Die Antoinette soll sich ein bißl schonen. Sie schaut ja aus, als ob sie drei Nächt nicht geschlafen hätt.
Im Gehen
Ich muß dem Poldo Altenwyl sagen, wie brillant ich die Helen heut find.
Ab.

FÜNFTE SZENE

ANTOINETTE Herr Gott, jetzt hab ichs ja schriftlich, daß der Kari die Helen heiraten will.

EDINE Wieso denn?

ANTOINETTE Spürts ihrs denn nicht, wie sie für die zukünftige Schwägerin ins Zeug geht?

NANNI Aber geh, bring dich nicht um nichts und wieder nichts hinein in die Verzweiflung. Er wird gleich bei der Tür hereinkommen.

ANTOINETTE Wenn er in so einem Moment hereinkommt, bin ich ja ganz –
Bringt ihr kleines Tuch vor die Augen
– verloren. –

HUBERTA So gehen wir. Inzwischen beruhigt sie sich.
ANTOINETTE Nein, gehts ihr zwei und schauts, ob er wieder mit der Helen redt, und störts ihn dabei. Ihr habts mich ja oft genug gestört, wenn ich so gern mit ihm allein gewesen wär. Und die Edine bleibt bei mir.
Alle sind aufgestanden, Huberta und Nanni gehen ab.

SECHSTE SZENE

Antoinette und Edine setzen sich links rückwärts.

EDINE Mein liebes Kind, du hast diese ganze Geschichte mit dem Kari vom ersten Moment falsch angepackt.
ANTOINETTE Woher weißt denn du das?
EDINE Das weiß ich von der Mademoiselle Feydeau, die hat mir haarklein alles erzählt, wie du die ganze Situation in der Grünleiten schon verfahren hast.
ANTOINETTE Diese mißgünstige Tratschen, was weiß denn die!
EDINE Aber sie kann doch nichts dafür, wenn sie dich hat mit die nackten Füß über die Stiegen runterlaufen gehört, und gesehen mit offene Haar im Mondschein mit ihm spazierengehen. – Du hast eben die ganze Gschicht von Anfang an viel zu terre à terre angepackt. Die Männer sind ja natürlich sehr terre à terre, aber deswegen muß eben von unserer Seiten etwas Höheres hineingebracht werden. Ein Mann wie der Kari Bühl aber ist sein Leben lang keiner Person begegnet, die ein bißl einen Idealismus in ihn hineingebracht hätte. Und darum ist er selbst nicht imstand, in eine Liebschaft was Höheres hineinzubringen, und so geht das vice versa. Wenn du mich in der ersten Zeit ein bißl um Rat gefragt hättest, wenn du dir hättest ein paar Direktiven geben lassen, ein paar Bücher empfehlen lassen – so wärst du heut seine Frau!
ANTOINETTE Geh, ich bitt dich, Edine, agacier mich nicht.

SIEBENTE SZENE

HUBERTA *erscheint in der Tür* Also: der Kari kommt. Er sucht dich.
ANTOINETTE Jesus Maria!
Sie sind aufgestanden.
NANNI *die rechts hinausgeschaut hat* Da kommt die Helen aus dem andern Salon.
ANTOINETTE Mein Gott, gerade in dem Moment, auf den alles ankommt, muß sie daherkommen und mir alles verderben. So tuts doch was dagegen. So gehts ihr doch entgegen. So halts sie doch weg, vom Zimmer da!
HUBERTA Bewahr doch ein bißl deine Contenance.
NANNI Wir gehen einfach unauffällig dort hinüber.

ACHTE SZENE

HELENE *tritt ein von rechts* Ihr schauts ja aus, als ob ihr gerade von mir gesprochen hättets.
Stille
Unterhalts ihr euch? Soll ich euch Herren hereinschicken?
ANTOINETTE *auf sie zu, fast ohne Selbstkontrolle* Wir unterhalten uns famos, und du bist ein Engel, mein Schatz, daß du dich um uns umschaust. Ich hab dir noch gar nicht guten Abend gesagt. Du schaust schöner aus als je.
Küßt sie
Aber laß uns nur und geh wieder.
HELENE Stör ich euch? So geh ich halt wieder.
Geht.

NEUNTE SZENE

ANTOINETTE *streicht sich über die Wange, als wollte sie den Kuß abstreifen* Was mach ich denn? Was laß ich mich denn von ihr küssen? Von dieser Viper, dieser falschen!
HUBERTA So nimm dich ein bißl zusammen.

ZEHNTE SZENE

Hans Karl ist von rechts eingetreten.

ANTOINETTE *nach einem kurzen Stummsein, Sichducken, rasch auf ihn zu, ganz dicht an ihn* Ich habe die Briefe genommen und verbrannt. Ich bin keine sentimentale Gans, als die mich meine Agathe hinstellt, daß ich mich über alte Briefe totweinen könnt. Ich hab einmal nur das, was ich im Moment hab, und was ich nicht hab, will ich vergessen. Ich leb nicht in der Vergangenheit, dazu bin ich nicht alt genug.

HANS KARL Wollen wir uns nicht setzen?
Führt sie zu den Fauteuils.

ANTOINETTE Ich bin halt nicht schlau. Wenn man nicht raffiniert ist, dann hat man nicht die Kraft, einen Menschen zu halten, wie Sie einer sind. Denn Sie sind ein Genre mit Ihrem Vetter Stani. Das möchte ich Ihnen sagen, damit Sie es wissen. Ich kenn euch. Monstros selbstsüchtig und grenzenlos unzart.
Nach einer kleinen Pause
So sagen Sie doch was!

HANS KARL Wenn Sie erlauben würden, so möchte ich versuchen, Sie an damals zu erinnern –

ANTOINETTE Ah, ich laß mich nicht malträtieren. – Auch nicht von jemandem, der mir früher einmal nicht gleichgültig war.

HANS KARL Sie waren damals, ich meine vor zwei Jahren, Ihrem Mann momentan entfremdet. Sie waren in der großen Gefahr, in die Hände von einem Unwürdigen zu fallen. Da ist jemand gekommen – der war – zufällig ich. Ich wollte Sie – beruhigen – das war mein einziger Gedanke – Sie der Gefahr entziehen – von der ich Sie bedroht gewußt – oder gespürt hab. Das war eine Verkettung von Zufällen – eine Ungeschicklichkeit – ich weiß nicht, wie ich es nennen soll –

ANTOINETTE Diese paar Tage damals in der Grünleiten sind das einzige wirklich Schöne in meinem ganzen Leben. Die laß ich nicht – Die Erinnerung daran laß ich mir nicht heruntersetzen.
Steht auf.

HANS KARL *leise* Aber ich hab ja alles so lieb. Es war ja so schön.
Antoinette setzt sich, mit einem ängstlichen Blick auf ihn.

HANS KARL Es war ja so schön!

ANTOINETTE »Das war zufällig ich.« Damit wollen Sie mich insultieren. Sie sind draußen zynisch geworden. Ein zynischer Mensch, das ist das richtige Wort. Sie haben die Nuance verloren für das Mögliche und das Unmögliche. Wie haben Sie gesagt? Es war eine »Ungeschicklichkeit« von Ihnen? Sie insultieren mich ja in einem fort.

HANS KARL Es ist draußen viel für mich anders geworden. Aber zynisch bin ich nicht geworden. Das Gegenteil, Antoinette. Wenn ich an unsern Anfang denke, so ist mir das etwas so Zartes, so Mysterioses, ich getraue mich kaum, es vor mir selbst zu denken. Ich möchte mich fragen: Wie komm ich denn dazu? Hab ich denn dürfen? Aber
Sehr leise
ich bereu nichts.

ANTOINETTE *senkt die Augen* Aller Anfang ist schön.

HANS KARL In jedem Anfang liegt die Ewigkeit.

ANTOINETTE *ohne ihn anzusehen* Sie halten au fond alles für möglich und alles für erlaubt. Sie wollen nicht sehen, wie hilflos ein Wesen ist, über das Sie hinweggehen – wie preisgegeben, denn das würde vielleicht Ihr Gewissen aufwecken.

HANS KARL Ich habe keins.

Antoinette sieht ihn an.

HANS KARL Nicht in bezug auf uns.

ANTOINETTE Jetzt war ich das und das von Ihnen – und weiß in diesem Augenblick so wenig, woran ich mit Ihnen bin, als wenn nie was zwischen uns gewesen wär. Sie sind ja fürchterlich.

HANS KARL Nichts ist bös. Der Augenblick ist nicht bös, nur das Festhalten-Wollen ist unerlaubt. Nur das Sich-Festkrampeln an das, was sich nicht halten läßt –

ANTOINETTE Ja, wir leben halt nicht nur wie die gewissen Fliegen vom Morgen bis zur Nacht. Wir sind halt am nächsten Tag auch noch da. Das paßt euch halt schlecht, solchen wie du einer bist.

HANS KARL Alles was geschieht, das macht der Zufall. Es ist nicht zum Ausdenken, wie zufällig wir alle sind, und wie uns der Zufall zueinanderjagt und auseinanderjagt, und wie jeder mit jedem hausen könnte, wenn der Zufall es wollte.

ANTOINETTE Ich will nicht –

HANS KARL *spricht weiter, ohne ihren Widerstand zu respektieren* Darin ist aber so ein Grausen, daß der Mensch etwas hat finden müssen, um sich aus diesem Sumpf herauszuziehen, bei seinem eigenen Schopf.

Und so hat er das Institut gefunden, das aus dem Zufälligen und Unreinen das Notwendige, das Bleibende und das Gültige macht: die Ehe.

ANTOINETTE Ich spür, du willst mich verkuppeln mit meinem Mann. Es war nicht ein Augenblick, seitdem du hiersitzt, wo ich mich hätte foppen lassen und es nicht gespürt hätte. Du nimmst dir wirklich alles heraus, du meinst schon, daß du alles darfst, zuerst verführen, dann noch beleidigen.

HANS KARL Ich bin kein Verführer, Toinette, ich bin kein Frauenjäger.

ANTOINETTE Ja, das ist dein Kunststückl, damit hast du mich herumgekriegt, daß du kein Verführer bist, kein Mann für Frauen, daß du nur ein Freund bist, aber ein wirklicher Freund. Damit kokettierst du, so wie du mit allem kokettierst, was du hast, und mit allem, was dir fehlt. Man müßte, wenns nach dir ging', nicht nur verliebt in dich sein, sondern dich noch liebhaben über die Vernunft hinaus, und um deiner selbst willen, und nicht einmal nur als Mann – sondern – ich weiß ja gar nicht, wie ich sagen soll, o mein Gott, warum muß ein und derselbe Mensch so charmant sein und zugleich so monstros eitel und selbstsüchtig und herzlos!

HANS KARL Weiß Sie, Toinette, was Herz ist, weiß Sie das? Daß ein Mann Herz für eine Frau hat, das kann er nur durch eins zeigen, nur durch ein einziges auf der Welt: durch die Dauer, durch die Beständigkeit. Nur dadurch: das ist die Probe, die einzige.

ANTOINETTE Laß mich mit dem Ado – ich kann mit dem Ado nicht leben –

HANS KARL Der hat dich lieb. Einmal und für alle Male. Der hat dich gewählt unter allen Frauen auf der Welt, und er hat dich liebbehalten und wird dich liebhaben für immer, weißt du, was das heißt? Für immer, gescheh dir, was da will. Einen Freund haben, der dein ganzes Wesen liebhat, für den du immer ganz schön bist, nicht nur heut und morgen, auch später, viel später, für den seine Augen der Schleier, den die Jahre, oder was kommen kann, über dein Gesicht werfen – für seine Augen ist das nicht da, du bist immer die du bist, die Schönste, die Liebste, die Eine, die Einzige.

ANTOINETTE So hat er mich nicht gewählt. Geheiratet hat er mich halt. Von dem andern weiß ich nichts.

HANS KARL Aber er weiß davon.

ANTOINETTE Das, was Sie da reden, das gibts alles nicht. Das redet er sich ein – das redet er Ihnen ein – Ihr seids einer wie der andere, ihr Männer, Sie und der Ado und der Stani, ihr seids alle aus einem Holz geschnitzt, und darum verstehts ihr euch so gut und könnts euch so gut in die Hände spielen.

HANS KARL Das redt er mir nicht ein, das weiß ich, Toinette. Das ist eine heilige Wahrheit, die weiß ich – ich muß sie immer schon gewußt haben, aber draußen ist sie erst ganz deutlich für mich geworden: es gibt einen Zufall, der macht scheinbar alles mit uns, wie er will – aber mitten in dem Hierhin- und Dorthingeworfenwerden und der Stumpfheit und Todesangst, da spüren wir und wissen es auch, es gibt halt auch eine Notwendigkeit, die wählt uns von Augenblick zu Augenblick, die geht ganz leise, ganz dicht am Herzen vorbei und doch so schneidend scharf wie ein Schwert. Ohne die wäre da draußen kein Leben mehr gewesen, sondern nur ein tierisches Dahintaumeln. Und die gleiche Notwendigkeit gibts halt auch zwischen Männern und Frauen – wo die ist, da ist ein Zueinandermüssen und Verzeihung und Versöhnung und Beieinanderbleiben. Und da dürfen Kinder sein, und da ist eine Ehe und ein Heiligtum, trotz allem und allem –

ANTOINETTE *steht auf* Alles was du redst, das heißt ja gar nichts anderes, als daß du heiraten willst, daß du demnächst die Helen heiraten wirst.

HANS KARL *bleibt sitzen, hält sie* Aber ich denk doch nicht an die Helen! Ich red doch von dir. Ich schwör dir, daß ich von dir red.

ANTOINETTE Aber dein ganzes Denken dreht sich um die Helen.

HANS KARL Ich schwöre dir: ich hab einen Auftrag an die Helen. Ganz einen andern als du dir denkst. Ich sag ihr noch heute –

ANTOINETTE Was sagst du ihr noch heute – ein Geheimnis?

HANS KARL Keines, das mich betrifft.

ANTOINETTE Aber etwas, das dich mit ihr verbindet?

HANS KARL Aber das Gegenteil!

ANTOINETTE Das Gegenteil? Ein Adieu – du sagst ihr, was ein Adieu ist zwischen dir und ihr?

HANS KARL Zu einem Adieu ist kein Anlaß, denn es war ja nie etwas zwischen mir und ihr. Aber wenns Ihr Freud macht, Toinette, so kommts beinah auf ein Adieu hinaus.

ANTOINETTE Ein Adieu fürs Leben?

HANS KARL Ja, fürs Leben, Toinette.

ANTOINETTE *sieht ihn ganz an* Fürs Leben?
Nachdenklich
Ja, sie ist so eine Heimliche und tut nichts zweimal und redt nichts zweimal. Sie nimmt nichts zurück – sie hat sich in der Hand: ein Wort muß für sie entscheidend sein. Wenn du ihr sagst: Adieu – dann wirds für sie sein Adieu und auf immer. Für sie wohl.
Nach einer kleinen Pause
Ich laß mir von dir den Ado nicht einreden. Ich mag seine Händ nicht. Sein Gesicht nicht. Seine Ohren nicht.
Sehr leise
Deine Hände hab ich lieb – Was bist denn du? Ja, wer bist denn du? Du bist ein Zyniker, ein Egoist, ein Teufel bist du! Mich sitzenlassen ist dir zu gewöhnlich. Mich behalten, dazu bist du zu herzlos. Mich hergeben, dazu bist du zu raffiniert. So willst du mich zugleich loswerden und doch in deiner Macht haben, und dazu ist dir der Ado der Richtige. – Geh hin und heirat die Helen. Heirat, wenn du willst! Ich hab mit deiner Verliebtheit vielleicht was anzufangen, mit deinen guten Ratschlägen aber gar nix.
Will gehen.
Hans Karl tut einen Schritt auf sie zu.

ANTOINETTE Laß Er mich gehen.
Sie geht ein paar Schritte, dann halb zu ihm gewendet
Was soll denn jetzt aus mir werden? Red Er mir nur den Feri Uhlfeldt aus, der hat so viel Kraft, wenn er was will. Ich hab gesagt, ich mag ihn nicht, er hat gesagt, ich kann nicht wissen, wie er als Freund ist, weil ich ihn noch nicht als Freund gehabt hab. Solche Reden verwirren einen so.
Halb unter Tränen, zart
Jetzt wird Er an allem schuld sein, was mir passiert.

HANS KARL Sie braucht eins in der Welt: einen Freund. Einen guten Freund.
Er küßt ihr die Hände
Sei Sie gut mit dem Ado.

ANTOINETTE Mit dem kann ich nicht gut sein.

HANS KARL Sie kann mit jedem.

ANTOINETTE *sanft* Kari, insultier Er mich doch nicht.

HANS KARL Versteh Sie doch, wie ich meine.

ANTOINETTE Ich versteh Ihn ja sonst immer gut.

HANS KARL Könnt Sies nicht versuchen?
ANTOINETTE Ihm zulieb könnt ichs versuchen. Aber Er müßt dabei sein und mir helfen.
HANS KARL Jetzt hat Sie mir ein halbes Versprechen gegeben.

ELFTE SZENE

Der berühmte Mann ist von rechts eingetreten, sucht sich Hans Karl zu nähern, die beiden bemerken ihn nicht.

ANTOINETTE Er hat mir was versprochen.
HANS KARL Für die erste Zeit.
ANTOINETTE *dicht bei ihm* Mich liebhaben!
DER BERÜHMTE MANN Pardon, ich störe wohl.
Schnell ab.
HANS KARL *dicht bei ihr* Das tu ich ja.
ANTOINETTE Sag Er mir sehr was Liebes: nur für den Moment. Der Moment ist ja alles. Ich kann nur im Moment leben. Ich hab so ein schlechtes Gedächtnis.
HANS KARL Ich bin nicht verliebt in Sie, aber ich hab Sie lieb.
ANTOINETTE Und das, was Er der Helen sagen wird, ist ein Adieu?
HANS KARL Ein Adieu.
ANTOINETTE So verhandelt Er mich, so verkauft Er mich!
HANS KARL Aber Sie war mir doch noch nie so nahe.
ANTOINETTE Er wird oft zu mir kommen, mir zureden? Er kann mir ja alles einreden.
Hans Karl küßt sie auf die Stirn, fast ohne es zu wissen.
ANTOINETTE Dank schön.
Läuft weg durch die Mitte.
HANS KARL *steht verwirrt, sammelt sich* Arme, kleine Antoinette.

ZWÖLFTE SZENE

CRESCENCE *kommt durch die Mitte, sehr rasch* Also brillant hast du das gemacht. Das ist ja erste Klasse, wie du so was deichselst.
HANS KARL Wie? Aber du weißt doch gar nicht.

CRESCENCE Was brauch ich noch zu wissen. Ich weiß alles. Die Antoinette hat die Augen voller Tränen, sie stürzt an mir vorbei, sowie sie merkt, daß ichs bin, fällt sie mir um den Hals und ist wieder dahin wie der Wind, das sagt mir doch alles. Du hast ihr ins Gewissen geredet, du hast ihr besseres Selbst aufgeweckt, du hast ihr klargemacht, daß sie sich auf den Stani keine Hoffnungen mehr machen darf, und du hast ihr den einzigen Ausweg aus der verfahrenen Situation gezeigt, daß sie zu ihrem Mann zurück soll und trachten soll, ein anständiges, ruhiges Leben zu führen.

HANS KARL Ja, so ungefähr. Aber es hat sich im Detail nicht so abgespielt. Ich hab nicht deine zielbewußte Art. Ich komm leicht von meiner Linie ab, das muß ich schon gestehen.

CRESCENCE Aber das ist doch ganz egal. Wenn du in so einem Tempo ein so brillantes Resultat erzielst, jetzt, wo du in dem Tempo drin bist, kann ich gar nicht erwarten, daß du die zwei Konversationen mit der Helen und mit dem Poldo Altenwyl absolvierst. Ich bitt dich, geh sie nur an, ich halt dir die Daumen, denk doch nur, daß dem Stani sein Lebensglück von deiner Suada abhängt.

HANS KARL Sei außer Sorg, Crescence, ich hab jetzt grad während dem Reden mit der Antoinette Hechingen so die Hauptlinien gesehen für meine Konversation mit der Helen. Ich bin ganz in der Stimmung. Weißt du, das ist ja meine Schwäche, daß ich so selten das Definitive vor mir sehe: aber diesmal seh ichs.

CRESCENCE Siehst du, das ist das Gute, wenn man ein Programm hat. Da kommt ein Zusammenhang in die ganze Geschichte. Also komm nur: wir suchen zusammen die Helen, sie muß ja in einem von den Salons sein, und sowie wir sie finden, laß ich dich allein mit ihr. Und sobald wir ein Resultat haben, stürz ich ans Telephon und depeschier den Stani hierher.

DREIZEHNTE SZENE

Crescence und Hans Karl gehen links hinaus.
Helen mit Neuhoff treten von rechts herein. Man hört eine gedämpfte Musik aus einem entfernten Salon.

NEUHOFF *hinter ihr* Bleiben Sie stehen. Diese nichtsnutzige, leere, süße Musik und dieses Halbdunkel modellieren Sie wunderbar.

HELENE *ist stehengeblieben, geht aber jetzt weiter auf die Fauteuils links zu* Ich stehe nicht gern Modell, Baron Neuhoff.

NEUHOFF Auch nicht, wenn ich die Augen schließe?

Helene sagt nichts, sie steht links.

NEUHOFF Ihr Wesen, Helene! Wie niemand je war, sind Sie. Ihre Einfachheit ist das Resultat einer ungeheuren Anspannung. Regungslos wie eine Statue vibrieren Sie in sich, niemand ahnt es, der es aber ahnt, der vibriert mit Ihnen.

Helene sieht ihn an, setzt sich.

NEUHOFF *nicht ganz nahe* Wundervoll ist alles an Ihnen. Und dabei, wie alles Hohe, fast erschreckend selbstverständlich.

HELENE Ist Ihnen das Hohe selbstverständlich? Das war ein nobler Gedanke.

NEUHOFF Vielleicht könnte man seine Frau werden – das war es, was Ihre Lippen sagen wollten, Helene!

HELENE Lesen Sie von den Lippen wie die Taubstummen?

NEUHOFF *einen Schritt näher* Sie werden mich heiraten, weil Sie meinen Willen spüren in einer willenlosen Welt.

HELENE *vor sich* Muß man? Ist es ein Gebot, dem eine Frau sich fügen muß: wenn sie gewählt und gewollt wird?

NEUHOFF Es gibt Wünsche, die nicht weither sind. Die darf man unter seine schönen rassigen Füße treten. Der meine ist weither. Er ist gewandert um die halbe Welt. Hier fand er sein Ziel. Sie wurden gefunden, Helene Altenwyl, vom stärksten Willen, auf dem weitesten Umweg, in der kraftlosesten aller Welten.

HELENE Ich bin aus ihr und bin nicht kraftlos.

NEUHOFF Ihr habt dem schönen Schein alles geopfert, auch die Kraft. Wir, dort in unserm nordischen Winkel, wo uns die Jahrhunderte vergessen, wir haben die Kraft behalten. So stehen wir gleich zu gleich und doch ungleich zu ungleich, und aus dieser Ungleichheit ist mir mein Recht über Sie erwachsen.

HELENE Ihr Recht?

NEUHOFF Das Recht des geistig Stärksten über die Frau, die er zu vergeistigen vermag.

HELENE Ich mag nicht diese mystischen Redensarten.

NEUHOFF Es waltet etwas Mystik zwischen zwei Menschen, die sich auf den ersten Blick erkannt haben. Ihr Stolz soll es nicht verneinen.

HELENE *Sie ist aufgestanden* Er verneint es immer wieder.

NEUHOFF Helene, bei Ihnen wäre meine Rettung – meine Zusammenfassung, meine Ermöglichung!

HELENE Ich will von niemand wissen, der sein Leben unter solche Bedingungen stellt!

Sie tut ein paar Schritte an ihm vorbei; ihr Blick haftet an der offenen Tür rechts, wo sie eingetreten ist.

NEUHOFF Wie Ihr Gesicht sich verändert! Was ist das, Helene?

Helene schweigt, sieht nach rechts.

NEUHOFF *ist hinter sie getreten, folgt ihrem Blick* Oh! Graf Bühl erscheint auf der Bildfläche!

Er tritt zurück von der Tür

Sie fühlen magnetisch seine Nähe – ja spüren Sie denn nicht, unbegreifliches Geschöpf, daß Sie für ihn nicht da sind?

HELENE Ich bin schon da für ihn, irgendwie bin ich schon da!

NEUHOFF Verschwenderin! Sie leihen ihm alles, auch noch die Kraft, mit der er Sie hält.

HELENE Die Kraft, mit der ein Mensch einen hält – die hat ihm wohl Gott gegeben.

NEUHOFF Ich staune. Womit übt ein Kari Bühl diese Faszination über Sie? Ohne Verdienst, sogar ohne Bemühung, ohne Willen, ohne Würde –

HELENE Ohne Würde!

NEUHOFF Der schlaffe zweideutige Mensch hat keine Würde.

HELENE Was für Worte gebrauchen Sie da?

NEUHOFF Mein nördlicher Jargon klingt etwas scharf in Ihre schöngeformten Ohren. Aber ich vertrete seine Schärfe. Zweideutig nenne ich den Mann, der sich halb verschenkt und sich halb zurückbehält – der Reserven in allem und jedem hält – in allem und jedem Berechnungen –

HELENE Berechnung und Kari Bühl! Ja, sehen Sie ihn denn wirklich so wenig! Freilich ist es unmöglich, sein letztes Wort zu finden, das bei andern so leicht zu finden ist. Die Ungeschicklichkeit, die ihn so liebenswürdig macht, der timide Hochmut, seine Herablassung, freilich ist alles ein Versteckenspiel, freilich läßt es sich mit plumpen Händen nicht fassen. – Die Eitelkeit erstarrt ihn ja nicht, durch die alle andern steif und hölzern werden – die Vernunft erniedrigt ihn ja nicht, die aus den meisten so etwas Gewöhnliches macht – er gehört nur sich selber, niemand kennt ihn, da ist es kein Wunder, daß Sie ihn nicht kennen!

NEUHOFF So habe ich Sie nie zuvor gesehen, Helene. Ich genieße diesen unvergleichlichen Augenblick! Einmal sehe ich Sie, wie Gott Sie geschaffen hat, Leib und Seele. Ein Schauspiel für Götter. Pfui über die Weichheit bei Männern wie bei Frauen! Aber Strenge, die weich wird, ist herrlich über alles!

Helene schweigt.

NEUHOFF Gestehen Sie mir zu, es zeugt von etwas Superiorität, wenn ein Mann es an einer Frau genießen kann, wie sie einen andern bewundert. Aber ich vermag es: denn ich bagatellisiere Ihre Bewunderung für Kari Bühl.

HELENE Sie verwechseln die Nuancen. Sie sind aigriert, wo es nicht am Platz ist.

NEUHOFF Über was ich hinweggehe, das aigriert mich nicht.

HELENE Sie kennen ihn nicht! Sie haben ihn kaum gesprochen.

NEUHOFF Ich habe ihn besucht –

Helene sieht ihn an.

NEUHOFF Es ist nicht zu sagen, wie dieser Mensch Sie preisgibt – Sie bedeuten ihm nichts. Sie sind es, über die er hinweggeht.

HELENE *ruhig* Nein.

NEUHOFF Es war ein Zweikampf zwischen mir und ihm, ein Zweikampf um Sie – und ich bin nicht unterlegen.

HELENE Nein, es war kein Zweikampf. Es verdient keinen so heroischen Namen. Sie sind hingegangen, um dasselbe zu tun, was ich in diesem Augenblick tu!

Lacht

Ich gebe mir alle Mühe, den Grafen Bühl zu sehen, ohne daß er mich sieht. Aber ich tue es ohne Hintergedanken.

NEUHOFF Helene!

HELENE Ich denke nicht, dabei etwas wegzutragen, das mir nützen könnte!

NEUHOFF Sie treten mich ja in den Staub, Helene – und ich lasse mich treten!

Helene schweigt.

NEUHOFF Und nichts bringt mich näher?

HELENE Nichts.

Sie geht einen Schritt auf die Tür rechts zu.

NEUHOFF Alles an Ihnen ist schön, Helene. Wenn Sie sich niedersetzen, ist es, als ob sie ausruhen müßten von einem großen Schmerz – und

wenn Sie quer durchs Zimmer gehen, ist es, als ob Sie einer ewigen Entscheidung entgegengingen.
Hans Karl ist in der Tür rechts erschienen.
Helene gibt Neuhoff keine Antwort. Sie geht lautlos langsam auf die Tür rechts zu.
Neuhoff geht schnell links hinaus.

VIERZEHNTE SZENE

HANS KARL Ja, ich habe mit Ihnen zu reden.
HELENE Is es etwas sehr Ernstes?
HANS KARL Es kommt vor, daß es einem zugemutet wird. Durchs Reden kommt ja alles auf der Welt zustande. Allerdings, es ist ein bißl lächerlich, wenn man sich einbildet, durch wohlgesetzte Wörter eine weiß Gott wie große Wirkung auszuüben, in einem Leben, wo doch schließlich alles auf das Letzte, Unaussprechliche ankommt. Das Reden basiert auf einer indezenten Selbstüberschätzung.
HELENE Wenn alle Menschen wüßten, wie unwichtig sie sind, würde keiner den Mund aufmachen.
HANS KARL Sie haben einen so klaren Verstand, Helene. Sie wissen immer in jedem Moment so sehr, worauf es ankommt.
HELENE Weiß ich das?
HANS KARL Man versteht sich mit Ihnen ausgezeichnet. Da muß man sehr achtgeben.
HELENE *sieht ihn an* Da muß man achtgeben?
HANS KARL Freilich. Sympathie ist ganz gut, aber auf ihr herumzureiten, wäre doch namenlos indisrekt. Darum muß man doch gerade auf der Hut sein, wenn man das Gefühl hat, sich sehr gut zu verstehen.
HELENE Das müssen Sie tun, natürlich. So ist Ihre Natur. Wer sich einfallen ließe, Sie fixieren zu wollen, wäre schon verloren. Aber wer glaubt, daß Sie ihm für immer adieu gesagt haben, dem könnte passieren, daß Sie ihm wieder guten Tag sagen. – Heut hat die Antoinette wieder Charme für Sie gehabt.
HANS KARL Sie bemerken alles!
HELENE Sie verbrauchen auf Ihre Art die armen Frauen, aber Sie haben sie gar nicht sehr lieb. Es gehört viel Contenance dazu oder ein bißl Gewöhnlichkeit, um Ihre Freundin zu bleiben.

HANS KARL Wenn Sie mich so sehen, dann bin ich Ihnen ja direkt unsympathisch!

HELENE Gar nicht. Sie sind charmant. Sie sind bei all dem wie ein Kind.

HANS KARL Wie ein Kind? Und dabei bin ich nahezu ein alter Mensch. Das ist doch ein horreur. Mit neununddreißig Jahren nicht wissen, woran man mit sich selber ist, das ist doch eine Schand.

HELENE Ich brauchte nie nachzudenken, woran ich mit mir selber bin. Bei mir ist wirklich gar nichts los, es ist nichts da als ein anständiges, ruhiges Benehmen.

HANS KARL Sie haben so eine reizende Art!

HELENE Ich möchte nicht sentimental sein, das langweilt mich. Ich möchte lieber terre à terre sein, wie Gott weiß wer, als sentimental. Ich möchte auch nicht spleenig sein, und ich möchte nicht kokett sein. So bleibt mir nichts übrig, als möglichst artig zu sein.

Hans Karl schweigt.

HELENE Au fond können wir Frauen tun, was wir wollen, meinetwegen Solfèges singen oder politisieren, wir meinen immer noch was anderes damit. – Solfèges singen ist indiskreter, Artigsein ist diskreter, es drückt die bestimmte Absicht aus, keine Indiskretionen zu begehen. Weder gegen sich, noch gegen einen andern.

HANS KARL Alles an Ihnen ist besonders und schön. Ihnen kann ja gar nichts geschehen. Heiraten Sie wen immer, heiraten Sie den Neuhoff, nein, den Neuhoff, wenn sichs vermeiden läßt, lieber nicht, aber den ersten besten frischen Menschen, einen Menschen wie meinen Neffen Stani, ja wirklich, Helene, heiraten Sie den Stani, er möchte so gern, und Ihnen kann ja gar nichts passieren. Sie sind ja unzerstörbar, das steht ja deutlich in Ihrem Gesicht geschrieben. Ich bin immer fasziniert von einem wirklich schönen Gesicht – aber das Ihre –

HELENE Ich möchte nicht, daß Sie so mit mir reden, Graf Bühl.

HANS KARL Aber nein, an Ihnen ist ja nicht die Schönheit das Entscheidende, sondern etwas ganz anderes: in Ihnen liegt das Notwendige. Sie können mich natürlich nicht verstehen, ich versteh mich selbst viel schlechter, wenn ich red, als wenn ich still bin. Ich kann gar nicht versuchen, Ihnen das zu explizieren, es ist halt etwas, was ich draußen begreifen gelernt habe: daß in den Gesichtern der Menschen etwas geschrieben steht. Sehen Sie, auch in einem Gesicht wie dem von der Antoinette kann ich lesen –

HELENE *mit einem flüchtigen Lächeln* Aber davon bin ich überzeugt.

HANS KARL *ernst* Ja, es ist ein charmantes, liebes Gesicht, aber es steht immer ein und derselbe stumme Vorwurf in ihm eingegraben: Warum habts ihr mich alle dem fürchterlichen Zufall überlassen? Und das gibt ihrer kleinen Maske etwas so Hilfloses, Verzweifeltes, daß man Angst um sie haben könnte.

HELENE Aber die Antoinette ist doch da. Sie existiert doch so ganz für den Moment. So müssen doch Frauen sein, der Moment ist ja alles. Was soll denn die Welt mit einer Person anfangen, wie ich bin? Für mich ist ja der Moment gar nicht da, ich stehe da und sehe die Lampen dort brennen, und in mir sehe ich sie schon ausgelöscht. Und ich spreche mit Ihnen, wir sind ganz allein in einem Zimmer, aber in mir ist das jetzt schon vorbei: wie wenn irgendein gleichgültiger Mensch hereingekommen wäre und uns gestört hätte, die Huberta oder der Theophil Neuhoff oder wer immer, und das schon vorüber wäre, daß ich mit Ihnen allein dagesessen bin, bei dieser Musik, die zu allem auf der Welt besser paßt, als zu uns beiden – und Sie schon wieder irgendwo dort zwischen den Leuten. Und ich auch irgendwo zwischen den Leuten.

HANS KARL *leise* Jeder muß glücklich sein, der mit Ihnen leben darf, und muß Gott danken bis an sein Lebensende, Helen, bis an sein Lebensende, seis wers sei. Nehmen Sie nicht den Neuhoff, Helen, – eher einen Menschen wie den Stani, oder auch nicht den Stani, einen ganz andern, der ein braver, nobler Mensch ist – und ein Mann: das ist alles, was ich nicht bin.

Er steht auf.

HELENE *steht auch auf, sie spürt, daß er gehen will* Sie sagen mir ja adieu!

Hans Karl gibt keine Antwort.

HELENE Auch das hab ich voraus gewußt. Daß einmal ein Moment kommen wird, wo Sie mir so plötzlich adieu sagen werden und ein Ende machen – wo gar nichts war. Aber denen, wo wirklich was war, denen können Sie nie adieu sagen.

HANS KARL Helen, es sind gewisse Gründe.

HELENE Ich glaube, ich habe alles in der Welt, was sich auf uns zwei bezieht, schon einmal gedacht. So sind wir schon einmal gestanden, so hat eine fade Musik gespielt, und so haben Sie mir adieu gesagt, einmal für allemal.

HANS KARL Es ist nicht nur so aus diesem Augenblick heraus, Helen, daß ich Ihnen adieu sage. O nein, das dürfen Sie nicht glauben. Denn daß man jemandem adieu sagen muß, dahinter versteckt sich ja was.

HELENE Was denn?

HANS KARL Da muß man ja sehr zu jemandem gehören und doch nicht ganz zu ihm gehören dürfen.

HELENE *zuckt* Was wollen Sie damit sagen?

HANS KARL Da draußen, da war manchmal was – mein Gott, ja, wer könnte denn das erzählen!

HELENE Ja, mir. Jetzt.

HANS KARL Da waren solche Stunden, gegen Abend oder in der Nacht, der frühe Morgen mit dem Morgenstern – Helen, Sie waren da sehr nahe von mir. Dann war dieses Verschüttetwerden, Sie haben davon gehört –

HELENE Ja, ich hab davon gehört –

HANS KARL Das war nur ein Moment, dreißig Sekunden sollen es gewesen sein, aber nach innen hat das ein anderes Maß. Für mich wars eine ganze Lebenszeit, die ich gelebt hab, und in diesem Stück Leben, da waren Sie meine Frau. Ist das nicht spaßig?

HELENE Da war ich Ihre Frau?

HANS KARL Nicht meine zukünftige Frau. Das ist das Sonderbare. Meine Frau ganz einfach. Als ein fait accompli. Das Ganze hat eher etwas Vergangenes gehabt als etwas Zukünftiges.

Helene schweigt.

HANS KARL Mein Gott, ich bin eben nicht möglich, das sag ich ja der Crescence! Jetzt sitz ich da neben Ihnen in einer Soiree und verlier mich in Geschichten, wie der alte Millesimo, Gott hab ihn selig, den schließlich die Leut allein sitzen haben lassen, mit seinen Anekdoten ohne Pointe, und der das gar nicht bemerkt hat und mutterseelenallein weitererzählt hat.

HELENE Aber ich laß Sie gar nicht sitzen, ich hör zu, Graf Kari. Sie haben mir etwas sagen wollen, war es das?

HANS KARL Nämlich: das war eine sehr subtile Lektion, die mir da eine höhere Macht erteilt hat. Ich werd Ihnen sagen, Helen, was die Lektion bedeutet hat.

Helen hat sich gesetzt, er setzt sich auch, die Musik hat aufgehört.

HANS KARL Es hat mir in einem ausgewählten Augenblick ganz eingeprägt werden sollen, wie das Glück ausschaut, das ich mir verscherzt habe. Wodurch ich mirs verscherzt habe, das wissen Sie ja so gut wie ich.

HELENE Das weiß ich so gut wie Sie?

HANS KARL Indem ich halt, solange noch Zeit war, nicht erkannt habe, worin das Einzige liegen könnte, worauf es ankäm. Und daß ich das nicht erkannt habe, das war eben die Schwäche meiner Natur. Und so habe ich diese Prüfung nicht bestanden. Später im Feldspital, in den vielen ruhigen Tagen und Nächten hab ich das alles mit einer unbeschreiblichen Klarheit und Reinheit erkennen können.

HELENE War es das, was Sie mir haben sagen wollen, genau das?

HANS KARL Die Genesung ist so ein merkwürdiger Zustand. Darin ist mir die ganze Welt wiedergekommen, wie etwas Reines, Neues und dabei so Selbstverständliches. Ich hab da auf einmal ausdenken können, was das ist: ein Mensch. Und wie das sein muß: zwei Menschen, die ihr Leben aufeinanderlegen und werden wie ein Mensch. Ich habe – in der Ahnung wenigstens – mir vorstellen können – was da dazu gehört, wie heilig das ist und wie wunderbar. Und sonderbarerweise, es war nicht meine Ehe, die ganz ungerufen die Mitte von diesem Denken war – obwohl es ja leicht möglich ist, daß ich noch einmal heirat –, sondern es war Ihre Ehe.

HELENE Meine Ehe! Meine Ehe – mit wem denn?

HANS KARL Das weiß ich nicht. Aber ich hab mir das in einer ganz genauen Weise vorstellen können, wie das alles sein wird, und wie es sich abspielen wird, mit ganz wenigen Leuten und ganz heilig und feierlich, und wie alles so sein wird, wie sichs gehört zu Ihren Augen und zu Ihrer Stirn und zu Ihren Lippen, die nichts Überflüssiges reden können, und zu Ihren Händen, die nichts Unwürdiges besiegeln können – und sogar das Ja-Wort hab ich gehört, ganz klar und rein, von Ihrer klaren, reinen Stimme – ganz von weitem, denn ich war doch natürlich nicht dabei, ich war doch nicht dabei! – Wie käm ich als ein Außenstehender zu der Zeremonie – Aber es hat mich gefreut, Ihnen einmal zu sagen, wie ichs Ihnen mein. – Und das kann man natürlich nur in einem besonderen Moment; wie der jetzige, sozusagen in einem definitiven Moment –

Helene ist dem Umsinken nah, beherrscht sich aber.

HANS KARL *Tränen in den Augen* Mein Gott, jetzt hab ich Sie ganz bouleversiert, das liegt an meiner unmöglichen Art, ich attendrier mich sofort, wenn ich von was sprech oder hör, was nicht aufs Allerbanalste hinausgeht – es sind die Nerven seit der Geschichte, aber das steckt sensible Menschen wie Sie natürlich an – ich gehör eben nicht unter Menschen – das sag ich ja der Crescence – ich bitt Sie tausendmal um Verzeihung, vergessen Sie alles, was ich da Konfuses zusammengeredt hab – es kommen ja in so einem Abschiedsmoment tausend Erinnerungen durcheinander –

Hastig, weil er fühlt, daß sie nicht mehr allein sind

– aber wer sich beisammen hat, der vermeidet natürlich, sie auszukramen – Adieu, Helen, Adieu.

Der berühmte Mann ist von rechts eingetreten.

HELENE *kaum ihrer selbst mächtig* Adieu!

Sie wollen sich die Hände geben, keine Hand findet die andere.

Hans Karl will fort nach rechts. Der berühmte Mann tritt auf ihn zu. Hans Karl sieht sich nach links um.

Crescence tritt von links ein.

DER BERÜHMTE MANN Es war seit langem mein lebhafter Wunsch, Euer Erlaucht –

HANS KARL *eilt fort nach rechts* Pardon, mein Herr!

An ihm vorbei.

Crescence tritt zu Helene, die totenblaß dasteht.

Der berühmte Mann ist verlegen abgegangen.

Hans Karl erscheint nochmals in der Tür rechts, sieht herein, wie unschlüssig, und verschwindet gleich wieder, wie er Crescence bei Helene sieht.

HELENE *zu Crescence, fast ohne Besinnung* Du bists, Crescence? Er ist ja noch einmal hereingekommen. Hat er noch etwas gesagt?

Sie taumelt, Crescence hält sie.

CRESCENCE Aber ich bin ja so glücklich. Deine Ergriffenheit macht mich ja so glücklich!

HELENE Pardon, Crescence, sei mir nicht bös!

Macht sich los und läuft weg nach links.

CRESCENCE Ihr habts euch eben beide viel lieber, als ihr wißts, der Stani und du!

Sie wischt sich die Augen.

Der Vorhang fällt.

DRITTER AKT

Vorsaal im Altenwylschen Haus. Rechts der Ausgang in die Einfahrt. Treppe in der Mitte. Hinaufführend zu einer Galerie, von der links und rechts je eine Flügeltür in die eigentlichen Gemächer führt. Unten neben der Treppe niedrige Divans oder Bänke.

ERSTE SZENE

KAMMERDIENER *steht beim Ausgang rechts. Andere Diener stehen außerhalb, sind durch die Glasscheiben des Windfangs sichtbar. Kammerdiener ruft den andern Dienern zu* Herr Hofrat Professor Brücke!

Der berühmte Mann kommt die Treppe herunter.

Diener kommt von rechts mit dem Pelz, in dem innen zwei Cachenez hängen, mit Überschuhen.

KAMMERDIENER *während dem berühmten Mann in die Überkleider geholfen wird* Befehlen Herr Hofrat ein Auto?

DER BERÜHMTE MANN Ich danke. Ist seine Erlaucht, der Graf Bühl nicht soeben vor mir gewesen?

KAMMERDIENER Soeben im Augenblick.

DER BERÜHMTE MANN Ist er fortgefahren?

KAMMERDIENER Nein, Erlaucht hat sein Auto weggeschickt, er hat zwei Herren vorfahren sehen und ist hinter die Portiersloge getreten und hat sie vorbeigelassen. Jetzt muß er gerade aus dem Haus sein.

DER BERÜHMTE MANN *beeilt sich* Ich werde ihn einholen.

Er geht, man sieht zugleich draußen Stani und Hechingen eintreten.

ZWEITE SZENE

Stani und Hechingen treten ein, hinter jedem ein Diener, der ihm Überrock und Hut abnimmt.

STANI *grüßt im Vorbeigehen den berühmten Mann* Guten Abend Wenzel, meine Mutter ist da?

KAMMERDIENER Sehr wohl, Frau Gräfin sind beim Spiel.

Tritt ab, ebenso wie die andern Diener.

Stani will hinaufgehen, Hechingen steht seitlich an einem Spiegel, sichtlich nervös.

Ein anderer Altenwylscher Diener kommt die Treppe herab.

STANI *hält den Diener auf* Sie kennen mich?

DIENER Sehr wohl, Herr Graf.

STANI Gehen Sie durch die Salons und suchen Sie den Grafen Bühl, bis Sie ihn finden. Dann nähern Sie sich ihm unauffällig und melden ihm, ich lasse ihn bitten auf ein Wort, entweder im Eckzimmer der Bildergalerie oder im chinesischen Rauchzimmer. Verstanden? Also was werden Sie sagen?

DIENER Ich werde melden, Herr Graf Freudenberg wünschen mit Seiner Erlaucht privat ein Wort zu sprechen, entweder im Ecksalon –

STANI Gut.

Diener geht.

HECHINGEN Pst, Diener!

Diener hört ihn nicht, geht oben hinein.

Stani hat sich gesetzt.

Hechingen sieht ihn an.

STANI Wenn du vielleicht ohne mich eintreten würdest? Ich habe eine Post hinaufgeschickt, ich warte hier einen Moment, bis er mir die Antwort bringt.

HECHINGEN Ich leiste dir Gesellschaft.

STANI Nein, ich bitte sehr, daß du dich durch mich nicht aufhalten laßt. Du warst ja sehr pressiert, herzukommen –

HECHINGEN Mein lieber Stani, du siehst mich in einer ganz besonderen Situation vor dir. Wenn ich jetzt die Schwelle dieses Salons überschreite, so entscheidet sich mein Schicksal.

STANI *enerviert über Hechingens nervöses Aufundabgehen* Möchtest du nicht vielleicht Platz nehmen? Ich wart nur auf den Diener, wie gesagt.

HECHINGEN Ich kann mich nicht setzen, ich bin zu agitiert.

STANI Du hast vielleicht ein bissel schnell den Schampus hinuntergetrunken.

HECHINGEN Auf die Gefahr hin, dich zu langweilen, mein lieber Stani, muß ich dir gestehen, daß für mich in dieser Stunde außerordentlich Großes auf dem Spiel steht.

STANI *während Hechingen sich wieder nervös zerstreut von ihm entfernt* Aber es steht ja öfter irgend etwas Serioses auf dem Spiel. Es kommt nur darauf an, sich nichts merken zu lassen.

HECHINGEN *wieder näher* Dein Onkel Kari hat es in seiner freundschaftlichen Güte auf sich genommen, mit der Antoinette, mit meiner Frau, ein Gespräch zu führen, dessen Ausgang wie gesagt –

STANI Der Onkel Kari?

HECHINGEN Ich mußte mir sagen, daß ich mein Schicksal in die Hand keines nobleren, keines selbstloseren Freundes –

STANI Aber natürlich. – Wenn er nur die Zeit gefunden hat?

HECHINGEN Wie?

STANI Er übernimmt manchmal ein bissl viel, der Onkel Kari. Wenn irgend jemand etwas von ihm will – er kann nicht nein sagen.

HECHINGEN Es war abgemacht, daß ich im Club ein telephonisches Signal erwarte, ob ich hierherkommen soll, oder ob mein Erscheinen noch nicht opportun ist.

STANI Ah. Da hätte ich aber an deiner Stelle auch wirklich gewartet.

HECHINGEN Ich war nicht mehr imstande, länger zu warten. Bedenke, was für mich auf dem Spiel steht!

STANI Über solche Entscheidungen muß man halt ein bißl erhaben sein. Aha!

Sieht den Diener, der oben heraustritt.

Diener kommt die Treppe herunter.

Stani ihm entgegen, läßt Hechingen stehen.

DIENER Nein, ich glaube, Seine Erlaucht müssen fort sein.

STANI Sie glauben? Ich habe Ihnen gesagt, Sie sollen herumgehen, bis Sie ihn finden.

DIENER Verschiedene Herrschaften haben auch schon gefragt, Seine Erlaucht müssen rein unauffällig verschwunden sein.

STANI Sapristi! Dann gehen Sie zu meiner Mutter und melden Sie ihr, ich lasse vielmals bitten, sie möchte auf einen Moment zu mir in den vordersten Salon herauskommen. Ich muß meinen Onkel oder sie sprechen, bevor ich eintrete.

DIENER Sehr wohl.

Geht wieder hinauf.

HECHINGEN Mein Instinkt sagt mir, daß der Kari in der Minute heraustreten wird, um mir das Resultat zu verkündigen, und daß es ein glückliches sein wird.

STANI So einen sicheren Instinkt hast du? Ich gratuliere.

HECHINGEN Etwas hat ihn abgehalten zu telephonieren, aber er hat mich herbeigewünscht. Ich fühle mich ununterbrochen im Kontakt mit ihm.

STANI Fabelhaft!

HECHINGEN Das ist bei uns gegenseitig. Sehr oft spricht er etwas aus, was ich im gleichen Augenblick mir gedacht habe.

STANI Du bist offenbar ein großartiges Medium.

HECHINGEN Mein lieber Freund, wie ich ein junger Hund war wie du, hätte ich auch viel nicht für möglich gehalten, aber wenn man seine Fünfunddreißig auf dem Buckel hat, da gehen einem die Augen für so manches auf. Es ist ja, wie wenn man früher taub und blind gewesen wäre.

STANI Was du nicht sagst!

HECHINGEN Ich verdank ja dem Kari geradezu meine zweite Erziehung. Ich lege Gewicht darauf, klarzustellen, daß ich ohne ihn einfach aus meiner verworrenen Lebenssituation nicht herausgefunden hätte.

STANI Das ist enorm.

HECHINGEN Ein Wesen wie die Antoinette, mag man auch ihr Mann gewesen sein, das sagt noch gar nichts, man hat eben keine Ahnung von dieser inneren Feinheit. Ich bitte nicht zu übersehen, daß ein solches Wesen ein Schmetterling ist, dessen Blütenstaub man schonen muß. Wenn du sie kennen würdest, ich meine näher kennen –

Stani, verbindliche Gebärde.

HECHINGEN Ich faß mein Verhältnis zu ihr jetzt so auf, daß es einfach meine Schuldigkeit ist, ihr die Freiheit zu gewähren, deren ihre bizarre, phantasievolle Natur bedarf. Sie hat die Natur der grande dame des achtzehnten Jahrhunderts. Nur dadurch, daß man ihr die volle Freiheit gewährt, kann man sie an sich fesseln.

STANI Ah.

HECHINGEN Man muß large sein, das ist es, was ich dem Kari verdanke. Ich würde keineswegs etwas Irreparables darin erblicken, einen Menschen, der sie verehrt, in larger Weise heranzuziehen.

STANI Ich begreife.

HECHINGEN Ich würde mich bemühen, meinen Freund aus ihm zu machen, nicht aus Politik, sondern ganz unbefangen. Ich werde ihm herzlich entgegenkommen: das ist die Art, wie der Kari mir gezeigt hat, daß man die Menschen nehmen muß: mit einem leichten Handgelenk.

STANI Aber es ist nicht alles au pied de la lettre zu nehmen, was der Onkel Kari sagt.

HECHINGEN Au pied de la lettre natürlich nicht. Ich würde dich bitten, nicht zu übersehen, daß ich genau fühle, worauf es ankommt. Es kommt alles auf ein gewisses Etwas an, auf eine Grazie – ich möchte sagen, es muß alles ein beständiges Impromptu sein.
Er geht nervös auf und ab.

STANI Man muß vor allem seine tenue zu wahren wissen. Beispielsweise, wenn der Onkel Kari eine Entscheidung über was immer zu erwarten hätte, so würde kein Mensch ihm etwas anmerken.

HECHINGEN Aber natürlich. Dort hinter dieser Statue oder hinter der großen Azalee würde er mit der größten Nonchalance stehen und plauschen – ich mal mir das aus! Auf die Gefahr hin, dich zu langweilen, ich schwör dir, daß ich jede kleine Nuance, die in ihm vorgehen würde, nachempfinden kann.

STANI Da wir uns aber nicht beide hinter die Azalee stellen können und dieser Idiot von Diener absolut nicht wiederkommt, so werden wir vielleicht hinaufgehen.

HECHINGEN Ja, gehen wir beide. Es tut mir wohl, diesen Augenblick nicht allein zu verbringen. Mein lieber Stani, ich hab eine so aufrichtige Sympathie für dich!
Hängt sich in ihn ein.

STANI *indem er seinen Arm von dem Hechingens entfernt* Aber vielleicht nicht bras dessus bras dessous wie die Komtessen, wenn sie das erste Jahr ausgehen, sondern jeder extra.

HECHINGEN Bitte, bitte, wie dirs genehm ist. –

STANI Ich würde dir vorschlagen, als erster zu starten. Ich komm dann sofort nach.
Hechingen geht voraus, verschwindet oben.
Stani geht ihm nach.

DRITTE SZENE

HELENE *tritt aus einer kleinen versteckten Tür in der linken Seitenwand. Sie wartet, bis Stani oben unsichtbar geworden ist. Dann ruft sie den Kammerdiener leise an* Wenzel, Wenzel, ich will Sie etwas fragen.

KAMMERDIENER *geht schnell zu ihr hinüber* Befehlen Komtesse?

HELENE *mit sehr leichtem Ton* Haben Sie gesehen, ob der Graf Bühl fortgegangen ist?

KAMMERDIENER Jawohl, sind fortgegangen, vor fünf Minuten.

HELENE Er hat nichts hinterlassen?

KAMMERDIENER Wie meinen die Komtesse?

HELENE Einen Brief oder eine mündliche Post.

KAMMERDIENER Mir nicht, ich werde gleich die andern Diener fragen.

Geht hinüber.

Helene steht und wartet.

Stani wird oben sichtbar. Er sucht zu sehen, mit wem Helene spricht, und verschwindet dann wieder.

KAMMERDIENER *kommt zurück zu Helene* Nein, gar nicht. Er hat sein Auto weggeschickt, sich eine Zigarre angezündet und ist gegangen.

Helene sagt nichts.

KAMMERDIENER *nach einer kleinen Pause* Befehlen Komtesse noch etwas?

HELENE Ja, Wenzel, ich werd in ein paar Minuten wiederkommen, und dann werd ich aus dem Hause gehen.

KAMMERDIENER Wegfahren, noch jetzt am Abend?

HELENE Nein, gehen, zu Fuß.

KAMMERDIENER Ist jemand krank geworden?

HELENE Nein, es ist niemand krank, ich muß mit jemandem sprechen.

KAMMERDIENER Befehlen Komtesse, daß wer begleitet außer der Miss?

HELENE Nein, ich werde ganz allein gehen, auch die Miss Jekyll wird mich nicht begleiten. Ich werde hier herausgehen in einem Augenblick, wenn niemand von den Gästen hier fortgeht. Und ich werde Ihnen einen Brief für den Papa geben.

KAMMERDIENER Befehlen, daß ich den dann gleich hineintrage?

HELENE Nein, geben Sie ihn dem Papa, wenn er die letzten Gäste begleitet hat.

KAMMERDIENER Wenn sich alle Herrschaften verabschiedet haben?

HELENE Ja, im Moment, wo er befiehlt, das Licht auszulöschen. Aber dann bleiben Sie bei ihm. Ich möchte, daß Sie –

Sie stockt.

KAMMERDIENER Befehlen?

HELENE Wie alt war ich, Wenzel, wie Sie hier ins Haus gekommen sind?

KAMMERDIENER Fünf Jahre altes Mäderl waren Komtesse.

HELENE Es ist gut, Wenzel, ich danke Ihnen. Ich werde hier herauskommen, und Sie werden mir ein Zeichen geben, ob der Weg frei ist.

Reicht ihm ihre Hand zum Küssen.

KAMMERDIENER Befehlen.

Küßt die Hand.

Helene geht wieder ab durch die kleine Tür.

VIERTE SZENE

Antoinette und Neuhoff kommen rechts seitwärts der Treppe aus dem Wintergarten

ANTOINETTE Das war die Helen. War sie allein? Hat sie mich gesehen?

NEUHOFF Ich glaube nicht. Aber was liegt daran? Jedenfalls haben Sie diesen Blick nicht zu fürchten.

ANTOINETTE Ich fürcht mich vor ihr. Sooft ich an sie denk, glaub ich, daß mich wer angelogen hat. Gehen wir woanders hin, wir können nicht hier im Vestibül sitzen.

NEUHOFF Beruhigen Sie sich. Kari Bühl ist fort. Ich habe soeben gesehen, wie er fortgegangen ist.

ANTOINETTE Gerade jetzt im Augenblick?

NEUHOFF *versteht, woran sie denkt* Er ist unbemerkt und unbegleitet fortgegangen.

ANTOINETTE Wie?

NEUHOFF Eine gewisse Person hat ihn nicht bis hierher begleitet und hat überhaupt in der letzten halben Stunde seines Hierseins nicht mit ihm gesprochen. Ich habe es festgestellt. Seien Sie ruhig.

ANTOINETTE Er hat mir geschworen, er wird ihr adieu sagen für immer. Ich möcht ihr Gesicht sehen, dann wüßt ich –

NEUHOFF Dieses Gesicht ist hart wie Stein. Bleiben Sie bei mir hier.

ANTOINETTE Ich –

NEUHOFF Ihr Gesicht ist entzückend. Andere Gesichter verstecken alles. Das Ihrige ist ein unaufhörliches Geständnis. Man könnte diesem Gesicht alles entreißen, was je in Ihnen vorgegangen ist.

ANTOINETTE Man könnte? Vielleicht – wenn man einen Schatten von Recht dazu hätte.

NEUHOFF Man nimmt das Recht dazu aus dem Moment. Sie sind eine

Frau, eine wirkliche, entzückende Frau. Sie gehören keinem und jedem! Nein: Sie haben noch keinem gehört, Sie warten noch immer.

ANTOINETTE *mit einem kleinen nervösen Lachen* Nicht auf Sie!

NEUHOFF Ja, genau auf mich, das heißt auf den Mann, den Sie noch nicht kennen, auf den wirklichen Mann, auf Ritterlichkeit, auf Güte, die in der Kraft wurzelt. Denn die Karis haben Sie nur malträtiert, betrogen vom ersten bis zum letzten Augenblick, diese Sorte von Menschen ohne Güte, ohne Kern, ohne Nerv, ohne Loyalität! Diese Schmarotzer, denen ein Wesen wie Sie immer wieder und wieder in die Schlinge fällt, ungelohnt, unbedankt, unbeglückt, erniedrigt in ihrer zartesten Weiblichkeit!

Will ihre Hand ergreifen.

ANTOINETTE Wie Sie sich echauffieren! Aber vor Ihnen bin ich sicher, Ihr kalter, wollender Verstand hebt ja den Kopf aus jedem Wort, das Sie reden. Ich hab nicht einmal Angst vor Ihnen. Ich will Sie nicht!

NEUHOFF Mein Verstand, ich haß ihn ja! Ich will ja erlöst sein von ihm, mich verlangt ja nichts anderes, als ihn bei Ihnen zu verlieren, süße kleine Antoinette!

Er will ihre Hand nehmen.

Hechingen wird oben sichtbar, tritt aber gleich wieder zurück. Neuhoff hat ihn gesehen, nimmt ihre Hand nicht, ändert die Stellung und den Gesichtsausdruck.

ANTOINETTE Ah, jetzt hab ich Sie durch und durch gesehen! Wie sich das jäh verändern kann in Ihrem Gesicht! Ich will Ihnen sagen, was jetzt passiert ist: jetzt ist oben die Helen vorbeigegangen, und in diesem Augenblick hab ich in Ihnen lesen können wie in einem offenen Buch. Dépit und Ohnmacht, Zorn, Scham und die Lust, mich zu kriegen – faute de mieux –, das alles war zugleich darin. Die Edine schimpft mit mir, daß ich komplizierte Bücher nicht lesen kann. Aber das war recht kompliziert, und ich habs doch lesen können in einem Nu. Geben Sie sich keine Müh mit mir. Ich mag nicht!

NEUHOFF *beugt sich zu ihr* Du sollst wollen!

ANTOINETTE *steht auf* Oho! Ich mag nicht! Ich mag nicht! Denn das, was da aus Ihren Augen hervorwill und mich in seine Gewalt kriegen will, aber nur will! – kann sein, daß das sehr männlich ist – aber ich mags nicht. Und wenn das Euer Bestes ist, so hat jede einzelne von uns, und wäre sie die Gewöhnlichste, etwas in sich, das besser ist als Euer Bestes, und das gefeit ist gegen Euer Bestes durch ein bisserl

eine Angst. Aber keine solche Angst, die einen schwindlig macht, sondern eine ganz nüchterne, ganz prosaische.
Sie geht gegen die Treppe, bleibt noch einmal stehen
Verstehen Sie mich? Bin ich ganz deutlich? Ich fürcht mich vor Ihnen, aber nicht genug, das ist Ihr Pech. Adieu, Baron Neuhoff.
Neuhoff ist schnell nach dem Wintergarten abgegangen.

FÜNFTE SZENE

Hechingen tritt oben herein, er kommt sehr schnell die Treppe herunter. Antoinette ist betroffen und tritt zurück.

HECHINGEN Toinette!
ANTOINETTE *unwillkürlich* Auch das noch!
HECHINGEN Wie sagst du?
ANTOINETTE Ich bin überrascht – das mußt du doch begreifen.
HECHINGEN Und ich bin glücklich. Ich danke meinem Gott, ich danke meiner Chance, ich danke diesem Augenblick!
ANTOINETTE Du siehst ein bissl verändert aus. Dein Ausdruck ist anders, ich weiß nicht, woran es liegt. Bist du nicht ganz wohl?
HECHINGEN Liegt es nicht daran, daß diese schwarzen Augen mich lange nicht angeschaut haben?
ANTOINETTE Aber es ist ja nicht so lang her, daß man sich gesehen hat.
HECHINGEN Sehen und Anschaun ist zweierlei, Toinette.
Er ist ihr näher gekommen.
Antoinette tritt zurück.
HECHINGEN Vielleicht aber ist es etwas anderes, das mich verändert hat, wenn ich die Unbescheidenheit haben darf, von mir zu sprechen.
ANTOINETTE Was denn? Ist etwas passiert? Interessierst du dich für wen?
HECHINGEN Deinen Charme, deinen Stolz im Spiel zu sehen, die ganze Frau, die man liebt, plötzlich vor sich zu sehen, sie leben zu sehen!
ANTOINETTE Ah, von mir ist die Rede!
HECHINGEN Ja, von dir. Ich war so glücklich, dich einmal so zu sehen wie du bist, denn da hab ich dich einmal nicht intimidiert. O meine Gedanken, wie ich da oben gestanden bin! Diese Frau begehrt von

allen und allen sich versagend! Mein Schicksal, dein Schicksal, denn es ist unser beider Schicksal. Setz dich zu mir!

Er hat sich gesetzt, streckt die Hand nach ihr aus.

ANTOINETTE Man kann so gut im Stehen miteinander reden, wenn man so alte Bekannte ist.

HECHINGEN *ist wieder aufgestanden* Ich hab dich nicht gekannt. Ich hab erst andere Augen bekommen müssen. Der zu dir kommt, ist ein andrer, ein Verwandelter.

ANTOINETTE Du hast so einen neuen Ton in deinen Reden. Wo hast du dir das angewöhnt?

HECHINGEN Der zu dir redet, das ist der, den du nicht kennst, Toinette, so wie er dich nicht gekannt hat! Und der sich nichts anderes wünscht, nichts anderes träumt, als von dir gekannt zu sein und dich zu kennen.

ANTOINETTE Ado, ich bitt dich um alles, red nicht mit mir, als wenn ich eine Speisewagenbekanntschaft aus einem Schnellzug wäre.

HECHINGEN Mit der ich fahren möchte, fahren bis ans Ende der Welt!

Will ihre Hand küssen, sie entzieht sie ihm.

ANTOINETTE Ich bitt dich, merk doch, daß mich das crispiert. Ein altes Ehepaar hat doch einen Ton miteinander. Den wechselt man doch nicht, das ist ja zum Schwindligwerden.

HECHINGEN Ich weiß nichts von einem alten Ehepaar, ich weiß nichts von unserer Situation.

ANTOINETTE Aber das ist doch die gegebene Situation.

HECHINGEN Gegeben? Das alles gibts ja gar nicht. Hier bist du und ich, und alles fängt wieder vom Frischen an.

ANTOINETTE Aber nein, gar nichts fängt vom Frischen an.

HECHINGEN Das ganze Leben ist ein ewiges Wiederanfangen.

ANTOINETTE Nein, nein, ich bitt dich um alles, bleib doch in deinem alten Genre. Ich kanns sonst nicht aushalten. Sei mir nicht bös, ich hab ein bissl Migräne, ich hab schon früher nach Hause fahren wollen, bevor ich gewußt hab, daß ich dich – ich hab doch nicht wissen können!

HECHINGEN Du hast nicht wissen können, wer der sein wird, der vor dich hintreten wird, und daß es nicht dein Mann ist, sondern ein neuer enflammierter Verehrer, enflammiert wie ein Bub von zwanzig Jahren! Das verwirrt dich, das macht dich taumeln.

Will ihre Hand nehmen.

ANTOINETTE Nein, es macht mich gar nicht taumeln, es macht mich ganz nüchtern. So terre à terre machts mich, alles kommt mir so armselig vor und ich mir selbst. Ich hab heut einen unglücklichen Abend, bitte, tu mir einen einzigen Gefallen, laß mich nach Haus fahren.

HECHINGEN Oh, Antoinette!

ANTOINETTE Das heißt, wenn du mir etwas Bestimmtes hast sagen wollen, so sags mir, ich werds sehr gern anhören, aber ich bitt dich um eins! Sags ganz in deinem gewöhnlichen Ton, so wie immer.

Hechingen, betrübt und ernüchtert, schweigt.

ANTOINETTE So sag doch, was du mir hast sagen wollen.

HECHINGEN Ich bin betroffen zu sehen, daß meine Gegenwart dich einerseits zu überraschen, anderseits zu belasten scheint. Ich durfte mich der Hoffnung hingeben, daß ein lieber Freund Gelegenheit genommen haben würde, dir von mir, von meinen unwandelbaren Gefühlen für dich zu sprechen. Ich habe mir zurechtgelegt, daß auf dieser Basis eine improvisierte Aussprache zwischen uns möglicherweise eine veränderte Situation schon vorfindet oder wenigstens schaffen würde können. – Ich würde dich bitten, nicht zu übersehen, daß du mir die Gelegenheit, dir von meinem eigenen Innern zu sprechen, bisher nicht gewährt hast – ich fasse mein Verhältnis zu dir so auf, Antoinette – langweil ich dich sehr?

ANTOINETTE Aber ich bitt dich, sprich doch weiter. Du hast mir doch was sagen wollen. Anders kann ich mir dein Herkommen nicht erklären.

HECHINGEN Ich faß unser Verhältnis als ein solches auf, das nur mich, nur mich, Antoinette, bindet, das mir, nur mir eine Prüfungszeit auferlegt, deren Dauer du zu bestimmen hast.

ANTOINETTE Aber wozu soll denn das sein, wohin soll denn das führen?

HECHINGEN Wende ich mich freilich zu meinem eigenen Innern, Toinette –

ANTOINETTE Bitte, was ist, wenn du dich da wendest?

Sie greift sich an die Schläfe.

HECHINGEN – so bedarf es allerdings keiner langen Prüfung. Immer und immer werde ich der Welt gegenüber versuchen, mich auf deinen Standpunkt zu stellen, werde immer wieder der Verteidiger deines Charme und deiner Freiheit sein. Und wenn man mir bewußt Entstellungen entgegenwirft, so werde ich triumphierend auf das vor wenigen Minuten hier Erlebte verweisen, auf den sprechenden Beweis, wie sehr es dir gegeben ist, die Männer, die dich begehren und bedrängen, in ihren Schranken zu halten.

ANTOINETTE *nervös* Was denn?

HECHINGEN Du wirst viel begehrt. Dein Typus ist die grande dame des achtzehnten Jahrhunderts. Ich vermag in keiner Weise etwas Beklagenswertes daran zu erblicken. Nicht die Tatsache muß gewertet werden, sondern die Nuance. Ich lege Gewicht darauf, klarzustellen, daß, wie immer du handelst, deine Absichten für mich über jeden Zweifel erhaben sind.

ANTOINETTE *dem Weinen nah* Mein lieber Ado, du meinst es sehr gut, aber meine Migräne wird stärker mit jedem Wort, was du sagst.

HECHINGEN Oh, das tut mir sehr leid. Um so mehr, als diese Augenblicke für mich unendlich kostbar sind.

ANTOINETTE Bitte, hab die Güte –

Sie taumelt.

HECHINGEN Ich versteh. Ein Auto?

ANTOINETTE Ja. Die Edine hat mir erlaubt, ihres zu nehmen.

HECHINGEN Sofort.

Geht und gibt den Befehl. Kommt zurück mit ihrem Mantel. Indem er ihr hilft

Ist das alles, was ich für dich tun kann?

ANTOINETTE Ja, alles.

KAMMERDIENER *an der Glastür, meldet* Das Auto für die Frau Gräfin.

Antoinette geht sehr schnell ab.

Hechingen will ihr nach, hält sich.

SECHSTE SZENE

STANI *von rückwärts aus dem Wintergarten. Er scheint jemand zu suchen* Ah, du bists, hast du meine Mutter nicht gesehen?

HECHINGEN Nein, ich war nicht in den Salons. Ich hab soeben meine Frau an ihr Auto begleitet. Es war eine Situation ohne Beispiel.

STANI *mit seiner eigenen Sache beschäftigt* Ich begreif nicht. Die Mamu bestellt mich zuerst in den Wintergarten, dann läßt sie mir sagen, hier an der Stiege auf sie zu warten –

HECHINGEN Ich muß mich jetzt unbedingt mit dem Kari aussprechen.

STANI Da muß du halt fortgehen und ihn suchen.

HECHINGEN Mein Instinkt sagt mir, er ist nur fortgegangen, um mich im Club aufzusuchen, und wird wiederkommen.
Geht nach oben.

STANI Ja, wenn man so einen Instinkt hat, der einem alles sagt! Ah, da ist ja die Mamu!

SIEBENTE SZENE

CRESCENCE *kommt unten von links seitwärts der Treppe heraus* Ich komm über die Dienerstiegen, diese Diener machen nichts als Mißverständnisse. Zuerst sagt er mir, du bittest mich, in den Wintergarten zu kommen, dann sagt er in die Galerie –

STANI Mamu, das ist ein Abend, wo man aus den Konfusionen überhaupt nicht herauskommt. Ich bin wirklich auf dem Punkt gestanden, wenn es nicht wegen Ihr gewesen wäre, stante pede nach Haus zu fahren, eine Dusche zu nehmen und mich ins Bett zu legen. Ich vertrag viel, aber eine schiefe Situation, das ist mir etwas so Odioses, das zerrt direkt an meinen Nerven. Ich muß vielmals bitten, mich doch jetzt au courant zu setzen.

CRESCENCE Ja, ich begreif doch gar nicht, daß der Onkel Kari hat weggehen können, ohne mir auch nur einen Wink zu geben. Das ist eine von seinen Zerstreutheiten, ich bin ja desperat, mein guter Bub.

STANI Bitte mir doch die Situation etwas zu erklären. Bitte mir nur in großen Linien zu sagen, was vorgefallen ist.

CRESCENCE Aber alles ist ja genau nach dem Programm gegangen. Zuerst hat der Onkel Kari mit der Antoinette ein sehr agitiertes Gespräch geführt –

STANI Das war schon der erste Fehler. Das hab ich ja gewußt, das war eben zu kompliziert. Ich bitte mir also weiter zu sagen!

CRESCENCE Was soll ich Ihm denn weiter sagen? Die Antoinette stürzt an mir vorbei, ganz bouleversiert, unmittelbar darauf setzt sich der Onkel Kari mit der Helen –

STANI Es ist eben zu kompliziert, zwei solche Konversationen an einem Abend durchzuführen. Und der Onkel Kari –

CRESCENCE Das Gespräch mit der Helen geht ins Endlose, ich komm an die Tür – die Helen fällt mir in die Arme, ich bin selig, sie lauft weg, ganz verschämt, wie sichs gehört, ich stürz ans Telephon und zitier dich her!

STANI Ja, ich bitte, das weiß ich ja, aber ich bitte, mir aufzuklären, was denn hier vorgegangen ist!

CRESCENCE Ich stürz im Flug durch die Zimmer, such den Kari, find ihn nicht. Ich muß zurück zu der Partie, du kannst dir denken, wie ich gespielt hab. Die Mariette Stradonitz invitiert auf Herz, ich spiel Karo, dazwischen bet ich die ganze Zeit zu die vierzehn Nothelfer. Gleich darauf mach ich Renonce in Pik. Endlich kann ich aufstehen, ich such den Kari wieder, ich find ihn nicht! Ich geh durch die finstern Zimmer bis an der Helen ihre Tür, ich hör sie drin weinen. Ich klopf an, sag meinen Namen, sie gibt mir keine Antwort. Ich schleich mich wieder zurück zur Partie, die Mariette fragt mich dreimal, ob mir schlecht ist, der Louis Castaldo schaut mich an, als ob ich ein Gespenst wär. –

STANI Ich versteh alles.

CRESCENCE Ja, was, ich versteh ja gar nichts.

STANI Alles, alles. Die ganze Sache ist mir klar.

CRESCENCE Ja, wie sieht Er denn das?

STANI Klar wie's Einmaleins. Die Antoinette in ihrer Verzweiflung hat einen Tratsch gemacht, sie hat aus dem Gespräch mit dem Onkel Kari entnommen, daß ich für sie verloren bin. Eine Frau, wenn sie in Verzweiflung ist, verliert ja total ihre tenue; sie hat sich dann an die Helen heranfaufiliert und hat einen solchen Mordstratsch gemacht, daß die Helen mit ihrem fumo und ihrer pyramidalen Empfindlichkeit beschlossen hat, auf mich zu verzichten, und wenn ihr das Herz brechen sollte.

CRESCENCE Und deswegen hat sie mir die Tür nicht aufgemacht!

STANI Und der Onkel Kari, wie er gespürt hat, was er angerichtet hat, hat sich sofort aus dem Staub gemacht.

CRESCENCE Ja, dann steht die Sache doch sehr fatal! Ja, meiner guter Bub, was sagst du denn da?

STANI Meine gute Mamu, da sag ich nur eins, und das ist das einzige, was ein Mann von Niveau sich in jeder schiefen Situation zu sagen hat: man bleibt, was man ist, daran kann eine gute oder eine schlechte Chance nichts ändern.

CRESCENCE Er ist ein lieber Bub, und ich adorier Ihn für seine Haltung, aber deswegen darf man die Flinten noch nicht ins Korn werfen!

STANI Ich bitte um alles, mir eine schiefe Situation zu ersparen.

CRESCENCE Für einen Menschen mit Seiner tenue gibts keine schiefe Situation. Ich such jetzt die Helen und werd sie fragen, was zwischen jetzt und dreiviertel zehn passiert ist.

STANI Ich bitt inständig –

CRESCENCE Aber mein Bub, Er ist mir tausendmal zu gut, als daß ich Ihn wollt einer Familie oktroyieren und wenns die vom Kaiser von China wär. Aber anderseits ist mir doch auch die Helen zu lieb, als daß ich ihr Glück einem Tratsch von einer eifersüchtigen Gans, wie die Antoinette ist, aufopfern wollte. Also tu Er mir den Gefallen und bleib Er da und begleit Er mich dann nach Haus, Er sieht doch, wie ich agitiert bin.

Sie geht die Treppe hinauf, Stani folgt ihr.

ACHTE SZENE

Helene ist durch die unsichtbare Tür links herausgetreten, im Mantel wie zum Fortgehen. Sie wartet, bis Crescence und Stani sie nicht mehr sehen können. Gleichzeitig ist Karl durch die Glastür rechts sichtbar geworden; er legt Hut, Stock und Mantel ab und erscheint. Helene hat Karl gesehen, bevor er sie erblickt hat. Ihr Gesicht verändert sich in einem Augenblick vollständig. Sie läßt ihren Abendmantel von den Schultern fallen, und dieser bleibt hinter der Treppe liegen, dann tritt sie Karl entgegen.

HANS KARL *betroffen* Helen, Sie sind noch hier?

HELENE *hier und weiter in einer ganz festen, entschiedenen Haltung und in einem leichten, fast überlegenen Ton* Ich bin hier zu Haus.

HANS KARL Sie sehen anders aus als sonst. Es ist etwas geschehen!

HELENE Ja, es ist etwas geschehen.

HANS KARL Wann, so plötzlich?

HELENE Vor einer Stunde, glaub ich.

HANS KARL *unsicher* Etwas Unangenehmes?

HELENE Wie?

HANS KARL Etwas Aufregendes?

HELENE Ah ja, das schon.

HANS KARL Etwas Irreparables?

HELENE Das wird sich zeigen. Schauen Sie, was dort liegt.

HANS KARL Dort? Ein Pelz. Ein Damenmantel scheint mir.

HELENE Ja, mein Mantel liegt da. Ich hab ausgehen wollen.

HANS KARL Ausgehen?

HELENE Ja, den Grund davon werd ich Ihnen auch dann sagen. Aber zuerst werden Sie mir sagen, warum Sie zurückgekommen sind. Das ist keine ganz gewöhnliche Manier.

HANS KARL *zögernd* Es macht mich immer ein bisserl verlegen, wenn man mich so direkt was fragt.

HELENE Ja, ich frag Sie direkt.

HANS KARL Ich kanns gar nicht leicht explizieren.

HELENE Wir können uns setzen.

Sie setzen sich.

HANS KARL Ich hab früher in unserer Konversation – da oben, in dem kleinen Salon –

HELENE Ah, da oben in dem kleinen Salon.

HANS KARL *unsicher durch ihren Ton* Ja, freilich, in dem kleinen Salon. Ich hab da einen großen Fehler gemacht, einen sehr großen.

HELENE Ah?

HANS KARL Ich hab etwas Vergangenes zitiert.

HELENE Etwas Vergangenes?

HANS KARL Gewisse ungereimte, rein persönliche Sachen, die in mir vorgegangen sind, wie ich im Feld draußen war, und später im Spital. Rein persönliche Einbildungen, Halluzinationen, sozusagen. Lauter Dinge, die absolut nicht dazu gehört haben.

HELENE Ja, ich versteh Sie. Und?

HANS KARL Da hab ich unrecht getan.

HELENE Inwiefern?

HANS KARL Man kann das Vergangene nicht herzitieren, wie die Polizei einen vor das Kommissariat zitiert. Das Vergangene ist vergangen. Niemand hat das Recht, es in eine Konversation, die sich auf die Gegenwart bezieht, einzuflechten. Ich drück mich elend aus, aber meine Gedanken darüber sind mir ganz klar.

HELENE Das hoff ich.

HANS KARL Es hat mich höchst unangenehm berührt in der Erinnerung, sobald ich allein mit mir selbst war, daß ich in meinem Alter mich so wenig in der Hand hab – und ich bin wiedergekommen, um Ihnen Ihre volle Freiheit, pardon, das Wort ist mir ganz ungeschickt über die Lippen gekommen – um Ihnen Ihre volle Unbefangenheit zurückzugeben.

HELENE Meine Unbefangenheit – mir wiedergeben?

Hans Karl, unsicher, will aufstehen.

HELENE *bleibt sitzen* Also das haben Sie mir sagen wollen – über Ihr Fortgehen früher?

HANS KARL Ja, über mein Fortgehen und natürlich auch über mein Wiederkommen. Eines motiviert ja das andere.

HELENE Aha. Ich dank Ihnen sehr. Und jetzt werd ich Ihnen sagen, warum Sie wiedergekommen sind.

HANS KARL Sie mir?

HELENE *mit einem vollen Blick auf ihn* Sie sind wiedergekommen, weil – ja! es gibt das! gelobt sei Gott im Himmel!

Sie lacht

Aber es ist vielleicht schade, daß Sie wiedergekommen sind. Denn hier ist vielleicht nicht der rechte Ort, das zu sagen, was gesagt werden muß – vielleicht hätte das – aber jetzt muß es halt hier gesagt werden.

HANS KARL O mein Gott, Sie finden mich unbegreiflich. Sagen Sie es heraus!

HELENE Ich verstehe alles sehr gut. Ich versteh, was Sie fortgetrieben hat, und was Sie wieder zurückgebracht hat.

HANS KARL Sie verstehen alles? Ich versteh ja selbst nicht.

HELENE Wir können noch leiser reden, wenns Ihnen recht ist. Was Sie hier hinausgetrieben hat, das war Ihr Mißtrauen, Ihre Furcht vor Ihrem eigenen Selbst – sind Sie bös?

HANS KARL Vor meinem Selbst?

HELENE Vor Ihrem eigentlichen tieferen Willen. Ja, der ist unbequem, der führt einen nicht den angenehmsten Weg. Er hat Sie eben hierher zurückgeführt.

HANS KARL Ich versteh Sie nicht, Helen!

HELENE *ohne ihn anzusehen* Hart sind nicht solche Abschiede für Sie, aber hart ist manchmal, was dann in Ihnen vorgeht, wenn Sie mit sich allein sind.

HANS KARL Sie wissen das alles?

HELENE Weil ich das alles weiß, darum hätt ich ja die Kraft gehabt und hätte für Sie das Unmögliche getan.

HANS KARL Was hätten Sie Unmögliches für mich getan?

HELENE Ich wär Ihnen nachgegangen.

HANS KARL Wie denn »nachgegangen«? Wie meinen Sie das?

HELENE Hier bei der Tür auf die Gasse hinaus. Ich hab Ihnen doch meinen Mantel gezeigt, der dort hinten liegt.

HANS KARL Sie wären mir – ? Ja, wohin?

HELENE Ins Kasino oder anderswo – was weiß ich, bis ich Sie halt gefunden hätte.

HANS KARL Sie wären mir, Helen –? Sie hätten mich gesucht? Ohne zu denken, ob –?

HELENE Ja, ohne an irgend etwas sonst zu denken. Ich geh dir nach – Ich will, daß du mich –

HANS KARL *mit unsicherer Stimme* Sie, du, du willst?

Für sich

Da sind wieder diese unmöglichen Tränen!

Zu ihr

Ich hör Sie schlecht. Sie sprechen so leise.

HELENE Sie hören mich ganz gut. Und da sind auch Tränen – aber die helfen mir sogar eher, um das zu sagen –

HANS KARL Du – Sie haben etwas gesagt?

HELENE Dein Wille, dein Selbst; versteh mich. Er hat dich umgedreht, wie du allein warst, und dich zu mir zurückgeführt. Und jetzt –

HANS KARL Jetzt?

HELENE Jetzt weiß ich zwar nicht, ob du jemand wahrhaft liebhaben kannst – aber ich bin in dich verliebt, und ich will – aber das ist doch eine Enormität, daß Sie mich das sagen lassen!

HANS KARL *zitternd* Sie wollen von mir –

HELENE *mit keinem festeren Ton als er* Von deinem Leben, von deiner Seele, von allem – meinen Teil!

Eine kleine Pause

HANS KARL Helen, alles, was Sie da sagen, perturbiert mich in der maßlosesten Weise um Ihretwillen, Helen, natürlich um Ihretwillen! Sie irren sich in bezug auf mich, ich hab einen unmöglichen Charakter.

HELENE Sie sind, wie Sie sind, und ich will kennen, wie Sie sind.

HANS KARL Es ist so eine namenlose Gefahr für Sie.

Helene schüttelt den Kopf.

HANS KARL Ich bin ein Mensch, der nichts als Mißverständnisse auf dem Gewissen hat.

HELENE *lächelnd* Ja, das scheint.

HANS KARL Ich hab so vielen Frauen weh getan.

HELENE Die Liebe ist nicht süßlich.

HANS KARL Ich bin ein maßloser Egoist.

HELENE Ja? Ich glaub nicht.

HANS KARL Ich bin so unstet, nichts kann mich fesseln.

HELENE Ja, Sie können – wie sagt man das? – verführt werden und verführen. Alle haben Sie sie wahrhaft geliebt und alle wieder im Stich gelassen. Die armen Frauen! Sie haben halt nicht die Kraft gehabt für euch beide.

HANS KARL Wie?

HELENE Begehren ist Ihre Natur. Aber nicht: das – oder das – sondern von einem Wesen: – alles – für immer! Es hätte eine die Kraft haben müssen, Sie zu zwingen, daß Sie von ihr immer mehr und mehr begehrt hätten. Bei der wären Sie dann geblieben.

HANS KARL Wie du mich kennst!

HELENE Nach einer ganz kurzen Zeit waren sie dir alle gleichgültig, und du hast ein rasendes Mitleid gehabt, aber keine große Freundschaft für keine: das war mein Trost.

HANS KARL Wie du alles weißt!

HELENE Nur darin hab ich existiert. Das allein hab ich verstanden.

HANS KARL Da muß ich mich ja vor dir schämen.

HELENE Schäm ich mich denn vor dir? Ah nein. Die Liebe schneidet ins lebendige Fleisch.

HANS KARL Alles hast du gewußt und ertragen –

HELENE Ich hätt nicht den kleinen Finger gerührt, um eine solche Frau von dir wegzubringen. Es wär mir nicht dafür gestanden.

HANS KARL Was ist das für ein Zauber, der in dir ist. Gar nicht wie die andern Frauen. Du machst einen so ruhig in einem selber.

HELENE Du kannst freilich die Freundschaft nicht fassen, die ich für dich hab. Dazu wird eine lange Zeit nötig sein – wenn du mir die geben kannst.

HANS KARL Wie du das sagst!

HELENE Jetzt geh, damit dich niemand sieht. Und komm bald wieder. Komm morgen, am frühen Nachmittag. Die Leut gehts nichts an, aber der Papa solls schnell wissen. – Der Papa solls wissen, – der schon! Oder nicht, wie?

HANS KARL *verlegen* Es ist das – mein guter Freund Poldo Altenwyl hat seit Tagen eine Angelegenheit, einen Wunsch – den er mir oktroyieren will: er wünscht, daß ich, sehr überflüssigerweise, im Herrenhaus das Wort ergreife –

HELENE Aha –

HANS KARL Und da geh ich ihm seit Wochen mit der größten Vorsicht aus dem Weg – vermeide, mit ihm allein zu sein – im Kasino, auf der Gasse, wo immer –

HELENE Sei ruhig – es wird nur von der Hauptsache die Rede sein – dafür garantier ich. – Es kommt schon jemand: ich muß fort.

HANS KARL Helen!

HELENE *schon im Gehen, bleibt nochmals stehen* Du! Leb wohl!

Nimmt den Mantel auf und verschwindet durch die kleine Tür links.

NEUNTE SZENE

CRESCENCE *oben auf der Treppe* Kari!

Kommt schnell die Stiege herunter.

Hans Karl steht mit dem Rücken gegen die Stiege.

CRESCENCE Kari! Find ich Ihn endlich! Das ist ja eine Konfusion ohne Ende!

Sie sieht sein Gesicht

Kari! es ist was passiert! Sag mir, was?

HANS KARL Es ist mir was passiert, aber wir wollen es gar nicht zergliedern.

CRESCENCE Bitte! aber du wirst mir doch erklären –

ZEHNTE SZENE

HECHINGEN *kommt von oben herab, bleibt stehen, ruft Hans Karl halblaut zu* Kari, wenn ich dich auf eine Sekunde bitten dürfte!

HANS KARL Ich steh zur Verfügung.

Zu Crescence

Entschuldig Sie mich wirklich.

Stani kommt gleichfalls von oben.

CRESCENCE *zu Hans Karl* Aber der Bub! Was soll ich denn dem Buben sagen? Der Bub ist doch in einer schiefen Situation!

STANI *kommt herunter, zu Hechingen* Pardon, jetzt einen Moment muß unbedingt ich den Onkel Kari sprechen!

Grüßt Hans Karl.

HANS KARL Verzeih mir einen Moment, lieber Ado!

Läßt Hechingen stehen, tritt zu Crescence

Komm Sie daher, aber allein: ich will Ihr was sagen. Aber wir wollen es in keiner Weise bereden.

CRESCENCE Aber ich bin doch keine indiskrete Person!

HANS KARL Du bist eine engelsgute Frau. Also hör zu! Die Helen hat sich verlobt.

CRESCENCE Sie hat sich verlobt mit'm Stani? Sie will ihn?

HANS KARL Wart noch! So hab doch nicht gleich die Tränen in den Augen, du weißt ja noch nicht.

CRESCENCE Es ist Er, Kari, über den ich so gerührt bin. Der Bub verdankt Ihm ja alles!

HANS KARL Wart Sie, Crescence! – Nicht mit dem Stani!

CRESCENCE Nicht mit dem Stani? Ja, mit wem denn?

HANS KARL *mit großer gêne* Gratulier Sie mir!

CRESCENCE Dir?

HANS KARL Aber tret Sie dann gleich weg und misch Sies nicht in die Konversation. Sie hat sich – ich hab mich – wir haben uns miteinander verlobt.

CRESCENCE Du hast dich! Ja, da bin ich selig!

HANS KARL Ich bitte Sie, jetzt vor allem zu bedenken, daß Sie mir versprochen hat, mir diese odiosen Konfusionen zu ersparen, denen sich ein Mensch aussetzt, der sich unter die Leut mischt.

CRESCENCE Ich werd gewiß nichts tun –

Blick nach Stani.

HANS KARL Ich hab Ihr gesagt, daß ich nichts erklären werd, niemandem, und daß ich bitten muß, mir die gewissen Mißverständnisse zu ersparen!

CRESCENCE Werd Er mir nur nicht stutzig! Das Gesicht hat Er als kleiner Bub gehabt, wenn man Ihn konterkariert hat. Das hab ich schon damals nicht sehen können! Ich will ja alles tun, wie Er will.

HANS KARL Sie ist die beste Frau von der Welt, und jetzt entschuldig Sie mich, der Ado hat das Bedürfnis, mit mir eine Konversation zu haben – die muß also jetzt in Gottes Namen absolviert werden.

Küßt ihr die Hand.

CRESCENCE Ich wart noch auf Ihn!

Crescence, mit Stani, treten zur Seite, entfernt, aber dann und wann sichtbar.

ELFTE SZENE

HECHINGEN Du siehst mich so streng an! Es ist ein Vorwurf in deinem Blick!

HANS KARL Aber gar nicht: ich bitt um alles, wenigstens heute meine Blicke nicht auf die Goldwaage zu legen.

HECHINGEN Es ist etwas vorgefallen, was deine Meinung von mir geändert hat? oder deine Meinung von meiner Situation?

HANS KARL *in Gedanken verloren* Von deiner Situation?

HECHINGEN Von meiner Situation gegenüber Antoinette natürlich! Darf ich dich fragen, wie du über meine Frau denkst?

HANS KARL *nervös* Ich bitt um Vergebung, aber ich möchte heute nichts über Frauen sprechen. Man kann nicht analysieren, ohne in die odiosesten Mißverständnisse zu verfallen. Also ich bitt mirs zu erlassen!

HECHINGEN Ich verstehe. Ich begreife vollkommen. Aus allem, was du da sagst oder vielmehr in der zartesten Weise andeutest, bleibt für mich doch nur der einzige Schluß zu ziehen: daß du meine Situation für aussichtslos ansiehst.

ZWÖLFTE SZENE

Hans Karl sagt nichts, sieht verstört nach rechts.
Vinzenz ist von rechts eingetreten, im gleichen Anzug wie im ersten Akt, einen kleinen runden Hut in der Hand.
Crescence ist auf Vinzenz zugetreten.

HECHINGEN *sehr betroffen durch Hans Karls Schweigen* Das ist der kritische Moment meines Lebens, den ich habe kommen sehen. Jetzt brauche ich deinen Beistand, mein guter Kari, wenn mir nicht die ganze Welt ins Wanken kommen soll.

HANS KARL Aber mein guter Ado –
Für sich, auf Vinzenz hinübersehend
Was ist denn das?

HECHINGEN Ich will, wenn du es erlaubst, die Voraussetzungen rekapitulieren, die mich haben hoffen lassen –

HANS KARL Entschuldige mich für eine Sekunde, ich sehe, da ist irgendwelche Konfusion passiert.

Er geht hinüber zu Crescence und Vinzenz.
Hechingen bleibt allein stehen. Stani ist rückwärts zurückgetreten, mit einigen Zeichen von Ungeduld.

CRESCENCE *zu Hans Karl* Jetzt sagt er mir: du reist ab, morgen in aller Früh – ja was bedeutet denn das?

HANS KARL Was sagt er? Ich habe nicht befohlen –

CRESCENCE Kari, mit dir kommt man nicht heraus aus dem Wiegel-Wagel. Jetzt hab ich mich doch in diese Verlobungsstimmung hineingedacht!

HANS KARL Darf ich bitten –

CRESCENCE Mein Gott, es ist mir ja nur so herausgerutscht!

HANS KARL *zu Vinzenz* Wer hat Sie hergeschickt? Was soll es?

VINZENZ Euer Erlaucht haben doch selbst Befehl gegeben, vor einer halben Stunde per Telephon.

HANS KARL Ihnen? Ihnen hab ich gar nichts befohlen.

VINZENZ Der Portierin haben Erlaucht befohlen, wegen Abreise morgen früh sieben Uhr aufs Jagdhaus nach Gebhardtskirchen – oder richtig gesagt, heut früh, denn jetzt haben wir viertel eins.

CRESCENCE Aber Kari, was heißt denn das alles?

HANS KARL Wenn man mir erlassen möchte, über jeden Atemzug, den ich tu, Auskunft zu geben.

VINZENZ *zu Crescence* Das ist doch sehr einfach zu verstehen. Die Portierin ist nach oben gelaufen mit der Meldung, der Lukas war im Moment nicht auffindbar, also hab ich die Sache in die Hand genommen. Chauffeur habe ich avisiert, Koffer hab ich vom Boden holen lassen, Sekretär Neugebauer hab ich auf alle Fälle aufwecken lassen, falls er gebraucht wird – was braucht er zu schlafen, wenn das ganze Haus auf ist? – und jetzt bin ich hier erschienen und stelle mich zur Verfügung, weitere Befehle entgegenzunehmen.

HANS KARL Gehen Sie sofort nach Haus, bestellen Sie das Auto ab, lassen Sie die Koffer wieder auspacken, bitten Sie den Herrn Neugebauer sich wieder schlafenzulegen, und machen Sie, daß ich Ihr Gesicht nicht wieder sehe! Sie sind nicht mehr in meinen Diensten, der Lukas ist vom übrigen unterrichtet. Treten Sie ab!

VINZENZ Das ist mir eine sehr große Überraschung.
Geht ab.

DREIZEHNTE SZENE

CRESCENCE Aber so sag mir doch nur ein Wort! So erklär mir nur –

HANS KARL Da ist nichts zu erklären. Wie ich aus dem Kasino gegangen bin, war ich aus bestimmten Gründen vollkommen entschlossen, morgen früh abzureisen. Das war an der Ecke von der Freyung und der Herrengasse. Dort ist ein Café, in das bin ich hineingegangen und hab von dort aus nach Haus telephoniert; dann, wie ich aus dem Kaffeehaus herausgetreten bin, da bin ich, anstatt wie meine Absicht war, über die Freyung abzubiegen – bin ich die Herrengasse heruntergegangen und wieder hier hereingetreten – und da hat sich die Helen –

Er streicht sich über die Stirn.

CRESCENCE Aber ich laß Ihn ja schon.

Sie geht zu Stani hinüber, der sich etwas im Hintergrund gesetzt hat.

HANS KARL *gibt sich einen Ruck und geht auf Hechingen zu, sehr herzlich* Ich bitt mir alles Vergangene zu verzeihen, ich hab in allem und jedem unrecht und irrig gehandelt und bitt, mir meine Irrtümer alle zu verzeihen. Über den heutigen Abend kann ich im Detail keine Auskunft geben. Ich bitt, mir trotzdem ein gutes Andenken zu bewahren.

Reicht ihm die Hand.

HECHINGEN *bestürzt* Du sagst mir ja adieu, mein Guter! Du hast Tränen in den Augen. Aber ich versteh dich ja, Kari. Du bist der wahre, gute Freund, unsereins ist halt nicht imstand, sich herauszuwursteln aus dem Schicksal, das die Gunst oder Nichtgunst der Frauen uns bereitet, du aber hast dich über diese ganze Atmosphäre ein für allemal hinausgehoben –

Hans Karl winkt ihn ab.

HECHINGEN Das kannst du nicht negieren, das ist dieses gewisse Etwas von Superiorität, das dich umgibt, und wie im Leben schließlich alles nur Vor- oder Rückschritte macht, nichts stehenbleibt, so ist halt um dich von Tag zu Tag immer mehr die Einsamkeit des superioren Menschen.

HANS KARL Das ist ja schon wieder ein kolossales Mißverständnis!

Er sieht ängstlich nach rechts, wo in der Tür zum Wintergarten Altenwyl mit einem seiner Gäste sichtbar geworden ist.

HECHINGEN Wie denn? Wie soll ich mir diese Worte erklären?

HANS KARL Mein guter Ado, bitt mir im Moment diese Erklärung und jede Erklärung zu erlassen. Ich bitt dich, gehen wir da hinüber, es kommt da etwas auf mich zu, dem ich mich heute nicht mehr gewachsen fühle.

HECHINGEN Was denn, was denn?

HANS KARL Dort in der Tür, dort hinter mir!

HECHINGEN *sieht hin* Es ist doch nur unser Hausherr, der Poldo Altenwyl –

HANS KARL – der diesen letzten Moment seiner Soiree für den gegebenen Augenblick hält, um sich an mich in einer gräßlichen Absicht heranzupirschen; denn für was geht man denn auf eine Soiree, als daß einen jeder Mensch mit dem, was ihm gerade wichtig erscheint, in der erbarmungslosesten Weise über den Hals kommt!

HECHINGEN Ich begreif nicht –

HANS KARL Daß ich in der übermorgigen Herrenhaussitzung mein Debüt als Redner feiern soll. Diese charmante Mission hat er von unserm Club übernommen, und weil ich ihnen im Kasino und überall aus dem Weg geh, so lauert er hier in seinem Haus auf die Sekunde, wo ich unbeschützt dasteh! Ich bitt dich, sprich recht lebhaft mit mir, so ein bissel agitiert, wie wenn wir etwas Wichtiges zu erledigen hätten.

HECHINGEN Und du willst wieder refüsieren?

HANS KARL Ich soll aufstehen und eine Rede halten, über Völkerversöhnung und über das Zusammenleben der Nationen – ich, ein Mensch, der durchdrungen ist von einer Sache auf der Welt: daß es unmöglich ist, den Mund aufzumachen, ohne die heillosesten Konfusionen anzurichten! Aber lieber leg ich doch die erbliche Mitgliedschaft nieder und verkriech mich zeitlebens in eine Uhuhütte. Ich sollte einen Schwall von Worten in den Mund nehmen, von denen mir jedes einzelne geradezu indezent erscheint!

HECHINGEN Das ist ein bisserl ein starker Ausdruck.

HANS KARL *sehr heftig, ohne sehr laut zu sein* Aber alles, was man ausspricht, ist indezent. Das simple Faktum, daß man etwas ausspricht, ist indezent. Und wenn man es genau nimmt, mein guter Ado, aber die Menschen nehmen eben nichts auf der Welt genau, liegt doch geradezu etwas Unverschämtes darin, daß man sich heranwagt, gewisse Dinge überhaupt zu erleben! Um gewisse Dinge zu erleben und sich dabei nicht indezent zu finden, dazu gehört ja eine so rasende Verliebtheit in sich selbst und ein Grad von Verblendung, den man vielleicht als erwachsener Mensch im innersten Winkel in sich tragen, aber niemals sich eingestehen kann!

Sieht nach rechts

Er ist weg.

Will fort.

Altenwyl ist nicht mehr sichtbar.

CRESCENCE *tritt auf Kari zu* So echappier Er doch nicht! Jetzt muß Er sich doch mit dem Stani über das Ganze aussprechen.

Hans Karl sieht sie an.

CRESCENCE Aber Er wird doch den Buben nicht so stehen lassen! Der Bub beweist ja in der ganzen Sache eine Abnegation, eine Selbstüberwindung, über die ich geradezu starr bin. Er wird ihm doch ein Wort sagen.

Sie winkt Stani, näherzutreten.

Stani tritt einen Schritt näher.

HANS KARL Gut, auch das noch. Aber es ist die letzte Soiree, auf der Sie mich erscheinen sieht.

Zu Stani, indem er auf ihn zutritt

Es war verfehlt, mein lieber Stani, meiner Suada etwas anzuvertrauen.

Reicht ihm die Hand.

CRESCENCE So umarm Er doch den Buben! Der Bub hat ja doch in dieser Geschichte eine tenue bewiesen, die ohnegleichen ist.

Hans Karl sieht vor sich hin, etwas abwesend

CRESCENCE Ja, wenn Er ihn nicht umarmt, so muß doch ich den Buben umarmen für seine tenue.

HANS KARL Bitte das vielleicht zu tun, wenn ich fort bin.

Gewinnt schnell die Ausgangstür und ist verschwunden.

VIERZEHNTE SZENE

CRESCENCE Also, das ist mir ganz egal, ich muß jemanden umarmen! Es ist doch heute zuviel vorgegangen, als daß eine Person mit Herz, wie ich, so mir nix dir nix nach Haus fahren und ins Bett gehen könnt!

STANI *tritt einen Schritt zurück* Bitte, Mamu! nach meiner Idee gibt es zwei Kategorien von Demonstrationen. Die eine gehört ins strikteste Privatleben: dazu rechne ich alle Akte von Zärtlichkeit zwischen

Blutsverwandten. Die andere hat sozusagen eine praktische und soziale Bedeutung: sie ist der pantomimische Ausdruck für eine außergewöhnliche, gewissermaßen familiengeschichtliche Situation.

CRESCENCE Ja, in der sind wir doch!

Altenwyl mit einigen Gästen ist oben herausgetreten und ist im Begriffe, die Stiege herunterzukommen.

STANI Und für diese gibt es seit tausend Jahren gewisse richtige und akzeptierte Formen. Was wir heute hier erlebt haben, war tant bien que mal, wenn mans Kind beim Namen nennt, eine Verlobung. Eine Verlobung kulminiert in der Umarmung des verlobten Paares. – In unserm Fall ist das verlobte Paar zu bizarr, um sich an diese Formen zu halten. Mamu, Sie ist die nächste Verwandte vom Onkel Kari, dort steht der Poldo Altenwyl, der Vater der Braut. Geh Sie sans mot dire auf ihn zu und umarm Sie ihn, und das Ganze wird sein richtiges, offizielles Gesicht bekommen.

Altenwyl ist mit einigen Gästen die Stiege heruntergekommen. Crescence eilt auf Altenwyl zu und umarmt ihn. Die Gäste stehen überrascht.

Vorhang.

23.5.81

JEDERMANN

DAS SPIEL
VOM STERBEN DES REICHEN MANNES

Dramatis Personae

GOTT DER HERR
ERZENGEL MICHAEL
TOD
TEUFEL

JEDERMANN
JEDERMANNS MUTTER
JEDERMANNS GUTER GESELL
DER HAUSVOGT
DER KOCH
EIN ARMER NACHBAR
EIN SCHULDKNECHT
DES SCHULDKNECHTS WEIB

BUHLSCHAFT
DICKER VETTER
DÜNNER VETTER
Etliche junge Fräulein
Etliche von Jedermanns Tischgesellen
BÜTTEL
Knechte
Spielleute
Buben

MAMMON
WERKE
GLAUBE
MÖNCH
ENGEL

SPIELANSAGER *tritt vor und sagt das Spiel an*

Jetzt habet allsamt Achtung, Leut!
Und hört was wir vorstellen heut!
Ist als ein geistlich Spiel bewandt,
Vorladung Jedermanns ist es zubenannt.
Darin euch wird gewiesen werden,
Wie unsere Tag und Werk auf Erden
Vergänglich sind und hinfällig gar.
Der Hergang ist recht schön und klar,
Der Stoff ist kostbar von dem Spiel,
Dahinter aber liegt noch viel,
Das müßt ihr zu Gemüt führen
Und aus dem Inhalt die Lehr ausspüren.

GOTT DER HERR *wird sichtbar auf seinem Thron und spricht*

Fürwahr mag länger das nit ertragen,
Daß alle Kreatur gegen mich
Ihr Herz verhärtet böslich,
Daß sie ohn einige Furcht vor mir
Schmählicher hinleben als das Getier.
Des geistlichen Auges sind sie erblindt,
in Sünd ersoffen, das ist was sie sind,
Und kennen mich nit für ihren Gott,
Ihr Trachten geht auf irdisch Gut allein,
Und was darüber, das ist ihr Spott,
Und wie ich sie mir anschau zur Stund,
So han sie rein vergessen den Bund,
Den ich mit ihnen aufgericht hab,
Da ich am Holz mein Blut hingab.
Auf daß sie sollten das Leben erlangen,
Bin ich am Marterholz gehangen.
Hab ihnen die Dörn aus dem Fuß getan
Und auf meinem Haupt sie getragen als Kron.
So viel ich vermocht, hab ich vollbracht,

Und nun wird meiner schlecht geacht.
Darum will ich in rechter Eil
Gerichtstag halten über sie
Und Jedermann richten nach seinem Teil.
Wo bist du Tod, mein starker Bot? Tritt vor mich hin.

TOD

Allmächtiger Gott, hier sieh mich stehn,
Nach deinem Befehl werd ich botengehn.

GOTT

Geh du zu Jedermann und zeig in meinem Namen ihm an:
Er muß eine Pilgerschaft antreten
Mit dieser Stund und heutigem Tag,
Der er sich nicht entziehen mag.
Und heiß ihn mitbringen sein Rechenbuch
Und daß er nicht Aufschub, noch Zögerung such.

TOD

Herr, ich will die ganze Welt abrennen
Und sie heimsuchen Groß und Klein,
Die Gotts Gesetze nit erkennen
Und unter das Vieh gefallen sein.
Der sein Herz hat auf irdisch Gut geworfen,
Den will ich mit einem Streich treffen,
Daß seine Augen brechen
Und er nit findet die Himmelspforten,
Es sei denn, daß Almosen und Mildtätigkeit
Befreundt ihm wären und hilfsbereit.

JEDERMANN *tritt aus seinem Haus hervor, ein Knecht hinter ihm*

Spring du um meinen Hausvogt schnell,
Muß ihm aufgeben einen Befehl.
Der Knecht geht hinein.
Mein Haus hat ein gut Ansehn, das ist wahr,
Steht stattlich da, vornehm und reich,
Kommt in der Stadt kein andres gleich.
Hab drin köstlichen Hausrat die Meng,
Viele Truhen, viele Spind,
Dazu ein großes Hausgesind,
Einen schönen Schatz von gutem Geld
Und vor den Toren manch Stück Feld,

Auch Landsitz, Meierhöf voll Vieh,
Von denen ich Zins und Renten zieh,
Daß ich mir wahrlich machen mag
So heut wie morgen fröhliche Tag.

HAUSVOGT *tritt auf*

JEDERMANN

Vogt, bring einen Säckel Geldes straff,
Den hab ich vergessen in Gürtel zu tun,
Und merk, was ich dir noch anschaff:
Für morgen wird ein Frühmahl gericht,
Das muß bereit't sein aufs allerbest.
Kommen Verwandte und fremde Gäst.
Der Tisch muß prächtig sein bestellt,
Schick her den Koch, du geh ums Geld.

VOGT *geht hinein*

KOCH *tritt sogleich auf*

JEDERMANN

Ein köstlich Frühmahl befehl ich an
Für morgen.

KOCH Ja, und soll ich dann
Einen jeden Gang bereiten frisch?

JEDERMANN

Daß dich das Fieber rüttel, frisch!
Kein Überbleibsel auf meinen Tisch.

KOCH

Es wär von gestern geblieben die Meng
Zumindest für zwei kalte Gäng.

JEDERMANN

Du Esels-Koch bist so vermessen,
Soll ich eine Bettlermahlzeit essen?

DER KOCH *geht ab*

DER VOGT *ist herausgekommen mit einem Beutel*

JEDERMANN *nimmt den Beutel*

Acht du auf meine Mägd und Knecht,
Gefallen mir allermaßen nit recht.

DER ARME NACHBAR *wird in der Ferne sichtbar, nähert sich ängstlich*

JEDERMANNS GESELLE *kommt zugleich raschen Schrittes die Straße hergegangen*

JEDERMANN *zum Hausvogt*

Dafür stehst du an der obersten Stell,
Daß du auf sie – Da kommt mein Gesell.

HAUSVOGT *geht ins Haus*

JEDERMANN

Hätt beinah müssen auf dich warten,
Wir wollen jetzt vors Stadttor gehen
Und uns dort das Grundstück ansehen,
Obs tauglich ist für einen Lustgarten.

GESELL

Hast Fortunati Säckel in der Hand,
Dann ist die Sach schon recht bewandt.
Ja, bei dir gilts: gewünscht ist schon getan,
Du hasts danach, drum steht dirs an.

ARMER NACHBAR

Das ist des reichen Jedermanns Haus.
Oh, Herr, dich bitt ich überaus,
Wolltest dich hilfreich meiner erbarmen,
Mildtätig beistehn einem Armen.

GESELL *zu Jedermann*

Ja, wie gesprochen, wir müssen eilen,
Dürfen uns gar nit länger verweilen.

ARMER NACHBAR *hebt bittend die Hände*

Oh, Jedermann, erbarm dich mein.

GESELL

Kennst du leicht das Gesicht?

JEDERMANN Ich? Wer solls sein?

ARMER NACHBAR

Oh, Jedermann, zu dir heb ich die Hand,
Hab auch einst bessre Tag gekannt.
War einst dein Nachbar, Haus bei Haus,
Dann hab ich müssen weichen draus.

JEDERMANN *gibt ihm eine Münze aus dem Gürtel*

Schon gut!

ARMER NACHBAR *nimmts nicht*

Das ist eine Gabe gering.

JEDERMANN

Meinst du? Gottsblut! So reut mich doch das Ding.

ARMER NACHBAR *weist auf den Beutel*
Davon mein nachbarlich Bruderteil,
So wär ich wieder gesund und heil.

JEDERMANN
Davon?

ARMER NACHBAR
Es ist an dem, ich knie vor dir,
Nur diesen Beutel teil mit mir.

JEDERMANN *lacht*
Nur?

GESELL Selbig ist besessen alls!
Hättst tausend Bettler auf dem Hals.
Was tausend, hunderttausend gleich!

ARMER NACHBAR
Bist allermaßen mächtig reich.
Teilst du den Beutel auf gleich und gleich,
Dir bleiben die Truhen voll im Haus,
Dir fließen Zins und Renten zu.

JEDERMANN
Mann, wer heißt dich, mein Schrank und Truh,
Mein Zins und Rent in Mund nehmen?

GESELL
Ich tät mich allerwegen schämen.

JEDERMANN
Laß! – Mann, da bist du in der Irr,
Wenn du meinst, ich könnt ohnweilen
Den Beutel Geld da mit dir teilen.
Das Geld ist gar nit länger mein,
Muß heut noch abgeliefert sein
Als Kaufschilling für einen Lustgarten.
Ich steh dem Verkäufer dafür im Wort,
Er will aufs Geld nit länger warten.

ARMER NACHBAR
Wenn dieses Geld für den Garten ist,
So brauchts für dich nur einen Wink,
Für einen Beutel hast du zehn,
Heiß einen andern bringen flink,
Den teil mit mir, bist du ein Christ.

JEDERMANN

Der nächste, brächt man ihn herbei,
Der Beutel, der wär auch nit frei.
Mein Geld muß für mich werken und laufen,
Mit Tod und Teufel hart sich raufen,
Weit reisen und auf Zins ausliegen,
Damit ich soll, was mir zusteht, kriegen.
Auch kosten mich meine Häuser gar viel,
Pferd halten, Hund und Hausgesind
Und was die andern Dinge sind,
Die alleweil zu der Sach gehören,
Lustgärten, Fischteich, Jagdgeheg,
Das braucht mehr Pflege als ein klein Kind,
Muß stets daran gebessert sein,
Kost' alls viel Geld, muß noch viel Geld hinein.
»Ein reicher Mann« ist schnell gesagt,
Doch unsereins ist hart geplagt
Und allerwegen hergenommen,
Das ist dir nicht zu Sinn kommen!
Da läufts einher von weit und breit
Mit Anspruch und Bedürftigkeit.
Tät unsereins nit der Schritte drei
Von hier bis an die nächste Wand
Ohn eine allzeit offne Hand.
Ist alls schon recht, muß nur dafür
Ein Fug und ein Gesetz auch walten
Und jeglich Teil daran sich halten.
Und achten gnau was ihm gebühr:
Dawider hast du dich verfehlt,
Wär all mein Geld und Gut gezählt
Und ausgeteilt auf jeglichen Christ,
Der Almosen bedürftig ist,
Es käm mein Seel nit mehr auf dich
Als dieser Schilling sicherlich,
Drum empfang ihn unverweil,
Ist dein gebührend richtig Teil.

NACHBAR *nimmt den Schilling und geht.*

GESELL

Dem hast dus geben recht mit Fug,
Ja, das weiß Gott, viel Geld macht klug.

JEDERMANN

Nun wollen wir gehen, es dustert schon.

SCHULDKNECHT *kommt, von zwei Bütteln geführt, hinter ihm sein Weib und seine Kinder in Lumpen*

GESELL

Was ist das für einer Mutter Sohn,
Den sie da bringen hergeführt,
Die Arme kreuzweise aufgeschnürt?
Mich dünkt, das geht an ein Schuldturmwerfen,
Hätt sich auch mehr in acht nehmen derfen.
Jetzt muß er's bei Wasser und Brot bedenken
Oder sich an einen Nagel henken.
Ja, Mann, du hast halt ein Reimspiel trieben
Und Schulden auf Gulden, die reimen gar gut.

SCHULDKNECHT

Hat mancher sein Schuldbuch nit in der Hut
Und ist drin vieles in Übel geschrieben.

JEDERMANN

Auf wen geht das?

SCHULDKNECHT Auf den, der fragt allweil.

JEDERMANN

Bins nit bewußt für meinen Teil,
Weiß nit, für wen du mich willst nehmen.

SCHULDKNECHT

In deiner Haut wollt ich mich schämen.

JEDERMANN

Gibst harte Wort mir ohn Gebühr.
Dir gehts nit wohl, was kann ich dafür?

SCHULDKNECHT

Für harte Stöß sind sanft meine Wort.

JEDERMANN

Wer stößt dich?

SCHULDKNECHT Du, an einen harten Ort.

JEDERMANN

Ich kenn dich auch vom Ansehen nit.

SCHULDKNECHT
Ist doch dein Fuß, der auf mich tritt.

JEDERMANN
Das wär mir seltsam, daß ich so tät
Und nichts davon in Wissen hätt.

SCHULDKNECHT
Dein Nam steht auf einem Schuldschein,
Der bringt mich in diesen Kerker hinein.

JEDERMANN
Bei meinem Patron, was geht's mich an?

SCHULDKNECHT
Bist doch der selbige Jedermann,
In dessen Namen und Antrag
Beschehn ist wider mich die Klag!
Daß ich in einen Turm werd bracht,
Geschieht allein durch deine Vollmacht.

JEDERMANN *tritt hinter sich*
Ich wasch in Unschuld meine Händ
Als einer, der diese Sach nit kennt.

SCHULDKNECHT
Deine Helfers-Helfer und Werkzeug halt,
Die tun mir Leibes- und Lebensgewalt.
Der Hintermann bist du von der Sach,
Das bring dir zeitlich und ewig Schmach.
In Grund und Boden sollst dich schämen.

JEDERMANN
Wer hieß dich Geld auf Zinsen nehmen?
Nun hast du den gerechten Lohn.
Mein Geld weiß nit von dir noch mir
Und kennt kein Ansehen der Person.
Verstrichne Zeit, verfallner Tag,
Gegen die bring deine Klag.

SCHULDKNECHT
Er höhnt und spottet meiner Not!
Da seht ihr einen reichen Mann.
Sein Herz weiß nichts von Gotts Gebot,
Hat tausend Schuldbrief in seinem Schrein
Und läßt uns Arme in Not und Pein.

SCHULDKNECHTS WEIB

Kannst du dich nicht erbarmen hier,
Zerreißen ein verflucht Papier,
Anstatt daß meinen Kindern da
Der Vater wird in Turm geschmissen,
Von dem dir nie kein Leid geschah!
Hast du kein Ehr und kein Gewissen,
Trägst du mit Ruh der Waisen Fluch
Und denkst nit an dein eigen Schuldbuch,
Das du mußt vor den Richter bringen,
Wenns kommt zu den vier letzten Dingen?

JEDERMANN

Weib, du sprichst, was du schlecht verstehst,
Es ist aus Bosheit nit gewest,
Man hat sich voll und recht bedacht,
Eh man die scharfe Klag einbracht.
Geld ist eine andere War.
Da sind Verträg und Rechte klar.

GESELL

Wär schimpflich um die Welt bestellt,
Wenns anders herging in der Welt.

SCHULDKNECHTS WEIB

Geld ist ein Pfennig, den eins leiht
Dem Nächsten um Gottes Barmherzigkeit.

SCHULDKNECHT

Geld ist nicht so wie andre War,
Ist ein verflucht und zaubrisch Wesen,
Wer seine Hand ausreckt darnach,
Nimmt an der Seele Schaden und Schmach,
Davon er nimmer wird genesen.
Des Satans Fangnetz in der Welt
Hat keinen andern Namen als Geld.

JEDERMANN

Du lästerst als ein rechter Narr,
Weiß nicht, wozu ich hier verharr,
Gibst vor, du achtest das Geld gering,
Und war dir schier ein göttlich Ding!
Nun möchtest ihm sein Ansehen rauben,

Bist wie der Fuchs mit sauren Trauben,
Doch wer so hinterm Rücken schmäht,
Der findt keinen Glauben für seine Red.

SCHULDKNECHT

Aus meinen Leiden hab ich Gewinn,
Daß ich vermag in meinem Sinn
Des Teufels Fallstrick zu erkennen
Und meine Seel vom Geld abtrennen.

GESELL

Geld ist längst abgetrennt von dir,
Drum hast dort im Turm Quartier.

JEDERMANN

Nimm die Belehrung von mir an:
Das war ein weiser und hoher Mann,
Der uns das Geld ersonnen hat
An niederen Tauschens und Kramens statt.
Dadurch ist unsere ganze Welt
In ein höher Ansehen gestellt
Und jeder Mensch in seinem Bereich
Schier einer kleinen Gottheit gleich,
Daß er in seinem Machtbezirk
Gar viel hervorbring und bewirk.
Gar vieles zieht er sich herbei
Und ohn viel Aufsehen und Geschrei,
Beherrscht er abertausend Händ,
Ist allerwegen ein Regent.
Da ist kein Ding zu hoch noch fest,
Das sich um Geld nicht kaufen läßt.
Du kaufst das Land mitsamt dem Knecht,
Ja, von des Kaisers verbrieftem Recht,
Das alle Zeit unschätzbar ist
Und eingesetzt von Jesu Christ,
Davon ist ein gerechtsam Teil
Für Geld halt allerwegen feil,
Darüber weiß ich keine Gewalt,
Vor der muß jeglicher sich neigen
Und muß die Reverenz bezeigen
Dem, was ich da in Händen halt.

SCHULDKNECHTS WEIB
Du bist in Teufels Lob nit faul,
Wie zu der Predigt geht dein Maul.
Gibst da dem Mammonsbeutel Ehr,
Als obs das Tabernakel wär.

JEDERMANN
Ich gebe Ehr, wem Ehr gebühr,
Und läster nicht, wo ich die Macht verspür.

SCHULDKNECHT *indem ihn die Büttel fortschleppen*
Was hilft dein Weinen, liebe Frau,
Der Mammon hat mich in der Klau.
Warum hab ich mich ihm ergeben?
Nun ists vorbei mit diesem Leben.
Sie führen ihn ab.

SCHULDKNECHTS WEIB
Kannst du das sehn und stehst wie Stein?
Wo bett ich heut die Kinder mein?
Geht ihm nach.

JEDERMANN *zum Gesellen*
Tu mirs zulieb, geh da hint nach
Und sieh im stillen zu der Sach.
Der Mann kommt in Turm, da mag nichts frommen,
Dem Weib gewähr ich ein Unterkommen,
Und was sie nötig hat zum Leben
Zusamt den Kindern, das will ich ihr geben.
Mein Hausvogt soll mir darnach sehn
Und ihr freimachen eine Kammer.
Doch will ich Plärrens ledig gehn,
Ihre Not nicht wissen, noch Gejammer.
Das ist ein erzverdrießlich Sach,
Man lebt geruhig vor sich hin,
Hat wahrlich Böses nit im Sinn
Und wird am allerschönsten Tag
Hineingezogen und weiß nit wie
In Hader, Bitternis und Klag
Und aufgescheucht aus seiner Ruh.
Ich frag dich, wie komm ich dazu:
Was geht mich an dem Kerl sein Taglauf?

Er hats halt angelegt darauf,
Nun steckt er drin, schreit ach und weh!
Das folgt halt wie aufs A das B.
Ein Häusel baun mit fremdem Geld,
Wer also haust, um den ists so bestellt.
Das ist seit Adams Zeit der Lauf,
Ist nit erst kürzlich kommen auf.
Zum Schluß aber tät ers in d' Schuh schieben
Dem, so er Haufen Geldes schuldig blieben.
Des Langmut und Geduld arg viel
Hat müssen herhalten zu dem Spiel,
Der selbig erbarmungsvolle Mann,
Der wär ihm gar ein Teufel dann.
Jetzt aber, daß ich es ehrlich sag,
Steht mir der Sinn nit mehr darnach,
Daß ich einen Lustgarten anschau,
Auch wird es duster schon und grau.
Tu mir die Lieb, mein guter Gesell,
Wenn du das andre besorgt hast schnell,
Trag den Kaufschilling da zurecht,
Weil die Versäumnis mir Ärger brächt.
Der Garten zusamt dem Lusthaus drein
Soll alls für meine Freundin sein
Auf einen Jahrtag ein Angebind.

GESELL

Bei der ich dich doch heut abend find?
Ich bring dir den Kaufbrief gleich dahin,
Ausgefertigt nach deinem Sinn.

JEDERMANN

Hab vielen Dank, du guter Gesell,
Mich drängts, daß ich dort hinkomm schnell.
Ist doch der einzige Ort in der Welt,
Wo nichts mir meine Lust vergällt.
Ist recht ein paradiesisch Gut,
Was ihre Lieb mir bereiten tut.
Darum hab ich im Willen dies Ding,
Daß ich ein Angebind ihr bring,
Darin ich wie in einem Gleichnis und Spiegel
Ihr meine Dankbarkeit besiegel.

GESELL

Wie willst das tun, in welcher Weis?

JEDERMANN

Dazu richt ich den Garten mit Fleiß
Und stell inmitten ein Lusthaus hin,
Das bau ich recht nach meinem Sinn
Als einen offenen Altan
Mit schönen steinernen Säulen daran,
Auch springende Wasser und erzene Bild,
Die sollen nicht fehlen zur vollen Zier,
Und dann ich die Anlag also führ,
Daß unter dem Morgen- und Abendwind
Ein Ruch von Blumen mancher Art
Daherstreich allezeit gelind
Von Lilien, Rosen und Nelken zart.
Auch führ ich jederseits Gäng und Bogen
Von Buschwerk, alls so dicht gezogen,
Daß eines noch zu hellem Mittag
Sich Kühl und Frieden finden mag
Und einen ungequälten Ort,
Der von der Sonne niemals dorrt.
Desgleichen an einer verborgenen Stätte
Recht wie der Nymphe quillend Bette
Laß ich aus kühlem glatten Stein
Eine fließende Badstub errichtet sein.

GESELL

Das wird ein köstlich Gärtlein, fürwahr,
Und seinesgleichen nit leicht zu finden.

JEDERMANN

Das will ich meiner Liebsten einbinden
Und nehm sie dann an beide Händ
Und führ sie hinein, damit sie erkennt
In diesem Gärtlein köstlich und mild
Ihr eigen abgespiegelt Bild.
Die allzeit liebreich mich ergetzt,
Mit Hitz und Schattenkühl mich letzt
Und einem verschlossenen Gärtlein gleich
Den Gärtner selig macht und reich.

GESELL

Da seh ich deine Frau Mutter kommen,
Wird dir jetzt die Begegnung frommen?

JEDERMANN

Drück mich nit gern vor ihr beiseit,
Hab aber wahrlich nit viel Zeit.
Geh du, bring mir zurecht die Ding,
Indessen ich meinen Gruß darbring.

JEDERMANNS MUTTER

Bin froh, mein Sohn, daß ich dich seh.
Geschieht mir so im Herzen weh,
Daß über weltlich Geschäftigkeit
Dir bleibt für mich geringe Zeit.

JEDERMANN

Die Abendluft ist übler Art
Und deine Gesundheit gebrechlich und zart,
Kann dich mit Sorgen nur hier sehn.
Möchtest nit ins Haus eingehn?

JEDERMANNS MUTTER

Gehst du dann mit und bleibst daheim?

JEDERMANN

Für den Abend kanns nit wohl sein.

JEDERMANNS MUTTER

So darfst dich nit verdrießen lassen,
Daß ich dich halt hier auf der Gassen.

JEDERMANN

Ist mir gar sehr um deine Gesund,
Vielleicht wir könnten zu anderer Stund –

JEDERMANNS MUTTER

Um meine Gesundheit kein Sorg nit hab,
Ich steh mit einem Fuß im Grab.
Mir gehts nit um mein zeitlich Teil.
Doch dester mehr ums ewig Heil.
Verziehst du dein Gesicht, mein Sohn,
Wenn ich die Red anheb davon?
Und wird die Frag dich recht beschweren,
Wenn ich dich mahn, ob deine Seel
Zu Gott gekehrt ist, ihrem Herrn?

Trittst hinter dich vor Ungeduld
Und mehrest lieber Sündenschuld,
Als in dich gehen ohne Spott
Und recht betrachten deinen Gott?
Da doch von heut auf morgen leicht
Eine Botschaft dich von ihm erreicht,
Du solltest vor seinen Gerichtstuhl gehen
Und von deinem ganzen Erdenleben
Eine klare Rechnung vor ihm geben.

JEDERMANN

Frau Mutter, spotten ist mir fern,
Doch weiß ich, die Pfaffen drohen halt gern.
Das ist nun einmal ihr Sach in der Welt,
Ist abgesehen auf unser Geld.
Damit sies bringen auf ihre Seit,
Sie wissens zu fädeln gar gescheit.
Doch kränkts mich, wie sie Alten und Kranken
In Kopf nichts bringen als finstre Gedanken.

JEDERMANNS MUTTER

Die Finsternis ist wo anders dicht,
Doch solche Gedanken sind hell und licht.
Wer recht in seinem Leben tut,
Den überkommt ein starker Mut
Und ihn erfreut des Todes Stund,
Darin ihm Seligkeit wird kund.
Oh, wem die Stunde des Tods allweg
Recht wohl betrachtet am Herzen läg,
Um den braucht einer Mutter Herz
Nit Sorgen tragen und üblen Schmerz.

JEDERMANN

Wir sind gute Christen und hören Predig,
Geben Almosen und sind ledig.

JEDERMANNS MUTTER

Wie aber, wenn beim Posaunenschall
Du von deinen Reichtümern all
Ihm sollst eine klare Rechnung geben
Um ewigen Tod oder ewiges Leben?
Mein Sohn, es ist ein arg Ding zu sterben,
Doch ärger noch auf ewig verderben.

JEDERMANN

Auf vierzig Jahre bin ich kaum alt,
Mich wird eins halt nit mit Gewalt
Von meinen irdischen Freuden schrecken.

JEDERMANNS MUTTER

Willst du den Kopf in den Sand stecken
Und siehst den Tod nit, Jedermann,
Der mag allstund dich treten an?

JEDERMANN

Bin jung im Herzen und wohl gesund
Und will mich freuen meine Stund,
Es wird die andere Zeit schon kommen,
Wo Buß und Einkehr mir wird frommen.

JEDERMANNS MUTTER

Das Leben flieht wie Sand dahin.
Doch schwer umkehret sich der Sinn.

JEDERMANN

Frau Mutter, mir ist das Reden leid,
Hab schon gesagt, hab heut nit Zeit.

JEDERMANNS MUTTER

Mein lieber Sohn!

JEDERMANN Bin sonst allzeit
Gehorsam gern und dienstbereit.

JEDERMANNS MUTTER

Meine Red ist dir verdrießlich sehr,
Das macht mich doppelt kummerschwer.
Mein guter Sohn, ich hab ein Ahnen,
Ich werd dich nimmer lang ermahnen.
Fall dir zur Last noch kurze Zeit,
Weil ich von hier mich bald abscheid.
Doch du bleibst dann allein dahint
Und bist mein unberaten Kind.
So sag ich dir halt nur ein Wort,
Das dich mit langer Red nit kränk:
Sei deines Herrn Gotts eingedenk.
Und auch seiner großen Gnadenspend,
Der sieben heiligen Sakrament,
Davon ein jegliches uns frommt

Und unserer Schwäch zu Hilfe kommt,
Ein jegliches in besonderer Weis
Uns stärket auf dieser Lebensreis.

JEDERMANN

Was soll –

JEDERMANNS MUTTER

Du bist ein stattlicher Mann
Und Frauenlieb steht dir wohl an.
Und hat denn unser Erlöser nicht,
Der weiß, woran es uns gebricht,
Und alles auf dieser Erden kennt
Und alles zu unserem Segen wendt,
Ein Sakrament nit eingesetzt,
Wodurch, was also dich ergetzt,
Verwandelt wird und kehret sich um
Aus Wollust in ein Heiligtum!
Willst stets in arger Zucht umtreiben
Und fremd die heilige Eh dir bleiben?

JEDERMANN

Frau Mutter, die Red ist mir bekannt.

JEDERMANNS MUTTER

Hat doch dein Herz nit umgewandt.

JEDERMANN

Ist halt noch allweil die Zeit nit da.

JEDERMANNS MUTTER

Und doch der Tod schon gar so nah.

JEDERMANN

Ich sag nit ja, ich sag nit nein.

JEDERMANNS MUTTER

So muß ich allweg in Ängsten sein.

JEDERMANN

Auch morgen ist halt noch ein Tag.

JEDERMANNS MUTTER

Wer weiß, wer den noch sehen mag.

JEDERMANN

Macht euch nit unnütze Beschwerden,
Ihr seht mich sicher noch ehlich werden.

JEDERMANNS MUTTER

Mein guter Sohn, für dieses Wort
Will ich dich segnen immerfort,
Sei viel bedankt, daß mir dein Mund
So schönen Vorsatz machet kund.

JEDERMANN

Hab nit von heut noch morgen geredt.

JEDERMANNS MUTTER

Wenn nur dein Wille dagegen nit steht...
Einer Mutter Herz ist wohl gestellt,
Wo nur ein gutes Wörtlein hinfällt.
Dein Vorsatz ist noch klein und schwach,
Zielt doch auf eine heilige Sach,
Und daß du so geantwort' hast,
Nimmt von der Brust mir schwere Last.

JEDERMANN

Viel gute Nacht, Frau Mutter, nun
Ich wünsch, du mögest sänftlich ruhn.

JEDERMANNS MUTTER

So will ich, mein lieber guter Sohn,
Und ist mir doch, als ob ein Ton
Gar schön wie Flöten und Schalmein
In deine Worte tön herein!
An solchen Zeichen und Gesicht
Mirs dieser Tage nit gebricht.
Ich nehm sie als eine Vermahnung hin,
Daß bald ich eine Sterbende bin.
Geht.

JEDERMANN

Nun hör ich auch ein solch Getön,
Sollt also seltsam dies zugehn?
O, nein, das geschieht natürlicher Weis,
Wie wohl ichs noch nit zu deuten weiß.
Nun aber gehts nit bloß ins Ohr.
Tritt auch den Augen was hervor. –

BUHLSCHAFT *kommt heran, von Spielleuten und Buben, die Windlichter tragen, begleitet*

JEDERMANN

Das ist ja meine Buhle wert,
Nach der mein Herz schon hart begehrt.
Hat Spielleut mit eine ganze Schar
Und kommt mich abzuholen gar.

BUHLSCHAFT

Wer alls lang auf sich warten läßt
Und ist der wertest aller Gäst,
Den muß man mit Zimbeln und Windlicht
Abholen und führen zu seiner Pflicht.

JEDERMANN

Du schlägst die Lichter mit eigenem Schein,
Deine Red ist süßer als Schalmein.
Ist alls für mich zu dieser Stund
Wie Balsam für die offne Wund.

BUHLSCHAFT

War mir doch, eh ich zu dir trat,
Als ob dir jemand nahe tat
Und wär dein helle Stirn und Wangen
Von einer Trübnis überhangen.

JEDERMANN

Wie, gelt ich also viel vor dir,
Daß du solch Ding erspähst an mir?
So bin ich dir wahrhaftig dann
Kein ältlich, unbequemer Mann?

BUHLSCHAFT

Mit dieser Red geschieht mir weh,
Des ich zu dir mich nit verseh.
Steh nit auf grüne Buben an,
Du bist mein Buhl und lieber Mann.

JEDERMANN

Fühl mich wahrhaftig herzensjung
Und selber bubenhaft genung,
Und wenn ich alls kein Bub mehr bin,
So zärtlicher ist drum mein Sinn.

BUHLSCHAFT

Ein Bub liebt frech und ohne Art,
Ein Mann ist großmütig und zart.

Hat milde Händ und steten Sinn,
Das zieht zu ihm die Frauen hin.

JEDERMANN

Wenn eins gemahnt wär an den Tod
Und hätt Melancholie und Not,
Und säh auf deine Lieblichkeit,
Dem tät sein trübes Denken leid.

BUHLSCHAFT

Das Wort allein macht mir schon bang,
Der Tod ist wie die böse Schlang,
Die unter Blumen liegt verdeckt,
Darf niemals werden aufgeweckt.

JEDERMANN

Du Süße, schaff ich dir noch Sorgen?
Wir lassen sie unter Blumen verborgen
Und wissen nirgend nichts von Schlangen,
Als zweien, die gar hold umfangen.

BUHLSCHAFT

Wie, wären die mir auch bekannt,
Wie werden diese denn genannt?

JEDERMANN

Das sind die lieben Arme dein,
In diese sehn ich mich hinein.

Sie küßt ihn und setzt ihm einen bunten Blumenkranz auf, den ein Bub dar-reicht.

Ein Teil der Buben läuft hinauf, streut Blumen und wohlriechende Kräuter.

Ein Tisch kommt aus dem Boden empor, reich gedeckt und mit Lichtern.

JEDERMANN *und* BUHLSCHAFT *treten jedes an eine Seite der Treppe, die zum obern Gerüst emporführt*

Die Gäste, zehn Junggesellen und zehn Fräulein, kommen hinein von bei-den Seiten, tanzend und singend.

VORSÄNGER

Ein Freund hat uns beschieden,
Er heißet Jedermann,
Der Mann ist guter Art,
Hat eine Freundin zart,
Drum blieb er ungemieden,
Und hat er uns beschieden,
So treten wir heran.

ALLE

Wohlauf, antreten
In fröhlichem Tanz,
Schalmeien, Drommeten,
Wir sein hier gebeten
Zu Fackeln und Glanz
Und kommen mit Tanz.

Wir waren mit Blicken
Nit zaghaft und bang.
Nun gehts an ein Drücken.
Recht nah und gedrang,
Wir wollen uns verstricken
Und schlingen den Kranz.
So wollen wir vorrücken,
Das ehret den Tanz.

Ein jeder erwähle
Mit liebendem Sinn
Und keiner verhehle
Seiner Freuden Gewinn.
Wir wollen uns umstricken,
Das wärmet das Blut,
So wollen wir vorrücken
Mit fröhlichem Mut.

JEDERMANN

Seid allesamt willkommen sehr,
Erweist mir heut die letzte Ehr.

EIN FRÄULEIN

Das ist ein sonderlicher Gruß.

DICKER VETTER

Potz Maus, mein Vetter Jedermann,
Wie grüßt Ihr uns, was ficht Euch an?

BUHLSCHAFT

Was ist dir, was schafft dir Verdruß?

JEDERMANN

Ist unversehens zu Mund so kommen,
Ich heiß euch alle recht schön willkommen!

BUHLSCHAFT

Nehmt, wie der Sinn euch steht, die Plätz!
Ihr Buben, reicht Handwasser jetzt!
Was stehst du da und siehst so fremd?
Sie setzen sich.

JEDERMANN

Sie sitzen ja alle im Totenhemd!

BUHLSCHAFT

Was ficht dich an, bist du mir krank?

JEDERMANN

Haha! ein ungereimter Gedank!
Ich trink jetzt einen Becher Wein,
Der macht das Hirn von Dämpfen rein.

BUHLSCHAFT

Sitz! red zu ihnen ein freundlich Wort!

JEDERMANN

Ihr Leute, seid ihr auch recht am Ort?
Ihr sehet mächtig fremd mir aus.
Ein Schweigen.

MAGERER VETTER

Potz Velten, Vetter Jedermann,
Wollt Ihr uns wiedrum treiben fort?

DICKER VETTER

Das schafft Ihr nicht so leicht, Potz Maus,
Dazu ist Euer Koch zu gut,
Auch geht der Wein recht warm ins Blut,
Freu mich, daß ich hier seßhaft bin.

JEDERMANN

Jawohl... nur bloß... mir steht zu Sinn,
Wie ihr da seid hereingelaufen,
So könnte ich euch alle kaufen
Und wiederum verkaufen auch,
Daß es mir nit so nahe ging
Als eines Fingernagels Bruch.

EIN GAST

Was soll uns dieser grobe Spruch?

EIN FRÄULEIN

Was meint er nur mit diesem Ding?

DICKER VETTER
Die Reden sind sonst nit sein Brauch.
BUHLSCHAFT
Geht die Red gleicherweis auf mich?
JEDERMANN *sieht sie an*
EIN GAST
Ist recht eines reichen Manns Red,
Gar überfrech und aufgebläht.
BUHLSCHAFT
Dein Blick ist starr und fürchterlich,
Für was willst du mich strafen, sprich.
JEDERMANN
Dich strafen, Süße, ist mir fern,
Lieb dich gleich meinem Augenstern,
Hab müssen denken von ungefähr,
Wie deine Miene beschaffen wär,
Wenn dir auf eins zukäm die Kund,
Daß ich müßt sterben zu dieser Stund.
BUHLSCHAFT
Um Christi Willen, was ficht dich an,
Mein Buhle traut, mein lieber Mann,
Ich bin bei dir, sieh doch auf mich,
Dein bin ich heut und ewiglich.
JEDERMANN
Wenn ich dann spräch: Bleibst du bei mir?
Willst dort bei mir sein so wie hier?
Willst mich geleiten nach der Stätte
Und teilen mein eiskaltes Bette?
Fielest ohnmächtig mir zu Füßen,
So hätte ich meine Frag zu büßen!
Wollt ich trotzdem des Wegs dich locken,
Tät dir das Blut in Adern stocken,
Wäre mir gedoppelt Marterqual
Und Gall und Essig allzumal,
Wenn ich müßt sehen mit eigenen Augen,
Wie deine süßen Schwür nit taugen
Und wie du lösest deine Händ
Aus meinen Händen gar am End

Und deinen Mund von meinem Mund
Abtrennest in der letzten Stund.
O weh.
Er seufzt.

BUHLSCHAFT

Ihr lieben Vettern und Leut,
Mein Liebster ist besonders heut,
Weiß nit, wes ich mich soll versehn,
Könnt ihr mit Rat mir nit beistehn?

JEDERMANN *starrt vor sich und tut den Kranz aus dem Haar*

BUHLSCHAFT

Er sitzt nit fröhlich und gepaart
Und redt von Dingen aus der Art,
Hab nie zuvor ihn so gesehn,
Weiß nit, was ihm mag sein beschehen!

MAGERER VETTER

Potz Velten, Vetter Jedermann,
Habt Ihr leicht die Melancholie?
Wenn nit, was sonsten ficht euch an?

DICKER VETTER

Kenn das, sitzt hinterwärts der Stirn,
Ist eine Trockenheit im Hirn,
Ist mir von meinem Herrn Vater bekannt,
Mit ihm wars öfter so bewandt.
Mußt brav eines trinken, mit Vergunst,
Daß dir der Wein das Hirn aufdunst.

EIN FRÄULEIN

Gehört ein Absud in den Wein
Von Nieswurz, Veilchen oder Hanf.

DICKER VETTER

Hier, Buben, machet heiß den Wein,
Daß er fast glühender aufdampf,
Und tut ein Zimmet und Ingwer ein.
Sie machen hinten den Wein glühend auf einer Pfanne.

EIN ANDERES FRÄULEIN

Hab sagen hören, es gibt einen Stein,
Den trägt die Schwalbe in ihrem Bauch,
Den haben die großen Ärzt im Brauch,
Heißt Chelidonius.

MAGERER VETTER Nein, Calcedon!
Hab öfter reden hören davon!
Ist mächtig gegen die Melancholie.

EIN DRITTES FRÄULEIN
Ich mein, er müßt mit der Sympathie
Kuriert sein. Ist giftiger Hauch
Im Spiel hier oder böser Blick.
Wär mir mein Liebster also krank,
Ich täts probieren ohne Wank.

DIE ZWEITE
Was tätst probieren?

DIE DRITTE Ist geheim!
Darf in gemeinem Mund nit sein,
Verliert sonst seine verborgene Kraft.

DIE ZWEITE
Von wo hast du die Wissenschaft?

DIE DRITTE
Habs halt einmal und gebs nit preis.
Sags aber ihr ins Ohren leis.
Steht auf, flüstert Buhlschaft ins Ohr. Gleichzeitig reden mehrere unten am Tisch das Folgende.

EIN GAST
Wenn eins halt allzeit lebt zu gut,
Das schafft ihm ein verdicktes Blut,
Einen armen und beschwerten Mann
Käm die Melancholie nit an.

EIN FRÄULEIN
Was heißen sie denn die Spielleut nit
Anheben mit Blasen und Geigenstreichen,
Davor muß immer der Trübsinn weichen.

EIN ANDERES FRÄULEIN
Wir wollen anheben zu singen was,
Davon schon öfter einer genas.

EIN GAST
Darf aber ein züchtig Lied nur sein.

EIN ANDERER
Sie singt nit anders als zart und fein.

DER EINE GAST
Kennt ihr das Lied, das anhebt so:

»In süßen Freuden geht die Zeit«?
Davon, so dünkt mich, müßt einer zur Stund,
Wenn er es anhört, werden gesund.

DAS EINE FRÄULEIN
Nein, lasset doch, sind wir denn Pfaffen?
Was soll ein geistlich Lied uns schaffen?

EIN GAST
Ist nie und nimmer kein Pfaffenlied.
Der Türmer singt's, wenn die Sonn aufzieht.

DAS EINE FRÄULEIN
Ich weiß ein anderes, singen wir das.

DAS ANDERE FRÄULEIN
Ei was?

DER EINE GAST *indem er sie küßt*
Ei was, wenns regnet, ist's naß.

DAS ANDERE FRÄULEIN
»Floret silva undique.
Um meinen Gesellen ist mir weh.«

DER EINE GAST *spottet ihr nach*
»Floret silva undique.
Um ihren Gesellen ist ihr weh.«

DAS GLEICHE FRÄULEIN
»Er ist geritten von hinnen.
O weh, wer soll mich minnen!«

EIN ANDERER GAST *fällt ein*
»Steht auch der Wald voll grünen Schoß,
Wohin doch ist mein Traugenoß?«

JEDERMANN *hat indes den Becher Glühwein ausgetrunken und sieht mit fröhlicher Miene umher*
Seid fröhlich, Vettern und liebe Gäst,
Mir ist nit just recht wohl gewest,
Ein Trunk hat mich gemacht gesund,
Nun grüß ich erst meine Tafelrund.
War mir, als läg was auf der Brust,
Nun hab ich doppelt Lebenslust.
Bin froh, daß wir beisammen sein,
Ist mir ein rechter Freudenwein.
Schwillt mir das Herz so übervoll,

Weiß gar nit, wie ichs sagen soll.
Sind köstlich Ding doch auf der Welt,
Ist herrlich gar um uns bestellt.
Ja Lieb und Freundschaft, die zwei sind viel wert.
Wer die hat, des Herz nit mehr begehrt.
Kommt Wein dazu und Saitenspiel,
So ist's schon über Maßen viel.
Ich hab euch recht lieb, ihr lieben Gäst,
Ich bitt euch, nützt die Stund aufs best.
Laßt eure Kehl nit untätig sein,
Ein Lied geht aus, wo eingeht der Wein.
Verschränket eure Stimmen aufs best
Und haltet sänftlich die Liebste fest.
Genützt sei eine schöne Stund
Mit Hand und Aug und Herz und Mund!
Ja, laßt Euch nit lang gebeten sein,
Und singt uns eins, lieber Vetter mein.

DER DICKE VETTER

Mein dünner Vetter, oh weh, o weh!
Nun kommt sein Lied vom kalten Schnee.
Sie singen lachend

DER DÜNNE VETTER *singt*

O weh, o weh, Frau Minne, mir ist weh,
Frau Minne!
Greif her, wie sehr ich brinne,
O weh!
Ein kalter, kalter Schnee,
Er müßt vor Glut zerrinnen,
Darin das Herz erstickt!
Wollt helfen mir, Frau Minnen,
Des wär ich hochbeglückt.
Alle singen mit. Man hört darein ein dumpfes Glockenläuten.

JEDERMANN *stößt sein Glas von sich*

Was ist das für ein Glockenläuten!
Mich dünkt, es kann nichts Guts bedeuten,
Der Schall ist laut und todesbang,
Schafft mir im Herzen Qual und Drang.
Was läuten Glocken zu dieser Zeit?

EIN GAST
Ist nichts zu hören weit und breit.
EIN ANDERER
Hat einer läuten hören Glocken?
EIN FRÄULEIN
Was Glocken, was wird von Glocken geredt?
EIN ANDERER
Wär eins zu früh zur Morgenmett!
BUHLSCHAFT
Ich bitt euch, laßt das Singen nit stocken.
EIN GAST
Hat einer von euch was läuten hören?
EIN ANDERER *lachend*
Nit läuten, meiner Seel, noch schlagen.
BUHLSCHAFT
Laßt euch im Singen doch nit stören.
JEDERMANN
Ich bitt euch, hat alls nichts zu sagen,
Jetzt hör ichs nimmer, ist alls schon gut.
DICKER VETTER
Kommt alls von einem trägen Blut.
Ich laß Euch wärmen ein Becherlein.
JEDERMANN
Viel Dank, guter Vetter, laßt nur sein.
Er setzt sich wieder, Buhlschaft schmiegt sich an ihn. Die am unteren Ende des Tisches singen »Floret silva undique« *und so fort als Kanon. Indes sie singen, kommt*
JEDERMANNS GUTER GESELL *und nimmt den leeren Platz am Tische ein*
Indem der Gesang leiser wird, hört man viele Stimmen rufen.
STIMMEN
Jedermann! Jedermann! Jedermann!
JEDERMANN *springt angstvoll auf*
Mein Gott, wer ruft da so nach mir?
Von wo werd ich gerufen so?
Des werd ich im Leben nimmer froh.
GESELL
Ei, Jedermann, ich bin zur Stell.
BUHLSCHAFT
Sieh, Jedermann, doch, dein lieber Gesell.

JEDERMANN

Ihr liebe Freundschaft, sagt mir an,
Wer ruft so gräßlich »Jedermann«?

DÜNNER VETTER

Hat müssen grad ins Ohr dir dringen
Ein Widerhall von ihrem Singen.

JEDERMANN

Nein, nein! in fürchterlicher Weis
Und laut und mächtiglich, nit leis.
So: »Jedermann!« und »Jedermann!«
Doch anderster als ich es schaffen kann
Gar fremd und doch bekannt zugleich.
Aus welchem höllischen Bereich
Hats müssen also nach mir schreien.
Des kann ich mich nimmer getrösten, nein!
Jetzt, jetzt! aufs neu, so hört doch an,
Wie streng sie rufen »Jedermann«!
Man hört das gleiche Rufen wie vordem.

BUHLSCHAFT

Ich hör keinen Laut.

DER DICKE VETTER Ich hör keinen Schall.

DER DÜNNE VETTER

Auch nit einen leisen Widerhall.

GESELL *tritt zu Jedermann*

Ist Ohrentrug, siehst nit wohl aus,
Soll ich geleiten dich nach Haus?

JEDERMANN

Wie ich auf euch die Augen heft,
So kommen mir zurück die Kräft.
Ich mein, es könnt ein solches Schrein
Kein zweites Mal sich hier anheben.
Tut mir recht wohl der Lichterschein.
Sitz nieder, mein Gesell, hierneben,
Und mögen alle lieben Gäst
Zulangen und sich ergetzen aufs best.
Will morgen zu gelegner Zeit
Mit einem Arzten Beratung pflegen,
Daß solche Zufäll allerwegen
Er wohlbedacht mir hält hintan.

BUHLSCHAFT

Mußt mirs versprechen, lieber Mann!
Müßt ja vor Angst und Sorg vergehn,
Sollt ich dich öftern also sehn.
Sie essen alle weiter und sind zärtlich miteinander.

JEDERMANN *hebt sich angstvoll*

Nun aber sag um Gott, mein Lieb,
Was brennen die Lichter also trüb?
Und wer kommt hinter mir heran?
Auf Erden schreitet so kein Mann.

DER TOD *steht da in einiger Entfernung.*
Alle Gäste auf.

TOD

Ei Jedermann! ist so fröhlich dein Mut?
Hast deinen Schöpfer ganz vergessen?

JEDERMANN

Was fragst um das zu dieser Stund?
Bekümmerts dich? wer bist? was solls?

TOD

Von deines Schöpfers Majestät
Bin ich nach dir ausgesandt,
Und das in Eil: drum steh ich da.

JEDERMANN

Wie, ausgesandt nach mir?
Greift nach seinem Herzen.
Dem möchte wohl so sein. Ei ja.

TOD

Denn ob du ihm gibst wenig Ehr,
In der himmlischen Sphär denkt er dein.
In welcher Weis, das soll dir gleich gemeldet sein.

JEDERMANN *die Augen gesenkt, tritt hinter sich*

Was will mein Gott von mir?

TOD

Das will ich dich weisen.
Abrechnung will er halten mit dir. Unverweilt!

JEDERMANN

Ganz und gar bin ich unbereit
Für solch ein Rechnung legen.

Müßt ich das tun, da käm ich in Not.
Auch kenn ich dich nit, was bist du für ein Bot?

TOD

Ich bin der Tod, ich scheu keinen Mann,
Tret jeglichen an und verschone keinen.
Es flüchten viele.

JEDERMANN

Was? keine Frist willst du mir geben,
Und überfällst eins ungewarnt
Gar mitten drin im besten Leben,
Gotts Blut! das ist kein ehrlich Spiel,
Damit erwirbst dir Ruhm nit viel,
Denn daß ichs nur sag, bin nit bereit,
Mein Schuldbuch auch ist nit so weit.
Hätt ich für mich so zehn, zwölf Jahr,
Ich wollt es in der Ordnung han,
Daß keine Furcht mich ginget an.
Das wollt ich, so steh Gott mir bei.
Drum aus Gotts Gnaden laß mich hier,
Daß ich das Ding zur Ordnung führ.

TOD

Hie hilft kein Weinen und kein Beten.
Die Reis mußt alsbald antreten.

JEDERMANN

O Gott der Gnaden auf himmlischem Thron,
Erbarm dich meiner schweren Not.
Wird mir zum Gefährten für diesen Weg
Kein anderer als du bestellt?
Soll ich aus dieser Erdenwelt
Hinaus, und kein Geleite haben?
Und war doch hier niemals allein,
Mußt allerwegen gesellig sein.

TOD

Nun ist Geselligkeit am End.
Ring nit vergebner Weis die Händ,
Schleun dich, jetzt gehts vor Gottes Thron.
Dort empfängest deinen Lohn.
Wie, hat dich Narren wollen bedünken,

Das Erdengut und dies dein Leben
Wär dir alles zu Eigen gegeben?

JEDERMANN

So war ich vermeinend, wahrhaftig und ja.

TOD

Nichts da, war alls dir nur geliehen.
Bist du dahin, erbts einen andern,
Und über eine Weil schlägt dem seine Stund
Und er muß alles hier lassen und wandern.
Ich komm halt schnell.

JEDERMANN Nur einen Tag!

Nur diese Nacht bis Sonnaufgehn,
Daß ich mit Reu mög in mich gehn
Und hören auf des Priesters Lehr
Und bessern mich nach deinem Begehr.

TOD

Dergleichen wird von mir nit erbeten.
Wo ich einen Mann tu antreten,
Den schlag ich auf sein Herz mit Macht.
Wird vorher kein Anzeig beigebracht.

JEDERMANN

O weh! Nun ist wohl Weinens Zeit!

TOD

Mit Weinen wird nur Zeit vertan.

JEDERMANN

Weh über mich, was heb ich an?
Hätt ich ein ledig Stündlein Zeit,
Mir zu gewinnen ein Geleit.
Daß ich nicht mutterkindallein
Vor meinem Richter müßte sein.

TOD

Meinst du, daß solches dir gewinnst?
Ich sag, sie weigern dir den Dienst.

JEDERMANN

Nur nit allein vor das Gericht!
Nur Redens und Ratens ein Stündlein Zeit,
Um Christi Gotts Barmherzigkeit!

TOD

Meinshalb, ich tret dir aus dem Gesicht,
Nur merk, vertu nit diese Frist
Und nütz sie klüglich als ein Christ.
Geht hinauf, wird unsichtbar.

JEDERMANN *tritt zu seinem Gesellen*

Mein guter Gesell, du weißts –

GESELL Ich weiß.

War nit fünf Schritt weit, Jedermann,
Wie dich der Tod hat treten an!
Und hab euch reden hören alls.
Schlägt mir das Herz bis an den Hals!
Ein froher Mann und kerngesund,
Das warst du bis zu dieser Stund.
Nun kommt mich schier das Weinen an,
Wenn ich dich anschau, Jedermann.

JEDERMANN

Hab vielen Dank, mein guter Gesell.

GESELL

Was dir noch Not tut, sag du schnell.

JEDERMANN

Du bist mir wahrhaft ein guter Freund.
Dich hab ich allzeit treu befunden.

GESELL

Und sollst mich finden zu allen Stunden.
Denn glaub du mir, ging deine Reis
Geradewegs hinab zur Höll,
Hie fändest du den Gefährten zur Stell.

JEDERMANN

Gott steh mir bei, du lieber Mann,
Daß ichs um dich verdienen kann.

GESELL

Ist von Verdienen nit die Sprach,
Wär mir die allergrößte Schmach,
Wollt ichs mit dem Mund mich unterwinden
Und sollt man in Taten mich lässig finden.

JEDERMANN

Mein Freund!

GESELL Sprich frei, tu auf den Mund,
Muß alls mir werden offenbart.
Ich steh bei dir bis zur letzten Stund
Recht nach guter Gesellen Art.

JEDERMANN *will den Mund auftun*

GESELL
Dein Jammer geht mir mächtig nah,
Soll alles, was aufs Herz dir druckt,
Von diesem ganzen Erdenwesen
Von mir getreulich sein verwesen.
Sag, ist dir von etlichen Leids getan?
Sie sollen ihre Strafen han
Von meiner Hand mit scharfem Eisen,
Und müßt ich darüber ins Gras beißen!

JEDERMANN
Ist nit um dies mir, bei Gotts Blut!

GESELL
Es geht dir um dein Geld und Gut.
Das schafft dir große Sorgenlast,
Daß keine Leibeserben hast.

JEDERMANN
Nein, Lieber, nein!

GESELL Braucht nit viel Wort,
Bei mir ist dein Vertraun am Ort.
Der Kaufbrief da ist wohl verwahrt.
Dir ist um deine Freundin zart,
Daß deines Reichtums auf sie komm
Soviel, als ihr auf immer fromm'.

JEDERMANN
Nein, Lieber, Guter, hör mich an.

GESELL
Spar dir die Reden, Jedermann.
Bist ohne viel von mir verstanden.

JEDERMANN
Ach! ganz was anders schafft mir Qual,
Viel näheres, mein guter Gesell!

GESELL
Heraus damit, laß hören schnell.
Merk, Freundes Mund tröst allemal.

JEDERMANN
Ja, du mein Freund!
GESELL Willst mich nit weisen?
Könnt sein, dir blieb sonst nit die Zeit.
JEDERMANN
O weh, das wär mir bitter leid.
GESELL
Sag deine Sach! Frisch, Jedermann!
Wo bliebe unsere Freundschaft dann?
JEDERMANN
Wenn ich dir tät mein Herz aufschließen
Und du, du kehrtest den Rücken mir
Und ließest dich meine Red verdrießen,
Des hätte ich wohl zehnfach Gram und Weh!
GESELL
Herr, wie ich zu Euch gesprochen eh,
So will ich tun.
JEDERMANN So dank dir Gott.
Mir ist befohlen, mich fortzuheben.
Der Weg ist weit und voll Beschwer,
Und was dann kommt, noch weit mehr,
Denn ich soll eine Rechnung geben
Von meinem Reichtum und all meinem Leben
Vor meinem Schöpfer und höchsten Richter!
Drum also komm mit, mein guter Gesell,
Wie dus versprochen hast zur Stell.
GESELL
Ei ja, das ist schon eine Sach.
Versprechen und brechen, das wär mir Schmach.
Daran nur denken macht mir heiß.
JEDERMANN
O du!
GESELL Doch sollt ich antreten die Reis,
Da heißt es sich beraten und gut.
JEDERMANN
Was? sprachest doch, auf jeglicher Straßen
Wolltest nicht lebend noch tot mich verlassen.
Und wär es geraden Wegs zur Höll.

GESELL

Richtig, so war meine Red, Hand aufs Herz!
Aber die Wahrheit zu vermelden,
Ist jetzo nicht Zeit für dergleichen Scherz.
Ist fast bereits ernsthaft die Sachlag.
Und dann, wenn wir die Reis wollten antreten,
Wann kämen wir wiederum hierher?
Ei, gib doch Antwort.

JEDERMANN Nimmermehr.

Nimmermehr bis an den Jüngsten Tag.

GESELL

Dann, bei Gotts Tod, bleib ich hintan.
Wenn in dem Sinn die Meldung beschah,
Dann stehts, daß ich die Reis nit tu.

JEDERMANN

Nit tust?

GESELL Nein, alsdann bleib ich am Ort.

Ich sag dir, wie mir ist zu Sinn,
Du weißt, daß ich freimütig bin.
Itzt stehts, daß ich die Reis nit tu,
Um keiner lebenden Seel fürwahr,
Auch nit um meines Herrn Vaters Lieb,
Gott schenk ihm ansonsten die ewige Ruh.

JEDERMANN

Um Gott! Hast mir was anders versprochen!

GESELL

Weiß wohl. Und ist recht in Treuen beschehn.
Und so du wolltest was anders begehn,
Mit Frauen was Gutes an Kumpanei
Oder was es sonsten sei,
Solltest an deiner Seiten mich sehn,
So lange Gott läßt einen hellen Tag sein
Und auch des Nachts bei Fackelschein.
Das sag ich in Treuen!
Schickt sich an zu gehen.

JEDERMANN

O deiner bedarf ich jetzt gar sehr.
Jetzt heißt es: Gesell, gedenke mein.

GESELL

Ob wir Genossen waren, ob nit,
Hinfort tu ich mit dir keinen Schritt.

JEDERMANN

So bitt ich dich, nimm soviel auf dich
Um Christi Gotts Barmherzigkeit,
Und gib mir tröstliches Geleit
Bis vor die Stadt.

GESELL *reißt sich los* Ich tu dirs nit,
Setz einen Fuß nit vor den andern,
Nit um ein neues Feierkleid.
Ließest du dir ein wenig Zeit,
So wollt ich dich nit allein lassen stehn.
Nun aber kann ich nit harren bei dir.
Über die Schulter zurück.
So geb dir Gott eine schleunige Fahrt
Dahin recht sänftlich in guter Art.
Muß eilends jetzt meines Weges gehn.

JEDERMANN *einen Schritt ihm nach*

Wohin, Gesell? Willst mich verlassen ganz und gar?

GESELL

Wohl, wohl. Gott nehm deiner Seelen wahr.

JEDERMANN

Leb wohl, mein Freund, um dich wird mir mein Herz arg schwer,
Leb immer wohl, dich seh ich nun auch nimmermehr.

GESELL

Leb wohl auch, Jedermann, leb wohl, am End gib mir die Hand,
Ja, Scheiden tut recht weh, das hab ich jetzt erkannt.
Er geht.

JEDERMANN

O weh, wohin soll ich nun um Hilf in der Welt.
War mein Gesell, solang ich fröhlich war.
Nun trägt er wenig Leid um mich ganz unverstellt.
Hab eh und immer was reden hören,
Das ging mir aber gar nit nah
Bis heute, da mir das geschah.
Es hieß: Solang einer im Glück ist,
Der hat Freunde die Menge,

Doch wenn ihm das Glück den Rücken kehrt,
Dann verläuft sich das Gedränge.
O weh, so siehet das nun aus,
Schnürt mir die Kehl vor Angst und Graus.
Er wird die Vettern gewahr, die noch beiseite stehen, und sein Gesicht hellt sich auf.
Da stehen meine Blutsfreunde ja,
Vielliebe Vettern, bleibt mir nah.
Ihr seid wahrhaftig recht am Ort,
Weiß auf der Welt kein schöner Wort
Als dieses: Art läßt nicht von Art,
Das wird von euch heut recht gewahrt,
Da ihr in dieser schweren Stund
Mein Beiständ seid mit Hand und Mund.

DICKER VETTER
Geruhig Blut, mein Vetter Jedermann,
Nur ruhig Blut, das ist alls, was ich sagen kann.

JEDERMANN
Ihr lasset mich auch nit –

DICKER VETTER Nur ruhig Blut.
Ist gar von Lassen nit die Sprach,
In Stich Euch lassen, das wär uns Schmach.

DÜNNER VETTER
Euch widerfahr so Liebes wie Leides,
Mit Euch zu teilen begehren wir beides.

DICKER VETTER
Ja, wie gesagt –– ei freilich ja!
Ihr seht, wir stehn Euch treulich nah.

JEDERMANN
O vielen Dank, ihr Blutsfreunde mein.

DICKER VETTER
Da wir doch Anverwandte sein!

JEDERMANN
Ihr habt gesehn, es kam ein Bot,
Der kam auf hohen Königs Gebot.

DICKER VETTER
Ja, –– ich weiß, Vetter Jedermann ––
Die Sach ist eben so bewandt,
Daß ich in der nichts machen kann.

JEDERMANN

Er hieß einer Fahrt mich unterwinden.

DICKER VETTER

Ja, wie gesagt –

JEDERMANN Von dieser Fahrt ––

DICKER VETTER

Nun, wie gesprochen, Art läßt nicht von Art!

JEDERMANN

Von dieser Fahrt, das weiß ich wohl,
Werd ich nimmer zurücke finden.

DICKER VETTER

Ei nimmer! Ja, wo halt nichts ist,
Da hat der Kaiser 's Recht verloren!

JEDERMANN

Mein Vetter, hörtet Ihr, was ich sprach?

DICKER VETTER

Ihr redet nit zu tauben Ohren.

DÜNNER VETTER

Ei, nein, wahrhaftig nit, Gotts Not.

JEDERMANN

Ich werd da nimmer zurücke finden.

DICKER VETTER

Habt Ihr auch richtig verstanden den Bot?

JEDERMANN

Ich ihn?

DICKER VETTER

Die Red und den Verstand,
Habt Ihr das richtig wohl gefaßt?

JEDERMANN

Ob ich –?

DICKER VETTER

Das war schon, daß ich sag –
Ein recht ungebetner Gast.
Hm, Vetter.

DÜNNER VETTER

Ja, ich mein, Gott seis geklagt –

DICKER VETTER

So meint Ihr auch wie ich? Ja, wie gesagt,

Ja, Gott befohlen, Vetter Jedermann,
Da habt Ihr alles, was ich sagen kann.

JEDERMANN

Ihr Vettern, bleibet, hört mich an!

DÜNNER VETTER

Hast du vielleicht noch ein Begehr?
Sprich kühnlich, Vetter Jedermann.

JEDERMANN

Ich muß dort eine Rechnung legen
Und hab einen Feind, der allerwegen
Mir will in meinen Weg treten,
O hört mich an! mit großer Stärken.

DICKER VETTER

Was denn für Rechnung, sagt doch an.

JEDERMANN

Von all meinen irdischen Werken:
Wie ich meine Tag hab hinbracht,
Und was ich Arges hab getan
Die Jahr all bei Tag und Nacht.
Drum seid um Christi willen gebeten
Und helft mir meine Sach vertreten.

DÜNNER VETTER

Was, dorthin? Geht es Euch auf das!
Nein, Jedermann, da geh ich nit.
Kannst mich nit zum Geleiter kriegen!
Wollt lieber in ein'm finstern Gelaß
Bei Wasser und Brot zehn Jahre liegen.

JEDERMANN

Oh, daß ich nit geboren wär.
Nun werd ich fröhlich nimmermehr,
Wenn ihr mich da verlasset dann.

DICKER VETTER

Ei Mann! Was denn! Sei du fröhlich, Mann!
Nimm dich und fang nit Jammerns an!
Nur eins mußt dir gesagt sein lassen:
Mich bringst einmal nit in die Gassen.
Er geht.

JEDERMANN *zum dünnen Vetter*

Mein Vetter, willst nit mit mir gehn?

DÜNNER VETTER

Hab jetzt, Gotts Tod, Krampf in den Zehen.
Ist ein arg Übel, Jedermann,
Das fällt mich unversehens an.

DICKER VETTER *bleibt nochmal stehen und spricht über die Schulter zurück*

Uns wirst nit verführen, das laß nur sein.
Doch hab ich ein schön gut Kind daheim,
Die mächtig gern auf Reisen geht.
Wenn die dir zu Gesichte steht,
Die geb ich dir in guter Art,
Leicht, daß sie mit dir geht auf deine Fahrt.

JEDERMANN

Nein, zeig mir an, wes Sinnes du bist.
Ob ich in meiner ärgsten Pein
Von dir soll drangegeben sein,
Ob du willst mit mir gehn oder dahinten bleiben.
Das ist alles, was ich wissen muß.

DICKER VETTER

Dahinten bleiben und ein'n schönen Gruß.
Auf Wiedersehen ein andermal.
Sie gehen.

JEDERMANN

Ach Jesus, ist das aller Dinge End,
Versprochen haben sie mir gar viel.
Vom Halten lassen sie ihre Händ.

DÜNNER VETTER *wendet sich und tritt nochmals an Jedermann heran*

Es ist nicht üblich, in solcher Weis
Die Leut zu beschicken zu einer Reis,
Dergleichen Anmutung ist nit zart
Und hat mir keine rechte Art.
Hast deiner leibeignen Knecht genug.
Die magst dazu aufbieten mit Fug.
Aber die lieben Verwandten dein
Sollten da zu wert dir sein.
Geht.

JEDERMANN

Leibeigene Knecht, was sollen mir die,
Wenn ich die mitnähm, das wär ein Ding,

Davon ich Hilfe hätt gering.
Er sieht sich um.
Ist alls zu End das Freudenmahl,
Und alle fort aus meinem Saal?
Er geht hinauf zu dem Tisch. Etliche, die dort noch saßen und tranken, werden ihn gewahr, springen auf und flüchten. Der Tisch versinkt.
Bleibt mir keine andere Hilfe dann,
Bin ich denn ein verlorner Mann
Und ganz alleinig auf der Welt?
Ist es schon so um mich bestellt,
Hat mich *Der* schon dazu gemacht,
Ganz nackend und ohn alle Macht,
Als läg ich schon in meinem Grab,
Wo ich doch mein warm Blut noch hab
Und Knecht mir noch gehorsam sein
Und Häuser viel und Schätze mein.
Auf! schlagt die Feuerglocken drein!
Ihr Knecht, nit lungert in dem Haus,
Kommt allesamt zu mir heraus.

HAUSVOGT *mit etlichen Knechten kommen eilig*

JEDERMANN
Ich muß schnell eine Reise tun
Und das zu Fuß und nit zu Wagen,
Gesamte Knecht, die sollen mit
Und meine große Geldtruhen,
Die sollen sie herbeitragen.
Die Reis wird wie ein Kriegszug scharf,
Daß ich der Schätze sehr bedarf.

HAUSVOGT
Die schwere Truhn, die drinnen steht?

JEDERMANN
Ja, eilig, ohne viel Gered.

MEHRERE KNECHTE *sammeln sich, ihrer acht bringen die schwere Truhe getragen*

JEDERMANN
Hab euch berufen für eine Reis,
Daß jeder mir Gehorsam erweis.
Die Reis ist seltsam und recht weit

Und fordert zuverlässige Leut,
Daß sie in aller Still gescheh,
Des ich zu euch mich wohl verseh.

KNECHT

Die Truhen, die ist marterschwer.

HAUSVOGT

Ihr tut, was anbefiehlt der Herr.

JEDERMANN

Nun wollen wir die Reis angehen,
Ganz in der Still, heimlicher Weis.

TOD *tritt in etlicher Entfernung hervor*

ERSTER KNECHT

Dort steht ein Teufel und winkt uns Halt.

HAUSVOGT

Nein, ist der Tod grausamer Gstalt,
Er kommt auf uns zu mit Gewalt.

KNECHTE *lassen die Truhe stehen und fliehen*

HAUSVOGT *desgleichen*

TOD

Du Narr, bald ist die Stund vertan,
Nimmst immer noch Vernunft nit an.
Weißt nit ein recht Geleit zu suchen,
Bald wirst verzweifeln und dir fluchen.
Verschwindet.

JEDERMANN

Ach Gott, wie graust mir vor dem Tod,
Der Angstschweiß bricht mir aus vor Not.
Kann der die Seel im Leib uns morden?
Was ist denn gählings aus mir worden?
Hab immer doch in bösen Stunden
Mir irgend einen Trost ausgfunden.
War nie verlassen ganz und gar,
Nie kein erbärmlich armer Narr.
War immer wo doch noch ein Halt
Und habs gewendet mit Gewalt.
Sind all denn meine Kräft dahin,
Und alls verworren schon mein Sinn,
Daß mich kaum mehr besinnen kann,

Wer bin ich denn: der Jedermann,
Der reiche Jedermann allzeit.
Das ist mein Hand, das ist mein Kleid,
Und was da steht auf diesem Platz,
Das ist mein Geld, das ist mein Schatz,
Durch den ich jederzeit mit Macht
Hab alles spielend vor mich bracht.
Nun wird mir wohl, daß ich den seh
Recht bei der Hand in meiner Näh.
Wenn ich bei dem verharren kann,
Geht mich kein Graus und Ängsten an.
Weh aber, ich muß ja dorthin,
Das kommt mir jählings in den Sinn.
Der Bot war da, die Ladung ist beschehn,
Nun heißt es auf und dorthin gehn.
Wirft sich auf die Truhe.
Nit ohne dich, du mußt mit mir,
Laß dich um alles nit hinter mir.
Du mußt jetzt in ein andres Haus,
Drum auf mit dir und schnell heraus.
Die Truhe springt auf.

MAMMON *richtet sich auf. Groß*
Ei Jedermann, was ist mit dir?
Du bist ja grausamlich in Eil
Und bleich wie Kreiden all die Weil.

JEDERMANN
Wer bist denn du?

MAMMON Kennst vom Gesicht mich nit
Und willst mich dorthin zerren mit?
Dein Reichtum bin ich halt, dein Geld,
Dein eins und alles auf der Welt.

JEDERMANN *sieht ihn an*
Dein Antlitz dünkt mir nit so gut,
Gibt mir nit rechten Freudenmut.
Das ist gleichviel, du muß mitgehen.

MAMMON
Was solls, kann alls von hier geschehen,
Weißt wohl, was ich in Mächten hab,
Sag was dich drückt, dem helf ich ab.

JEDERMANN

Die Sach ist anderster bewandt.
Es ist von wo um mich gesandt.

MAMMON

Von –

JEDERMANN *schlägt die Augen nieder*

Ja, es war ein Bot bei mir.

MAMMON

Ist es an dem, du mußt von hier?!
Ei was, na ja, gehab dich wohl.
Ein Bot war da, daß er ihn hol
Dorthin, da ist ja schleunig kommen.
Hab vordem nichts derart vernommen.

JEDERMANN

Und du gehst mit, es ist an dem.

MAMMON

Nit einen Schritt, bin hier bequem.

JEDERMANN

Bist mein, mein Eigentum, mein Sach.

MAMMON

Dein Eigen, ha, daß ich nit lach.

JEDERMANN

Willst aufrebellen, du Verflucht! du Ding!

MAMMON *stößt ihn weg*

Du, trau mir nit, dein Wut acht ich gering,
Wird umkehrt wohl beschaffen sein.
Ich steh gar groß, du zwergisch klein.
Du Kleiner wirst wohl sein der Knecht.
Und dünkts dich, anders wärs gewesen,
Das war ein Trug und Narrenwesen.

JEDERMANN

Hab dich gehabt zu meim Befehl.

MAMMON

Und ich regiert in deiner Seel.

JEDERMANN

Warst mir zu Diensten in Haus und Gassen.

MAMMON

Ja, dich am Schnürl tanzen lassen.

JEDERMANN

Warst mein leibeigner Knecht und Sklav.

MAMMON

Nein, du mein Hampelmann recht brav.

JEDERMANN

Hab dich allein gedurft anrühren.

MAMMON

Und ich alleinig dich nasführen.
Du Laff, du ungebrannter Narr,
Erznarr du, Jedermann, sieh zu.
Ich bleib dahier und wo bleibst du?
Was ich in dich hab eingelegt,
Darnach hast du dich halt geregt.
Das war ein Pracht und ein Ansehen,
Ein Hoffart und ein Aufblähen
Und ein verflucht wollüstig Rasen,
War alls durch mich ihm eingeblasen,
Und was ihn itzt noch aufrecht hält,
Daß er nit platt an' Boden fällt
Und alle Viere von sich reckt,
Und hält ihn noch emporgestreckt,
Das ist allein sein Geld und Gut.
Da hier springt all dein Lebensmut.
Hebt eine Handvoll Geld aus der Truhe und läßt es wieder fallen.
Fällt aber in die Truhen zurück
Und damit ist zu End dein Glück.
Bald werden dir die Sinn vergehen
Und mich wirst nimmer wiedersehen.
War dir geliehen für irdische Täg
Und geh nit mit auf deinen Weg,
Geh nit, bleib hier, laß dich allein
Ganz bloß und nackt in Not und Pein.
Ist alls um nichts dein Handausrecken
Und hilft kein Knirschen und Zähneblecken,
Fährst in die Gruben nackt und bloß,
So wie du kamst aus Mutters Schoß.
Bückt sich, die Truhe springt zu.

JEDERMANN *ohne Sprache, eine lange Stille*

WERKE *wird sichtbar, einer Kranken gleich, auf einem elenden Lager gebettet, richtet sich halb auf und ruft mit schwacher Stimme*
Jedermann!

JEDERMANN *hört nicht*

WERKE Jedermann, hörst mich nicht?

JEDERMANN *vor sich*
Ist, als wenn eins gerufen hätt,
Die Stimme war schwach und doch recht klar,
Hilf Gott, daß es nit meine Mutter war.
Ist gar ein alt, gebrechlich Weib,
Möcht, daß der Anblick erspart ihr bleib.
O nur so viel erbarm dich mein,
Laß das nit meine Mutter sein!

WERKE
Jedermann!

JEDERMANN
Seis wer da will, hab itzt nit Muß
Für irdisch Händel und Verdruß.

WERKE
Hörst mich nit, Jedermann?

JEDERMANN Ist ein krank Weib,
Was kümmerts mich, soll sehen wo sie bleib.

WERKE
Mein Jedermann, ich gehör zu dir,
Um deinetwillen lieg ich hier.

JEDERMANN
Wie soll denn das bewendet sein?

WERKE *richtet sich halb auf*
Sieh, ich bin all die Werke dein.

JEDERMANN
Ich will kein Spott, ich sterb allweg.

WERKE
Komm doch zu mir den kleinen Weg.
Sinkt zurück.

JEDERMANN
Das wird mit Willen nit geschehen,
Meine Werke will ich jetzt nit sehen.
Ist nit der Anblick, nach dem mich verlangt.

WERKE
Bin schmählich schwach, muß liegen hier,
Wär ichs imstand, ich lief zu dir.

JEDERMANN
Brauch nit ein fremd Gebrest dahier,
Liegt Angst und Marter gnug auf mir.

WERKE
Mich brauchst, der Weg ist schreckbar weit,
Bist annoch ohne ein Geleit.

JEDERMANN
Des Weges muß ich jetzt allein –

WERKE
Nein, ich will mit, denn ich bin dein.

JEDERMANN *sieht hin*

WERKE
Auf mir liegt viel Gebrest und Last,
Indem du mein gedacht nit hast.
Ohn dich könnt ich mich flink bewegen,
Lief dir zu Seit auf allen Wegen.

JEDERMANN *geht zu ihr*
O Werke mein, mit mir stehts schlecht.
Ist mir gar sehr um guten Rat
Und daß mir eines Hilfe brächt!

WERKE *richtet sich mühselig an ihren Krücken auf*
Jedermann, ich hab wohl vernommen,
Du bist entboten zu deinem Erlöser,
Vor ein höchst Gericht zu kommen!
Willst du nit gehen verloren, Mann,
Tritt nit allein die Wanderung an,
Das sag ich dir!

JEDERMANN Willst du mit mir?

WERKE
Ob ich mit dir den Weg will gehn?
Fragst du mich das, mein Jedermann?

JEDERMANN *sieht ihr in die Augen*
Wie du mich sehnlich siehest an,
Ist mir, als hätt in meinem Leben
Nit Freund, noch Liebste, nit Weib noch Mann
Mir keinen solchen Blick gegeben!

WERKE
O Jedermann, daß du so später Stund
Dich kehrest zu meinem Aug' und Mund!

JEDERMANN
Hast ein Gesicht verhärmt und bleich
Und dünkt mich doch an Schönheit reich.
Mir ist, je mehr ich dich anseh,
So mehr wird mit im Herzen weh,
Und sänftlich auch, vermischter Weis,
Daß ich mich nit zu nehmen weiß.
Mir ist, könnt deiner Augen Schein
Durch meine Augen dringen ein,
Ein großes Heil und Segen dann
Geschäh an einem armen Mann.
Doch weiß ich, dies ist nun versäumt,
Und jetzt ist alls nur wie geträumt!

WERKE
Hättest erkannt in deinem Sinn,
Daß ich nit völlig häßlich bin,
Wärest bei mir verblieben viel
Und fern der Welt und bösem Spiel!
Komm näher, meine Stimm ist leis –:
Bei Armen wärest eingegangen
Recht als ihr Bruder, heiliger Weis,
Und göttlich Leid und irdischen Schmerz,
Die hättest zu lieben angefangen
Und aufgegangen wäre dein Herz.
Und ich, wie ich gebrechlich bin,
Ich wär, verklärt vor deinem Sinn,
Dir worden ein göttliches Gefäß,
Ein Kelch der überströmenden Gnaden,
Dazu deine Lippen waren geladen.

JEDERMANN
Und dich hab ich mögen erkennen nicht!
War so verblendet mein Gesicht!
O weh, was sind wir für Wesen dann,
Wenn solches uns geschehen kann!

WERKE
Ich war ein Kelch, der vor dir stand,

Gefüllt vom Himmel bis an den Rand,
Von Irdischem war darin kein Ding,
Drum schien ich deinen Augen gering.

JEDERMANN

O könnt ich sie ausreißen beid,
Mir wär im Dunklen nit so bang,
Als da sie mich zu bittrem Leid
Falsch han geführt mein Leben lang!

WERKE

O weh, nun müssen die Lippen dein
Auf ewig ungetränket sein!
Hast wollen dich tränken an der Welt,
Da ward der Kelch dir weggestellt!

JEDERMANN

Des fühl ich ein wütendes Dürsten schon
Durch alle meine Adern rinnen
Und Raserei in allen Sinnen!
Da hab ich meines Lebens Lohn!

WERKE

Das ist die bitter brennend Reu,
Das sind deine ungelittenen Leiden!
O könnte dein Herz sie schaffen neu,
Wie selig wäre das uns beiden!

JEDERMANN *wirft sich auf den Boden*

So wollt ich ganz zernichtet sein,
Wie an dem ganzen Wesen mein
Nit eine Fiber jetzt nit schreit
Vor tiefer Reu und wildem Leid!
Zurück! und kann nit! Noch einmal!
Und kommt nit wieder! Graus und Qual!
Hie wird kein zweites Mal gelebt!
Nun weiß die aufgerißne Brust,
Als sie es nie zuvor gewußt,
Was dieses Wort bedeuten mag:
Lieg hin und stirb, hie ist dein Tag!

WERKE *auf ihren Knien*

Mag diese Reu, so brennend groß,
Mich nit vom Boden winden los,

Weh, mag ich nit auf Füßen stehn!
Und ihm die Stund zur Seiten gehn!
Sie sinkt an den Boden.
Bin ich so elend schwach und krank!

JEDERMANN

Für jedes Ding kommt halt der Dank!
Werke, um alles! laß mich nit im Stich!
Bin sonst verloren sicherlich!
Hilf du mir, Rechenschaft zu geben
Vor dem, der ist Herr über Tod und Leben
Und König in der Ewigkeit,
Sonst bin ich verloren für alle Zeit!

WERKE

O Jedermann!

JEDERMANN Laß mich nit ohne Rat!

WERKE

Ich hab eine Schwester, Glaube genannt,
Wenn die wollt sich erbitten lassen,
Daß sie mit dir zöge deine Straßen
Und trät mit dir vor Gotts Gericht!

JEDERMANN

Ruf die um alls! die Zeit entfliecht!

WERKE

Mag sein, sie kehrt von dir sich ab,
Dann mußt du ungetröst ins Grab.
Wirst du recht mit ihr reden können,
Wird sie dir ihre Hilf vergönnen.

JEDERMANN

Wenn einer keine Zungen hätt,
Die Angst und Not macht ihn beredt!

GLAUBE *kommt gegangen*

WERKE

War nit von Nöten laut Geschrei,
Ich fühl, die Schwester kommt herbei!
Lieb Schwester, der Mann ist schwer in Not.
Willst ihm beistehn bei seinem Tod?
Mir fehlt die Kraft, bin allzu schwach,
Kann nit vertreten seine Sach.
Sinkt hin.

GLAUBE *zu Jedermann*

Hast mich dein Leben lang verlacht
Und Gottes Wort für nichts geacht,
Geht nun in deiner Todesstund
Ein ander Red' aus deinem Mund?

JEDERMANN

Ich glaub – ich glaub –

GLAUBE Die Red' ist arm!

JEDERMANN

Oh, daß sich meiner Gott erbarm!
Ich glaub die zwölf Artikel mit Fleiß,
Die ich von Kindschulzeiten weiß:
Was sie vorstellen ganz und gar,
Nehm ich für heilig hin und wahr.

GLAUBE

Das ist des Glaubens ein ärmlich Teil.
Baut dir hinüber keine Brück.
Weißt du nit besseres unverweil?

JEDERMANN

Ich glaub – an Gottes Langmut,
Wenn einer bei Zeiten Buß tut.
Aber ich bin in Sünden zu weit,
Dahin reicht keine Barmherzigkeit.

GLAUBE *tut einen Schritt auf ihn zu*

Bist ganz in Wollust denn ertrunken,
In Lastern völlig gar versunken,
Daß dir nit auf die Lippen kommt,
Was ewig deiner Seelen frommt?
Neigt sich zu ihm.

JEDERMANN

Ich glaub –

GLAUBE Glaubst du an Jesu Christ,

Der von dem Vater kommen ist,
Ein Mensch und unsersgleichen worden,
Von einem irdischen Weibe geboren,
Und hat in Marterqual sein Leben
Um deinetwillen hingegeben,
Und ist erstanden von dem Tod,
Daß du versöhnest seist mit Gott?

JEDERMANN

Ja! Ich glaub: Solches hat er vollbracht,
Des Vaters Zorn zunicht gemacht,
Der Menschheit ewig Heil erworben
Und ist dafür am Kreuz verstorben.
Doch weiß ich, solches kommt zugut
Nur dem, der heilig ist und gut:
Durch gute Werk und Frommheit eben
Erkauft er sich ein ewig Leben.
Da sieh, so stehts um meine Werk:
Von Sünden hab ich einen Berg
So überschwer auf mich geladen,
Daß mich Gott gar nit kann begnaden,
Als er der Höchstgerechte ist.

GLAUBE

Bist du ein solcher Zweifelchrist
Und weißt nit Gotts Barmherzigkeit?

JEDERMANN

Gott straft erschrecklich!

GLAUBE Gott verzeiht!
Ohn Maßen!

JEDERMANN Schlug den Pharao,
Schlug Sodom und Gomorra, schlug,
Schlug!

GLAUBE Nein, gab hin den eignen Sohn
In Erdenqual vom Strahlenthron,
Daß als ein Mensch er werd geboren
Und keiner ginge mehr verloren,
Nit einer, nit der letzte, nein,
Er finde denn das ewige Leben.
»Um der Sünder willen bin ich kommen,
Der Gsund bedarf keines Arztes dann«,
Die Red ist aus dem Munde kommen,
Der keine Lügen reden kann.
Glaubst du daran in diesem Leben,
So ist dir deine Sünd vergeben
Und ist gestillet Gottes Zorn.

JEDERMANN

Oh, deine Worte sind gelind,
Mir ist, als wär ich neugeboren.
Ich glaube: So lang ich atme auf Erden,
Mag ich durch Christum gerettet werden.

GLAUBE

Es ist an dem, nun geh hinein,
Von deinen Sünden wasch dich rein.

JEDERMANN

Wo wär ein solcher heiliger Quell,
Daß ich zu ihm mich hintrüg schnell?

MÖNCH *wird oben sichtbar*

GLAUBE

Ein guter Helfer wartet dein,
Bei ihm wird deine Seele rein.
Kehr wieder in einem weißen Gewand,
Dann ziehest hin an meiner Hand,
Und mitzugehen deine Werk
Gewinnen mächtig Kraft und Stärk.

JEDERMANN *auf den Knien*

O ewiger Gott! O göttliches Gesicht!
O rechter Weg! O himmlisches Licht!
Hier schrei ich zu dir in letzter Stund,
Ein Klageruf geht aus meinem Mund.
O mein Erlöser, den Schöpfer erbitt,
Daß er beim Ende mir gnädig sei,
Wenn der höllische Feind sich drängt herbei
Und der Tod mir grausam die Kehle zuschnürt,
Daß er meine Seel dann hinaufführt.
Und, Heiland, mach durch deine Fürbitt,
Daß ich zu seiner Rechten hintritt,
In seine Glorie mit ihm zu gehn.
Laß dir dies mein Gebet anstehn,
Um willen, daß du am Kreuz bist gestorben
Und hast all unsre Seelen erworben.

Er liegt im tiefen Gebet auf seinem Angesicht. Die Orgel tönt stärker. Indessen geht unten, im Dunkeln,

JEDERMANNS MUTTER *querüber, als wie auf dem Weg zur Frühmette, vor ihr ein Knecht, der die Leuchte trägt*

KNECHT

Was bleibt Ihr stehen, Frau, zur Stund?
Wie ist Euch? seid Ihr nit gesund?
Wollt Ihr leicht heim in Euer Bett
Statt nächtlings zu der Morgenmett?

JEDERMANNS MUTTER

Sind wir denn so verspät't alsdann
Und hebt sich schon die Frühmett an?
Ich hör ein also herrlich Klingen,
Als täten alle Engel singen!

KNECHT

Verspätet sind wir keinerweis,
Auch hör ich nichts, nit laut noch leis.

JEDERMANNS MUTTER

Ich hörs und weiß im Herzen mein,
Das sind die himmlischen Schalmein.
So singen sie vor Gottes Thron:
Das geht auf meinen lieben Sohn.
Ich spür, zu dieser nächtigen Stund
Ist seine Seele worden gesund.
Er ist versöhnet Gott dem Herrn,
Des sterb ich freudiglich und gern.
Erhört ist meine große Bitt,
Und weiß, daß ich einmal hintritt
Vor Gottes meines Schöpfers Thron
Und find dort meinen lieben Sohn.
Bald lässest deine Dienerin
In deinen Frieden fahren hin.
Amen.

KNECHT Wollt Ihr nit kommen, Frau?
Die Zeit vergeht, es wird schon grau.
Sie gehen vorbei.

GLAUBE

Jedermann, so sei Gott mit dir,
Als wie ich dich nun und hier
In deines Erlösers Hand befehl,
So sei deine Rechenschaft ohn Fehl.

WERKE *hat ihre Krücken von sich geworfen und tritt zu ihnen*

GLAUBE
Nun faß dir einen fröhlichen Mut,
Nun kommen deine Werke gut,
Sind ledig all ihrer Beschwer
Und treten starken Schrittes einher.

WERKE
Jedermann, ich bins, deine Freundin,
Ich segne dich in meinem Sinn,
Du hast mich geschaffen von Schmerzen frei,
Nun geh ich mit dir, wohin es auch sei.

JEDERMANN
O, meine Werke, wie ich eure Stimme hör,
Muß ich vor Freuden weinen sehr.

GLAUBE
Nun sollst du weinen und trauern nimmermehr,
Nein, freuen dich und fassen einen frohen Mut,
Gott sieht dich von seinem Thron recht gut!

JEDERMANN
Dann ich nit Zögerung noch Aufschub such.
Ihr Freunde, ich mein, wir gehen selbdritt,
Von euch will ich mich scheiden nit.
Er geht hinauf und folgt dem Mönche nach.

WERKE *und* GLAUBE *verharren betend*

TEUFEL *kommt angesprungen, schreit und winkt von weitem*
Halt, Jedermann! Aufhalten, Jedermann!
Aufhalten! He! Hieher, Gesell!
Ich komm dich holen, bin zur Stell!
He Jedermann, er ist hinein!
Muß taub auf beiden Ohren sein!
Was geht er denn in dieses Haus?
Da hol in dieser und jener heraus!
Ich warte derweilen an der Tür,
Faß ihn, und meines Wegs ihn führ.
Kann sein, er läßt mich warten lang,
Mag er, ist mir um ihn nit bang.
Ist mir verfallen mit Haut und Haar
Und sicher, wie lang schon keiner war.

GLAUBE
Halt da!

TEUFEL *hat nichts gehört*
Muß hier vorbei.
GLAUBE Hie nit!
TEUFEL
Ganz unbedingt, hab dort zu tun.
GLAUBE
Hie ist kein Weg für deinesgleichen.
TEUFEL
Ein zänkisch Weib. Ich kann ausweichen.
Will rings herum.
GLAUBE *tritt ihm aufs neu in seinen Weg und sagt*
Hie ist kein Weg!
TEUFEL
Ich hab zu warten dort an der Tür
In Amtsgeschäften, damit ich einen,
Der dort herauskommt, dann mit mir
Eines gewissen Weges führ.
GLAUBE
Ich führe Zwiesprach nit mit dir.
TEUFEL
Ich auch nit, geh halt da vorbei.
WERKE
Hie ist kein Weg für dich.
TEUFEL *hält sich die Ohren zu*
Geschrei!
Gespiel! Belästigung!
WERKE *tritt ihm aufs neue in den Weg*
Kein Weg!
TEUFEL
Kein Weg! Kein Weg! Ist hier kein Weg?
Kein Boden? Nichts worauf mein Fuß
Mag stehen, hüpfen, springen! Nein?
Hier wird sogleich ein Weg mir sein!
Will durch mit Gewalt.
GLAUBE *hinzutretend*
Willst dus mit deinen Fäusten richten
Und stören unser fromm Gebet?
Sieh, wer zu unsrer Hilf dasteht!

ENGEL *treten oben hervor*

TEUFEL

Sind die Gesellen auch im Spiel
Und wissen beßres nit zu schaffen
Als hier zu lümmeln und zu gaffen
So abends spät wie morgens früh,
Wenn andre Leut mit saurer Müh
Nachgehen ihren Amtsgeschäften
Mit schuldigem Eifer und besten Kräften!

WERKE *und* GLAUBE *achten seiner nicht und beten mit gefalteten Händen*

TEUFEL *setzt sich auf den Boden*

Ich frage, sind hier Zweifel im Spiel,
Ist hier ein Handel in der Schweb?
Nichts davon, nichts, so wahr ich leb.
Sitzt einer hier unter euch allen,
Der ins Gesicht mir tät bestreiten,
Daß dieser Mensch mir ist verfallen!
Ein prächtig Schwelger und Weinzecher,
Ein Buhl, Verführer und Ehebrecher,
Ungläubig als ein finstrer Heide,
In Wort und Taten frech vermessen
Und seines Gottes so vergessen
Wie nicht das Tier auf seiner Weide,
Witwen und Waisen Gutsverprasser,
Ein Unterdrücker, Neider, Hasser!
Er springt auf.
Mir fehlen, ihn zu malen, die Wort!
Und diesen will man mir verwehren,
Daß ich ihm auf die Kappen geh,
Ihm jählings das Genick umdreh,
Ihm zuschrei: Duck dich, Fleisch, und stirb!
Und seine Seel für uns erwirb.
Verharrt ihr drauf mit kaltem Blut
Und bangt euch nit vor meiner Wut
Und Zähn gefletscht und Fäust geballt?
Und, daß Recht und Gerechtigkeit
Gewappnet stehen auf meiner Seit?

GLAUBE

Auf deiner Seiten steht nit viel,
Hast schon verloren in dem Spiel.
Gott hat geworfen in die Schal
Sein Opfertod und Marterqual
Und Jedermanns Schuldigkeit
Vorausbezahlt in Ewigkeit.

TEUFEL

Seit wann? seit wo? wie geht das zu?
Geschiehet das in einem Nu?
Wenn eins sein Leben brav sich regt
Und nur auf uns sein Tun anlegt,
Recht weislich, fest und wohlbedacht,
Recht Stein auf Stein und Tag auf Nacht,
Wird solch ein wohlbeständig Ding
In einem Augenzwinkern neu?
Schmeißt ihr das um mit einem Wink?

GLAUBE

Ja, solches wirkt die tiefe Reu,
Die hat eine lohende Feuerskraft,
Da sie von Grund die Seel umschafft.

TEUFEL

Ha! Weiberred und Gaukelei!
Wasch mir den Pelz und mach ihn nit naß!
Ein Wischiwasch! Salbaderei!
Zum Speien ich dergleichen haß!
Beweis! Gib eine einzig Red,
Die vor Gericht zu Recht besteht!

GLAUBE

Vor dem Gericht, vor das er tritt,
Bestehen deine Rechte nit,
Die sind auf Schein und Trug gestellt,
Auf Hie und Nun und diese Welt,
Die ist gefangen in der Zeit
Und bleibt in solchen Schranken stocken,
Wo aber tönet diese Glocken,

Man hört von innen das Sterbeglöcklein.

GLAUBE *und* WERKE *fallen auf die Knie*

GLAUBE
Hat angehoben Ewigkeit.
TEUFEL *hält sich die Ohren zu*
Ich geb es auf, ich kehr mich um,
Ich laß ihn, füttert ihn euch aus,
Mich ekelts hier, ich geh nach Haus.
GLAUBE *und* WERKE *haben sich erhoben*
TEUFEL
Ein schöner Fall, ganz sonnenklar,
Und in der Suppe doch ein Haar!
Tret arglos her, vergnügt im Sinn,
Und mein, zu melden mich als Erben.
Ja Vetter, ja, da liegen die Scherben!
»Hie ist kein Weg, hie ist kein Weg!«
Ah! Weiber! Fastensupp und Schläg,
Das ist, wie ich sie halten tät!
Ein Ausspruch, der zu Recht besteht
Vor Türken, Mohren und Chinesen,
Ff! Da ist Anspruch und Recht gewesen!
Bläst mir ihn weg! »Hie führt kein Weg!«
Ich wollt, daß er im Feuer läg.
Und kommt in einem weißen Hemd
Erzheuchlerisch und ganz verschämt.
Die Welt ist dumm, gemein und schlecht,
Und geht Gewalt allzeit vor Recht,
Ist einer redlich treu und klug,
Ihn meistern Arglist und Betrug.
Geht ab.
JEDERMANN *tritt oben hervor in einem weißen langen Hemd, einen Pilgerstab in der Hand, sein Angesicht ist totenbleich aber verklärt, er geht auf die beiden zu*
WERKE
Fühl ich nit kommen Jedermann?
Er ist es, ja, und tritt herbei,
Mir ahnte wohl, daß er es sei.
Er hat seinem Herrn getan genug.
Des fühl ich an meinen Gliedern all,
Die Kraft zu einem hohen Flug!

JEDERMANN

Nun gebet mir treulich eure Händ,
Ich hab empfangen das Sakrament.
Gesegnet sei, der mich das hieß tun
Und also guten Rat mir sprach.
Nun seid bedankt, daß ihr auf mich
Geharret habet sorglich
Mit andächtigem Beten.
Und nun laß uns die Reis antreten.
Leg jeder die Hand an diesen Stab
Und folge mir zu meinem Grab.

WERKE

Ich heb vom Stab nit meine Händ,
Zuvor die Reis kam an ihr End.

GLAUBE

Ich steh dir bei, so wie ich eh
Stand hielt bei Judas Makkabee!
Sie gehen hinauf.

DER TOD *ist hervorgetreten und geht hinter ihnen einher*
Sie stehen beim Grab.

JEDERMANN *schließt die Augen*

Nun muß ich ins Grab, das ist schwarz wie die Nacht,
Erbarm dich meiner in deiner Allmacht.

GLAUBE

Ich steh dir nah und seh dich an.

WERKE

Und ich geh mit, mein Jedermann.

JEDERMANN

O Herr und Heiland, steh mir bei.
Zu Gott ich um Erbarmen schrei.

WERKE *hilft ihm ins Grab, steigt dann zu ihm hinein*

Herr, laß das Ende sanft uns sein,
Wir gehen in deine Freuden ein.

JEDERMANN *im Grab, nur Haupt und Schultern sind noch sichtbar*

Wie du mich hast zurückgekauft,
So wahre jetzt der Seele mein,
Daß sie nit mög verloren sein
Und daß sie am Jüngsten Tag auffahr

Zu dir mit der geretteten Schar.
Er sinkt.

GLAUBE
Nun hat er vollendet das Menschenlos,
Tritt vor den Richter nackt und bloß,
Und seine Werke allein,
Die werden ihm Beistand und Fürsprech sein.
Heil ihm, mich dünkt, es ist an dem,
Daß ich der Engel Stimmen vernehm,
Wie sie in ihren himmlischen Reihn
Die arme Seele lassen ein.

ENGEL *singen*

Ende

GEDICHTE

15. 6. 81

VORFRÜHLING

Es läuft der Frühlingswind
Durch kahle Alleen,
Seltsame Dinge sind
In seinem Wehn.

Er hat sich gewiegt,
Wo Weinen war,
Und hat sich geschmiegt
In zerrüttetes Haar.

Er schüttelte nieder
Akazienblüten
Und kühlte die Glieder,
Die atmend glühten.

Lippen im Lachen
Hat er berührt,
Die weichen und wachen
Fluren durchspürt.

Er glitt durch die Flöte
Als schluchzender Schrei,
An dämmernder Röte
Flog er vorbei.

Er flog mit Schweigen
Durch flüsternde Zimmer
Und löschte im Neigen
Der Ampel Schimmer.

Es läuft der Frühlingswind
Durch kahle Alleen,
Seltsame Dinge sind
In seinem Wehn.

Durch die glatten
Kahlen Alleen
Treibt sein Wehn
Blasse Schatten.

Und den Duft,
Den er gebracht,
Von wo er gekommen
Seit gestern Nacht.

ERLEBNIS

Mit silbergrauem Dufte war das Tal
Der Dämmerung erfüllt, wie wenn der Mond
Durch Wolken sickert. Doch es war nicht Nacht.
Mit silbergrauem Duft des dunklen Tales
Verschwammen meine dämmernden Gedanken,
Und still versank ich in dem webenden,
Durchsichtgen Meere und verließ das Leben.
Wie wunderbare Blumen waren da
Mit Kelchen dunkelglühend! Pflanzendickicht,
Durch das ein gelbrot Licht wie von Topasen
In warmen Strömen drang und glomm. Das Ganze
War angefüllt mit einem tiefen Schwellen
Schwermütiger Musik. Und dieses wußt ich,
Obgleich ichs nicht begreife, doch ich wußt es:
Das ist der Tod. Der ist Musik geworden,
Gewaltig sehnend, süß und dunkelglühend,
Verwandt der tiefsten Schwermut.
Aber seltsam!
Ein namenloses Heimweh weinte lautlos
In meiner Seele nach dem Leben, weinte,
Wie einer weint, wenn er auf großem Seeschiff
Mit gelben Riesensegeln gegen Abend
Auf dunkelblauem Wasser an der Stadt,
Der Vaterstadt, vorüberfährt. Da sieht er
Die Gassen, hört die Brunnen rauschen, riecht
Den Duft der Fliederbüsche, sieht sich selber,
Ein Kind, am Ufer stehn, mit Kindesaugen,
Die ängstlich sind und weinen wollen, sieht
Durchs offne Fenster Licht in seinem Zimmer –
Das große Seeschiff aber trägt ihn weiter
Auf dunkelblauem Wasser lautlos gleitend
Mit gelben fremdgeformten Riesensegeln.

VOR TAG

Nun liegt und zuckt am fahlen Himmelsrand
In sich zusammgesunken das Gewitter.
Nun denkt der Kranke: »Tag! jetzt werd ich schlafen!«
Und drückt die heißen Lider zu. Nun streckt
Die junge Kuh im Stall die starken Nüstern
Nach kühlem Frühduft. Nun im stummen Wald
Hebt der Landstreicher ungewaschen sich
Aus weichem Bett vorjährigen Laubes auf
Und wirft mit frecher Hand den nächsten Stein
Nach einer Taube, die schlaftrunken fliegt,
Und graust sich selber, wie der Stein so dumpf
Und schwer zur Erde fällt. Nun rennt das Wasser,
Als wollte es der Nacht, der fortgeschlichnen, nach
Ins Dunkel stürzen, unteilnehmend, wild
Und kalten Hauches hin, indessen droben
Der Heiland und die Mutter leise, leise
Sich unterreden auf dem Brücklein: leise,
Und doch ist ihre kleine Rede ewig
Und unzerstörbar wie die Sterne droben.
Er trägt sein Kreuz und sagt nur: »Meine Mutter!«
Und sieht sie an, und: »Ach, mein lieber Sohn!«
Sagt sie. – Nun hat der Himmel mit der Erde
Ein stumm beklemmend Zwiegespräch. Dann geht
Ein Schauer durch den schweren, alten Leib:
Sie rüstet sich, den neuen Tag zu leben.
Nun steigt das geisterhafte Frühlicht. Nun
Schleicht einer ohne Schuh von einem Frauenbett,
Läuft wie ein Schatten, klettert wie ein Dieb
Durchs Fenster in sein eigenes Zimmer, sieht
Sich im Wandspiegel und hat plötzlich Angst
Vor diesem blassen, übernächtigen Fremden,
Als hätte dieser selbe heute nacht
Den guten Knaben, der er war, ermordet

Und käme jetzt, die Hände sich zu waschen
Im Krüglein seines Opfers wie zum Hohn,
Und darum sei der Himmel so beklommen
Und alles in der Luft so sonderbar.
Nun geht die Stalltür. Und nun ist auch Tag.

DIE BEIDEN

Sie trug den Becher in der Hand
– Ihr Kinn und Mund glich seinem Rand –,
So leicht und sicher war ihr Gang,
Kein Tropfen aus dem Becher sprang.

So leicht und fest war seine Hand:
Er ritt auf einem jungen Pferde,
Und mit nachlässiger Gebärde
Erzwang er, daß es zitternd stand.

Jedoch, wenn er aus ihrer Hand
Den leichten Becher nehmen sollte,
So war es beiden allzu schwer:
Denn beide bebten sie so sehr,
Daß keine Hand die andre fand
Und dunkler Wein am Boden rollte.

LEBENSLIED

Den Erben laß verschwenden
An Adler, Lamm und Pfau
Das Salböl aus den Händen
Der toten alten Frau!
Die Toten, die entgleiten,
Die Wipfel in dem Weiten –
Ihm sind sie wie das Schreiten
Der Tänzerinnen wert!

Er geht wie den kein Walten
Vom Rücken her bedroht.
Er lächelt, wenn die Falten
Des Lebens flüstern: Tod!
Ihm bietet jede Stelle
Geheimnisvoll die Schwelle;
Es gibt sich jeder Welle
Der Heimatlose hin.

Der Schwarm von wilden Bienen
Nimmt seine Seele mit;
Das Singen von Delphinen
Beflügelt seinen Schritt:
Ihn tragen alle Erden
Mit mächtigen Gebärden.
Der Flüsse Dunkelwerden
Begrenzt den Hirtentag!

Das Salböl aus den Händen
Der toten alten Frau
Laß lächelnd ihn verschwenden
An Adler, Lamm und Pfau:
Er lächelt der Gefährten. –
Die schwebend unbeschwerten
Abgründe und die Gärten
Des Lebens tragen ihn.

DEIN ANTLITZ...

Dein Antlitz war mit Träumen ganz beladen.
Ich schwieg und sah dich an mit stummem Beben.
Wie stieg das auf! Daß ich mich einmal schon
In frühern Nächten völlig hingegeben

Dem Mond und dem zuviel geliebten Tal,
Wo auf den leeren Hängen auseinander
Die magern Bäume standen und dazwischen
Die niedern kleinen Nebelwolken gingen

Und durch die Stille hin die immer frischen
Und immer fremden silberweißen Wasser
Der Fluß hinrauschen ließ – wie stieg das auf!

Wie stieg das auf! Denn allen diesen Dingen
Und ihrer Schönheit – die unfruchtbar war –
Hingab ich mich in großer Sehnsucht ganz,
Wie jetzt für das Anschaun von deinem Haar
Und zwischen deinen Lidern diesen Glanz!

WELTGEHEIMNIS

Der tiefe Brunnen weiß es wohl,
Einst waren alle tief und stumm,
Und alle wußten drum.

Wie Zauberworte, nachgelallt
Und nicht begriffen in den Grund,
So geht es jetzt von Mund zu Mund.

Der tiefe Brunnen weiß es wohl;
In den gebückt, begriffs ein Mann,
Begriff es und verlor es dann.

Und redet' irr und sang ein Lied –
Auf dessen dunklen Spiegel bückt
Sich einst ein Kind und wird entrückt.

Und wächst und weiß nichts von sich selbst
Und wird ein Weib, das einer liebt
Und – wunderbar wie Liebe gibt!

Wie Liebe tiefe Kunde gibt! –
Da wird an Dinge, dumpf geahnt,
In ihren Küssen tief gemahnt...

In unsern Worten liegt es drin,
So tritt des Bettlers Fuß den Kies,
Der eines Edelsteins Verlies.

Der tiefe Brunnen weiß es wohl,
Einst aber wußten alle drum,
Nun zuckt im Kreis ein Traum herum.

BALLADE DES ÄUSSEREN LEBENS

Und Kinder wachsen auf mit tiefen Augen,
Die von nichts wissen, wachsen auf und sterben,
Und alle Menschen gehen ihre Wege.

Und süße Früchte werden aus den herben
Und fallen nachts wie tote Vögel nieder
Und liegen wenig Tage und verderben.

Und immer weht der Wind, und immer wieder
Vernehmen wir und reden viele Worte
Und spüren Lust und Müdigkeit der Glieder.

Und Straßen laufen durch das Gras, und Orte
Sind da und dort, voll Fackeln, Bäumen, Teichen,
Und drohende, und totenhaft verdorrte...

Wozu sind diese aufgebaut? und gleichen
Einander nie? und sind unzählig viele?
Was wechselt Lachen, Weinen und Erbleichen?

Was frommt das alles uns und diese Spiele,
Die wir doch groß und ewig einsam sind
Und wandernd nimmer suchen irgend Ziele?

Was frommts, dergleichen viel gesehen haben?
Und dennoch sagt der viel, der »Abend« sagt,
Ein Wort, daraus Tiefsinn und Trauer rinnt

Wie schwerer Honig aus den hohlen Waben.

TERZINEN

I

ÜBER VERGÄNGLICHKEIT

Noch spür ich ihren Atem auf den Wangen:
Wie kann das sein, daß diese nahen Tage
Fort sind, für immer fort, und ganz vergangen?

Dies ist ein Ding, das keiner voll aussinnt,
Und viel zu grauenvoll, als daß man klage:
Daß alles gleitet und vorüberrinnt.

Und daß mein eignes Ich, durch nichts gehemmt,
Herüberglitt aus einem kleinen Kind
Mir wie ein Hund unheimlich stumm und fremd.

Dann: daß ich auch vor hundert Jahren war
Und meine Ahnen, die im Totenhemd,
Mit mir verwandt sind wie mein eignes Haar,

So eins mit mir als wie mein eignes Haar.

II

Die Stunden! wo wir auf das helle Blauen
Des Meeres starren und den Tod verstehn,
So leicht und feierlich und ohne Grauen,

Wie kleine Mädchen, die sehr blaß aussehn,
Mit großen Augen, und die immer frieren,
An einem Abend stumm vor sich hinsehn

Und wissen, daß das Leben jetzt aus ihren
Schlaftrunknen Gliedern still hinüberfließt
In Bäum und Gras, und sich matt lächelnd zieren

Wie eine Heilige, die ihr Blut vergießt.

III

Wir sind aus solchem Zeug wie das zu Träumen,
Und Träume schlagen so die Augen auf
Wie kleine Kinder unter Kirschenbäumen,

Aus deren Krone den blaßgoldnen Lauf
Der Vollmond anhebt durch die große Nacht.
... Nicht anders tauchen unsre Träume auf,

Sind da und leben wie ein Kind, das lacht,
Nicht minder groß im Auf- und Niederschweben
Als Vollmond, aus Baumkronen aufgewacht.

Das Innerste ist offen ihrem Weben;
Wie Geisterhände in versperrtem Raum
Sind sie in uns und haben immer Leben.

Und drei sind Eins: ein Mensch, ein Ding, ein Traum.

MANCHE FREILICH...

Manche freilich müssen drunten sterben,
Wo die schweren Ruder der Schiffe streifen,
Andre wohnen bei dem Steuer droben,
Kennen Vogelflug und die Länder der Sterne.

Manche liegen immer mit schweren Gliedern
Bei den Wurzeln des verworrenen Lebens,
Andern sind die Stühle gerichtet
Bei den Sibyllen, den Königinnen,
Und da sitzen sie wie zu Hause,
Leichten Hauptes und leichter Hände.

Doch ein Schatten fällt von jenen Leben
In die anderen Leben hinüber,
Und die leichten sind an die schweren
Wie an Luft und Erde gebunden:

Ganz vergessener Völker Müdigkeiten
Kann ich nicht abtun von meinen Lidern,
Noch weghalten von der erschrockenen Seele
Stummes Niederfallen ferner Sterne.

Viele Geschicke weben neben dem meinen,
Durcheinander spielt sie alle das Dasein,
Und mein Teil ist mehr als dieses Lebens
Schlanke Flamme oder schmale Leier.

EIN TRAUM VON GROSSER MAGIE

Viel königlicher als ein Perlenband
Und kühn wie junges Meer im Morgenduft,
So war ein großer Traum – wie ich ihn fand.

Durch offene Glastüren ging die Luft.
Ich schlief im Pavillon zu ebner Erde,
Und durch vier offne Türen ging die Luft –

Und früher liefen schon geschirrte Pferde
Hindurch und Hunde eine ganze Schar
An meinem Bett vorbei. Doch die Gebärde

Des Magiers – des Ersten, Großen – war
Auf einmal zwischen mir und einer Wand:
Sein stolzes Nicken, königliches Haar.

Und hinter ihm nicht Mauer: es entstand
Ein weiter Prunk von Abgrund, dunklem Meer
Und grünen Matten hinter seiner Hand.

Er bückte sich und zog das Tiefe her.
Er bückte sich, und seine Finger gingen
Im Boden so, als ob es Wasser wär.

Vom dünnen Quellenwasser aber fingen
Sich riesige Opale in den Händen
Und fielen tönend wieder ab in Ringen.

Dann warf er sich mit leichtem Schwung der Lenden –
Wie nur aus Stolz – der nächsten Klippe zu;
An ihm sah ich die Macht der Schwere enden.

In seinen Augen aber war die Ruh
Von schlafend- doch lebendgen Edelsteinen.
Er setzte sich und sprach ein solches Du

Zu Tagen, die uns ganz vergangen scheinen,
Daß sie herkamen trauervoll und groß:
Das freute ihn zu lachen und zu weinen.

Er fühlte traumhaft aller Menschen Los,
So wie er seine eignen Glieder fühlte.
Ihm war nichts nah und fern, nichts klein und groß.

Und wie tief unten sich die Erde kühlte,
Das Dunkel aus den Tiefen aufwärts drang,
Die Nacht das Laue aus den Wipfeln wühlte,

Genoß er allen Lebens großen Gang
So sehr – daß er in großer Trunkenheit
So wie ein Löwe über Klippen sprang.
– –

Cherub und hoher Herr ist unser Geist –
Wohnt nicht in uns, und in die obern Sterne
Setzt er den Stuhl und läßt uns viel verwaist:

Doch Er ist Feuer uns im tiefsten Kerne
– So ahnte mir, da ich den Traum da fand –
Und redet mit den Feuern jener Ferne

Und lebt in mir wie ich in meiner Hand.

ICH GING HERNIEDER…

Ich ging hernieder weite Bergesstiegen
Und fühlt im wundervollen Netz mich liegen,
In Gottes Netz, im Lebenstraum gefangen.
Die Winde liefen und die Vögel sangen.

Wie trug, wie trug das Tal den Wasserspiegel!
Wie rauschend stand der Wald, wie schwoll der Hügel!
Hoch flog ein Falk, still leuchtete der Raum:
Im Leben lag mein Herz, in Tod und Traum.

BOTSCHAFT

Ich habe mich bedacht, daß schönste Tage
Nur jene heißen dürfen, da wir redend
Die Landschaft uns vor Augen in ein Reich
Der Seele wandelten: da hügelan
Dem Schatten zu wir stiegen in den Hain,
Der uns umfing wie schon einmal Erlebtes,
Da wir auf abgetrennten Wiesen still
Den Traum vom Leben niegeahnter Wesen,
Ja ihres Gehns und Trinkens Spuren fanden
Und überm Teich ein gleitendes Gespräch,
Noch tiefere Wölbung spiegelnd als der Himmel:
Ich habe mich bedacht auf solche Tage,
Und daß nächst diesen drei: gesund zu sein,
Am eignen Leib und Leben sich zu freuen,
Und an Gedanken, Flügeln junger Adler,
Nur eines frommt: gesellig sein mit Freunden.
So will ich, daß du kommst und mit mir trinkst
Aus jenen Krügen, die mein Erbe sind,
Geschmückt mit Laubwerk und beschwingten Kindern,
Und mit mir sitzest in dem Garten-Turm:
Zwei Jünglinge bewachen seine Tür,
In deren Köpfen mit gedämpftem Blick
Halbabgewandt ein ungeheures
Geschick dich steinern anschaut, daß du schweigst
Und meine Landschaft hingebreitet siehst:
Daß dann vielleicht ein Vers von dir sie mir
Veredelt künftig in der Einsamkeit
Und da und dort Erinnerung an dich
Im Schatten nistet und zur Dämmerung
Die Straße zwischen dunklen Wipfeln rollt
Und schattenlose Wege in der Luft
Dahinrolln wie ein ferner goldner Donner.

WIR GINGEN EINEN WEG...

Wir gingen einen Weg mit vielen Brücken,
Und vor uns gingen drei, die ruhig sangen.
Ich sage dies, damit du dich entsinnst.
Da sagtest du und zeigtest nach dem Berg,
Der Schatten trug von Wolken und den Schatten
Der steilen Wände mit unsicheren Pfaden,
Du sagtest: »Wären dort wir zwei allein!«
Und deine Worte hatten einen Ton
So fremd wie Duft von Sandelholz und Myrrhen.
– Auch deine Wangen waren nicht wie sonst. –
Und mir geschah, daß eine trunkene Lust
Mich faßte, so wie wenn die Erde bebt
Und umgestürztes prunkvolles Gerät
Rings rollt und Wasser aus dem Boden quillt
Und einer taumelnd steht und doppelt sieht:
Denn ich war da und war zugleich auch dort,
Mir dir im Arm, und alle Lust davon
War irgendwie vermengt mit aller Lust,
Die dieser große Berg mit vielen Klüften
Hingibt, wenn einer ruhig wie der Adler
Mit ausgespannten Flügeln ihn umflöge.
Ich war mit dir im Arm auf jenem Berg,
Ich hatte alles Wissen seiner Höhe,
Der Einsamkeit, des nie betretnen Pfades
Und dich im Arm und alle Lust davon...
Und als ich heut im Lusthaus beim Erwachen
An einer kühlen Wand das Bild der Götter
Und ihrer wunderbaren Freuden sah:
Wie sie mit leichtem Fuße, kaum mehr lastend,
Vom dünnen Dache weinumrankter Lauben
Ins Blaue tretend aufzuschweben schienen,
Wie Flammen ohne Schwere, mit dem Laut
Von Liedern und dem Klang der hellen Leier

Emporgeweht; da wurde es mir so,
Als dürft ich jenen letzten, die noch nah
Der Erde schienen, freundlich ihr Gewand
Anrühren, wie ein Gastfreund tuen darf
Von gleichem Rang und ähnlichem Geschick:
Denn ich gedachte jenes Abenteuers.

DES ALTEN MANNES SEHNSUCHT NACH DEM SOMMER

Wenn endlich Juli würde anstatt März,

Nichts hielte mich, ich nähme einen Rand,
Zu Pferd, zu Wagen oder mit der Bahn
Käm ich hinaus ins schöne Hügelland.

Da stünden Gruppen großer Bäume nah,
Platanen, Rüster, Ahorn oder Eiche:
Wie lang ists, daß ich keine solchen sah!

Da stiege ich vom Pferde oder riefe
Dem Kutscher: Halt! und ginge ohne Ziel
Nach vorwärts in des Sommerlandes Tiefe.

Und unter solchen Bäumen ruht ich aus;
In deren Wipfel wäre Tag und Nacht
Zugleich, und nicht so wie in diesem Haus,

Wo Tage manchmal öd sind wie die Nacht
Und Nächte fahl und lauernd wie der Tag.
Dort wäre Alles Leben, Glanz und Pracht.

Und aus dem Schatten in des Abendlichts
Beglückung tret ich, und ein Hauch weht hin,
Doch nirgend flüsterts: »Alles dies ist nichts.«

Das Tal wird dunkel, und wo Häuser sind,
Sind Lichter, und das Dunkel weht mich an,
Doch nicht vom Sterben spricht der nächtige Wind.

Ich gehe übern Friedhof hin und sehe
Nur Blumen sich im letzten Scheine wiegen,
Von gar nichts anderm fühl ich eine Nähe.

Und zwischen Haselsträuchern, die schon düstern,
Fließt Wasser hin, und wie ein Kind, so lausch ich
Und höre kein »Dies ist vergeblich« flüstern!

Da ziehe ich mich hurtig aus und springe
Hinein, und wie ich dann den Kopf erhebe,
Ist Mond, indes ich mit dem Bächlein ringe.

Halb heb ich mich aus der eiskalten Welle,
Und einen glatten Kieselstein ins Land
Weit schleudernd, steh ich in der Mondeshelle.

Und auf das mondbeglänzte Sommerland
Fällt weit ein Schatten: dieser, der so traurig
Hier nickt, hier hinterm Kissen an der Wand?

So trüb und traurig, der halb aufrecht kauert
Vor Tag und böse in das Frühlicht starrt
Und weiß, daß auf uns beide etwas lauert?

Er, den der böse Wind in diesem März
So quält, daß er die Nächte nie sich legt,
Gekrampft die schwarzen Hände auf sein Herz?

Ach, wo ist Juli und das Sommerland!

PROSA

6.6.81

DAS MÄRCHEN DER 672. NACHT

Ein junger Kaufmannssohn, der sehr schön war und weder Vater noch Mutter hatte, wurde bald nach seinem fünfundzwanzigsten Jahre der Geselligkeit und des gastlichen Lebens überdrüssig. Er versperrte die meisten Zimmer seines Hauses und entließ alle seine Diener und Dienerinnen, bis auf vier, deren Anhänglichkeit und ganzes Wesen ihm lieb war. Da ihm an seinen Freunden nichts gelegen war und auch die Schönheit keiner einzigen Frau ihn so gefangennahm, daß er es sich als wünschenswert oder nur als erträglich vorgestellt hätte, sie immer um sich zu haben, lebte er sich immer mehr in ein ziemlich einsames Leben hinein, welches anscheinend seiner Gemütsart am meisten entsprach. Er war aber keineswegs menschenscheu, vielmehr ging er gerne in den Straßen oder öffentlichen Gärten spazieren und betrachtete die Gesichter der Menschen. Auch vernachlässigte er weder die Pflege seines Körpers und seiner schönen Hände noch den Schmuck seiner Wohnung. Ja, die Schönheit der Teppiche und Gewebe und Seiden, der geschnitzten und getäfelten Wände, der Leuchter und Becken aus Metall, der gläsernen und irdenen Gefäße wurde ihm so bedeutungsvoll, wie er es nie geahnt hatte. Allmählich wurde er sehend dafür, wie alle Formen und Farben der Welt in seinen Geräten lebten. Er erkannte in den Ornamenten, die sich verschlingen, ein verzaubertes Bild der verschlungenen Wunder der Welt. Er fand die Formen der Tiere und die Formen der Blumen und das Übergehen der Blumen in die Tiere; die Delphine, die Löwen und die Tulpen, die Perlen und den Akanthus; er fand den Streit zwischen der Last der Säule und dem Widerstand des festen Grundes und das Streben alles Wassers nach aufwärts und wiederum nach abwärts; er fand die Seligkeit der Bewegung und die Erhabenheit der Ruhe, das Tanzen und das Totsein; er fand die Farben der Blumen und Blätter, die Farben der Felle wilder Tiere und der Gesichter der Völker, die Farbe der Edelsteine, die Farbe des stürmischen und des ruhig leuchtenden Meeres; ja, er fand den Mond und die Sterne, die mystische Kugel, die mystischen Ringe und an ihnen festgewachsen die Flügel der Seraphim. Er war für lange Zeit trunken von dieser großen, tiefsinnigen Schönheit, die ihm gehörte, und alle seine

Tage bewegten sich schöner und minder leer unter diesen Geräten, die nichts Totes und Niedriges mehr waren, sondern ein großes Erbe, das göttliche Werk aller Geschlechter.

Doch er fühlte ebenso die Nichtigkeit aller dieser Dinge wie ihre Schönheit; nie verließ ihn auf lange der Gedanke an den Tod, und oft befiel er ihn unter lachenden und lärmenden Menschen, oft in der Nacht, oft beim Essen.

Aber da keine Krankheit in ihm war, so war der Gedanke nicht grauenhaft, eher hatte er etwas Feierliches und Prunkendes und kam gerade am stärksten, wenn er sich am Denken schöner Gedanken oder an der Schönheit seiner Jugend und Einsamkeit berauschte. Denn oft schöpfte der Kaufmannssohn einen großen Stolz aus dem Spiegel, aus den Versen der Dichter, aus seinem Reichtum und seiner Klugheit, und die finsteren Sprichwörter drückten nicht auf seine Seele. Er sagte: »Wo du sterben sollst, dahin tragen dich deine Füße«, und sah sich schön, wie ein auf der Jagd verirrter König, in einem unbekannten Wald unter seltsamen Bäumen einem fremden wunderbaren Geschick entgegengehen. Er sagte: »Wenn das Haus fertig ist, kommt der Tod«, und sah jenen langsam heraufkommen über die von geflügelten Löwen getragene Brücke des Palastes, des fertigen Hauses, angefüllt mit der wundervollen Beute des Lebens.

Er wähnte, völlig einsam zu leben, aber seine vier Diener umkreisten ihn wie Hunde, und obwohl er wenig mit ihnen redete, fühlte er doch irgendwie, daß sie unausgesetzt daran dachten, ihm gut zu dienen. Auch fing er an, hie und da über sie nachzudenken.

Die Haushälterin war eine alte Frau; ihre verstorbene Tochter war des Kaufmannssohnes Amme gewesen; auch alle ihre anderen Kinder waren gestorben. Sie war sehr still, und die Kühle des Alters ging von ihrem weißen Gesicht und ihren weißen Händen aus. Aber er hatte sie gern, weil sie immer im Hause gewesen war und weil die Erinnerung an die Stimme seiner eigenen Mutter und an seine Kindheit, die er sehnsüchtig liebte, mit ihr herumging.

Sie hatte mit seiner Erlaubnis eine entfernte Verwandte ins Haus genommen, die kaum fünfzehn Jahre alt war, diese war sehr verschlossen. Sie war hart gegen sich und schwer zu verstehen. Einmal warf sie sich in einer dunkeln und jähen Regung ihrer zornigen Seele aus einem Fenster in den Hof, fiel aber mit dem kinderhaften Leib in zufällig aufgeschüttete Gartenerde, so daß ihr nur ein Schlüsselbein brach, weil dort ein Stein in der Erde gesteckt hatte. Als man sie in ihr Bett gelegt hatte, schickte der Kaufmannssohn seinen Arzt zu ihr; am Abend aber kam er selber und wollte sehen, wie es ihr ginge. Sie hielt die Augen geschlossen, und er sah sie zum ersten Male lange ruhig an und war erstaunt über die seltsame und altkluge Anmut ihres Gesichtes. Nur ihre Lippen waren sehr dünn, und darin lag etwas Unschönes und Unheimliches. Plötzlich schlug sie die Augen auf, sah ihn eisig und bös an und drehte sich mit zornig zusammengebissenen Lippen, den Schmerz überwindend, gegen die Wand, so daß sie auf die verwundete Seite zu liegen kam. Im Augenblick verfärbte sich ihr totenblasses Gesicht ins Grünlichweiße, sie wurde ohnmächtig und fiel wie tot in ihre frühere Lage zurück.

Als sie wieder gesund war, redete der Kaufmannssohn sie durch lange Zeit nicht an, wenn sie ihm begegnete. Ein paarmal fragte er die alte Frau, ob das Mädchen ungern in seinem Hause wäre, aber diese verneinte es immer. Den einzigen Diener, den er sich entschlossen hatte, in seinem Hause zu behalten, hatte er kennengelernt, als er einmal bei dem Gesandten, den der König von Persien in dieser Stadt unterhielt, zu Abend speiste. Da bediente ihn dieser und war von einer solchen Zuvorkommenheit und Umsicht und schien gleichzeitig von so großer Eingezogenheit und Bescheidenheit, daß der Kaufmannssohn mehr Gefallen daran fand, ihn zu beobachten, als auf die Reden der übrigen Gäste zu hören. Um so größer war seine Freude, als viele Monate später dieser Diener auf der Straße auf ihn zutrat, ihn mit demselben tiefen Ernst, wie an jenem Abend, und ohne alle Aufdringlichkeit grüßte und ihm seine Dienste anbot. Sogleich erkannte ihn der Kaufmannssohn an seinem düsteren, maulbeerfarbigen Gesicht und an seiner großen Wohlerzogenheit. Er nahm ihn augenblicklich in seinen Dienst, entließ zwei junge Diener, die er noch bei sich hatte, und ließ sich fortan beim Speisen und sonst nur von diesem ernsten und zurückhaltenden Menschen bedienen. Dieser Mensch machte fast nie von der Erlaubnis Gebrauch, in den Abendstunden das Haus zu verlassen. Er zeigte eine seltene Anhänglichkeit an seinen Herrn, dessen Wünschen er zuvorkam und dessen Neigungen und Abneigungen er schweigend erriet, so daß auch dieser eine immer größere Zuneigung für ihn faßte.

Wenn er sich auch nur von diesem beim Speisen bedienen ließ, so pflegte die Schüsseln mit Obst und süßem Backwerk doch eine Dienerin aufzutragen, ein junges Mädchen, aber doch um zwei oder drei Jahre älter als die Kleine. Dieses junge Mädchen war von jenen, die man von weitem, oder wenn man sie als Tänzerinnen beim Licht der Fackeln auftreten sieht, kaum für sehr schön gelten ließe, weil da die Feinheit der Züge verloren geht; da er sie aber in der Nähe und täglich sah, ergriff ihn die unvergleichliche Schönheit ihrer Augenlider und ihrer Lippen, und die trägen, freudlosen Bewegungen ihres schönen Leibes waren ihm die rätselhafte Sprache einer verschlossenen und wundervollen Welt.

Wenn in der Stadt die Hitze des Sommers sehr groß wurde und längs der Häuser die dumpfe Glut schwebte und in den schwülen, schweren Vollmondnächten der Wind weiße Staubwolken in den leeren Straßen hintrieb, reiste der Kaufmannssohn mit seinen vier Dienern nach einem Landhaus, das er im Gebirg besaß, in einem engen, von dunklen Bergen umgebenen Tal. Dort lagen viele solche Landhäuser der Reichen. Von beiden Seiten fielen Wasserfälle in die Schluchten herunter und gaben Kühle. Der Mond stand fast immer hinter den Bergen, aber große weiße Wolken stiegen hinter den schwarzen Wänden auf, schwebten feierlich über den dunkelleuchtenden Himmel und verschwanden auf der anderen Seite. Hier lebte der Kaufmanssohn sein gewohntes Leben in einem Haus, dessen hölzerne Wände immer von dem kühlen Duft der Gärten und der vielen Wasserfälle durchstrichen wurden. Am Nachmittag, bis die Sonne hinter den Bergen hinunterfiel, saß er in seinem Garten und las meist in einem Buch, in welchem die Kriege eines sehr großen Königs der Vergangenheit aufgezeichnet waren. Manchmal mußte er mitten in der Beschreibung, wie die Tausende Reiter der feindlichen Könige schreiend ihre Pferde umwenden oder ihre Kriegswagen den steilen Rand eines Flusses hinabgerissen werden, plötzlich innehalten, denn er fühlte, ohne hinzusehen, daß die Augen seiner vier Diener auf ihn geheftet waren. Er wußte, ohne den Kopf zu heben, daß sie ihn ansahen, ohne ein Wort zu reden, jedes aus einem anderen Zimmer. Er kannte sie so gut. Er fühlte sie leben, stärker, eindringlicher, als er sich selbst leben fühlte. Über sich empfand er zuweilen leichte Rührung oder Verwunderung, wegen dieser aber eine rätselhafte Beklemmung. Er fühlte mit der Deutlichkeit eines Alpdrucks, wie die beiden Alten dem Tod entgegenlebten, mit jeder Stunde, mit dem unaufhaltsamen leisen Anderswerden ihrer Züge und ihrer Gebärden, die er so gut kannte; und wie

die beiden Mädchen in das öde, gleichsam luftlose Leben hineinlebten. Wie das Grauen und die tödliche Bitterkeit eines furchtbaren, beim Erwachen vergessenen Traumes, lag ihm die Schwere ihres Lebens, von der sie selber nichts wußten, in den Gliedern.
Manchmal mußte er aufstehen und umhergehen, um seiner Angst nicht zu unterliegen. Aber während er auf den grellen Kies vor seinen Füßen schaute und mit aller Anstrengung darauf achtete, wie aus dem kühlen Duft von Gras und Erde der Duft der Nelken in hellen Atemzügen zu ihm aufflog und dazwischen in lauen, übermäßig süßen Wolken der Duft der Heliotrope, fühlte er ihre Augen und konnte an nichts anderes denken. Ohne den Kopf zu heben, wußte er, daß die alte Frau an ihrem Fenster saß, die blutlosen Hände auf dem von der Sonne durchglühten Gesims, das blutlose, maskenhafte Gesicht eine immer grauenhaftere Heimstätte für die hilflosen schwarzen Augen, die nicht absterben konnten. Ohne den Kopf zu heben, fühlte er, wenn der Diener für Minuten von seinem Fenster zurücktrat und sich an einem Schrank zu schaffen machte; ohne aufzusehen, erwartete er in heimlicher Angst den Augenblick, wo er wiederkommen werde. Während er mit beiden Händen biegsame Äste hinter sich zurückfallen ließ, um sich in der verwachsensten Ecke des Gartens zu verkriechen, und alle Gedanken auf die Schönheit des Himmels drängte, der in kleinen leuchtenden Stücken von feuchtem Türkis von oben durch das dunkle Genetz von Zweigen und Ranken herunterfiel, bemächtigte sich seines Blutes und seines ganzen Denkens nur das, daß er die Augen der zwei Mädchen auf sich gerichtet wußte, die der Größeren träge und traurig, mit einer unbestimmten, ihn quälenden Forderung, die der Kleineren mit einer ungeduldigen, dann wieder höhnischen Aufmerksamkeit, die ihn noch mehr quälte. Und dabei hatte er nie den Gedanken, daß sie ihn unmittelbar ansahen, ihn, der gerade mit gesenktem Kopfe umherging, oder bei einer Nelke niederkniete, um sie mit Bast zu binden, oder sich unter die Zweige beugte; sondern ihm war, sie sahen sein ganzes Leben an, sein tiefstes Wesen, seine geheimnisvolle menschliche Unzulänglichkeit.
Eine furchtbare Beklemmung kam über ihn, eine tödliche Angst vor der Unentrinnbarkeit des Lebens. Furchtbarer, als daß die ihn unausgesetzt beobachteten, war, daß sie ihn zwangen, in einer unfruchtbaren und so ermüdenden Weise an sich selbst zu denken. Und der Garten war viel zu klein, um ihnen zu entrinnen. Wenn er aber ganz nahe von

ihnen war, erlosch seine Angst so völlig, daß er das Vergangene beinahe vergaß. Dann vermochte er es, sie gar nicht zu beachten oder ruhig ihren Bewegungen zuzusehen, die ihm so vertraut waren, daß er aus ihnen eine unaufhörliche, gleichsam körperliche Mitempfindung ihres Lebens empfing.
Das kleine Mädchen begegnete ihm nur hie und da auf der Treppe oder im Vorhaus. Die drei anderen aber waren häufig mit ihm in einem Zimmer. Einmal erblickte er die Größere in einem geneigten Spiegel; sie ging durch ein erhöhtes Nebenzimmer: in dem Spiegel aber kam sie ihm aus der Tiefe entgegen. Sie ging langsam und mit Anstrengung, aber ganz aufrecht: sie trug in jedem Arm eine schwere hagere indische Gottheit aus dunkler Bronze. Die verzierten Füße der Figuren hielt sie in der hohlen Hand, von der Hüfte bis an die Schläfe reichten ihr die dunklen Göttinnen und lehnten mit ihrer toten Schwere an den lebendigen zarten Schultern; die dunklen Köpfe aber mit dem bösen Mund von Schlangen, drei wilden Augen in der Stirn und unheimlichem Schmuck in den kalten, harten Haaren, bewegten sich neben den atmenden Wangen und streiften die schönen Schläfen im Takt der langsamen Schritte. Eigentlich aber schien sie nicht an den Göttinnen schwer und feierlich zu tragen, sondern an der Schönheit ihres eigenen Hauptes mit dem schweren Schmuck aus lebendigem, dunklem Gold, zwei großen gewölbten Schnecken zu beiden Seiten der lichten Stirn, wie eine Königin im Kriege. Er wurde ergriffen von ihrer großen Schönheit, aber gleichzeitig wußte er deutlich, daß es ihm nichts bedeuten würde, sie in seinen Armen zu halten. Er wußte es überhaupt, daß die Schönheit seiner Dienerin ihn mit Sehnsucht, aber nicht mit Verlangen erfüllte, so daß er seine Blicke nicht lange auf ihr ließ, sondern aus dem Zimmer trat, ja auf die Gasse und mit einer seltsamen Unruhe zwischen den Häusern und Gärten im schmalen Schatten weiterging. Schließlich ging er an das Ufer des Flusses, wo die Gärtner und Blumenhändler wohnten, und suchte lange, obgleich er wußte, daß er vergeblich suchen werde, nach einer Blume, deren Gestalt und Duft, oder nach einem Gewürz, dessen verwehender Hauch ihm für einen Augenblick genau den gleichen süßen Reiz zu ruhigem Besitz geben könnte, welcher in der Schönheit seiner Dienerin lag, die ihn verwirrte und beunruhigte. Und während er ganz vergeblich mit sehnsüchtigen Augen in den dumpfen Glashäusern umherspähte und sich im Freien über die langen Beete beugte, auf denen es schon dun-

kelte, wiederholte sein Kopf unwillkürlich, ja schließlich gequält und gegen seinen Willen, immer wieder die Verse des Dichters: »In den Stielen der Nelken, die sich wiegten, im Duft des reifen Kornes erregtest du meine Sehnsucht; aber als ich dich fand, warst du es nicht, die ich gesucht hatte, sondern die Schwestern deiner Seele.«

II

In diesen Tagen geschah es, daß ein Brief kam, welcher ihn einigermaßen beunruhigte. Der Brief trug keine Unterschrift. In unklarer Weise beschuldigte der Schreiber den Diener des Kaufmannssohnes, daß er im Hause seines früheren Herrn, des persischen Gesandten, irgendein abscheuliches Verbrechen begangen habe. Der Unbekannte schien einen heftigen Haß gegen den Diener zu hegen und fügte viele Drohungen bei; auch gegen den Kaufmannssohn selbst bediente er sich eines unhöflichen, beinahe drohenden Tones. Aber es war nicht zu erraten, welches Verbrechen angedeutet werde und welchen Zweck überhaupt dieser Brief für den Schreiber, der sich nicht nannte und nichts verlangte, haben könne. Er las den Brief mehrere Male und gestand sich, daß er bei dem Gedanken, seinen Diener auf eine so widerwärtige Weise zu verlieren, eine große Angst empfand. Je mehr er nachdachte, desto erregter wurde er und desto weniger konnte er den Gedanken ertragen, eines dieser Wesen zu verlieren, mit denen er durch die Gewohnheit und andere geheime Mächte völlig zusammengewachsen war.

Er ging auf und ab, die zornige Erregung erhitzte ihn so, daß er seinen Rock und Gürtel abwarf und mit Füßen trat. Es war ihm, als wenn man seinen innersten Besitz beleidigt und bedroht hätte und ihn zwingen wollte, aus sich selber zu fliehen und zu verleugnen, was ihm lieb war. Er hatte Mitleid mit sich selbst und empfand sich, wie immer in solchen Augenblicken, als ein Kind. Er sah schon seine vier Diener aus seinem Hause gerissen, und es kam ihm vor, als zöge sich lautlos der ganze Inhalt seines Lebens aus ihm, alle schmerzhaftsüßen Erinnerungen, alle halbunbewußten Erwartungen, alles Unsagbare, um irgendwo hingeworfen und für nichts geachtet zu werden, wie ein Bündel Algen und Meertang. Er begriff zum erstenmal, was ihn als Knabe immer zum Zorn gereizt hatte, die angstvolle Liebe, mit der sein Vater an dem hing, was er erworben hatte, an den Reichtümern seines gewölbten Warenhauses, den schönen, gefühllosen Kindern seines Suchens und Sorgens, den geheimnisvollen Ausgeburten der undeutlichen tiefsten Wünsche seines Lebens. Er begriff, daß der große König der Vergangenheit hätte sterben müssen, wenn man ihm seine Länder genommen hätte, die er durchzogen und unterworfen hatte vom Meer im Westen bis zum Meer im Osten, die er zu beherrschen träumte und die doch so unendlich groß waren, daß er keine Macht über sie hatte und keinen Tribut von ihnen empfing als den Gedanken, daß er sie unterworfen hatte und kein anderer als er ihr König war.

Er beschloß, alles zu tun, um diese Sache zur Ruhe zu bringen, die ihn so ängstigte. Ohne dem Diener ein Wort von dem Brief zu sagen, machte er sich auf und fuhr allein nach der Stadt. Dort beschloß er vor allem das Haus aufzusuchen, welches der Gesandte des Königs von Persien bewohnte; denn er hatte die unbestimmte Hoffnung, dort irgendwie einen Anhaltspunkt zu finden.

Als er aber hinkam, war es spät am Nachmittag und niemand mehr zu Hause, weder der Gesandte, noch einer der jungen Leute seiner Begleitung. Nur der Koch und ein alter untergeordneter Schreiber saßen im Torweg im kühlen Halbdunkel. Aber sie waren so häßlich und gaben so kurze, mürrische Antworten, daß er ihnen ungeduldig den Rücken kehrte und sich entschloß, am nächsten Tage zu einer besseren Stunde wiederzukommen.

Da seine eigene Wohnung versperrt war – denn er hatte keinen Diener in der Stadt zurückgelassen –, so mußte er wie ein Fremder daran denken, sich für die Nacht eine Herberge zu suchen. Neugierig, wie ein Fremder, ging er durch die bekannten Straßen und kam endlich an das Ufer eines kleinen Flusses, der zu dieser Jahreszeit fast ausgetrocknet war. Von dort folgte er in Gedanken verloren einer ärmlichen Straße, wo sehr viele öffentliche Dirnen wohnten. Ohne viel auf seinen Weg zu achten, bog er dann rechts ein und kam in eine ganz öde, totenstille Sackgasse, die in einer fast turmhohen, steilen Treppe endigte. Auf der Treppe blieb er stehen und sah zurück auf seinen Weg. Er konnte in die Höfe der kleinen Häuser sehen; hie und da waren rote Vorhänge an den Fenstern und häßliche, verstaubte Blumen; das breite, trockene Bett des Flusses war von einer tödlichen Traurigkeit. Er stieg weiter und kam oben in ein Viertel, das er sich nicht entsinnen konnte, je gesehen zu haben. Trotzdem kam ihm eine Kreuzung niederer Straßen plötzlich traumhaft bekannt vor. Er ging weiter und kam zu dem Laden eines Juweliers. Es war ein sehr ärmlicher Laden, wie er für diesen Teil der Stadt paßte, und das Schaufenster mit solchen wertlosen Schmucksachen angefüllt, wie man sie bei Pfandleihern und Hehlern zusammenkauft. Der Kaufmannssohn, der sich auf Edelsteine sehr gut verstand, konnte kaum einen halbwegs schönen Stein darunter finden.

Plötzlich fiel sein Blick auf einen altmodischen Schmuck aus dünnem Gold, mit einem Beryll verziert, der ihn irgendwie an die alte Frau erinnerte. Wahrscheinlich hatte er ein ähnliches Stück aus der Zeit, wo sie eine junge Frau gewesen war, einmal bei ihr gesehen. Auch schien ihm der blasse, eher melancholische Stein in einer seltsamen Weise zu ihrem Alter und Aussehen zu passen; und die altmodische Fassung war von der gleichen Traurigkeit. So trat er in den niedrigen Laden, um den Schmuck zu kaufen. Der Juwelier war sehr erfreut, einen so gut gekleideten Kunden eintreten zu sehen und wollte ihm noch seine wertvolleren Steine zeigen, die er nicht ins Schaufenster legte. Aus Höflichkeit gegen den alten Mann ließ er sich vieles zeigen, hatte aber weder Lust, mehr zu kaufen, noch hätte er bei seinem einsamen Leben eine Verwendung für derartige Geschenke gewußt. Endlich wurde er ungeduldig und gleichzeitig verlegen, denn er wollte loskommen und doch den Alten nicht kränken. Er beschloß, noch eine Kleinigkeit zu kaufen und dann sogleich hinauszugehen. Gedankenlos betrachtete er über die Schulter des Juweliers hinwegsehend einen kleinen silbernen Handspiegel, der halb erblindet war. Da kam ihm aus einem anderen Spiegel im Innern das Bild des Mädchens entgegen mit den dunklen Köpfen der ehernen Göttinnen zu beiden Seiten; flüchtig empfand er, daß sehr viel von ihrem Reiz darin lag, wie die Schultern und der Hals in demütiger kindlicher Grazie die Schönheit des Hauptes trugen, des Hauptes einer jungen Königin. Und flüchtig fand er es hübsch, ein dünnes goldenes Kettchen an diesem Hals zu sehen, vielfach herumgeschlungen, kindlich und doch an einen Panzer gemahnend. Und er verlangte, solche Kettchen zu sehen. Der Alte machte eine Tür auf und bat ihn, in einen zweiten Raum zu treten, ein niedriges Wohnzimmer, wo aber auch in Glasschränken und auf offenen Gestellen eine Menge Schmucksachen ausgelegt waren. Hier fand er bald ein Kettchen, das ihm gefiel, und bat den Juwelier, ihm jetzt den Preis der beiden Schmucksachen zu sagen. Der Alte bat ihn noch, die merkwürdigen, mit Halbedelsteinen besetzten Beschläge einiger altertümlichen Sättel in Augenschein zu nehmen, er aber erwiderte, daß er sich als Sohn eines Kaufmannes nie mit Pferden abgegeben habe, ja nicht einmal zu reiten verstehe und weder an alten noch an neuen Sätteln Gefallen finde, bezahlte mit einem Goldstück und einigen Silbermünzen, was er gekauft hatte, und zeigte einige Ungeduld, den Laden zu verlassen. Während der Alte, ohne mehr ein Wort zu sprechen, ein schönes Seidenpapier hervorsuchte und das Kettchen und den Beryllschmuck, jedes für sich, einwickelte, trat der Kaufmannssohn zufällig an das einzige niedrige vergitterte Fenster und schaute hinaus. Er erblickte einen offenbar zum Nachbarhaus gehörigen, sehr schön gehaltenen Gemüsegarten, dessen Hintergrund durch zwei Glashäuser und eine hohe Mauer gebildet wurde. Er bekam sogleich Lust, diese Glashäuser zu sehen und fragte den Juwelier, ob er ihm den Weg sagen könne. Der Juwelier händigte ihm seine beiden Päckchen ein und führte ihn durch ein Nebenzimmer in den Hof, der durch eine kleine Gittertür mit dem benachbarten Garten in Verbindung stand. Hier blieb der Juwelier stehen und schlug mit einem eisernen Klöppel an das Gitter. Da es aber im Garten ganz still blieb, sich auch im Nachbarhaus niemand regte, so forderte er den Kaufmannssohn auf, nur ruhig die Treibhäuser zu besichtigen und sich, falls man ihn behelligen würde, auf ihn auszureden, der mit dem Besitzer des Gartens gut bekannt sei. Dann öffnete er ihm mit einem Griff durch die Gitterstäbe. Der Kaufmannssohn ging sogleich längs der Mauer zu dem näheren Glashaus, trat ein und fand eine solche Fülle seltener und merkwürdiger Narzissen und Anemonen und so seltsames, ihm völlig unbekanntes Blattwerk, daß er sich lange nicht sattsehen konnte. Endlich aber schaute er auf und gewahrte, daß die Sonne ganz, ohne daß er es beachtet hatte, hinter den Häusern untergegangen war. Jetzt wollte er nicht länger in einem fremden, unbewachten Garten bleiben, sondern nur von außen einen Blick durch die Scheiben des zweiten Treibhauses werfen und dann fortgehen. Wie er so spähend an den Glaswänden des zweiten langsam vorüberging, erschrak er plötzlich sehr heftig und fuhr zurück. Denn ein Mensch hatte sein Gesicht an den Scheiben und schaute ihn an. Nach einem Augenblick beruhigte er sich und wurde sich bewußt, daß es ein Kind war, ein höchstens vierjähriges, kleines Mädchen, dessen weißes Kleid und blasses Gesicht gegen die Scheiben gedrückt waren. Aber als er jetzt näher hinsah, erschrak er abermals, mit einer

unangenehmen Empfindung des Grauens im Nacken und einem leisen Zusammenschnüren in der Kehle und tiefer in der Brust. Denn das Kind, das ihn regungslos und böse ansah, glich in einer unbegreiflichen Weise dem fünfzehnjährigen Mädchen, das er in seinem Hause hatte. Alles war gleich, die lichten Augenbrauen, die feinen bebenden Nasenflügel, die dünnen Lippen; wie die andere zog auch das Kind eine der Schultern etwas in die Höhe. Alles war gleich, nur daß in dem Kind das alles einen Ausdruck gab, der ihm Entsetzen verursachte. Er wußte nicht, wovor er so namenlose Furcht empfand. Er wußte nur, daß er es nicht ertragen werde, sich umzudrehen und zu wissen, daß dieses Gesicht hinter ihm durch die Scheiben starrte.
In seiner Angst ging er sehr schnell auf die Tür des Glashauses zu, um hineinzugehen; die Tür war zu, von außen verriegelt; hastig bückte er sich nach dem Riegel, der sehr tief war, stieß ihn so heftig zurück, daß er sich ein Glied des kleinen Fingers schmerzlich zerrte, und ging, fast laufend, auf das Kind zu. Das Kind ging ihm entgegen, und ohne ein Wort zu reden, stemmte es sich gegen seine Knie und suchte mit seinen schwachen kleinen Händen ihn hinauszudrängen. Er hatte Mühe, es nicht zu treten. Aber seine Angst minderte sich in der Nähe. Er beugte sich über das Gesicht des Kindes, das ganz blaß war und dessen Augen vor Zorn und Haß bebten, während die kleinen Zähne des Unterkiefers sich mit unheimlicher Wut in die Oberlippe drückten. Seine Angst verging für einen Augenblick, als er dem Mädchen die kurzen, feinen Haare streichelte. Aber augenblicklich erinnerte er sich an das Haar des Mädchens in seinem Hause, das er einmal berührt hatte, als sie totenblaß, mit geschlossenen Augen, in ihrem Bette lag, und gleich lief ihm wieder ein Schauer den Rücken hinab, und seine Hände fuhren zurück. Sie hatte es aufgegeben, ihn wegdrängen zu wollen. Sie trat ein paar Schritte zurück und schaute gerade vor sich hin. Fast unerträglich wurde ihm der Anblick des schwachen, in einem weißen Kleidchen steckenden Puppenkörpers und des verachtungsvollen, grauenhaften blassen Kindergesichtes. Er war so erfüllt mit Grauen, daß er einen Stich in den Schläfen und in der Kehle empfing, als seine Hand in der Tasche an etwas Kaltes streifte. Es waren ein paar Silbermünzen. Er nahm sie heraus, beugte sich zu dem Kinde nieder und gab sie ihm, weil sie glänzten und klirrten. Das Kind nahm sie und ließ sie ihm vor den Füßen niederfallen, daß sie in einer Spalte des auf einem Rost von Brettern ruhenden Bodens verschwanden. Dann kehrte es ihm den

Rücken und ging langsam fort. Eine Weile stand er regungslos und hatte Herzklopfen vor Angst, daß es wiederkommen werde und von außen auf ihn durch die Scheiben schauen. Jetzt hätte er gleich fortgehen mögen, aber es war besser, eine Weile vergehen zu lassen, damit das Kind aus dem Garten fortginge. Jetzt war es in dem Glashaus schon nicht mehr ganz hell, und die Formen der Pflanzen fingen an, sonderbar zu werden. In einiger Entfernung traten aus dem Halbdunkel schwarze, sinnlos drohende Zweige unangenehm hervor, und dahinter schimmerte es weiß, als wenn das Kind dort stünde. Auf einem Brette standen in einer Reihe irdene Töpfe mit Wachsblumen. Um eine kleine Zeit zu übertäuben, zählte er die Blüten, die in ihrer Starre lebendigen Blumen unähnlich waren und etwas von Masken hatten, heimtückischen Masken mit zugewachsenen Augenlöchern. Als er fertig war, ging er zur Türe und wollte hinaus. Die Tür gab nicht nach; das Kind hatte sie von außen verriegelt. Er wollte schreien, aber er fürchtete sich vor seiner eigenen Stimme. Er schlug mit den Fäusten an die Scheiben. Der Garten und das Haus blieben totenstill. Nur hinter ihm glitt etwas raschelnd durch die Sträucher. Er sagte sich, daß es Blätter waren, die sich durch die Erschütterung der dumpfen Luft abgetrennt hatten und niederfielen. Trotzdem hielt er mit dem Klopfen inne und bohrte die Blicke durch das halbdunkle Gewirr der Bäume und Ranken. Da sah er in der dämmerigen Hinterwand etwas wie ein Viereck dunkler Linien. Er kroch hin, jetzt schon unbekümmert, daß er viele irdene Gartentöpfe zertrat und die hohen dünnen Stämme und rauschenden Fächerkronen über und hinter ihm gespenstisch zusammenstürzten. Das Viereck dunkler Linien war der Ausschnitt einer Tür, und sie gab dem Drucke nach. Die freie Luft ging über sein Gesicht; hinter sich hörte er die zerknickten Stämme und niedergedrückten Blätter wie nach einem Gewitter sich leise raschelnd erheben.

Er stand in einem schmalen, gemauerten Gange; oben sah der freie Himmel herein, und die Mauer zu beiden Seiten war kaum über mannshoch. Aber der Gang war nach einer Länge von beiläufig fünfzehn Schritten wieder vermauert, und schon glaubte er sich abermals gefangen. Unschlüssig ging er vor; da war die Mauer zur Rechten in Mannsbreite durchbrochen, und aus der Öffnung lief ein Brett über leere Luft nach einer gegenüberliegenden Plattform; diese war auf der zugewendeten Seite von einem niedrigen Eisengitter geschlossen, auf den beiden anderen von der Hinterseite hoher bewohnter Häuser.

Dort, wo das Brett wie eine Enterbrücke auf dem Rand der Plattform aufruhte, hatte das Gitter eine kleine Tür.
So groß war die Ungeduld des Kaufmannssohnes, aus dem Bereich seiner Angst zu kommen, daß er sogleich einen, dann den anderen Fuß auf das Brett setzte und, den Blick fest auf das jenseitige Ufer gerichtet, anfing, hinüberzugehen. Aber unglücklicherweise wurde er sich doch bewußt, daß er über einem viele Stockwerke tiefen, gemauerten Graben hing; in den Sohlen und Kniebeugen fühlte er die Angst und Hilflosigkeit, schwindelnd im ganzen Leibe, die Nähe des Todes. Er kniete nieder und schloß die Augen; da stießen seine vorwärts tastenden Arme an die Gitterstäbe. Er umklammerte sie fest, sie gaben nach, und mit leisem Knirschen, das ihm, wie der Anhauch des Todes, den Leib durchschnitt, öffnete sich gegen ihn, gegen den Abgrund, die Tür, an der er hing; und im Gefühle seiner inneren Müdigkeit und großen Mutlosigkeit fühlte er voraus, wie die glatten Eisenstäbe seinen Fingern, die ihm erschienen wie die Finger eines Kindes, sich entwinden und er hinunterstürzt, längs der Mauer zerschellend. Aber das leise Aufgehen der Türe hielt inne, ehe seine Füße das Brett verloren, und mit einem Schwunge warf er seinen zitternden Körper durch die Öffnung hinein auf den harten Boden.
Er konnte sich nicht freuen; ohne sich umzusehen, mit einem dumpfen Gefühle wie Haß gegen die Sinnlosigkeit dieser Qualen, ging er in eines der Häuser und dort die verwahrloste Stiege hinunter und trat wieder hinaus in eine Gasse, die häßlich und gewöhnlich war. Aber er war schon sehr traurig und müde und konnte sich auf gar nichts besinnen, was ihm irgendwelcher Freude wert schien. Seltsam war alles von ihm gefallen, und ganz leer und vom Leben verlassen ging er durch die Gasse und die nächste und die nächste. Er verfolgte eine Richtung, von der er wußte, daß sie ihn dorthin zurückbringen werde, wo in dieser Stadt die reichen Leute wohnten und wo er sich eine Herberge für die Nacht suchen könnte. Denn es verlangte ihn sehr nach einem Bett. Mit einer kindischen Sehnsucht erinnerte er sich an die Schönheit seines eigenen breiten Bettes, und auch die Betten fielen ihm ein, die der große König der Vergangenheit für sich und seine Gefährten errichtet hatte, als sie Hochzeit hielten mit den Töchtern der unterworfenen Könige, für sich ein Bett von Gold, für die anderen von Silber; getragen von Greifen und geflügelten Stieren. Indessen war er zu den niedrigen Häusern gekommen, wo die Soldaten wohnen. Er achtete nicht darauf. An

einem vergitterten Fenster saßen ein paar Soldaten mit gelblichen Gesichtern und traurigen Augen und riefen ihm etwas zu. Da hob er den Kopf und atmete den dumpfen Geruch, der aus dem Zimmer kam, einen ganz besonders beklemmenden Geruch. Aber er verstand nicht, was sie von ihm wollten. Weil sie ihn aber aus seinem achtlosen Dahingehen aufgestört hatten, schaute er jetzt in den Hof hinein, als er am Tore vorbeikam. Der Hof war sehr groß und traurig, und weil es dämmerte, erschien er noch größer und trauriger. Auch waren sehr wenige Menschen darin, und die Häuser, die ihn umgaben, waren niedrig und von schmutziggelber Farbe. Das machte ihn noch öder und größer. An einer Stelle waren in einer geraden Linie beiläufig zwanzig Pferde angepflöckt; vor jedem lag ein Soldat in einem Stallkittel aus schmutzigem Zwilch auf den Knien und wusch ihm die Hufe. Ganz in der Ferne kamen viele andere in ähnlichen Anzügen aus Zwilch zu zweien aus einem Tore. Sie gingen langsam und schlürfend und trugen schwere Säcke auf den Schultern. Erst als sie näher kamen, sah er, daß in den offenen Säcken, die sie schweigend schleppten, Brot war. Er sah zu, wie sie langsam in einem Torweg verschwanden und so wie unter einer häßlichen, tückischen Last dahingingen und ihr Brot in solchen Säcken trugen wie die, worin die Traurigkeit ihres Leibes gekleidet war.

Dann ging er zu denen, die vor ihren Pferden auf den Knien lagen und ihnen die Hufe wuschen. Auch diese sahen einander ähnlich und glichen denen am Fenster und denen, die Brot getragen hatten. Sie mußten aus benachbarten Dörfern gekommen sein. Auch sie redeten kaum ein Wort untereinander. Da es ihnen sehr schwer wurde, den Vorderfuß des Pferdes zu halten, schwankten ihre Köpfe, und ihre müden, gelblichen Gesichter hoben und beugten sich wie unter einem starken Winde. Die Köpfe der meisten Pferde waren häßlich und hatten einen boshaften Ausdruck durch zurückgelegte Ohren und hinaufgezogene Oberlippen, welche die oberen Eckzähne bloßlegten. Auch hatten sie meist böse, rollende Augen und eine seltsame Art, aus schiefgezogenen Nüstern ungeduldig und verächtlich die Luft zu stoßen. Das letzte Pferd in der Reihe war besonders stark und häßlich. Es suchte den Mann, der vor ihm kniete und den gewaschenen Huf trockenrieb, mit seinen großen Zähnen in die Schulter zu beißen. Der Mann hatte so hohle Wangen und einen so todestraurigen Ausdruck in den müden Augen, daß der Kaufmannssohn von tiefem, bitterem Mitleid überwältigt wurde. Er wollte den Elenden durch ein Geschenk für den Augenblick aufheitern und griff in die Tasche nach Silbermünzen. Er fand keine und erinnerte sich, daß er die letzten dem Kinde im Glashause hatte schenken wollen, das sie ihm mit einem so boshaften Blick vor die Füße gestreut hatte. Er wollte eine Goldmünze suchen, denn er hatte deren sieben oder acht für die Reise eingesteckt.

In dem Augenblick wandte das Pferd den Kopf und sah ihn an mit tückisch zurückgelegten Ohren und rollenden Augen, die noch boshafter und wilder aussahen, weil eine Blesse gerade in der Höhe der Augen quer über den häßlichen Kopf lief. Bei dem häßlichen Anblicke fiel ihm blitzartig ein längst vergessenes Menschengesicht ein. Wenn er sich noch so sehr bemüht hätte, wäre er nicht imstande gewesen, sich die Züge dieses Menschen je wieder hervorzurufen; jetzt aber waren sie da. Die Erinnerung aber, die mit dem Gesicht kam, war nicht so deutlich. Er wußte nur, daß es aus der Zeit von seinem zwölften Jahre war, aus einer Zeit, mit deren Erinnerung der Geruch von süßen, warmen, geschälten Mandeln irgendwie verknüpft war.

Und er wußte, daß es das verzerrte Gesicht eines häßlichen armen Menschen war, den er ein einziges Mal im Laden seines Vaters gesehen hatte. Und daß das Gesicht von Angst verzerrt war, weil die Leute ihn bedrohten, weil er ein großes Goldstück hatte und nicht sagen wollte, wo er es erlangt hatte.

Während das Gesicht schon wieder zerging, suchte sein Finger noch immer in den Falten seiner Kleider, und als ein plötzlicher, undeutlicher Gedanke ihn hemmte, zog er die Hand unschlüssig heraus und warf dabei den in Seidenpapier eingewickelten Schmuck mit dem Beryll dem Pferd unter die Füße. Er bückte sich, das Pferd schlug ihm den Huf mit aller Kraft nach seitwärts in die Lenden, und er fiel auf den Rücken. Er stöhnte laut, seine Knie zogen sich in die Höhe, und mit den Fersen schlug er immerfort auf den Boden. Ein paar von den Soldaten standen auf und hoben ihn an den Schultern und unter den Kniekehlen. Er spürte den Geruch ihrer Kleider, denselben dumpfen, trostlosen, der früher aus dem Zimmer auf die Straße gekommen war, und wollte sich besinnen, wo er den vor langer, sehr langer Zeit schon eingeatmet hatte: dabei vergingen ihm die Sinne. Sie trugen ihn fort über eine niedrige Treppe, durch einen langen, halbfinsteren Gang in eines ihrer Zimmer und legten ihn auf ein niedriges eisernes Bett. Dann durchsuchten sie seine Kleider, nahmen ihm das Kettchen und die sie-

ben Goldstücke, und endlich gingen sie, aus Mitleid mit seinem unaufhörlichen Stöhnen, einen ihrer Wundärzte zu holen.
Nach einer Zeit schlug er die Augen auf und wurde sich seiner quälenden Schmerzen bewußt. Noch mehr aber erschreckte und ängstigte ihn, allein zu sein in diesem trostlosen Raum. Mühsam drehte er die Augen in den schmerzenden Höhlen gegen die Wand und gewahrte auf einem Brett drei Laibe von solchem Brot, wie die es über den Hof getragen hatten.
Sonst war nichts in dem Zimmer als harte, niedrige Betten und der Geruch von trockenem Schilf, womit die Betten gefüllt waren, und jener andere trostlose, dumpfe Geruch.
Eine Weile beschäftigten ihn nur seine Schmerzen und die erstickende Todesangst, mit der verglichen die Schmerzen eine Erleichterung waren. Dann konnte er die Todesangst für einen Augenblick vergessen und daran denken, wie alles gekommen war.
Da empfand er eine andere Angst, eine stechende, minder erdrückende, eine Angst, die er nicht zum ersten Male fühlte; jetzt aber fühlte er sie wie etwas Überwundenes. Und er ballte die Fäuste und verfluchte seine Diener, die ihn in den Tod getrieben hatten; der eine in die Stadt, die Alte in den Juwelierladen, das Mädchen in das Hinterzimmer und das Kind durch sein tückisches Ebenbild in das Glashaus, von wo er sich dann über grauenhafte Stiegen und Brücken bis unter den Huf des Pferdes taumeln sah. Dann fiel er zurück in große, dumpfe Angst. Dann wimmerte er wie ein Kind, nicht vor Schmerz, sondern vor Leid, und die Zähne schlugen ihm zusammen.
Mit einer großen Bitterkeit starrte er in sein Leben zurück und verleugnete alles, was ihm lieb gewesen war. Er haßte seinen vorzeitigen Tod so sehr, daß er sein Leben haßte, weil es ihn dahin geführt hatte. Diese innere Wildheit verbrauchte seine letzte Kraft. Ihn schwindelte, und für eine Weile schlief er wieder einen taumeligen schlechten Schlaf. Dann erwachte er und wollte schreien, weil er noch immer allein war, aber die Stimme versagte ihm. Zuletzt erbrach er Galle, dann Blut, und starb mit verzerrten Zügen, die Lippen so verrissen, daß Zähne und Zahnfleisch entblößt waren und ihm einen fremden, bösen Ausdruck gaben.

POESIE UND LEBEN

AUS EINEM VORTRAGE

Sie haben mich kommen lassen, damit ich Ihnen etwas über einen Dichter dieser Zeit erzähle, oder auch über einige Dichter oder über die Dichtung überhaupt. Sie hören gern, wovon ich, muß man denken, gerne reden mag; wir sind alle jung, und so kann es dem Anscheine nach nichts Bequemeres und Harmloseres geben. Ich glaube wirklich, es würde mir nicht sehr schwer werden, ein paar hundert Adjektiva und Zeitwörter so zusammenzustellen, daß sie Ihnen eine Viertelstunde lang Vergnügen machen würden; hauptsächlich darum eben glaube ich das, weil ich weiß, daß wir alle jung sind, und mir ungefähr denken kann, zu welcher Pfeife Sie gerne tanzen. Es ist ziemlich leicht, sich bei der Generation einzuschmeicheln, der man angehört. »Wir« ist ein schönes Wort, die Länder der Mitlebenden rollen sich als große Hintergründe auf bis an die Meere, ja bis an die Sterne, und unter den Füßen liegen die Vergangenheiten, in durchsichtigen Abgründen gelagert wie Gefangene. Und von der Dichtung der Gegenwart zu sprechen, gibt es mehrere falsche Arten, die gefällig sind. Und Sie besonders sind ja so gewohnt, über die Künste reden zu hören. Unglaublich viele Schlagworte und Eigennamen haben Sie in Ihrem Gedächtnis, und alle sagen Ihnen etwas. Sie sind so weit gekommen, daß Ihnen überhaupt nichts mehr mißfällt. Ich müßte Ihnen allerdings verschweigen, daß mir die meisten Namen nichts, rein gar nichts sagen; daß mich von dem, was mit diesen Namen unterzeichnet wird, auch nicht der geringste Teil irgendwie befriedigt. Ich müßte Ihnen verschweigen, daß ich ernsthaft erkannt zu haben glaube, daß man über die Künste überhaupt fast gar nicht reden soll, fast gar nicht reden kann, daß es nur das Unwesentliche und Wertlose an den Künsten ist, was sich der Beredung nicht durch sein stummes Wesen ganz von selber entzieht, und daß man desto schweigsamer wird, je tiefer man einmal in die Ingründe der Künste hineingekommen ist. Über eine große Verschiedenheit in unserer Art zu denken müßte ich Sie also hinwegtäuschen. Aber der Frühling draußen und die Stadt, in der wir leben, mit den vielen Kirchen und den vielen Gärten und den vielerlei Arten von Menschen, und das sonderbare, betrügerische, jasagende

Element des Lebens kämen mir mit so vielen bunten Schleiern zu Hilfe, daß Sie glauben würden, ich habe mit Ihnen geopfert, wo ich gegen Sie geopfert habe, und mich loben würden.
Andererseits glaube ich, es könnte mir nicht gar sehr schwer fallen, mich zu Ihrem Geschmack und Ihren ästhetischen Gewohnheiten in einen unerwarteten und quasi unterhaltenden Gegensatz zu bringen. Aber ob Sie zu den Sätzen, in denen ich versuchen könnte, etwas derartiges auseinanderzulegen, mit dem Lächeln der Auguren und allzu geübten Feuilletonleser lächeln oder ob Sie mich mit verhaltenem Widerwillen anhören würden, auf keinen Fall würde ich mir schmeicheln, von Ihnen verstanden worden zu sein, auf keinen Fall würde ich annehmen, daß Sie meine Meinung anders als formal und scheinmäßig zur Kenntnis genommen hätten. Ich würde mich angegriffen sehen mit Argumenten, die mich nicht treffen, und in Schutz genommen von Argumenten, die mich nicht decken. Ich würde mir manchmal hilflos vorkommen wie ein unmündiges Kind und dann wieder der Verständigung entwachsen wie ein zu alter Mann: und das alles auf meinem eigenen Feld, in der einzigen Sache, von der ich möglicherweise etwas verstehe. Denn eine Art von Wohlerzogenheit würde Ihnen ja verbieten, den Streit auf die benachbarten, mir durch meine Unkenntnisse ganz verwehrten Gebiete, wie Geschichte, Sittengeschichte oder Soziologie, hinüberzudrängen. Aber auf meinem eigenen kleinen Felde würde ich Sie mit schweren Waffen gegen das kämpfen sehen, was ich für Vogelscheuchen ansehe, und heiter über Bäche streben, die ich für abgrundtiefe und tödlich starke, ewige Grenzen halte. Das größte Mißtrauen aber würde mich erfüllen, falls Sie mir etwa zustimmten; dann wäre ich doppelt überzeugt, daß Sie alles bildlich genommen hätten, was ich wörtlich gemeint hätte, oder daß irgendeine andere Täuschung geschehen wäre.
Alles Lob, das ich meinem Dichter spenden kann, wird Ihnen dürftig vorkommen: nur dünn und schwach wird es über eine breite Kluft des Schweigens zu Ihnen hintönen. Ihre Kritiker und Kunstrichter nehmen, wenn sie loben, den Mund voll wie wasserspeiende Tritonen: aber ihr Lob geht auf Trümmer und Teile, meines auf das Ganze, ihre Bewunderung aufs Relative, meine aufs Absolute.
Ich glaube, daß der Begriff des Ganzen in der Kunst überhaupt verlorengegangen ist. Man hat Natur und Nachbildung zu einem unheimlichen Zwitterding zusammengesetzt, wie in den Panoramen und Kabi-

netten mit Wachsfiguren. Man hat den Begriff der Dichtung erniedrigt zu dem eines verzierten Bekenntnisses. Eine ungeheure Verwirrung haben gewisse Worte Goethes verschuldet, von einer zu feinen Bildlichkeit, um von Biographen und Notenschreibern richtig gefaßt zu werden. Man erinnert sich an die gefährlichen Gleichnisse vom Gelegenheitsgedicht und von dem »sich etwas von der Seele Schreiben«. Ich weiß nicht, was einem Panorama ähnlicher wäre, als wie man den »Werther« in den Goethebiographien hergerichtet hat, mit jenen unverschämten Angaben, wie weit das Materielle des Erlebnisses reiche und wo der gemalte Hintergrund anfange. Damit hat man sich ein neues Organ geschaffen, das Formlose zu genießen. Die Zersetzung des Geistigen in der Kunst ist in den letzten Jahrzehnten von den Philologen, den Zeitungschreibern und den Scheindichtern gemeinsam betrieben worden. Daß wir einander heute so gar nicht verstehen, daß ich zu Ihnen minder leicht über einen Dichter Ihrer Zeit und Ihrer Sprache reden kann, als Ihnen ein englischer Reisender über die Gebräuche und die Weltanschauung eines asiatischen Volkes etwas wirklich zur Kenntnis bringen könnte, das kommt von einer großen Schwere und Häßlichkeit, die viele staubfressende Geister in unsere Kultur gebracht haben.

Ich weiß nicht, ob Ihnen unter all dem ermüdenden Geschwätz von Individualität, Stil, Gesinnung, Stimmung und so fort nicht das Bewußtsein dafür abhanden gekommen ist, daß das Material der Poesie die Worte sind, daß ein Gedicht ein gewichtloses Gewebe aus Worten ist, die durch ihre Anordnung, ihren Klang und ihren Inhalt, indem sie die Erinnerung an Sichtbares und die Erinnerung an Hörbares mit dem Element der Bewegung verbinden, einen genau umschriebenen, traumhaft deutlichen, flüchtigen Seelenzustand hervorrufen, den wir Stimmung nennen. Wenn Sie sich zu dieser Definition der leichtesten der Künste zurückfinden können, werden Sie etwas wie eine verworrene Last des Gewissens von sich abgetan haben. Die Worte sind alles, die Worte, mit denen man Gesehenes und Gehörtes zu einem neuen Dasein hervorrufen und nach inspirierten Gesetzen als ein Bewegtes vorspiegeln kann. Es führt von der Poesie kein direkter Weg ins Leben, aus dem Leben keiner in die Poesie. Das Wort als Träger eines Lebensinhaltes und das traumhafte Bruderwort, welches in einem Gedicht stehen kann, streben auseinander und schweben fremd aneinander vorüber, wie die beiden Eimer eines Brunnens. Kein äußerliches Gesetz verbannt aus der Kunst alles Vernünfteln, alles Hadern mit dem Leben, jeden unmittelbaren Bezug auf das Leben und jede direkte Nachahmung des Lebens, sondern die einfache Unmöglichkeit: diese schweren Dinge können dort ebensowenig leben als eine Kuh in den Wipfeln der Bäume.

»Den Wert der Dichtung« – ich bediene mich der Worte eines mir unbekannten aber wertvollen Verfassers – »den Wert der Dichtung entscheidet nicht der Sinn (sonst wäre sie etwa Weisheit, Gelahrtheit), sondern die Form, das heißt durchaus nichts Äußerliches, sondern jenes tief Erregende in Maß und Klang, wodurch zu allen Zeiten die Ursprünglichen, die Meister sich von den Nachfahren, den Künstlern zweiter Ordnung unterschieden haben. Der Wert einer Dichtung ist auch nicht bestimmt durch einen einzelnen, wenn auch noch so glücklichen Fund in Zeile, Strophe oder größerem Abschnitt. Die Zusammenstellung, das Verhältnis der einzelnen Teile zueinander, die notwendige Folge des einen aus dem andern kennzeichnet erst die hohe Dichtung.«

Ich füge zwei Bemerkungen hinzu, die sich beinahe von selbst ergeben:

Das Rhetorische, wobei das Leben als Materie auftritt, und jene Reflexionen in getragener Sprache haben auf den Namen Gedicht keinen Anspruch.

Über das allein Ausschlaggebende, die Wahl der Worte und wie sie gesetzt werden müssen (Rhythmus), wird immer zuletzt beim Künstler der Takt, beim Hörer die Empfänglichkeit zu urteilen haben.

Dies, was allein das Wesen der Dichtung ausmacht, wird am meisten verkannt. Ich kenne in keinem Kunststil ein Element, das schmählicher verwahrlost wäre als das Eigenschaftswort bei den neueren deutschen sogenannten Dichtern. Es wird gedankenlos hingesetzt oder mit einer absichtlichen Grellmalerei, die alles lähmt. Die Unzulänglichkeit des rhythmischen Gefühles aber ist ärger. Es scheint beinahe niemand mehr zu wissen, daß das der Hebel aller Wirkung ist. Es hieße einen Dichter über alle Deutschen der letzten Jahrzehnte stellen, wenn man von ihm sagen könnte: Er hat die Adjektiva, die nicht totgeboren sind, und seine Rhythmen gehen nirgends gegen seinen Willen.

Jeder Rhythmus trägt in sich die unsichtbare Linie jener Bewegung, die er hervorrufen kann; wenn die Rhythmen erstarren, wird die in ihnen verborgene Gebärde der Leidenschaft zur Tradition, wie die, aus welchen das gewöhnliche unbedeutende Ballett zusammengesetzt ist. Ich kann die »Individualitäten« nicht gut begreifen, die keinen eigenen Ton haben, deren innere Bewegungen sich einem beiläufigen Rhythmus anpassen. Ich kann ihre Uhlandschen, ihre Eichendorffschen Maße nicht mehr hören und beneide niemanden, der es noch kann, um seine groben Ohren.

Der eigene Ton ist alles; wer den nicht hält, begibt sich der inneren Freiheit, die erst das Werk möglich machen kann. Der Mutigste und der Stärkste ist der, der seine Worte am freiesten zu stellen vermag; denn es ist nichts so schwer, als sie aus ihren festen, falschen Verbindungen zu reißen. Eine neue und kühne Verbindung von Worten ist das wundervollste Geschenk für die Seelen und nichts Geringeres als ein Standbild des Knaben Antinous oder eine große gewölbte Pforte. Man lasse uns Künstler in Worten sein, wie andere in den weißen und farbigen Steinen, in getriebenem Erz, in den gereinigten Tönen oder im Tanz. Man preise uns für unsere Kunst, die Rhetoren aber für ihre Gesinnung und ihre Wucht, die Weisheitslehrer für ihre Weisheit, die Mystiker für ihre Erleuchtungen. Wenn man aber wiederum Bekenntnisse will, so sind sie in den Denkwürdigkeiten der Staatsmänner und Literaten, in den Geständnissen der Ärzte, der Tänzerinnen und Opiumesser zu finden: für Menschen, die das Stoffliche nicht vom Künstlerischen zu unterscheiden wissen, ist die Kunst überhaupt nicht vorhanden; aber freilich auch für sie gibt es Geschriebenes genug.

Sie wundern sich über mich. Sie sind enttäuscht und finden, daß ich Ihnen das Leben aus der Poesie vertreibe.

Sie wundern sich, daß Ihnen ein Dichter die Regeln lobt und in Wortfolgen und Maßen das Ganze der Poesie sieht. Es gibt aber schon zu viele Dilettanten, welche die Intentionen loben, und das ganze Wertlose hat Diener an allen schweren Köpfen. Auch seien Sie unbesorgt: ich werde Ihnen das Leben wiedergeben. Ich weiß, was das Leben mit der Kunst zu schaffen hat. Ich liebe das Leben, vielmehr ich liebe nichts als das Leben. Aber ich liebe nicht, daß man gemalten Menschen elfenbeinene Zähne einzusetzen wünscht und marmorne Figuren auf die Steinbänke eines Gartens setzt, als wären es Spaziergänger. Sie müssen sich abgewöhnen, zu verlangen, daß man mit roter Tinte schreibt, um glauben zu machen, man schreibe mit Blut.

Ich habe Ihnen zu viel von Wirkung gesprochen und zu wenig von Seele. Ja, denn ich halte Wirkung für die Seele der Kunst, für ihre Seele

und ihren Leib, für ihren Kern und ihre Schale, für ihr ganzes völliges Wesen. Wenn sie nicht wirkte, wüßte ich nicht, wozu sie da wäre. Wenn sie aber durch das Leben wirkte, durch das Stoffliche in ihr, wüßte ich wieder nicht, wozu sie da wäre. Man hat gesagt, daß unter den Künsten ein wechselseitiges Bestreben fühlbar sei, die eigene Sphäre der Wirkung zu verlassen und den Wirkungen einer Schwesterkunst nachzuhängen: als das gemeinsame Ziel alles solchen Andersstrebens aber hebt sich deutlich die Musik hervor, denn das ist die Kunst, in der das Stoffliche bis zur Vergessenheit überwunden ist.
Das Element der Dichtkunst ist ein Geistiges, es sind die schwebenden, die unendlich vieldeutigen, die zwischen Gott und Geschöpf hangenden Worte. Eine schöngesinnte Dichterschule der halbvergangenen Zeit hat viel Starrheit und enges Verstehen verschuldet, indem sie zu reichlich war im Vergleichen der Gedichte mit geschnittenen Steinen, Büsten, Juwelen und Bauwerken.
Mit dem obigen aber ist gesagt, warum die Gedichte sind wie die unscheinbaren aber verzauberten Becher, in denen jeder den Reichtum seiner Seele sieht, die dürftigen Seelen aber fast nichts.
Von den Veden, von der Bibel angefangen, können alle Gedichte nur von Lebendigen ergriffen, nur von Lebendigen genossen werden. Ein geschnittener Stein, ein schönes Gewebe gibt sich immer her, ein Gedicht vielleicht einmal im Leben. Ein großer Sophist hat an den Dichtern dieser Zeit getadelt, daß sie zu wenig von der Innigkeit der Worte wissen. Aber was wissen die Menschen dieser Zeit von der Innigkeit des Lebens! Die nicht Einsam-sein kennen und nicht Miteinander-sein, nicht Stolz-sein und nicht Demütig-sein, nicht Schwächer-sein und nicht Stärker-sein, wie sollen die in den Gedichten die Zeichen der Einsamkeit und der Demut und der Stärke erkennen? Je besser einer reden kann und je stärker in ihm das scheinhafte Denken ist, desto weiter ist er von den Anfängen der Wege des Lebens entfernt. Und nur mit dem Gehen der Wege des Lebens, mit den Müdigkeiten ihrer Abgründe und den Müdigkeiten ihrer Gipfel wird das Verstehen der geistigen Kunst erkauft. Aber die Wege sind so weit, ihre unaufhörlichen Erlebnisse zehren einander so unerbittlich auf, daß die Sinnlosigkeit alles Erklärens, alles Beredens sich auf die Herzen legt, wie eine tödliche und doch göttliche Lähmung, und die wahrhaft Verstehenden sind wiederum schweigsam wie die wahrhaft Schaffenden.
Sie haben mich kommen lassen, damit ich Ihnen von einem Dichter er-

zähle. Aber ich kann Ihnen nichts erzählen, was Ihnen seine Gedichte nicht erzählen können, weder über ihn, noch über andere Dichter, noch über Dichtung überhaupt. Was das Meer ist, darum darf man am wenigsten die Fische fragen. Nur höchstens, daß es nicht von Holz ist, erfährt man von ihnen.

20.6.81

SOLDATENGESCHICHTE

Auf dem langen Holzbalken, der längs der Hinterwand des Stalles hinläuft, saßen die Dragoner der Schwadron und aßen ihr Mittagbrot. Sie saßen in einem schmalen Streifen Schatten, den das überhängende Stalldach gerade auf ihre gebückten Köpfe hinabließ und auf die zinnernen Eßschalen, die jeder Mann auf seinen Knien stehen hatte. Ein paar Schritte weiter unter einem Nußbaum, der spärliche Flecken schwarzen Schattens auf den ausgetrockneten Boden warf, hatten die Unteroffiziere: 3 Zugsführer, der Eskadronistentrompeter und ein paar Korporäle, eine aus 2 Fässern und einem Brett gebaute Bank. In dem Schattenstreif an der Wand lief eine Art von Gespräch hin und her: es war ein halblautes dumpfes Gespräch, wie es niedere Menschen führen, wenn sie sich beengt und unfrei fühlen. Dann und wann lief ein halblautes Lachen, ein gemurmelter billiger Scherz, den jeder wiederholte, durch die Reihe: aber er lief nicht ungebrochen durch die Reihe, hatte einen toten Punkt, einen traurigen Menschen in der Mitte, an dem sich die von rechts und links kommenden Wellen harmlosen Geschwätzes brachen. Das war ein Mensch, in dessen magerem langen Gesicht mit den großen Ohren nichts besonderes lag als daß die Ohren abstehend waren und rötlich schimmerten und durch ihren eingelegten wie gefalteten oberen Rand etwas ängstliches hatten. Er hatte wie die andern seine Eßschale auf den Knien; aber während bei den andern schon der zinnerne Boden durch den Brei aus zerdrückten fetten Erdäpfeln blinkte, war seine Schale noch halbvoll. Trotzdem stand er plötzlich auf, stellte die Eßschale auf den Platz, wo er gesessen hatte, und ging mit großen ungelenken Schritten fort. Der Zugsführer Schillerwein hob das sommersprossige Raubvogelgesicht und sah dem Mann nach. Schwendar! schrie er hinter ihm her, als der Dragoner um die Ecke gebogen war. Ein kurzhalsiger Korporal neben ihm sah ihn fragend an. »Der Mann gefallt mir schon lang nicht,« sagte der Zugsführer. »Der Kerl muß krank sein oder was« und aß weiter. Schwendar war um die Ecke gebogen, hatte seinen Namen hinter sich schreien gehört und war mit gesenktem Kopf längs der nach erwärmtem Kalk riechenden Mauer weitergegangen, über ihm die wütende Glut der

funkelnden Sonne, vor der die durchsichtige Luft in ungeheuern bläulichen Massen hing, wie Dunst gewordenes dunkles Metall. Der Dragoner überschritt den breiten Hof, der zwischen den Stallungen liegt, und das blendende Licht des weißen Bodens und der kalkbestrichenen Mauer verwischte alle entfernten Formen und zehrte den Weg vor seinen Füßen auf, so daß er wie im Leeren dahinging.
Plötzlich fielen seine gesenkten Blicke auf ein dunkles tiefes Wasser, und er schrak zusammen bis ins Mark der Knochen, obwohl er sich augenblicklich bewußt wurde, daß es nichts weiter war als das große, halb in den Boden gesenkte Faß, aus dem man die Tränkeimer für die Pferde füllte. Aber seiner Seele war in der Kinderzeit ein tiefer Schauer vor leisem beschattetem Wasser eingedrückt worden: zuhause in der Ecke des kleinen Gartens zwischen einem hohen Stoß verfaulender dumpfriechender Blätter und einem mit feuchtkühlem Schatten erfüllten riesigen Holunderstrauch war das Regenwasserfaß gestanden, in dem sich kurz vor seiner Geburt seiner Mutter jüngere Schwester, ein alterndes Mädchen, aus Angst vor der ewigen Verdammnis und dem Feuer der Hölle ertränkt hatte, indem sie mit der geheimnisvollen eisernen Willenskraft der Schwachsinnigen den Kopf hinein tauchte, bis sie tot über dem Rand hing. Dem Knaben schien in dämmernden Abendstunden der unheimliche Winkel den schlaff überhängenden Leib der Toten zu zeigen, aber fürchterlich vermengte sich dieses Bild mit seinem eignen tiefsten Leben, wenn er an heißen Mittagsstunden sich über den dunklen feuchten Spiegel bog und ihm aus der Tiefe, die ihm grün schien, sein eigenes Gesicht entgegenschwebte, dann aber wieder sonderbar zerrann, von schwarzen und blinkenden Kreisen verschluckt, und ein gestaltloser Schatten sich nach aufwärts zu drängen schien, daß er schreiend entlief, und doch immer wieder zurückkam und hineinstarrte. Daß ihn aber die Erinnerung daran in diesem Augenblick mit solcher Heftigkeit anfiel, war nur ein Teil des sonderbaren Zustandes, der sich des Soldaten seit Wochen immer mehr bemächtigt hatte, einer schwermütigen Nachdenklichkeit, die ihn in eine immer tiefere Traurigkeit hineintrieb, ihm im Bett die Augen aufriß und den Druck seines schweren Blutes fühlen ließ, ihm beim Essen die Kehle zuschnürte und sein Gemüt für alles Beängstigende und Traurige empfänglich machte. Nun wußte er, er würde sich umsonst aufs Bett legen: die glühende Sonne machte ihn nur müde nicht schläfrig und von innen war er unerklärlich aufgeregt:

Die Erinnerungen der Kindheit lagen entblößt in seinem erschütterten Gemüt, wie Leichen, die ein Erdbeben emporgeschüttelt hat: die Schauer der ersten Beicht, des ersten Gewitters, die grellen und dumpfen Erinnerungen der Schultage, drängten ihm ein Kind entgegen, zu dem er mehr als Du, zu dem er Ich sagen sollte, und doch war in ihm ein solches Stocken der Liebe, daß er nicht wußte, was er mit dieser Gestalt anfangen sollte, die ihm fremd war wie ein fremdes Kind, ja unverständlich wie ein Hund. Diese traurige Trunkenheit, dieser unerklärliche innere Sturm war ihm lästiger als die frühere Niedergeschlagenheit; er wollte lieber versuchen, sich zu zerstreuen und ging in den Marodenstall, um nachzusehen, ob neue kranke Pferde dazugekommen wären. Er fand aber in dem großen dunstig dämmernden Raum nur die drei, die er schon kannte: Der alte blinde Schimmel, dessen Farbe an den Flanken ins gelbliche ging, trat webend in seinem Stand nach rechts und nach links und ohne Unterlaß wieder nach rechts und nach links.

Im benachbarten Stand lag das dämpfige Pferd: es ruhte nicht mit untergeschlagenen Beinen wie gesunde Pferde tuen, sondern es lag sonderbar mit halbangespannten Gelenken, als wenn es unaufhörlich bereit sein müßte aufzuspringen, und der Kopf mit den großen suchenden Augen war krampfhaft nach oben gerichtet, um mit weitaufgerissenen verzweifelten Nüstern all die Luft einzuziehen, derer seine Brust und die wogenden schlaffen Flanken bedurften. Dies war die einzige Lage, welche es ertrug, ohne das Ersticken befürchten zu müssen. Das röchelnde Atmen dieses Pferdes und das dumpfe taktmäßige Hin- und Hertreten des webenden Schimmels gaben zusammen den Ton, der das Leben dieses Raumes ausmachte: von der Ecke, wo das dritte Pferd stand, ging nichts aus als Totenstille. Es war ein großes Tier und stand mit gesenktem Kopf auf seinen vier Füßen, als ob es schliefe. Aber es schlief nicht: unterm Fressen hatte es sich vergessen, wie es sich unterm Gehen vergessen konnte und geradeaus in eine Mauer oder in ein Wasser laufen wie in leere Luft. Es lebte, aber das Leben war ihm so völlig verloren wie einem Stein, der in einen Teich gesunken ist: in seinem dumpfen Wahnsinn stand es nicht schlafend und nicht wach, vom Leben und vom Tod, ja selbst von der Möglichkeit des Sterbens durch eine unsichtbare undurchdringliche Wand abgeschlossen: seine Augen waren offen, aber sie sahen nicht, er wußte unter dem Fressen in Bewußtlosigkeit, auf seinen großen herabhängenden Lefzen klebten viele

Haferkörner und zwischen ihnen hing eine winzige hellgelbe Made, die sich voll Leben wand und krümmte.
Als der Dragoner wieder über den Hof zurückging, hörte er aus einer Stalltür lautes wieherndes Lachen. Zwei Korporäle standen unter der Tür und unterhielten sich damit, den Dragoner Moses Last um die Namen des Herrn Brigadiers und des Herrn Korpskommandanten zu fragen. Dieser Mensch war schwachsinnig; seine Ausbildung im Reiten hatte man nach kurzer Zeit wegen unüberwindlicher Feigheit aufgegeben, und da er von Haus aus Schneider war, so steckte man ihn ins sogenannte Professionistenzimmer; außerdem wurde er aber zur Pferdewartung verwendet, und stundenlang konnte man ihn unter dem Leib der ihm anvertrauten Pferde knien sehen mit lautloser Emsigkeit darin verloren, ihre Hufe mit einem kleinen fetten Lappen so heftig zu reiben, bis sie glänzten wie poliertes Horn. Aber es war unmöglich, ihm sonst die geringste militärische Ausbildung zu geben. Wenn der Rittmeister, dem er in hündischer Art anhänglich war, vor der Stalltür vom Pferd stieg, lief er hinaus, nahm die Kappe ab, und sagte, indem er das Gesicht vor Freude verzog, »Guten Tag, Herr Rittmeister«. Davon war er weder durch Krummschließen noch durch Dunkelarrest abzubringen, ebensowenig aber durch irgendein Mittel dahinzubringen, daß er sich den Namen des Rittmeisters oder denjenigen eines anderen Vorgesetzten gemerkt hätte.
Schwendar machte die Kopfwendung, um die beiden Unteroffiziere zu grüßen und indessen seine Augen während dreier Doppelschritte auf ihnen hafteten, prägte sich der Anblick des Schwachsinnigen ihm heftig ein: er stand zitternd, in krampfhaft steifer Haltung, mit vorgestrecktem Kinn und Hals: in seinem aufgedunsenen Gesicht ging ein schiefer, gleichsam gesträubter Blick auf seine Quäler; hinter seinen dicken Lippen arbeitete es mühsam. Endlich flog ein schwacher Lichtschein über sein Gesicht; er quetschte Worte hervor, und im Eifer schob er sich dem einen Korporal auf den Leib, und er faßte ihn mit einer beweglichen Gebärde bei den Knöpfen der Uniform. Dann brüllte der Korporal irgendein Kommando, und Schwendar sah noch das aufgedunsene Gesicht vor einer geballten zum Schlag ausholenden Faust zurückfahren. Er ging mit schnellen Schritten weiter, hinauf ins Mannschaftszimmer, und weil doch Sonntag war, so zog er die Ausgehmontur an und nahm Helm und Säbel, um in die Stadt zu gehen. Als er fertig war, griff er aus Gewohnheit nach seiner alten silbernen

Taschenuhr und erinnerte sich sogleich, daß er sie nicht mehr besaß und daß er seit 2 Monaten täglich danach griff und sich täglich mit dem gleichen Gefühl von Demütigung und dumpfem Schmerz auf die Umstände ihres Verlustes besann. Der Dieb war sein einziger Freund. Es war der Eskadronsriemer Thoma, der jetzt im Spielberg saß.

Immer tiefer trieb es ihn in den Wald hinein. Mit nachschleppendem Säbel und in den Nacken zurückgeschobenem Helm, stampfte er zwischen den Birken hin wie ein Betrunkener. Die niedrigen Zweige schlugen in sein erhitztes Gesicht, seine Füße ließen in dem moorigen Boden tiefe Spuren zurück, die sich gurgelnd mit schwarzbraunem Wasser füllten. Dieses Geräusch brachte ihm den Gedanken an den Tod so nah wie am Vormittag der Anblick des Wassereimers, und um es nicht länger zu hören, veränderte er seine Richtung und lief mehr als er ging einen Durchhau entlang, der festeren Boden hatte. Vor ihm schien der Wald sich zu lichten. Etwas Rötliches schwebte vor seinen Augen, ein rötlichblauer Schimmer zog sich quer über den Weg. Als er näher kam, waren es viele Salbeiblüten zwischen den dämmernden Büschen. Er sah sie aufmerksam an, aber wie er die Augen hob und weiterging, flog das Rötliche wieder vor ihm wie ein schwebender Schleier. Dann lag es auf dem Stamm einer vorgeneigten Birke, die halbversteckt lauernd seitwärts, wie ein roter Fleck. Dann kam es von allen Seiten ein ganzer blutroter Schleier, warf blutige große Flecken auf das kugelige Grün der dichten Büsche, auf die weißen Stämme. Lachen von Blut standen da, dort über dem dunkelnden Erdboden. Zehn Sprünge, zu deren jedem sein klopfendes Herz die Kraft verweigern zu wollen schien, brachten ihn an den Rand des Waldes. Blutend, von einem übermäßig angespannten Glanz, wie mit dem letzten Blick eines brechenden Auges starr und regungslos angeglüht lag die endlose wellenförmige Ebene vor ihm. Hinter dem großen Eisenbahndamm, bis zu welchem es 2 Stunden zu reiten war, sank die Sonne. Nur mehr der oberste Rand der nackten glühenden Scheibe blinkte über den Damm, wie das oberste eines vom Lid entblößten Auges: dann fiel auch dieses letzte funkelnde hinab, und allmählich sank der Glanz des Landes in seinen Abgrund, aus dem roter Rauch emporwehte, ins Tote. Erschöpft von Angst und Laufen hatte sich Schwendar am Rand des Waldes niedergesetzt. Als er den schweren Helm abnahm und ihn neben sich ins Gras stellte, war ihm, als träfe ihn aus dem Gebüsch von der Seite her ein kalter, aufmerksamer und doch teilnahmsloser Blick, und er fühlte seine Brust von einem Gefühl zusammengeschnürt, das mit einer fernen ganz fernen Erinnerung verknüpft sein mußte. Es war die Erinnerung an jenen Tag, an welchem seine Mutter gestorben war, eine dumpfe Erinnerung des Körpers mehr als der Seele. Er fühlte das Stocken seines Atems und das Frieren im Rücken, als die Kranke sich plötzlich aufrichtete und mit einer fremden, harten und starken Stimme sagte: Es ist die heilige Jungfrau Maria, sie winkt mir mit einem Licht, und dann noch einmal, sie winkt mir mit einem Licht. Dann gingen die Blicke der Sterbenden langsam, mit einem Ausdruck von Strenge und ohne alle Teilnahme über den Knaben hin, über ihn und über alles was noch im Zimmer war, zuletzt über die Erhöhung der Bettdecke, dort wo die eigenen mageren Füße waren, und blieben endlich stehen, starr und voll gespannter mühsamer Aufmerksamkeit wie nach innen gerichtet, während in die Seele des Knaben sich lautlos das Grauen hineinschraubte über dieses Entsetzliche, daß eine Gestalt, die er nicht sehen konnte, winkte und die Mutter ihr nachgehen mußte und dieser Fremden so verfallen war, daß ihre offenen Augen nichts mehr sahen, ihn nicht und nichts in der Welt. Alle diese Dinge stiegen in ihm empor und brachten eine Bitterkeit mit sich, gegen die es keine Rettung gab. Von neuem durchfühlte er das innere Erstarren des Kindes bei der Einsicht, daß so etwas geschehen *konnte*; jetzt aber, da es schon so lange geschehen war, sah er es in einem neuen fürchterlichen Lichte: er haßte seine Mutter dafür, daß sie sich so aus dem Leben fortgestohlen hatte mit einem kalten, leeren Blick auf ihn und alles, was sie in dieser Hölle zurückließ. Den Rasen, auf dem er saß, fühlte er als einen Teil der großen undurchdringlichen Decke, unter der die Toten sich verkrochen, um nicht mehr dabei zu sein. Wie Schläfer, die sich in den Dunst ihrer Betten einbohren und ihr Gesicht in den Polster graben, lagen sie unter ihm, und ihre Ohren waren voll Erde, daß sie sein Stöhnen nicht hören konnten und nicht achten auf seine Verlassenheit. Er sprang auf und schlug mit den Füßen gegen den Boden, daß die Sporen tiefe Risse in der Erde ließen und die streifigen Fetzen des Rasens gegen den Himmel flogen. Dann zog er den Säbel und fing an, auf die Büsche und kleinen Bäume einzuhauen vor Wut sinnlos und berauscht vom Gefühl des Zerstörers. Er glaubte einen schwachen Widerstand und den empörten Atem der Wesen zu spüren, die ihm unterlagen. Zerfetzte Blätter erfüllten die Luft und der Saft der verwundeten Zweige sprühte dem Soldaten auf Gesicht und Hände. Der Säbel schlug klaffende Streifen in das kühle Dunkel, das ihm wie aus Kellerlöchern entgegenquoll. Er fuhr zurück, denn diesmal berührte ihn ein starrer totenhafter Blick aus deutlicher Nähe, zu seinen Füßen schien ein elendes Wesen im Dunkel zusammengekauert, sein Säbel sauste auf einen weichen Körper nieder, und als er es herausschleuderte, war es die klägliche kleine Leiche eines verendeten Hasen, deren starre Augen jetzt mit leblosem Glotzen in das Weite des hohen kühlen Himmels schauten. Dieser erbärmliche Anblick erhöhte die dumpfe Wut des Elenden; von neuem stürzte er auf das tote Tier zu und schleuderte es in einem starken Bogen seitwärts, daß es klatschend gegen einen harten Stamm schlug und in der Höhe ein Schwarm erschreckter Dohlen sich jäh mit widerlichem Rufen und knarrenden Flügeln flüchtend in die stille Luft warf. Ihr Schreien zog den Blick des Soldaten aufwärts. Aus dem Gewipfel einer ungeheuren Ulme schwang der häßliche Schwarm sich weg, die auf uralten Wurzeln ruhend mit der Last einer grünen auf jähem Abhang aufgetürmten Bergstadt spielend schien. Zur Seite der Ulme aber stiegen 2 riesige Pappeln auf und drängten mit strebenden Kronen hoch ins Dämmernde empor. Die 3 Bäume waren nicht ineinander verwachsen, aber ihr grenzenlos starkes Streben schien sich aufeinander zu beziehen: Die dreifach ansetzende Wipfelmacht der Ulme nahm den kletternden Blick wie mit gewaltigen hebenden Armen mit, eine lebendige schattenerfüllte Wölbung reichte ihn der andern empor, bis ihn die letzte an die Pappeln abgab, die wie von inneren Flammen lautlosen Wettkampfes ergriffen still nebeneinander in den Raum hinaufwuchsen. Der Anblick der drei Bäume, die in der dunkelnden Stunde immer mehr ins riesenhafte wuchsen, legte sich wie ein Alp auf Schwendar: der Gedanke, mit seinem Säbel gegen diese unerschütterlichen Stämme zu schlagen, machte seinen Arm schwer, wie ein lahmes Glied. Die Macht dieser verhaltenen Riesenkräfte raubte seinem sinnlosen Spiel den trunkenen Schein von Überlegenheit, der ihn für Augenblicke über das Gefühl seiner Schwäche und Angst hinweggebracht hatte, unterband sein Blut und wies ihn ins Leere zurück. Er nahm seinen Helm mit abgewendeten Augen vom Boden auf und lief fort, quer über die offene Hutweide der Kaserne zu, den bloßen Säbel in der einen, den Helm in der andern Hand. Er hatte keinen anderen Gedanken als den, nicht länger allein zu sein: seine Angst hatte Bestimmtheit gewonnen, ihm war, als würfe sich nun bald die Last, mit der diese riesigen Bäume spielten, auf seine Seele. Schon war er ein weites Stück gelaufen, als er zwischen dem Klopfen seiner Adern die wütend schnellen Hufschläge eines Pferdes wahrnahm, das hinter ihm herjagen mußte und mit jedem dumpfen Dröhnen ein Stück des trennenden Bodens hinter sich warf. Ohne Überlegung warf er sich seitwärts wie ein gehetzter Hase und stürmte in weiten Sätzen dem Walde zu. Wo die Schleuse des herrschaftlichen Karpfenteiches an den Waldrand tritt, sprang er über den trockenen Ablaßgraben und lief am Teich weiter mit dem wilden Schatten seiner tollgewordenen Messnergestalt die großen dunklen Fische erschreckend, daß sie wie von einem Steinwurf getroffen im Kreis auseinanderschossen und in die grünschwarze, feuchte, dunkle Tiefe verschwanden. Der junge Offizier, der ihm aus Neugierde nachgaloppiert war, parierte am Rand des Teiches den großen heftig atmenden Fuchsen und sah der unbegreiflichen Gestalt nach, die mit den Sprüngen eines Wilden, Helm und Säbel in langen Armen krampfhaft schwingend, zwischen den Bäumen herflüchtete.

Er richtete sich auf. Helles Mondlicht lag über den 2 langen Reihen gleichförmiger Betten, und dunkle starke Schatten trennten wie Abgründe die Leiber der Schlafenden. Ihren Gesichtern gaben die dunklen Stellen, die unter den Augen und Lippen lagen, etwas Fremdes, Vergrößertes. Schwendar hatte sich aufgesetzt. Die Hände, deren Schwere er fühlte, als wenn sie tot wären, hatte er vor sich auf der Decke liegen. Seine Augen liefen mit einem unruhigen und leeren Ausdruck über die Schlafenden hin. Das Wachsein war nicht besser als der Halbschlaf mit geschlossenen Augen. Es war als schwebe der schwere Stein, der auf seiner Brust gelegen war, in einiger Entfernung vor ihm, rechts in der Gegend der halbdunkeln Ecke, wo die Zugtrompete hing, als schwebe er dort regungslos in der Dämmerung und beängstige von dort her seine Brust mit derselben lähmenden Last wie früher. Er wandte den Kopf nach der Seite, um ihn nicht zu sehen, und spannte seine ganze Kraft an, um sein Denken auf das zu drängen, was er vor Augen hatte. Es war ihm, als müsse es möglich sein, mit einer übermenschlichen Anstrengung die Gedanken nach außen zu drücken, so daß sie dem, was ihn im innern ängstigte, den Rücken wenden mußten. Der Mann, welcher ihm zunächst lag, war der Korporal Taborsky. Er war im Zivil ein Schuster. Er lag kerzengerade auf dem Rücken.

Die Arme hatte er auch gerade ausgestreckt, einen rechts einen links. Er war ein gutmütiger Mensch, der etwas auf Manieren hielt. Aus dem zufrieden aussehenden Gesicht stand das strohgelbe Schnurrbärtchen unter der Stumpfnase freundlich empor und bewegte sich bei den ruhigen Atemzügen. In der gewissermaßen wohlwollenden Regelmäßigkeit der Atemzüge lag das ausgedrückt, was ihn auch beim Dienst auszeichnete. Niemand sah mit soviel Wohlwollen einem Pferd fressen zu, niemand hörte mit einem so freundlichen überlegenen Gesicht Schimpfen und Klagen an. Er konnte stundenlang im Stall auf- und abgehen, jedesmal in jede der Spiegelscherben, die, zum Richten der Halsstreifen an den Holzpfeilern angebracht, einen freundlichen Blick werfen, gleichmütig aber nicht ohne Ironie nicken und wieder weitergehen. Unter seinem Kopfkissen lag ein zusammengefaltetes Taschentuch, das er nie benützte, und einige Blätter eines Kolportageromans. In diesen liebte er gern und mit einer gewissen Ostentation zu lesen, noch mehr liebte er es aber, gefragt zu werden, warum er denn gar so gern lese, und darüber Auskunft zu geben und im allgemeinen über den Unterschied von gebildeten Menschen und solchen, die sind wie das liebe Vieh, zu reden. Auf einmal, und mit einem Schlag, wußte Schwendar, daß nun alles zu Ende gedacht war, was er im Stande wäre, über diesen Mann zu denken und daß ihn länger anzuschauen ebenso nutzlos wäre wie für einen Durstenden einen Krug zu haben, der keinen Tropfen Wasser mehr in sich hält. Und schon spürte er im Innern, wie aus großer Entfernung unaufhaltsam näherkommend das Wiederkehren der Angst, welche diesen elenden aus Sand aufgeführten Damm, dieses Denken an den Mann, der neben ihm lag, unaufhaltsam fortspülen würde, wenn er ihn nicht schnell schnell verstärkte. Aber er hatte kaum den Mut, seinen Blick von dem Korporal weg und nach dem nächsten Bett hin zu drehn, denn dabei mußte er den dunkeln Raum zwischen diesen beiden Betten streifen, und in diesem mit Schatten gefüllten Abgrund schien ihm die Bestätigung des Entsetzlichen zu liegen, die Unabwendbarkeit des Wirklichen und die lächerliche Nichtigkeit der scheinbaren Rettungen. Wie ein feiger Dieb zwischen zwei Atemzügen über den Schlafenden den Fuß hebt, vom eignen Herzklopfen so umgeben, daß ihm der Boden weit weit weg vorkommt und die Möglichkeit seine Füße zu beherrschen unendlich gering. Er hob verstohlen und bebend den Blick über den dunklen Streifen und ließ ihn wie liebkosend mit aller Kraft über das Gesicht des nächsten Mannes gleiten, der beide Arme unter dem Kopf hatte, und mit offenem Mund schlief, daß man die starken hübschen Zähne seines Mundes sehen konnte und die Nüstern seiner aufgeworfenen Nase. Es war der Dragoner Cypris, ein kindischer Mensch, in dessen braunen Wangen Grübchen erschienen, wenn er lachte. Und er lachte überaus gerne. Schwendar versuchte, sich den Klang seines leisen und unerschöpflichen Lachens ins Gedächtnis zu rufen: es war wie das silberhelle Glucksen im Hals einer Glasflasche. Dieser Cypris war in seine Decke eingerollt wie ein Kind. Ihm gegenüber in der anderen Bettreihe lag der starke Nekolar. Er war zwanzigjährig, aber riesengroß und der stärkste Mann im Zug. Sein Haar war fein kurz und dicht wie das Fell eines Otters und von der Farbe wie glänzendes Strahlen. Er lag, das Gesicht in dem Kopfpolster eingegraben, und seine großen Glieder waren über das Bett geworfen, als wäre es ein großes, mißfärbiges Tier, mit dem er ränge und das er mit der Spannkraft seines jungen riesigen Körpers gegen den Boden drückte. Mit düsterer Verwunderung wandte Schwendar den Blick von ihm ab und sah seinen Nachbar an. Der Mann hieß Karasek. Häßlich und gemein war sein Gesicht und häßlich lag er im Bett, die Decke unter sein fettes Kinn hinaufgerissen, die Knie in die Höh gezogen, gleichzeitig feig und unverschämt. Von ihm zogen sich Schwendars Blicke traurig und mit Ekel zurück und blieben auf der leeren Schlafstelle liegen, die unmittelbar neben seiner eigenen war, der Schlafstelle seines Freundes, des Riemers Thoma, der im Stockhaus saß. Da kam das Gefühl seiner Verlassenheit unendlich stark über ihn: verraten und verkauft hatte ihn sein Freund, seine Mutter war unter die Erde gegangen, seine Kehle verschnürte sich gegen das Essen, seine Glieder wollten ihn nicht mehr tragen und der Schlaf warf ihn aus. Stumpfsinnig stützte er sich erst auf einen Arm dann auf den andern. Dann mehr in einem Fieberdrang die Stellung zu verändern, als mit einer inneren Absicht, warf er die Decke ab und kniete in seinem Bette nieder. Mein Gott mein Gott mein Gott stöhnte er halblaut vor sich hin und drehte die Augen in den Höhlen wie ein leidendes Tier. Immer heller wurde das Zimmer, immer mehr beklemmte ihn die Nähe dieser Menschen, die eingehüllt in ihren schlafenden Leib dalagen und seiner Qualen nicht achteten. Eine dunkle Erinnerung gab ihm die Worte in den Mund. Mein Gott, mein Herr, laß du diesen Kelch an mir vorübergehn! Er wiederholte sie 3 oder 4mal, bis sich plötzlich etwas Unbegreifliches ereignete. In dem

Licht, das das ganze Zimmer mit stiller Helle erfüllte, ging eine Veränderung vor sich. Es währte nur einen Augenblick lang: es schien von innen, es mochte von außen gekommen sein. Es war nichts als ein Aufzucken, wie das Winken eines fernen Lichtes. Dann sank das stille Licht wieder in sich zusammen, und alles war wie früher. Aber seiner Seele bemächtigte sich mit übernatürlicher Schnelligkeit die Ahnung, die Gewißheit, daß es ein Zeichen gewesen war, ein Zeichen für ihn, der Widerschein des geöffneten Himmels, der Abglanz eines durch das Haus gleitenden Engels. Mit offenem Mund und gelösten Gliedern drehte er sich auf den Knien dem Fenster zu.

Der schwarzblaue in ungeheurem Schweigen leuchtende Himmel trat vor seinen Blicken zurück und schien von nichts zu wissen. Auf der Erde aber lag das weiche Licht des tiefstehenden Mondes, umgab die Schmiede und das rotgedeckte Haus, in welchem Unteroffiziere wohnten, mit einem fremdartigen Schein, ließ die Barrièren der offenen Reitschulen schlanker erscheinen, rundete die Kanten der frisch aufgeworfenen Gräben ab und machte aus den Äckern und dem großen Exerzierplatz ein einziges mit schwimmendem Glanz bedecktes weites Gefilde, um dessen fernen Rand der große finstere Damm den Blick aufnahm, um ihn mit sich fortzureißen wie ein erhöhter riesiger pfeilgerader Weg ins Unbekannte. Schwendars Augen aber, die ein feuchter Glanz zu erfüllen anfing, suchten in dem ganzen großen Raum ein Etwas, das kleiner sein mochte, wie der aufblitzende Blick eines Menschenauges und doch so groß, daß es durch den Zwischenraum des Himmels und der Erde hinwehte und alle menschlichen Maße zunichte machte. Seine Augen suchten den Ort, von dem das Zeichen ausgegangen war, denn er wußte, daß es ein Zeichen gewesen war und daß es ihm gegolten. Mit einem gewaltigen lautlosen Schwung war in seine leere Seele der Glaube zurückgesprungen und durchdrang ihn wie eine weiche stille von geheimnisvoller Lauheit getragene Flut. Schon nicht mehr wie das Nichts, dessen Inneres ausgehöhlt war von Leere und Kummer, von unfruchtbarem Stöhnen, schon verwandelt, eines unverlierbaren Glückes dumpf bewußt, kniete er in seinem weißen Hemd mit seinen schweren Augen, seinen sehnsuchtoffenen Lippen über den Leibern dieser Schlafenden, die sich in den Dunst ihrer Betten hineinbohrten, und mit den Zähnen gegen das Dunkel knirschten. Aber noch einmal wollte er das unsägliche Glück dieses Anfangs genießen, das ihm schon begehrenswerter schien als die Minuten, die seitdem verflossen waren, noch einmal den Anhauch fühlen das lautlose Aufleuchten, mit dem etwas Ungeheures, unter dessen Vorüberwehen die Helle des Mondes lautlos anschwoll und wieder in sich zusammensank, durch die schweigende Nacht hin sich ihm zugeneigt hatte. Daß aber die Wiederholung des Zeichens ausbleiben und damit alles in Nichts zusammensinken könnte, dem vorzubauen, formte er den Gedanken des Wunsches mit einem kaum ihm selber deutlichen inneren Vorbehalt, er erlaubte dem Herrn im Voraus, sein zweites Zeichen zurückzubehalten, und auch das sollte nichts Böses bedeuten. Sein Gesicht nahm einen schlauen und furchtsamen Ausdruck an: er wurde sich des Geräusches bewußt, das sein Atmen machte, und hielt ein. In diesem Augenblick durchdrang ihn die Überzeugung, daß sich an einem Teil des Himmels, den seine Blicke nicht bedeckten, etwas ereignet hatte. Er wußte nicht, was es war, aber Es war eingetroffen. Eine innere Gewalt bog ihn näher gegen das Fenster und heftete seinen Blick auf das Stück des seitlichen Horizontes, das sich nun hervorschob. Dort war es: dort, wo zwischen 2 riesigen Pappeln eingeklemmt eine Ulme den Bau von Ästen geisterhaft gegen den dunkel undurchdringlichen Himmel hob, dort war Es, halb Bewegung halb leuchten, lag es zwischen den Wipfeln, als hätte die Ferse eines Engels im Hinunterfahren den schaukelnden schwarzen Baldachin gestreift, unmerklich wie das Flügelheben eines kleinen Vogels in hoher heller Luft, und doch Bewegung ungeheuerer Art, wie wenn auf den großen Hutweiden hinter fernen kleinen Staubwolken sich viele Schwadronen ordneten, deren Näherkommen den Boden in fühlbaren Wellen erdröhnen ließ wie unterirdischer Donner.

Nach der Wiederholung des Zeichens ließ sich Schwendar leise niedergleiten und drückte die Stirn mit dem Gefühl innigen Glückes auf das Fußende des Bettes. Ihm war leicht wie einem neugebornen Kind: alle Schwere, alle Qualen schienen in der Ferne abschwellend hinzusinken, wie das Rauschen der Bäche aus tiefsten Tälern für den, der auf den Gipfel des ungeheuren Berges emporgehoben ist.

Er zog die Stallschuhe und die Zwilchmontur an, dann setzte er sich auf sein Bett und wartete leichten Herzens, bis er auf der Treppe die schweren Tritte des Tageskorporals hörte, der die Stallwarten ablösen ging. Da stand er auf und ging in den Stall. Auf der Stiege begegneten ihm die 3 oder 4 Abgelösten, die schlafen gingen. Ihre stumpfen mürrischen Gesichter und ihre Hast, ins Bett zu kriechen, erregte in ihm eine behagliche Verwunderung, wie das Treiben kleiner Kinder in einem Erwachsenen. An der Stalltür, wo es dunkel war, stieß ein betrunkener Wachtmeister, der sich einbildete, er sei der Inspektionsoffizier und müßte Ordnung schaffen, so heftig an ihn, daß er in den kleinen Graben, der um jeden Stall läuft, hineintaumelte: aber das innerliche Glücksgefühl, das ihn erfüllte, wurde unter jeder Berührung nur immer stärker, und unwiderstehlich quoll aus seinem tiefsten Herzen eine Freudigkeit, die auf seinem Gesicht zu einem Lächeln wurde, wie bei einem stark Verliebten. Zu einem Lächeln, das immer neu aufstieg wie leichte Luftblasen am Ende eines Wasserrohres. Alles nährte seine Heiterkeit: das hastige Herumlaufen zwischen den Ställen, wie es immer zur Zeit der Ablösung, das Fluchen des betrunkenen Wachtmeisters, das sich in der Ferne verlor. Als ein Dragoner, der zu einem andern Zug gehörte, aus Irrtum barfuß in seinen Stall gelaufen kam, um seine vergessenen Stallschuhe zu holen, mußte er laut lachen und sagte innerlich zu sich selber: »da gehts zu wie bei einer Hochzeit.« Behaglich ging er in dem halbdunklen Stall zwischen den stillen Pferden, die liegend oder stehend schliefen, auf und nieder, mit behaglichen wiegenden Schritten wie ein reicher Bauer, nur daß er die Hände nicht am Rücken hielt, sondern vor dem Leib gefaltet.

21.6.81

REDE AUF BEETHOVEN

1770–1920

Einhundertundfünfzig Jahre sind ein gewaltiger Zeitraum, gemessen am Leben des Menschen. Die Nation aber mißt mit anderen Maßen, und jenes Damals ist ihr ein Gestern. Damals war über der deutschen Nation eine Zeit wie junger Morgen, aufsteigend gegen hohen Mittag. Die Stunde im Leben des Volkes, die heute geschlagen hat, wüßten wir kaum zu benennen. Aber wir müssen sie auswarten und fest und ruhig in ihr stehen: das ist unser Teil.

Mozart war da, und hier in diesen Gemarken, wo sich das neue und alte Europa berühren, an diesem Grenzstrich zwischen römischem, deutschem und slawischem Wesen, hier war die Musik entstanden, die deutsche Musik, die europäische Musik, die wahre, ewige Musik unseres Zeitalters, die volle Erfüllung, natürlich wie die Natur, unschuldig wie sie. Aus den Tiefen des menschlichsten der deutschen Stämme hervorgestiegen, trat sie vor Europa hin, schön und faßlich wie eine Antike, aber eine christliche, gereinigte Antike, unschuldiger als die erste. Aus den Tiefen des Volkes war das Tiefste und Reinste tönend geworden; es waren Töne der Freude, ein heiliger, beflügelter, leichter Sinn sprach aus ihnen, kein Leichtsinn; seliges Gefühl des Lebens; die Abgründe sind geahnt, aber ohne Grauen, das Dunkel noch durchstrahlt von innigem Licht, dazwischen die Wehmut wohl – denn Wehmut kennt das Volk –, aber kaum der schneidende Schmerz, niemals der Einsamkeit starrendes Bewußtsein.

Für ewig hatte dieses junge Volk der Deutschen, das späteste in Europa, das neugeborene aus dem Grab eines dunkeln Jahrhunderts, seine Stimme gewonnen, und ihr Wohllaut fließe ewig durch die aufeinanderfolgenden Geschlechter hin und sei gesegnet, und das Volk erkenne in ihm den innersten Klang seiner frommen und freudigen Seele: aber wer ist Beethoven, daß wir trotz Mozart ihn heute feiern, in der dunklen, ungewissen Stunde, als einen, der keinem weicht; daß wir heute sagen: Jener war der Einzige, Er aber war der Gewaltige?

Nicht länger in diesen neueren Zeiten bleiben die Nationen eine Einheit in sich, wie wir uns die Alten denken oder die großen Völker des Orients: wie ein einziger metallener Stab das ganze Volk, einen vollen

Ton gebend unterm Hammerschlag des Schicksals; am wenigsten sie, die zerklüftete von Anbeginn, die deutsche. Myriaden Seelen lösen sich von der innigen Gemeinschaft und bleiben, Gelöste, ihr doch schwebend verbunden: unantiken Gepräges, die neueren Menschen, Vorväter uns und Brüder zugleich, denn wir sind für dieses Geschlecht wiederum, was sie für ihres waren: die Geistigen; nicht die Blüte der Nation – wer wagte das zu sagen ohne Scham? – auch nicht das Herz, aber doch wohl ihr Flügel, mit dem sie sich hebt über den Abgrund der Sonne entgegen. Nichts war würdig an ihnen, zu bestehen, wofern sie sich abtrennten im Letzten von der Wesensart des Volkes, und doch war Vereinzelung ihnen auferlegt. Furchtbar war und ist ihr Geschick, an ihnen aber hängt doch das Geschick der Nation, und sie sind die Erbvollstrecker der Jahrhunderte. Hin und her geworfen zwischen großem Stolz und Schwachmut, zuzeiten dünken sie sich Göttersöhne – Schöpfer, das ungeheure, fast lästerliche Wort dünkt ihnen nicht zu groß, die Fülle zu malen, die sie in sich tragen; dann aber stürzen sie wieder dahin wie Ikarus. Das Stumme, Ungesellige der Nation, in ihnen ward und wird es zur glühenden Qual. Sie verzehrten sich im Gefühl der unmitteilbaren Fülle. Mitten unter den Menschen waren sie einsam wie die Eremiten. Ihrem Drang zu genügen, kam Werther, der maßlos Liebende, Faust, der maßlos Begehrende; für sie warf Schiller Gestalt auf Gestalt in die Welt, die dem Gesetz der Welt das Gesetz des eigenen einzelnen Herzens entgegenstellte, und hieß in kühnen Reden hochsinnig Gestalt die Gestalt überbieten; für sie horchte Herder, begabt mit maßloser Gewalt des Ohres, in die Jahrhunderte und in die Völker. Aber ihrem Drang war der »Werther« unzulänglich, der »Faust« gab ihnen nicht das Letzteste; über Herders Ohr ging ihre Begierde hinaus, das Unhörbare zu erhorchen, und Schillers Gestalten waren die Beredsamkeit ihrer Träume, nicht der Nerv ihrer Taten. Denn dieser Beredsamkeit letztes Ziel war Politik, und danach stand ihnen nicht im tiefsten der Sinn, dazu waren sie zu unreif und zu überreif immer wieder. Sie ringen um das lebendige Wort und um die lebendige Tat, sehnen sich nach dem Unerreichlichen: daß das Wort und die Tat eins sei. Mozarts Klänge waren ihren drangvollen Herzen zu erhaben in ihrer Harmonie und zu irdisch friedevoll. Sie wollten den Redner, der ihr Zerklüftetes in eins brächte und das Übermaß der Empfindung reinigte und heiligte; den Priester, der ihr Herz hinauftrüge vor Gott wie ein verdecktes Opfergefäß; den Wortführer – aber wie sage ich es? sie wollten den Priester ohne Tempel, den Wortführer gewaltig wie Moses und doch beschwerten, behinderten Mundes; sie wollten den Redner, das Unsägliche zu sagen. Ihre ganze Inbrunst ging auf das, was unerfüllbar schien. Da rief der Genius der Nation noch einen: da trat Beethoven hervor.

Er trat herein in Haydns und Mozarts Welt, wie Adam hereintrat zwischen die vier Ströme des Paradieses. Er glich den Engeln und war nicht ihresgleichen, frommen, aber störrischen Gesichtes: er war der erste Mensch. Sein Verhältnis zur Musik war nicht mehr unschuldig, es war wissend. Das singende, gleichsam mit Menschenstimme sprechende Orchester unter seinen Händen sang nicht mehr reinen Wohllaut, verklärte Harmonie der Schöpfung: es sang eigensinnig des einzelnen Menschen Lust und Weh. Jeder Musiksatz war ein Thron der Leidenschaft. Ihm war Brust und Stimme gegeben, das Heilige aus seinen geheimen Wohnsitzen zu rufen, und er rief es zu sich, dem Einsamen, mit ihm zu ringen und mit ihm zu spielen. Einsam führte er ein tönendes Gespräch mit dem eigenen Herzen, mit der Geliebten, mit Gott, ein stockendes Gespräch, oft ein erhaben-verwirrtes. Aus unzerbrochenem, im Aufruhr noch frommem Gemüt ward er der Schöpfer einer Sprache über der Sprache. In dieser Sprache ist er ganz: mehr als Klang und Ton, mehr auch als Symphonie, mehr als Hymnus, mehr als Gebet: es ist ein nicht Auszusagendes: eines Menschen Gebärde ist darin, der dasteht vor Gott. Hier war ein Wort, aber nicht das entweihte der Sprache, hier war das lebendige Wort und die lebendige Tat, und sie waren eins.

Sein Werk ist nicht volkstümlich und wollte es nicht sein. Aber es ist darin das, was vom Volk emporsteigt in die Einzelnen und dort aufs neue Wesen wird, so wie das ganze Volk ein Wesen ist; darum kann sich zwar das Volk in seinen Werken nicht erkennen, aber die Einzelnen, die vom Volk abgelöst sind und zu ihm gehören, können ihr und ihres Volkes Wesen in ihm erkennen. Dem Mann aus dem Volk gleichend, hatte er eine unzerbrochene, unzerklüftete Seele. Aber er hatte, was das Volk als Ganzes nicht kennt und was die Vielen nicht kennen, die das Wort meist trüglich im Munde führen: geistige Leidenschaft, und aus ihr machte er den Sitz der Musik. Stark war er und beherzt und mutig und unschuldig wie ein Kind; aber in Ahnung und Aufschwung konnte er sich erheben, wohin kaum je ein Mensch gedrungen war. Aufrichtig war er und wahr; alles im Bereich des Geistes hat er gefühlt und gekannt, nur nicht den Zweifel. Jede Bewegung des Gemüts hat er auszusprechen vermocht, nur nicht den Leichtsinn. Ganz war er: was ihn traf, das traf den ganzen Menschen. Sein Leib war stark und kraftvoll bis zur Derbheit und ausgestattet zu leiden, wie eines Propheten und Mittlers Leib. An dem Sinn, der ihm das Übersinnliche zubrachte, traf ihn die Prüfung und machte ihn ärmer als den gewöhnlichsten Menschen. Darin gleicht er dem Moses, der reden mußte mit Gott für sein Volk und ein Stammler war. Sein Leib und sein Geist waren eins, schließlich blickte sein gewaltiges, störrisches Antlitz genau wie seine Werke, und wo sein Leib ruht, da ist wahrlich eine geheiligte Stätte und das Grab eines Heroen. Ehre uns und Erhebung auf immer, die wir es umwohnen. Denn ihn trugen, so war es bestimmt, vom fernen Rhein zu uns her die Schritte; Mozart und Haydn, die Unseren, traten ihm entgegen; unsere Landschaft hat ihm mit Rauschen der Bäume und Singen der Vögel das Herz gesänftigt, solange noch ein Laut der Welt in sein Inneres drang; auf unseren Boden hat er sich hingeworfen, in sich hineinzuhorchen, und Grillparzer und Schubert haben seinen Sarg zu Grab getragen.

Feierlich ist dieser Augenblick, da wir eines solchen Menschen gedenken, und wie er unter uns herumging und wie wir den Fuß in die Stapfen seiner Füße setzen – und erhöht dadurch, daß er ein großes Volk in der Erniedrigung trifft. In der lichtlosen Stunde erglänzen die Geschmeide des Himmels, und unter diesen ist er. Es ist nicht die Stunde, Feste zu feiern, aber es ist die Stunde, sich zu sammeln und sich aufzuerbauen. Angegriffen ist diese Nation in ihrem Tiefsten, und unzerbrochen dennoch trägt sie, und trägt nicht knirschend, sondern in tiefen Gedanken. Verschuldung fühlt sie gegen den eigenen Genius und will ihr Herz emporheben über die Verschuldung. In den Einzelnen sucht sie sich wieder herzustellen, der eigenen unerschöpflichen Tiefe dunkel bewußt, und wieder hängt an den Einzelnen das Geschick und an der Jugend, ob sie sich würdig erweise. Abermals zeigt sich das Zeichen der im Tiefsten ungeselligen, unberedsamen Nation. Das Wort der gemeinsamen Sprache, das alle binden sollte zur Einheit, hält alle tausendfach auseinander wie Ketzer und Widerketzer. Die Nation hat im Geistigen nicht einerlei Sprache, so hat sie keinerlei. Ihr fehlt aber- und abermals der Seelenmittelpunkt, so liegt sie da, ihres eigenen Daseins nicht mächtig und mit fremden, verworrenen Gedanken wie ein Krankes. Aber die Einzelnen sind des Hohen noch eingedenk, und

noch tragen sie in sich aufgebaut den Thron der geistigen Leidenschaft, von wo der glühende Gedanke, nach allen Seiten ausladend, hineilt, zu umfassen ein Ewiges, nie ganz zu Umfassendes. Dem Wort mißtrauend, sind sie unberedsam aus Keuschheit; in ihrem Herzen aber ist sprachlose Sprache, die über allen Sprachen ist, ist Wissen um alle Finsternisse des Daseins und dennoch Hoffnung bis an die Sphären.
In diesem feierlichen Augenblick treten sie ernst zueinander, und wo ihrer nur zwei oder drei beisammen sind, da ragt über ihnen ein Haupt, unausdeutbaren Ausdruckes, störrisch und fromm zugleich – templum in modum arcis – ein Gottestempel in Gestalt einer Burg: Beethovens Haupt.
Wir gedenken seiner in dieser Stunde. Möge er in der gleichen Stunde unser gedenken und durch uns hinziehen mit dem Wehen seiner Kraft und seiner Reinheit.

DAS GLÜCK AM WEG

Ich saß auf einem verlassenen Fleck des Hinterdecks auf einem dicken, zwischen zwei Pflöcken hin- und her gewundenen Tau und schaute zurück. Rückwärts war in milchigem, opalinem Duft die Riviera versunken, die gelblichen Böschungen, über die der gezerrte Schatten der schwarzen Palmen fällt und die weißen, flachen Häuser, die in unsäglichem Dickicht rankender Rosen einsinken. Das alles sah ich jetzt scharf und springend, weil es verschwunden war, und glaubte den feinen Duft zu spüren, den doppelten Duft der süßen Rosen und des sandigen, salzigen Strandes. Aber der Wind ging ja landwärts, schwärzlich rieselnd lief er über die glatte, weinfarbene Fläche landwärts. So war es wohl nur Täuschung, daß ich den Duft zu spüren glaubte. Dann sprangen dort, wo golden der breite Sonnenstreifen auf dem Wasser lag, drei Delphine auf und sprudelten sprühendes Gold und spielten gravitätisch und haschten sich heftig rauschend und tauchten plötzlich wieder unter. Leer lag der Fleck und wurde wieder glatt und blinkte. So tanzen vor einem feierlichen Festzug radschlagende Gaukler und Lustigmacher, so liefen betrunkene, bocksfüßige Faune vor dem Wagen des Bakchos einher…

Jetzt hätte es dort aufrauschen müssen, und wie der wühlende Maulwurf weiche Erdwellen aufwerfend den Kopf aus den Schollen hebt, so hätten sich die triefenden Mähnen und rosigen Nüstern der scheckigen Pferde herausheben müssen, und die weißen Hände, Arme und Schultern der Nereiden, ihr flutendes Haar und die zackigen, dröhnenden Hörner der Tritonen. Und in der Hand die rotseidenen Zügel, an denen grüner Seetang hängt und tropfende Algen, müßte er im Muschelwagen stehen, Neptun, kein langweiliger, schwarzbärtiger Gott, wie sie ihn zu Meißen aus Porzellan machen, sondern unheimlich und reizend, wie das Meer selbst, mit reicher Anmut, frauenhaften Zügen und Lippen, rot wie eine giftig rote Blume…

Über das leere, glänzende Meer lief schwärzlich rieselnd der leise Wind. Am Horizont, nicht ganz dort, wo in der kommenden Nacht wie ein schwarzblauer Streif der bergige Wall von Korsika auftauchen sollte, stand ein winziger schwarzer Fleck.

Nach einer Stunde war das Schiff recht nahe gegen unseres gekommen. Es war eine Yacht, die offenbar nach Toulon fuhr. Wir mußten sie fast streifen. Mit guten Augen unterschied man schon recht deutlich die Maste und Rahen, ja sogar die Vergoldung, dort, wo der Name des Schiffes stand. Ich wechselte meinen Platz, trug meinen englischen Roman ins Lesezimmer zurück und holte mein Fernglas. Es war ein sehr gutes Glas. Es brachte mir einen bestimmten runden Fleck des fremden Schiffes ganz nahe, fast unheimlich nahe. Es war, wie wenn man durchs Fenster in ein ebenerdiges Zimmer schaut, worin sich Menschen bewegen, die man nie gesehen hat und wahrscheinlich nie kennen wird; aber einen Augenblick belauscht man sie ganz in der engen dumpfen Stube, und es ist, als ob man ihnen da unsäglich nahe käme.

Den runden Fleck in meinem Glas begrenzte schwarzes Tauwerk, messingeingefaßte Planken, dahinter der tiefblaue Himmel. In der Mitte stand eine Art Feldsessel, auf dem lag, mit geschlossenen Augen, eine blonde, junge Dame. Ich sah alles ganz deutlich: den dunklen Polster, in den sich die Absätze der kleinen lichten Halbschuhe einbohrten, den moosgrünen breiten Gürtel, in dem ein paar halboffener Rosen steckten, rosa Rosen, la France-Rosen...

Ob sie schlief?

Schlafende Menschen haben einen eigentümlichen, naiven, schuldlosen, traumhaften Reiz. Sie sehen nie banal und nie unnatürlich aus.

Sie schlief nicht. Sie schlug die Augen auf und bückte sich um ein heruntergefallenes Buch. Ihr Blick lief über mich, und ich wurde verlegen, daß ich sie so anstarrte, aus solcher Nähe; ich senkte das Glas, und dann erst fiel mir ein, daß sie ja weit war, dem freien Auge nichts als ein lichter Punkt zwischen braunen Planken, und mich unmöglich bemerken könne. Ich richtete also wieder das Glas auf sie und sie sah jetzt wie verträumt gerade vor sich hin. In dem Augenblick wußte ich zwei Dinge: daß sie sehr schön war, und daß ich sie kannte. Aber woher? Es quoll in mir auf, wie etwas Unbestimmtes, Süßes, Liebes und Vergangenes. Ich versuchte es, schärfer zu denken: ein gewisser kleiner Garten, wo ich als Kind gespielt hatte, mit weißen Kieswegen und Begonienbeeten... aber nein, das war es nicht... damals mußte sie ja auch ein kleines Kind gewesen sein... ein Theater, eine Loge mit einer alten Frau und zwei Mädchenköpfe, wie biegsame lichte Blumenköpfe hinter dem Zaun... ein Wagen, im Prater, an einem Frühlingsmorgen...

oder Reiter?... Und der starke Geruch der taufeuchten Lohe und Kastanienblütenduft und ein gewisses helles Lachen... aber das war ja jemand anderes Lachen... ein gewisses Boudoir mit einem kleinen Kamin und einem gewissen hohen Louis-Quinze-Feuerschirm... alles das tauchte auf und zerging augenblicklich und in jedem dieser Bilder erschien schattenhaft diese Gestalt da drüben, die ich kannte und nicht kannte, diese schmächtige lichte Gestalt und die blumenhafte müde Lieblichkeit des kleinen Kopfes und darin die faszinierenden, dunklen, mystischen Augen... Aber in keinem der Bilder blieb sie stehen, sie zerrann immer wieder, und das vergebliche Suchen wurde unerträglich. Ich kannte sie also nicht. Der Gedanke verursachte mir ein unerklärliches Gefühl von Enttäuschung und innerer Leere; es war mir, als hätte ich das Beste an meinem Leben versäumt. Dann fiel mir ein: Ja, ich kannte sie, das heißt, nicht wie man gewöhnlich Menschen kennt, aber gleichviel, ich hatte hundertmal an sie gedacht, hunderte von Malen, Jahre und Jahre hindurch.

Gewisse Musik hatte mir von ihr geredet, ganz deutlich von ihr, am stärksten Schumannsche; gewisse Abendstunden auf grünen Veilchenwiesen, an einem rauschenden kleinen Fluß, darüber der feuchte, rosige Abend lag; gewisse Blumen, Anemonen mit müden Köpfchen... gewisse seltsame Stellen in den Werken der Dichter, wo man aufsieht und den Kopf in die Hand stützt und auf einmal vor dem inneren Aug die goldenen Tore des Lebens aufgerissen scheinen... Alles das hatte von ihr geredet, in all dem war das Phantasma ihres Wesens gelegen, wie in gläubigen Kindergebeten das Phantasma des Himmels liegt. Und alle meine heimlichen Wünsche hatten sie zum heimlichen Ziel gehabt: in ihrer Gegenwart lag etwas, das allem einen Sinn gab, etwas unsäglich Beruhigendes, Befriedigendes, Krönendes. Solche Dinge begreift man nicht: man weiß sie plötzlich.

Ja, ich wußte noch viel mehr; ich wußte, daß ich mit ihr eine besondere Sprache reden würde, besonders im Ton und besonders im Stil: meine Rede wäre leichtsinniger, beflügelter, freier, sie liefe gleichsam nachtwandelnd auf einer schmalen Rampe dahin; aber sie wäre auch eindringlicher, feierlicher, und gewisse seltsame Saitensysteme würden verstärkend mittönen.

Alle diese Dinge dachte ich nicht deutlich, ich schaute sie in einer fliegenden, vagen Bildersprache.

In dem Augenblick war uns das fremde Schiff recht nah; näher würde es wohl kaum kommen.

Ich wußte noch mehr von ihr: ich wußte ihre Bewegungen, die Haltung ihres Kopfes, das Lächeln, das sie haben würde, wenn ich ihr gewisse Dinge sagte. Wenn sie auf der Terrasse säße, in einer kleinen Strandvilla in Antibes (ganz ohne Grund dachte ich gerade Antibes), und ich käme aus dem Garten und bliebe unter ihr stehen, drei Stufen unter ihr (und mir war, als wüßte ich ganz genau, das würde hundertmal geschehen, ja beinahe, als wäre es schon geschehen...), dann würde sie mit einer undefinierbaren reizenden kleinen Pose die Schultern wie frierend in die Höhe ziehen und mich mit ihren mystischen Augen ernst und leise spöttisch von oben herab ansehen...

Es liegt unendlich viel in Bewegungen: sie sind die komplizierte und fein abgetönte Sprache des Körpers für die komplizierte und feine Gefallsucht der Seele, die eine Art Liebesbedürfnis und eine Art Kunsttrieb ist; Koketterie ist ein sehr plumpes Wort dafür. In dieser kleinen Pose lag für mich eine Unendlichkeit von Dingen ausgedrückt: eine ganz bestimmte Art, ernsthaft, zufrieden und in Schönheit glücklich zu sein; ganz bestimmte graziöse, freie, wohltuende Lebensverhältnisse und vor allem mein Glück lag darin ausgedrückt, die Bürgschaft meines tiefen, stillen, fraglosen Glückes. Alle diese Gedanken waren ohne Sentimentalität, mit einer sicheren ruhigen Anmut erfüllt. Dabei sah ich ununterbrochen hinüber. Sie war aufgestanden und sah gerade zu uns her. Und da war mir, als ob sie leise, mit unmerklichem Lächeln den Kopf schüttelte. Gleich darauf bemerkte ich mit einer Art stumpfer Betäubung, daß die Schiffe schon wieder anfingen, sich leise voneinander zu entfernen. Ich empfand das nicht als etwas Selbstverständliches, auch nicht als eine schmerzliche Überraschung, es war einfach, als glitte dort mein Leben selbst weg, alles Sein und alle Erinnerung, und zöge langsam, lautlos gleitend, seine tiefen, langen Wurzeln aus meiner schwindelnden Seele, nichts zurücklassend als unendliche, blöde Leere. Mir war, als fühlte ich fröstelnd, wie durch diese Leere ein Lufthauch lief. Stumpf, gedankenlos aufmerksam sah ich zu, wie sich zwischen sie und mich ein leerer, reinlicher, eimailblauer, glänzender Wasserstreifen legte, der immer breiter wurde. In hilfloser Angst sah ich ihr nach, wie sie mit langsamen Schritten schlank und biegsam eine kleine Treppe hinabstieg, wie Ruck auf Ruck in der Luke der grüne Gürtel verschwand, dann die feinen Schultern und dann das dunkelgoldene Haar. Dann war nichts mehr von ihr da, nichts. Für mich war es, als hätte man sie in einen schmalen, kleinen Schacht gelegt und darüber einen schweren Stein und darauf Rasen. Als hätte man sie zu den Toten gelegt, ja gar nichts konnte sie mehr für mich sein. Wie ich so hinstarrte auf das schwindende Schiff, das sich ein wenig gedreht hatte, kehrte sich mir unter Bord etwas Blinkendes zu. Es waren vergoldete Genien, goldene, an das Schiff geschmiedete Geister, die trugen auf einem Schild in blinkenden Buchstaben den Namen des Schiffes: »La Fortune«…

11.7.81

LUCIDOR

FIGUREN ZU EINER UNGESCHRIEBENEN KOMÖDIE

Frau von Murska bewohnte zu Ende der siebziger Jahre in einem Hotel der inneren Stadt ein kleines Appartement. Sie führte einen nicht sehr bekannten, aber auch nicht ganz obskuren Adelsnamen; aus ihren Angaben war zu entnehmen, daß ein Familiengut im russischen Teil Polens, das von Rechts wegen ihr und ihren Kindern gehörte, im Augenblick sequestriert oder sonst den rechtmäßigen Besitzern vorenthalten war. Ihre Lage schien geniert, aber wirklich nur für den Augenblick. Mit einer erwachsenen Tochter Arabella, einem halb erwachsenen Sohn Lucidor, und einer alten Kammerfrau bewohnten sie drei Schlafzimmer und einen Salon, dessen Fenster nach der Kärntnerstraße gingen. Hier hatte sie einige Familienporträts, Kupfer und Miniaturen an den Wänden befestigt, auf einem Guéridon ein Stück alten Samts mit einem gestickten Wappen ausgebreitet und darauf ein paar silberne Kannen und Körbchen, gute französische Arbeit des achtzehnten Jahrhunderts, aufgestellt, und hier empfing sie. Sie hatte Briefe abgegeben, Besuche gemacht, und da sie eine unwahrscheinliche Menge von »Attachen« nach allen Richtungen hatte, so entstand ziemlich rasch eine Art von Salon. Es war einer jener etwas vagen Salons, die je nach der Strenge des Beurteilenden »möglich« oder »unmöglich« gefunden werden. Immerhin, Frau von Murska war alles, nur nicht vulgär und nicht langweilig, und die Tochter von einer noch viel ausgeprägteren Distinktion in Wesen und Haltung und außerordentlich schön. Wenn man zwischen vier und sechs hinkam, war man sicher, die Mutter zu finden, und fast nie ohne Gesellschaft; die Tochter sah man nicht immer, und den dreizehn- oder vierzehnjährigen Lucidor kannten nur die Intimen.

Frau von Murska war eine wirklich gebildete Frau, und ihre Bildung hatte nichts Banales. In der Wiener großen Welt, zu der sie sich vaguement rechnete, ohne mit ihr in andere als eine sehr peripherische Berührung zu kommen, hätte sie als »Blaustrumpf« einen schweren Stand gehabt. Aber in ihrem Kopf war ein solches Durcheinander von Erlebnissen, Kombinationen, Ahnungen, Irrtümern, Enthusiasmen, Erfahrungen, Apprehensionen, daß es nicht der Mühe wert war, sich bei dem aufzuhalten, was sie aus Büchern hatte. Ihr Gespräch galoppierte von einem Gegenstand zum andern und fand die unwahrscheinlichsten Übergänge; ihre Ruhelosigkeit konnte Mitleid erregen – wenn man sie reden hörte, wußte man, ohne daß sie es zu erwähnen brauchte, daß sie bis zum Wahnsinn an Schlaflosigkeit litt und sich in Sorgen, Kombinationen und fehlgeschlagenen Hoffnungen verzehrte – aber es war durchaus amüsant und wirklich merkwürdig, ihr zuzuhören, und ohne daß sie indiskret sein wollte, war sie es gelegentlich in der fürchterlichsten Weise. Kurz, sie war eine Närrin, aber von der angenehmeren Sorte. Sie war eine seelengute und im Grund eine scharmante und gar nicht gewöhnliche Frau. Aber ihr schwieriges Leben, dem sie nicht gewachsen war, hatte sie in einer Weise in Verwirrung gebracht, daß sie in ihrem zweiundvierzigsten Jahre bereits eine phantastische Figur geworden war. Die meisten ihrer Urteile, ihrer Begriffe waren eigenartig und von einer großen seelischen Feinheit; aber sie hatten so ziemlich immer den falschesten Bezug und paßten durchaus nicht auf den Menschen oder auf das Verhältnis, worauf es gerade ankam. Je näher ein Mensch ihr stand, desto weniger übersah sie ihn; und es wäre gegen alle Ordnung gewesen, wenn sie nicht von ihren beiden Kindern das verkehrteste Bild in sich getragen und blindlings danach gehandelt hätte. Arabella war in ihren Augen ein Engel, Lucidor ein hartes kleines Ding ohne viel Herz. Arabella war tausendmal zu gut für diese Welt, und Lucidor paßte ganz vorzüglich in diese Welt hinein. In Wirklichkeit war Arabella des Ebenbild ihres verstorbenen Vaters: eines stolzen, unzufriedenen und ungeduldigen, sehr schönen Menschen, der leicht verachtete, aber seine Verachtung in einer ausgezeichneten Form verhüllte, von Männern respektiert oder beneidet und von vielen Frauen geliebt wurde und eines trockenen Gemütes war. Der kleine Lucidor dagegen hatte nichts als Herz. Aber ich will lieber gleich an dieser Stelle sagen, daß Lucidor kein junger Herr, sondern ein Mädchen war und Lucile hieß. Der Einfall, die jüngere Tochter für die Zeit des Wiener Aufenthaltes als »travesti« auftreten zu lassen, war, wie alle Einfälle der Frau von Murska, blitzartig gekommen und hatte doch zugleich die kompliziertesten Hintergründe und Verkettungen. Hier war vor allem der Gedanke im Spiel, einen ganz merkwürdigen Schachzug gegen einen alten, mysteriösen, aber glücklicherweise wirklich vorhandenen Onkel zu führen, der in Wien lebte und um dessentwillen – alle diese Hoffnungen und Kombinationen

waren äußerst vage – sie vielleicht im Grunde gerade diese Stadt zum Aufenthalt gewählt hatte. Zugleich hatte aber die Verkleidung auch noch andere, ganz reale, ganz im Vordergrund liegende Vorteile. Es lebte sich leichter mit *einer* Tochter als mit zweien von nicht ganz gleichem Alter; denn die Mädchen waren immerhin fast vier Jahre auseinander; man kam so mit einem kleineren Aufwand durch. Dann war es eine noch bessere, noch richtigere Position für Arabella, die einzige Tochter zu sein als die ältere; und der recht hübsche kleine »Bruder«, eine Art von Groom, gab dem schönen Wesen noch ein Relief.
Ein paar zufällige Umstände kamen zustatten: die Einfälle der Frau von Murska fußten nie ganz im Unrealen, sie verknüpften nur in sonderbarer Weise das Wirkliche, Gegebene mit dem, was ihrer Phantasie möglich oder erreichbar schien. Man hatte Lucile vor fünf Jahren – sie machte damals, als elfjähriges Kind, den Typhus durch – ihre schönen Haare kurz schneiden müssen. Ferner war es Luciles Vorliebe, im Herrensitz zu reiten; es war eine Gewohnheit von der Zeit her, wo sie mit den kleinrussischen Bauernbuben die Gutspferde ungesattelt in die Schwemme geritten hatte. Lucile nahm die Verkleidung hin, wie sie manches andere hingenommen hätte. Ihr Gemüt war geduldig, und auch das Absurdeste wird ganz leicht zur Gewohnheit. Zudem, da sie qualvoll schüchtern war, entzückte sie der Gedanke, niemals im Salon auftauchen und das heranwachsende Mädchen spielen zu müssen. Die alte Kammerfrau war als einzige im Geheimnis; den fremden Menschen fiel nichts auf. Niemand findet leicht als erster etwas Auffälliges: denn es ist den Menschen im allgemeinen nicht gegeben, zu sehen, was ist. Auch hatte Lucile wirklich knabenhaft schmale Hüften und auch sonst nichts, was zu sehr das Mädchen verraten hätte. In der Tat blieb die Sache unenthüllt, ja unverdächtigt, und als jene Wendung kam, die aus dem kleinen Lucidor eine Braut oder sogar noch etwas Weiblicheres machte, war alle Welt sehr erstaunt.
Natürlich blieb eine so schöne und in jedem Sinne gut aussehende junge Person wie Arabella nicht lange ohne einige mehr oder weniger erklärte Verehrer. Unter diesen war Wladimir weitaus der bedeutendste. Er sah vorzüglich aus, hatte ganz besonders schöne Hände. Er war mehr als wohlhabend und völlig unabhängig, ohne Eltern, ohne Geschwister. Sein Vater war ein bürgerlicher österreichischer Offizier gewesen, seine Mutter eine Gräfin aus einer sehr bekannten baltischen Familie. Er war unter allen, die sich mit Arabella beschäftigten, die ein-

zige wirkliche »Partie«. Dazu kam dann noch ein ganz besonderer Umstand, der Frau von Murska wirklich bezauberte. Gerade er war durch irgendwelche Familienbeziehungen mit dem so schwer zu behandelnden, so unzugänglichen und so äußerst wichtigen Onkel liiert, jenem Onkel, um dessentwillen man eigentlich in Wien lebte und um dessentwillen Lucile Lucidor geworden war. Dieser Onkel, der ein ganzes Stockwerk des Buquoyschen Palais in der Wallnerstraße bewohnte und früher ein sehr vielbesprochener Herr gewesen war, hatte Frau von Murska sehr schlecht aufgenommen. Obwohl sie doch wirklich die Witwe seines Neffen (genauer: seines Vaters-Bruders-Enkel) war, hatte sie ihn doch erst bei ihrem dritten Besuch zu sehen bekommen und war darauf niemals auch nur zum Frühstück oder zu einer Tasse Tee eingeladen worden. Dagegen hatte er, ziemlich de mauvaise grâce, gestattet, daß man ihm Lucidor eimal schicke. Es war die Eigenart des interessanten alten Herrn, daß er Frauen nicht leiden konnte, weder alte noch junge. Dagegen bestand die unsichere Hoffnung, daß er sich für einen jungen Herrn, der immerhin sein Blutsverwandter war, wenn er auch nicht denselben Namen führte, irgendeinmal in ausgiebiger Weise interessieren könnte. Und selbst diese ganz unsichere Hoffnung war in einer höchst prekären Lage unendlich viel wert. Nun war Lucidor tatsächlich einmal auf Befehl der Mutter allein hingefahren, aber nicht angenommen worden, worüber Lucidor sehr glücklich war, die Mutter aber aus der Fassung kam, besonders, als dann auch weiterhin nichts erfolgte und der kostbare Faden abgerissen schien. Diesen wieder anzuknüpfen, war nun Wladimir durch seine doppelte Beziehung wirklich der providentielle Mann. Um die Sache richtig in Gang zu bringen, wurde in unauffälliger Weise Lucidor manchmal zugezogen, wenn Wladimir Mutter und Tochter besuchte, und der Zufall fügte es ausgezeichnet, daß Wladimir an dem Burschen Gefallen fand und ihn schon bei der ersten Begegnung aufforderte, hie und da mit ihm auszureiten, was nach einem raschen, zwischen Arabella und der Mutter gewechselten Blick dankend angenommen wurde. Wladimirs Sympathie für den jüngeren Bruder einer Person, in die er recht sehr verliebt war, war nur selbstverständlich; auch gibt es kaum etwas Angenehmeres, als den Blick unverhohlener Bewunderung aus den Augen eines netten vierzehnjährigen Burschen.
Frau von Murska war mehr und mehr auf den Knien vor Wladimir. Arabella machte das ungeduldig wie die meisten Haltungen ihrer Mut-

ter, und fast unwillkürlich, obwohl sie Wladimir gern sah, fing sie an, mit einem seiner Rivalen zu kokettieren, dem Herrn von Imfanger, einem netten und ganz eleganten Tiroler, halb Bauer, halb Gentilhomme, der als Partie aber nicht einmal in Frage kam. Als die Mutter einmal schüchterne Vorwürfe wagte, daß Arabella gegen Wladimir sich nicht so betrage, wie er ein Recht hätte, es zu erwarten, gab Arabella eine abweisende Antwort, worin viel mehr Geringschätzung und Kälte gegen Wladimir pointiert war, als sie tatsächlich fühlte. Lucidor-Lucile war zufällig zugegen. Das Blut schoß ihr zum Herzen und verließ wieder jäh das Herz. Ein schneidendes Gefühl durchzuckte sie: sie fühlte Angst, Zorn und Schmerz in einem. Über die Schwester erstaunte sie dumpf. Arabella war ihr immer fremd. In diesem Augenblick erschien sie ihr fast grausig, und sie hätte nicht sagen können, ob sie sie bewunderte oder haßte. Dann löste sich alles in ein schrankenloses Leid. Sie ging hinaus und sperrte sich in ihr Zimmer. Wenn man ihr gesagt hätte, daß sie einfach Wladimir liebte, hätte sie es vielleicht nicht verstanden. Sie handelte, wie sie mußte, automatisch, indessen ihr Tränen herunterliefen, deren wahren Sinn sie nicht verstand. Sie setzte sich hin und schrieb einen glühenden Liebesbrief an Wladimir. Aber nicht für sich, für Arabella. Daß ihre Handschrift der Arabellas zum Verwechseln ähnlich war, hatte sie oft verdrossen. Gewaltsam hatte sie sich eine andere, recht häßliche Handschrift angewöhnt. Aber sie konnte sich der früheren, die ihrer Hand eigentlich gemäß war, jederzeit bedienen. Ja, im Grunde fiel es ihr leichter, so zu schreiben. Der Brief war, wie er nur denen gelingt, die an nichts denken und eigentlich außer sich sind. Er dasavouierte Arabellas ganze Natur: aber das war ja, was er wollte, was er sollte. Er war sehr unwahrscheinlich, aber eben dadurch wieder in gewisser Weise wahrscheinlich als der Ausdruck eines gewaltsamen inneren Umsturzes. Wenn Arabella tief und hingebend zu lieben vermocht hätte und sich dessen in einem jähen Durchbruch mit einem Schlage bewußt worden wäre, so hätte sie sich allenfalls so ausdrücken und mit dieser Kühnheit und glühenden Verachtung von sich selber, von der Arabella, die jederman kannte, reden können. Der Brief war sonderbar, aber immerhin auch für einen kalten, gleichgültigen Leser nicht ganz unmöglich als ein Brief eines verborgen leidenschaftlichen, schwer berechenbaren Mädchens. Für den, der verliebt ist, ist zudem die Frau, die er liebt, immer ein unberechenbares Wesen. Und schließlich war es der Brief, den zu empfangen ein

Mann in seiner Lage im stillen immer wünschen und für möglich halten kann. Ich nehme hier vorweg, daß der Brief auch wirklich in Wladimirs Hände gelangte: dies erfolgte in der Tat schon am nächsten Nachmittag, auf der Treppe, unter leisem Nachschleichen, vorsichtigem Anrufen, Flüstern von Lucidor als dem aufgeregten, ungeschickten vermeintlichen Postillon d'amour seiner schönen Schwester. Ein Postskriptum war natürlich beigefügt: es enthielt die dringende, ja flehende Bitte, sich nicht zu erzürnen, wenn sich zunächst in Arabellas Betragen weder gegen den Geliebten noch gegen andere auch nur die leiseste Veränderung würde wahrnehmen lassen. Auch er werde hoch und teuer gebeten, sich durch kein Wort, nicht einmal durch einen Blick, merken zu lassen, daß er sich zärtlich geliebt wisse.
Es vergehen ein paar Tage, in denen Wladimir mit Arabella nur kurze Begegnungen hat, und niemals unter vier Augen. Er begegnet ihr, wie sie es verlangt hat; sie begegnet ihm, wie sie es vorausgesagt hat. Er fühlt sich glücklich und unglücklich. Er weiß jetzt erst, wie gern er sie hat. Die Situation ist danach, ihn grenzenlos ungeduldig zu machen. Lucidor, mit dem er jetzt täglich reitet, in dessen Gesellschaft fast noch allein ihm wohl ist, merkt mit Entzücken und mit Schrecken die Veränderung im Wesen des Freundes, die wachsende heftige Ungeduld. Es folgt ein neuer Brief, fast noch zärtlicher als der erste, eine neue rührende Bitte, das vielfach bedrohte Glück der schwebenden Lage nicht zu stören, sich diese Geständnisse genügen zu lassen und höchstens schriftlich, durch Lucidors Hand, zu erwidern. Jeden zweiten, dritten Tag geht jetzt ein Brief hin oder her. Wladimir hat glückliche Tage und Lucidor auch. Der Ton zwischen den beiden ist verändert, sie haben ein unerschöpfliches Gesprächsthema. Wenn sie in irgendeinem Gehölz des Praters vom Pferd gestiegen sind und Lucidor seinen neuesten Brief übergeben hat, beobachtet er mit angstvoller Lust die Züge des Lesenden. Manchmal stellt er Fragen, die fast indiskret sind; aber die Erregung des Knaben, der in diese Liebessache verstrickt ist, und seine Klugheit, ein Etwas, das ihn täglich hübscher und zarter aussehen macht, amüsiert Wladimir, und er muß sich eingestehen, daß es ihm, der sonst verschlossen und hochmütig ist, hart ankäme, nicht mit Lucidor über Arabella zu sprechen. Lucidor posiert manchmal auch den Mädchenfeind, den kleinen, altklugen und in kindischer Weise zynischen Burschen. Was er da vorbringt, ist durchaus nicht banal; denn er weiß einiges von dem darunter zu mischen, was die Ärzte »introspek-

tive Wahrheiten« nennen. Aber Wladimir, dem es nicht an Selbstgefühl mangelt, weiß ihn zu belehren, daß die Liebe, die er einflöße, und die er einem solchen Wesen wie Arabella einflöße, von ganz eigenartiger, mit nichts zu vergleichender Beschaffenheit sei. Lucidor findet Wladimir in solchen Augenblicken um so bewundernswerter und sich selbst klein und erbärmlich. Sie kommen aufs Heiraten, und dieses Thema ist Lucidor eine Qual, denn dann beschäftigt sich Wladimir fast ausschließlich mit der Arabella des Lebens anstatt mit der Arabella der Briefe. Auch fürchtet Lucidor wie den Tod jede Entscheidung, jede einschneidende Veränderung. Sein einziger Gedanke ist, die Situation so hinzuziehen. Es ist nicht zu sagen, was das arme Geschöpf aufbietet, um die äußerlich und innerlich so prekäre Lage durch Tage, durch Wochen – weiter zu denken, fehlt ihm die Kraft – in einem notdürftigen Gleichgewicht zu erhalten. Da ihm nun einmal die Mission zugefallen ist, bei dem Onkel etwas für die Familie auszurichten, so tut er sein mögliches. Manchmal geht Wladimir mit; der Onkel ist ein sonderbarer alter Herr, den es offenbar amüsiert, sich vor jüngeren Leuten keinen Zwang anzutun, und seine Konversation ist derart, daß eine solche Stunde für Lucidor eine wahrhaft qualvolle kleine Prüfung bedeutet. Dabei scheint dem Alten kein Gedanke ferner zu liegen als der, irgend etwas für seine Anverwandten zu tun. Lucidor kann nicht lügen und möchte um alles seine Mutter beschwichtigen. Die Mutter, je tiefer ihre Hoffnungen, die sie auf den Onkel gesetzt hatte, sinken, sieht mit um so größerer Ungeduld, daß sich zwischen Arabella und Wladimir nichts der Entscheidung zu nähern scheint. Die unglückseligen Personen, von denen sie im Geldpunkt abhängig ist, fangen an, ihr die eine wie die andere dieser glänzenden Aussichten als Nonvaleur in Rechnung zu stellen. Ihre Angst, ihre mühsam verhohlene Ungeduld teilt sich allen mit, am meisten dem armen Lucidor, in dessen Kopf so unverträgliche Dinge durcheinander hingehen. Aber er soll in der seltsamen Schule des Lebens, in die er sich nun einmal begeben hat, einige noch subtilere und schärfere Lektionen empfangen.

Das Wort von einer Doppelnatur Arabellas war niemals ausdrücklich gefallen. Aber der Begriff ergab sich von selbst: die Arabella des Tages war ablehnend, kokett, präzis, selbstsicher, weltlich und trocken fast bis zum Exzeß, die Arabella der Nacht, die bei einer Kerze an den Geliebten schrieb, war hingebend, sehnsüchtig fast ohne Grenzen. Zufällig oder gemäß dem Schicksal entsprach dies einer ganz geheimen

Spaltung auch in Wladimirs Wesen. Auch er hatte, wie jedes beseelte Wesen, mehr oder minder seine Tag- und Nachtseite. Einem etwas trockenen Hochmut, einem Ehrgeiz ohne Niedrigkeit und Streberei, der aber hochgespannt und ständig war, standen andere Regungen gegenüber, oder eigentlich: standen nicht gegenüber, sondern duckten sich ins Dunkel, suchten sich zu verbergen, waren immer bereit, unter die dämmernde Schwelle ins Kaumbewußte hinabzutauchen. Eine phantasievolle Sinnlichkeit, die sich etwa auch in ein Tier hineinträumen konnte, in einen Hund, in einen Schwan, hatte zu Zeiten seine Seele fast ganz in Besitz gehabt. Dieser Zeiten des Überganges vom Knaben zum Jüngling erinnerte er sich nicht gerne. Aber irgend etwas davon war immer in ihm, und diese verlassene, auch von keinem Gedanken überflogene, mit Willen verödete Nachtseite seines Wesens bestrich nun ein dunkles, geheimnisvolles Licht: die Liebe der unsichtbaren, anderen Arabella. Wäre die Arabella des Tages zufällig seine Frau gewesen oder seine Geliebte geworden, er wäre mit ihr immer ziemlich terre à terre geblieben und hätte sich selbst nie konzediert, den Phantasmen einer mit Willen unterdrückten Kinderzeit irgendwelchen Raum in seiner Existenz zu gönnen. An die im Dunklen Lebende dachte er in anderer Weise und schrieb ihr in anderer Weise. Was hätte Lucidor tun sollen, als der Freund begehrte, nur irgendein Mehr, ein lebendigeres Zeichen zu empfangen als diese Zeilen auf weißem Papier? Lucidor war allein mit seiner Bangigkeit, seiner Verworrenheit, seiner Liebe. Die Arabella des Tages half ihm nicht. Ja, es war, als spielte sie, von einem Dämon angetrieben, gerade gegen ihn. Je kälter, sprunghafter, weltlicher, koketter sie war, desto mehr erhoffte und erbat Wladimir von der anderen. Er bat so gut, daß Lucidor zu versagen nicht den Mut fand. Hätte er ihn gefunden, es hätte seiner zärtlichen Feder an der Wendung gefehlt, die Absage auszudrücken. Es kam eine Nacht, in der Wladimir denken durfte, von Arabella in Lucidors Zimmer empfangen, und wie empfangen, worden zu sein. Es war Lucidor irgendwie gelungen, das Fenster nach der Kärntnerstraße so völlig zu verdunkeln, daß man nicht die Hand vor den Augen sah. Daß man die Stimmen zum unhörbarsten Flüstern abdämpfen mußte, war klar: nur eine einfache Tür trennte von der Kammerfrau. Wo Lucidor die Nacht verbrachte, blieb ungesagt: doch war er offenbar nicht im Geheimnis, sondern man hatte gegen ihn einen Vorwand gebraucht. Seltsam war, daß Arabella ihr schönes Haar in ein dichtes Tuch fest eingewunden trug und der Hand des Freundes sanft, aber bestimmt versagte, das Tuch zu lösen. Aber dies war fast das einzige, das sie versagte. Es gingen mehrere Nächte hin, die dieser Nacht nicht glichen, aber es folgte wieder eine, die ihr glich, und Wladimir war sehr glücklich. Vielleicht waren dies die glücklichsten Tage seines ganzen Lebens. Gegen Arabella, wenn er untertags mit ihr zusammen ist, gibt ihm die Sicherheit seines nächtlichen Glückes einen eigenen Ton. Er lernt eine besondere Lust darin finden, daß sie bei Tag so unbegreiflich anders ist; ihre Kraft über sich selber, daß sie niemals auch nur in einem Blick, einer Bewegung sich vergißt, hat etwas Bezauberndes. Er glaubt zu bemerken, daß sie von Woche zu Woche um so kälter gegen ihn ist, je zärtlicher sie sich in den Nächten gezeigt hat. Er will jedenfalls nicht weniger geschickt, nicht weniger beherrscht erscheinen. Indem er diesem geheimnisvoll starken weiblichen Willen so unbedingt sich fügt, meint er, das Glück seiner Nächte einigermaßen zu verdienen. Er fängt an, gerade aus ihrem doppelten Wesen den stärksten Genuß zu ziehen. Daß ihm die gehöre, die ihm so gar nicht zu gehören scheint, daß die gleiche, welche sich grenzenlos zu verschenken versteht, in einer solchen unberührten, unberührbaren Gegenwart sich zu behaupten weiß, dies wirklich zu erleben ist schwindelnd, wie der wiederholte Trunk aus einem Zauberbecher. Er sieht ein, daß er dem Schicksal auf den Knien danken müsse, in einer so einzigartigen, dem Geheimnis seiner Natur abgelauschten Weise beglückt zu werden. Er spricht es überströmend aus, gegen sich selber, auch gegen Lucidor. Es gibt nichts, was den armen Lucidor im Innersten tödlicher erschrecken könnte.

Arabella indessen, die wirkliche, hat sich gerade in diesen Wochen von Wladimir so entschieden abgewandt, daß er es von Stunde zu Stunde bemerken müßte, hätte er nicht den seltsamsten Antrieb, alles falsch zu deuten. Ohne daß er sich geradezu verrät, spürt sie zwischen sich und ihm ein Etwas, das früher nicht war. Sie hat sich immer mit ihm verstanden, sie versteht sich auch noch mit ihm; ihre Tagseiten sind einander homogen; sie könnten eine gute Vernunftehe führen. Mit Herrn von Imfanger versteht sie sich nicht, aber er gefällt ihr. Daß Wladimir ihr in diesem Sinne nicht gefällt, spürt sie nun stärker; jenes unerklärliche Etwas, das von ihm zu ihr zu vibrieren scheint, macht sie ungeduldig. Es ist nicht Werbung, auch nicht Schmeichelei; sie kann sich nicht klar werden was es ist, aber sie goutiert es nicht. Imfanger muß sehr wohl wissen, daß er ihr gefällt. Wladimir glaubt seinerseits noch ganz andere Beweise dafür zu haben. Zwischen den beiden jungen Herren ergibt sich die sonderbarste Situation. Jeder meint, daß der andere doch alle Ursache habe, verstimmt zu sein oder einfach das Feld zu räumen. Jeder findet die Haltung, die ungestörte Laune des andern im Grunde einfach lächerlich. Keiner weiß, was er sich aus dem andern machen soll, und einer hält den andern für einen ausgemachten Geck und Narren.

Die Mutter ist in der qualvollsten Lage. Mehrere Auskunftsmittel versagen. Befreundete Personen lassen sie im Stich. Ein unter der Maske der Freundschaft angebotenes Darlehen wird rücksichtslos eingefordert. Die vehementen Entschlüsse liegen Frau von Murska immer sehr nahe. Sie wird den Haushalt in Wien von einem Tag auf den andern auflösen, sich bei der Bekanntschaft brieflich verabschieden, irgendwo ein Asyl suchen, und wäre es auf dem sequestrierten Gut im Haus der Verwaltersfamilie. Arabella nimmt eine solche Entschließung nicht angenehm auf, aber Verzweiflung liegt ihrer Natur ferne. Lucidor muß eine wahre, unbegrenzte Verzweiflung angstvoll in sich verschließen. Es waren mehrere Nächte vergangen, ohne daß sie den Freund gerufen hätte. Sie wollte ihn diese Nacht wieder rufen. Das Gespräch abends zwischen Arabella und der Mutter, der Entschluß zur Abreise, die Unmöglichkeit, die Abreise zu verhindern: dies alles trifft sie wie ein Keulenschlag. Und wollte sie zu einem verzweifelten Mittel greifen, alles hinter sich werfen, der Mutter alles gestehen, dem Freund vor allem offenbaren, wer die Arabella seiner Nächte gewesen ist, so durchfährt sie eisig die Furcht vor seiner Enttäuschung, seinem Zorn. Sie kommt sich wie eine Verbrecherin vor, aber gegen ihn, an die anderen denkt sie nicht. Sie kann ihn diese Nacht nicht sehen. Sie fühlt, daß sie vor Scham, vor Angst und Verwirrung vergehen würde. Statt ihn in den Armen zu halten, schreibt sie an ihn, zum letztenmal. Es ist der demütigste, rührendste Brief, und nichts paßt weniger zu ihm als der Name Arabella, womit sie ihn unterschreibt. Sie hat nie wirklich gehofft, seine Gattin zu werden. Auch kurze Jahre, ein Jahr als seine Geliebte mit ihm zu leben, wäre unendliches Glück. Aber auch das darf und kann nicht sein. Er soll nicht fragen, nicht in sie dringen, beschwört sie ihn. Soll morgen noch zu Besuch kommen, aber erst gegen Abend. Den übernächsten Tag dann – sind sie vielleicht schon abgereist. Später einmal wird er vielleicht erfahren, begreifen, sie möchte hinzufügen: verzeihen, aber das Wort scheint ihr in Arabellas Mund zu unbegreiflich, so schreibt sie es nicht. Sie schläft wenig, steht früh auf, schickt den Brief durch den Lohndiener des Hotels an Wladimir. Der Vormittag vergeht mit Packen. Nach Tisch, ohne etwas zu erwähnen, fährt sie zu dem Onkel. Nachts ist ihr der Gedanke gekommen. Sie würde die Worte, die Argumente finden, den sonderbaren Mann zu erweichen. Das Wunder würde geschehen und dieser festverschnürte Geldbeutel sich öffnen. Sie denkt nicht an die Realität dieser Dinge, nur an die Mutter, an die Situation, an ihre Liebe. Mit dem Geld oder dem Brief in der Hand würde sie der Mutter zu Füßen fallen und als einzige Belohnung erbitten – was? – ihr übermüdeter, gequälter Kopf versagt beinahe – ja! nur das Selbstverständliche: daß man in Wien bliebe, daß alles bliebe, wie es ist. Sie findet den Onkel zu Hause. Die Details dieser Szene, die recht sonderbar verläuft, sollen hier nicht erzählt werden. Nur dies: sie erweicht ihn tatsächlich – er ist nahe daran, das Entscheidende zu tun, aber eine greisenhafte Grille wirft den Entschluß wieder um: er wird später etwas tun, wann, das bestimmt er nicht, und damit basta. Sie fährt nach Hause, schleicht die Treppe hinauf, und in ihrem Zimmer, zwischen Schachteln und Koffern, auf dem Boden hockend, gibt sie sich ganz der Verzweiflung hin. Da glaubt sie im Salon Wladimirs Stimme zu hören. Auf den Zehen schleicht sie hin und horcht. Es ist wirklich Wladimir – mit Arabella, die mit ziemlich erhobenen Stimmen im sonderbarsten Dialog begriffen sind.

Wladimir hat am Vormittag Arabellas geheimnisvollen Abschiedsbrief empfangen. Nie hat etwas sein Herz so getroffen. Er fühlt, daß zwischen ihm und ihr etwas Dunkles stehe, aber nicht zwischen Herz und Herz. Er fühlt die Liebe und die Kraft in sich, es zu erfahren, zu begreifen, zu verzeihen, sei es, was es sei. Er hat die unvergleichliche Geliebte seiner Nächte zu lieb, um ohne sie zu leben. Seltsamerweise denkt er gar nicht an die wirkliche Arabella, fast kommt es ihm sonderbar vor, daß sie es sein wird, der er gegenüberzutreten hat, um sie zu beschwichtigen, aufzurichten, sie ganz und für immer zu gewinnen. Er kommt hin, findet im Salon die Mutter allein. Sie ist aufgeregt, wirr und phantastisch wie nur je. Er ist anders, als sie ihn je gesehen hat. Er küßt ihr die Hände, er spricht, alles in einer gerührten, befangenen Weise. Er bittet sie, ihm ein Gespräch unter vier Augen mit Arabella zu gestatten. Frau von Murska ist entzückt und ohne Übergang in allen Himmeln. Das Unwahrscheinliche ist ihr Element. Sie eilt, Arabella zu

holen, dringt in sie, dem edlen jungen Mann nun, wo alles sich so herrlich gewendet, ihr Ja nicht zu versagen. Arabella ist maßlos erstaunt. »Ich stehe durchaus nicht so mit ihm«, sagt sie kühl. »Man ahnt nie, wie man mit Männern steht«, entgegnet ihr die Mutter und schickt sie in den Salon. Wladimir ist verlegen, ergriffen und glühend. Arabella findet mehr und mehr, daß Herr von Imfanger recht habe, Wladimir einen sonderbaren Herrn zu finden. Wladimir, durch ihre Kühle aus der Fassung, bittet sie, nun endlich die Maske fallen zu lassen. Arabella weiß durchaus nicht, was sie fallen lassen soll. Wladimir wird zugleich zärtlich und zornig, eine Mischung, die Arabella so wenig goutiert, daß sie schließlich aus dem Zimmer läuft und ihn allein stehen läßt. Wladimir in seiner maßlosen Verblüffung ist um so näher daran, sie für verrückt zu halten, als sie ihm soeben angedeutet hat, sie halte ihn dafür und sei mit einem Dritten über diesen Punkt ganz einer Meinung. Wladimir würde in diesem Augenblick einen sehr ratlosen Monolog halten, wenn nicht die andere Tür aufginge und die sonderbarste Erscheinung auf ihn zustürzte, ihn umschlänge, an ihm herunter zu Boden glitte. Es ist Lucidor, aber wieder nicht Lucidor, sondern Lucile, ein liebliches und in Tränen gebadetes Mädchen, in einem Morgenanzug Arabellas, das bubenhaft kurze Haar unter einem dichten Seidentuch verborgen. Es ist sein Freund und Vertrauter, und zugleich seine geheimnisvolle Freundin, seine Geliebte, seine Frau. Einen Dialog, wie der sich nun entwickelnde, kann das Leben hervorbringen und die Komödie nachzuahmen versuchen, aber niemals die Erzählung.
Ob Lucidor nachher wirklich Wladimirs Frau wurde oder bei Tag und in einem anderen Land das blieb, was sie in dunkler Nacht schon gewesen war, seine glückliche Geliebte, sei gleichfalls hier nicht aufgezeichnet.
Es könnte bezweifelt werden, ob Wladimir ein genug wertvoller Mensch war, um so viel Hingabe zu verdienen. Aber jedenfalls hätte sich die ganze Schönheit einer bedingungslos hingebenden Seele, wie Luciles, unter anderen als so seltsamen Umständen nicht enthüllen können.

12. 2. 81

SÜDFRANZÖSISCHE EINDRÜCKE

Ich habe einmal ein chinesisches Bilderbuch gesehen. Auf jeder Seite waren alle möglichen Dinge gemalt, durcheinander und mit der unabsichtlichen Anmut, die das Leben hat. Denn die Bilder des Lebens folgen ohne inneren Zusammenhang aufeinander und ermangeln gänzlich der effektvollen Komposition. Besonders eine Seite aus dem Bilderbuche ist mir im Gedächtnisse geblieben; da hingen hübsche fliegende Hunde zwischen roten Weinblättern, darunter standen graziöse emailblaue Vasen; daneben war ein friedlicher grasgrüner Garten mit weißen Gänsen und Orchideen, Spinnen, Kolibris und Affen mit traurigen Augen, und neben dem Garten war ein Fluß; am Ufer stand eine weiße junge Frau, und über dem Fluß schwebten Dämonen, haarige, lichtblaue Riesen mit Vogelköpfen, grinsende Köpfe und rotgrüne Schlangen.
Das Ganze hatte den seltsamen, sinnlosen Reiz der Träume.
Ich glaube, so ungefähr sollten Reisebeschreibungen gemacht werden, so erlebt man sie; und es ist zwischen diesen aufgefangenen Sensationen nicht mehr Zusammenhang wie zwischen den Vasen, den Affen und den Dämonen in dem Bilderbuch.
Darum haben auch Reiseerinnerungen nachher für uns selbst diesen sonderbar traumhaften Charakter, so fremd, wie nicht wirklich gewesen. Die hübsche Art zu reisen, die empfindsame, die des Sterne und des Rousseau, ist uns verlorengegangen. Das war noch eine Reise nach Stimmungen. Man reiste sehr langsam, im humoristischen Postwagen oder in der galanten Sänfte; man hatte Zeit, um in Herbergen Abenteuer zu erleben und wehmütig zu werden, wenn ein toter Esel am Wege lag; man konnte im Vorbeifahren Früchte von den Bäumen pflücken und bei offenen Fenstern in die Kammern schauen; man hörte die Lieder, die das Volk im Sommer singt, man hörte die Brunnen rauschen und die Glocken läuten.
Unser hastiges ruheloses Reisen hat das alles verwischt, unserem Reisen fehlt das Malerische und das Theatralische, das Lächerliche und das Sentimentale, kurz alles Lebendige. ---
Chambéry ist die Hauptstadt des alten Savoyen; gerade seit hundert

Jahren gehört es zu Frankreich, und zum Angedenken dessen steht seit ein paar Wochen auf dem Marktplatz eine junge Savoysienne und umarmt die Trikolore. Die Stadt ist wahrscheinlich, wie die meisten Städte, in sehr verschiedenen Stilarten gebaut; bei Nacht aber, im Mond, ist sie ganz Rokoko mit schnörkligen Giebeln, geschweiften Balkonen und stilvoll bevölkert mit vielen Katzen. Es gibt winzig kleine, übermütige, die betrunken im Mondlicht kugeln und schmeichelnd kokettieren; und große sitzen in stilisierter Würde heraldisch steif auf Balkonen; und andere gleiten lautlos, mit mattleuchtenden Augen, im tiefsten Dunkel längs der Mauern hin.

Nahe der Katzenstadt liegen im Hügelland mit reicher lauer Luft und großen Lauben dunkelglühenden Weins viele kleine Landhäuser. Eins davon sind die Charmettes der Frau von Warens, wo Rousseau seine große Liebe erlebte. Sie war eine wohlerzogene, schöne Dame mit blonder Güte und Anmut und einem eleganten und herzlichen Briefstil; er war ein halberwachsener Parvenu, mit bitterem Hochmut und starker Sehnsucht nach Liebe, bös und rücksichtslos und mit glühenden rhetorischen Antithesen im Herzen. Er nannte sie »maman«, und sie nannte ihn »petit«. Es ist noch alles da: ihre Bilder, ihre Betten, das Fenster, an dem sie Arm in Arm in den Sonnenuntergang hinaussahen, das Immergrün, das sie zusammen pflückten...

Hier wäre Gelegenheit, eine Banalität zu sagen, die noch dazu sehr traurig ist. –

In Grenoble aber ist Henri Stendhal geboren. Henri Beyle, genannt Stendhal, der große Psycholog unter den Romanschreibern dieses Jahrhunderts, groß neben Balzac und vor allen übrigen, den seit 1880 wieder viele Leute in Frankreich lesen und auch einige in Deutschland.

In Grenoble haben sie eine Straße nach ihm genannt, eine häßliche, halbfertige, nach Kalk und Ziegel riechende, charakterlose Bourgeoisstraße, nach ihm, der immer wunderbare und außerordentliche Menschen schuf, hochmütige, sehr »anders als die andern«; übrigens konnte er seine Vaterstadt nicht leiden und starb nach unruhigem Wandern in seiner Adoptiv-Heimat, dem Mailand der Restaurationszeit, mit den Melodien des Cimarosa und der lieblichen Plastik des Canova, mit weißmarmornem Domdach und lächelnder Anmut wohlerzogener kosmopolitischer Menschen. Auf seinen Grabstein aber ließ er, in dichterischer Ostentation, die Worte setzen: Arrigo Beyle, Milanese.

Grenoble liegt mitten im lichtgrünen, hügeligen Delphinat. Auf breiten Landstraßen, die durch helle Waldtäler laufen, begegnet man viel großen Viehherden, und es ist ungefähr die friedliche Natur der Gauermann und Waldmüller. Das geht so fort, in runden Hügeln und freundlichem Laub, bis Valence. Da, in der Stadt des Cäsar Borgia und der Diane de Poitiers, im Valentinois, hört französische Natur und französische Sprache auf, und es beginnt die Provence, mit gelben sonnverbrannten Hügeln, mit Oliven und Feigen und mit der eigenen Sprache, die wenig vom Französischen hat und viel vom Spanischen, manches auch vom verschollenen Italienisch der »Divina Commedia« und vom Griechisch der Phokäer und vom Arabisch der Mauren. In Rhythmus und Klangfarbe ist sie, wilder und dunkler als die übrigen romanischen Sprachen, dem Spanischen am nächsten. Sie hat viele Dichter und Dichterkongresse und Dichterkrönungen; es ist aber etwas meistersängerlich Pedantenhaftes in dieser Dichterei, etwas Galvanisiertes und Gekünsteltes, und die Epigonen der Bertran de Born, der Peire Cardenal und der Raimon von Toulouse sind Schuster, Barbiere und Buchhändler.
Ihr berühmtestes Werk ist bekanntlich die »Mirèio« des Mistral, ein Idyll in preziösen künstlichen Strophen, halb Homer, halb Berthold Auerbach, ein viel zu langes Gedicht, in dem die wunderschönen Dinge der Vergangenheit steif und tot herumstehen, wie in einem ungemütlichen Provinzmuseum.
Und doch ist die Vergangenheit in diesem Land minder tot als überall anders; es ist eine so klare, stille, trockene, erhaltende Luft. Frauen von Arles haben noch immer die feierliche römische Schönheit, die Kameenprofile und den königlichen Gang und die königlichen Gebärden; und andere haben die griechische Grazie im Stehen und Lehnen, wie die Tanagrafiguren, und griechische Koketterie in der leichtbeflügelten Rede; und andere haben den mattgoldenen maurischen Glanz und das weiche, biegsame Gleiten, »wie Palmen im Wind«. Und sie sitzen mit ruhig-heißen Augen auf den Stufen der Arena: da ist Stiergefecht; schwarze, rotäugige Stiere und Banderilleros und Toreadores mit schönen langen Namen, aus Saragossa und Valencia, mit elegantem Gladiatorenanstand und grünseidenen Mänteln; und Musik aus »Carmen« statt der Tuben und Flöten. Das ist ihr Theater. Und wenn die Straßen in grellem Licht glühen, so gehen sie in dämmernden Klostergängen spazieren, zwischen maurischen Ornamenten und byzan-

tinischen Säulen, oder auf den »Alyscampo«, wo im Zypressenschatten uralte Sarkophage liegen, der vornehmste Begräbnisplatz der Erde.
Oder sie gehen beten in die große Kathedrale von Saint-Trophime, und im Halbdunkel zwischen steingrauen Aposteln und Greifen, Engeln und geflügelten Stieren atmet junge griechische und sarazenische Schönheit.
Viele aber treiben den anmutigsten Beruf, den Handel mit schönen und altertümlichen Dingen. Müßig und graziös sitzen sie auf verblichenen Thronsesseln, zwischen zerbrochenen Statuetten, fanierten Goldstoffen und altmodischen Kupferstichen und warten. Sie haben ein so seltsames, verträumtes Lächeln; es ist, als warteten sie immer darauf, daß von irgendwo Blumen auf sie herunterfielen. Denn sie sind sehr eitel; sie haben eine ernsthafte, fast religiöse Eitelkeit und sind gewohnt, sich von allen Dichtern den Hof machen zu lassen.

– ô jours
De ma jeunesse, quand serrant d'un long velours
Le tour de mes cheveux, la taille souple et fine,
Les seins mi-cachés sous la claire mousseline,
Nous descendions, riant au rire des galants,
Sous le porche du grand Saint-Trophime à pas lents!

Diese Verse sind nicht aus der »Arlésienne« des Daudet, aber es gibt eine Menge Stücke, die alle »L'Arlésienne« heißen könnten. Die Heldin darin hat immer diese rätselhafte, antike Schönheit, ist immer unwiderstehlich und wird meistens auf einem weißen, windschnellen Pferd entführt.
Diese weißen Pferde kommen aus der Camargue. Das ist eine große Rhône-Insel, unfern von Arles beginnend und bis dorthin gedehnt, wo die Rhône mündet. Eine weite, baumlose Fläche, graugrün, von vielem Heidekraut violett schimmernd, nicht gefärbt, nur schimmernd (violacé); darüber der blaßlilafarbene Himmel. Da weiden in Herden die weißen Pferde und die schwarzen Stiere und rosenrote Flamingos.
Es ist eine ägyptische Landschaft, totenstill, und auf kleinen zweirädrigen Wagen rollt man lautlos hindurch.
Wo die Camargue aufhört, beginnt das Meer, »das lichtblaue Meer,

mit Delphinen und Möwen«. Es hat wirklich nicht das goldatmende glänzende Blau des Claude Lorrain und auch nicht das düstere Schwarzblau des Poussin, sondern ein ganz helles Blau des Puvis de Chavanne.

Es ist keine zufällige Besonderheit, daß ich soviel von Farben spreche. Man kümmert sich in diesen hellen Ländern viel mehr um Farbe als in unserer grauen und braunen Welt. Sogar das Menü wird pittoresk. Schon in Savoyen hatte das Frühstück die heitere Farbengebung der Huysum und Hondecoeter: unter der Weinlaube stand auf reinlich weißem Tuch der Fayencekrug mit hellem Wein, und gelbe Butter, rote Krebse; grüner Spinat und blaue Trauben waren so erfreulich als erfrischend. Hier aber, am rollenden, phosphorschimmernden Meer, ist das Dejeuner in den Fischerherbergen eine große Orgie von Farben. Der rotflossige Fisch schwimmt in einer Safransauce, andere flimmern silberschuppig, und die grellroten Langusten sind von mattgrünen Oliven umrahmt. Es fehlt nur der Pfau mit vergoldetem Schnabel zu einem farbigen Essen der Renaissance. Dazu das blaue Meer und am weißen Strand Pinien und Zypressen. Das ist längs der Küste, von den Pyrenäen bis zur Riviera. Im Innern aber ist die provenzalische Landschaft eintönig, wie die griechische. Graugelb, mit graugrünen Olivenhainen. Dann und wann auf der staubigen alten königlichen Straße eine Schafherde, die lautlos weitertrippelt. Dann ein ausgetrocknetes Flußbett. Dann, in schweigender Einsamkeit, Ruinen; ein verfallener Aquädukt, ein Triumphbogen. Dann weite, schattenlose Haine der mageren Oliven. So hat es rings um den Engpaß ausgesehen, wo Ödipus dem Vater begegnete. So um den Hügel, wo Antigone den Leichnam des Bruders besuchte. Hier hat der heutige Tag kein Eigenleben. Die Vergangenheit ist noch immer. Und es war ganz im Stile der Natur, als vor ein paar Jahren die Comédie Française nach Orange kam, um in provenzalischer Natur und auf dem steinernen Gerüst einer antiken Bühne den »König Ödipus« zu spielen...

13.7.81

DIE WEGE UND DIE BEGEGNUNGEN

Der Flug der Vögel ist wundervoll in diesen strahlenden Tagen, und ich begreife vollkommen, daß ich diese Zeilen einmal aufgeschrieben habe: Je me souviens des paroles d'Agur, fils d'Jaké, et des choses qu'il déclare les plus incompréhensibles et les plus merveilleuses: la trace de l'oiseau dans l'air et la trace de l'homme dans la vierge. Diese Zeilen stehen, mit Bleistift an den Rand geschrieben, mitten in einem Reisebuch, und ich fand sie vor drei Tagen, als ich danach suchte, ob es eine Straße gäbe, wenn man vom Meer herauf nach Urbino gekommen sei, dann von dort zu Wagen übers Gebirg nach Assisi oder an den Trasimenischen See zu gehen. Ich sehe, daß diese Zeilen von meiner Schrift sind, sie sind zittrig geschrieben, vielleicht im Wagen, vielleicht in der Bahn; aber kein Nachdenken bringt mich darauf, woher sie stammen. Aus einem älteren französischen Buch vermutlich. Aber hätte ich damals in Umbrien in fremdartigen, seltenen Büchern gelesen? Ich weiß nichts davon. Wer ist Agur? Und wer ist der Redende, der sich Agurs entsinnt? Und dennoch habe ich dies geschrieben, und nun ist alles andre verloschen, und nur dies ragt herauf. Und irgendwo in mir, bei den Dingen, die ich erlebt habe, bevor ich drei Jahre alt war, und von denen mein waches Erinnern nie etwas gewußt hat, bei den Geheimnissen meiner dunkelsten Träume, bei den Gedanken, die ich hinter meinem eigenen Rücken je gedacht habe, wohnt nun dieser Agur – und wird vielleicht eines Tages heraufsteigen wie ein Toter aus einem Gewölbe, wie ein Mörder aus einer Falltür, und sein Wiederkommen wird seltsam sein, aber nicht seltsamer eigentlich als vorgestern nachmittags das Hereinstürzen der zurückgekehrten jungen Schwalbe, durch die Luft, durch die halboffene Haustür, ins alte Nest, einschlagend wie ein dunkler Blitz. Und eine Minute darauf, wie ein zweiter dunkler Blitz, aus dem Scheitelpunkt des Äthers, nachschlagend dem ersten, kam das Weibchen, die junge Schwester, und jetzt die Frau. Denn es sind Geschwister, ausgebrütet im vorigen Sommer in diesem Nest hinter unsrer Haustür. Wie wußten sie den Weg, herabfahrend aus der Unendlichkeit der Himmel? Wie wußten sie unter den Ländern dieses Land, unter den Tälern dies kleine Tal, unter den Häusern dieses

Haus? Und wo in mir wohnt Agur, der dieses Wunder anstaunte über allen Wundern, und nichts geheimnisvoller fand als die Spur dieses Wunders, die unsichtbare Spur des Vogels in der Luft?
Aber es ist sicher, daß das Gehen und das Suchen und das Begegnen irgendwie zu den Geheimnissen des Eros gehören. Es ist sicher, daß wir auf unsrem gewundenen Wege nicht bloß von unsren Taten nach vorwärts gestoßen werden, sondern immer gelockt von etwas, das scheinbar immer irgendwo auf uns wartet und immer verhüllt ist. Es ist etwas von Liebesbegier, von Neugierde der Liebe in unsrem Vorwärtsgehen, auch dann, wenn wir die Einsamkeit des Waldes suchen oder die Stille der hohen Berge oder einen leeren Strand, an dem wie eine silberne Franse das Meer leise rauschend zergeht. Allen einsamen Begegnungen ist etwas sehr Süßes beigemengt, und wäre es nur die Begegung mit einem einsam stehenden großen Baum oder die Begegnung mit einem Tier des Waldes, das lautlos anhält und aus dem Dunkel her auf uns äugt. Mich dünkt, es ist nicht die Umarmung, sondern die Begegnung die eigentliche entscheidende erotische Pantomime. Es ist in keinem Augenblick das Sinnliche so seelenhaft, das Seelenhafte so sinnlich als in der Begegnung. Hier ist alles möglich, alles in Bewegung, alles aufgelöst. Hier ist ein Zueinandertrachten noch ohne Begierde, eine naive Beimischung von Zutraulichkeit und Scheu. Hier ist das Rehhafte, das Vogelhafte, das Tierisch-dumpfe, das Engelsreine, das Göttliche. Ein Gruß ist etwas Grenzenloses. Dante datiert sein »Neues Leben« von einem Gruß, der ihm zuteil geworden. Wunderbar ist der Schrei des großen Vogels, der seltsame, einsame, vorweltliche Laut im Morgengrauen von der höchsten Tanne, dem irgendwo die Henne lauscht. Dies Irgendwo, dies Unbestimmte und doch leidenschaftlich Begehrende, dies Schreien des Fremden nach der Fremden ist das Gewaltige. Die Begegnung verspricht mehr, als die Umarmung halten kann. Sie scheint, wenn ich so sagen darf, einer höheren Ordnung der Dinge anzugehören, jener, nach der die Sterne sich bewegen und die Gedanken einander befruchten. Aber für eine sehr kühne, sehr naive Phantasie, in der Unschuld und Zynismus sich unlösbar vermengen, ist die Begegnung schon die Vorwegnahme der Umarmung. Solche Blicke hefteten die Hirten auf eine Göttin, die plötzlich vor ihnen stand, und es war etwas in dem Blick der Göttin, woran der dumpfe Blick des Hirten sich entzündete. Und Agur hat recht, wenn er ein König war oder ein großer Scheich in der Wüste, ein weiser und

prunkvoller Kaufmann oder ein Seefahrer unter den Seefahrern – er hat recht, daß er am Abend seiner Tage, sitzend im Schatten seiner Weisheit und Erfahrung, jene beiden Wunder in der Rede seines Mundes in eines verflicht: das Geheimnis der Umarmung und das Geheimnis des Fluges. Aber wer ist Agur, der in mir lebt mit seiner lebendigen Rede? Soll ich wirklich in mir sein Gesicht nicht sehen können? Seine Erfahrungen sind reich und üppig, der Ton seiner Rede ist der Ton des Erfahrnen, aber lässig. Er verschmäht es, den Prediger zu machen, sondern läßt nur dann und wann ein Wort fallen, das reich und schwer ins Ohr des Hörers sinkt. Wie Boas muß ich ihn denken, der einen schönen weißen Bart hatte und ein gebräuntes Gesicht, der gekleidet ging in ein feines Linnen, und auf dessen Kornfeldern den Armen nicht verwehrt war, die Ähren zu lesen. Aber habe ich nicht einmal sein Gesicht gesehen? Freilich, nur im stummen Traum, und der, dessen Gesicht ich sah, hatte keinen Namen. Aber nun dünkt mich, das war jener Agur, und ich muß die Rede, die meine eigne Handschrift mir überliefert, in den Mund dessen legen, von dem mir einmal träumte, und der, wie der Traum ihn malte, ein Patriarch war unter den Patriarchen, ein König über ein namenloses gewaltiges Volk von Wandernden.

Dies war der Traum. Ich lag und war müde von einem weiten Weg über Berge. Es war noch Sommer, aber gegen Ende des Sommers, und als mitten in der Nacht ein Sturm die Balkontür aufriß und der See heftig rauschend gegen die Pfähle schlug, sagte ich mir, halb im Schlaf: »Das sind die Herbststürme.« Und zwischen Schlaf und Wachen durchfloß mich ein unbeschreibliches Glücksgefühl über die Weite der Welt (über deren halberleuchtete Berge und Täler und Seen jetzt der Sturm hinbrauste). In dieses Gefühl versank ich wie in eine weiche dunkle Welle und war sogleich mitten im Traum und war draußen und droben, in der halberleuchteten fahlen Nacht, im Sturm, auf dem weiten Abhang eines Berges, es war eine ungeheure Landschaft, es war – dies konnte ich nicht sehen, sondern ich wußte es – der terrassenförmige Rand eines gigantischen Hochlandes, es war Asien. Und um mich war, gewaltiger als der Sturm, und die fahle, halberleuchtete Nacht mit großmächtiger Unruhe erfüllend, ein ungeheurer Aufbruch. Ein ganzes Volk war um mich, und das ganze Volk war im Dunkel geschäftig, seine Zelte abzubrechen und seine Habe auf Packtiere zu laden. Ganz nahe von mir waren Gruppen stummer Menschen, hastig beluden sie Kamele und andre Tiere; aber es war sehr finster. Ich legte auch mit Hand an bei einem Zelt, das noch nicht abgebrochen war. Ich war allein in dem Zelt, riß die Zeltpflöcke aus der Erde, und bei einem halben Licht sah ich die prachtvolle Arbeit, die den untern Saum des Zeltes schmückte: ein sehr künstlerisches Ornament, aus dunkelbraunen Lederstreifen aufgenäht auf ganz hellem naturfarbenem Leder. Immerfort war um mich die dumpfe Bewegung des ungeheuren Aufbruches, ich fühlte, wie alles unter der Gewalt des Befehles geschah, eines Befehles, gegen den es keinen Widerspruch gab. Und ohne weiters wußte ich, daß das Zelt, an dem ich arbeitete, ein Teil von *seinem* Zelte war, von dem Zelt dessen, der den Aufbruch befohlen hatte, und von dem alle Befehle kamen. Und als müßte es so sein, stieg ich auf einen Klumpen übereinandergelegter Decken der Maultiere, schob irgend etwas in der Zeltwand auseinander und sah hinein in das Hauptzelt. Es war finstrer darin als dort, wo ich stand. Erst allmählich konnte ich sehen, dann aber ganz deutlich. Das Zelt war ohne Möbel oder Schmuck, nur die dunklen Wände. An der einen Seite lagen auf einer großen Decke, auf einer dunkelroten oder rotvioletten Decke, ein junges Weib von dunkler Blässe, von einer unbeschreiblichen dunklen Blässe und Schönheit, aus deren Armen ein Mann sich löste, ein großer, hagerer Mann, aufstand und dicht vor meinen Augen vorüberging durch das leere Zelt an die entgegengesetzte Wand. Die Junge – sie trug nichts als breite Armreifen – hob stumm die Arme nach ihm, wie um ihn zurückzurufen, aber er sah sich nicht nach ihr um. Auch ich hatte sein Gesicht kaum gesehen, aber ich wußte, daß er alt war, alt und gewaltig, mit einem zweigeteilten wehenden Bart, um den Kopf einen erdfarbenen Turban. Aber sein sehr schlanker Körper, nackt bis zum Gürtel, seine langen dünnen Arme waren wie die eines jungen Mannes, voll Leichtigkeit und Kühnheit. Von der Hüfte hing ihm ein langer Schurz von dem unbeschreiblichsten Gelb. Ich will den Ton dieses Gelb wiedererkennen, wo und wann immer es mir wieder vor die Augen käme. Es war herrlicher als das Gelb auf alten persischen Kacheln, strahlender als das Gelb der gelben Tulpe. Jetzt war er an der Zeltwand gegenüber, der dunkelsten, und riß dort einen Vorhang auf, daß ein großes Fenster entstand. Der Wind wehte herein und warf seinen zweigeteilten weißen Bart über seine erdbraunen mageren Schultern nach rückwärts. Die schöne Frau hob sich bittend auf und schien ihn zärtlich beim Namen zu rufen, aber die Luft trug mir den Laut nicht zu. Ich sah nur ihn und sah durch das Fenster, das er in die Zeltwand gerissen hatte, hinaus: da war draußen die halberleuchtete Nacht, das unabsehbare gestufte Bergland und der stumme Aufbruch eines ganzen Volkes. Und sein bloßes Dastehen an dem viereckigen Ausschnitt des Zeltes, das über alle Zelte erhöht war, brachte einen stummen, wilden Tumult in den ganzen Aufbruch, und selbst die Wolken schienen schneller unter dem ziemlich bleichen Mond über das Bergland hinzujagen. Dieser Mann und kein anderer war Agur.

DER WANDERER

εἰσὶ καὶ κυνῶν ἐρινῦς

Der Schlaf der Mönche ist kurz. Bald nach Mitternacht läuteten sie die Glocken, beteten, sangen; vor Sonnenaufgang wiederum. Wir hatten kaum zwei Stunden halben Schlummers hinter uns; wir waren um so wacher. Wir gingen auf dem schmalen Pfad hintereinander sehr rasch, so rasch, als die Maultiere, mit den Wegweisern im Sattel, hinter uns schritten. Der Weg führte in der Morgenkühle zurück am Hang oberhalb des lieblichen Tales, wieder über die gleiche Ebene zwischen zwei kahlen Bergen, dann bog er, im ausgetrockneten Bett eines Gießbaches, seitwärts hinab, spaltete sich gegen Davlia einerseits, andrerseits gegen Chaeronea in Böotien; bis dorthin sollten es sieben Stunden sein, und halben Weges eine Ader guten Wassers, die niemals versiegte, weit und breit bekannt den Hirten.
Unser Gespräch währte bis zu jener Begegnung mit dem einsamen Wanderer; es währte also zwei und eine halbe oder drei Stunden, ununterbrochen, ohne den leisesten Zwang oder bewußten Willen, es fortzuführen, und war eines der seltsamsten und schönsten Gespräche, dessen ich mich entsinnen kann.
Wir waren zu zweit, und indem wir sprachen, war es, als hinge jeder nur seinen Erinnerungen nach, von denen viele uns gemeinsam waren. Zuweilen rief sich der eine die Gestalt eines Freundes herauf, den der andre nie gesehen, von dem er nur viel gehört hatte. Aber die tiefe und gleichsam zeitlose Einsamkeit, die uns umgab, das körperlose Erhabene der Umgebung – daß wir vom Fuß des Parnaß nach Chäronea, vom delphischen Gefild gegen Theben hinunterschritten, den Weg des Ödipus –, die strahlende Reinheit der Morgenstunde nach einer Nacht ohne tiefen, dumpfen Schlaf, dies alles machte unsere Einbildungskraft so stark, daß jedes Wort, von einem ausgesprochen, den Geist des andern mit sich fortriß und er mit Händen zu greifen wähnte, was dem andern vorschwebte.
Unsre Freunde erschienen uns, und indem sie sich selber brachten, brachten sie das Reinste unsres Daseins herangetragen. Ihre Mienen waren ernst und von einer fast beängstigenden Klarheit. Indem sie vor uns lebten und uns anblickten, waren die kleinsten Umstände und

Dinge gegenwärtig, in denen unser Vereintsein mit ihnen sich erfüllt hatte. Ein Zucken, ein Weichwerden des Blicks, ein Sichfeuchten der inneren Hand in einer erregten Stunde, ein betroffenes Stocken, ein Fortgleiten, Fremdwerden, wieder ein Nahesein – alle diese ganz zarten kleinen Dinge waren in uns da, und mit der seltsamsten Deutlichkeit, doch wußten wir kaum, ob, was wir erinnerten, die Regungen des eigenen Innern waren oder die jener andern, deren Gesichter uns anblickten; nur daß es gelebtes Leben war, und Leben, das irgendwo immer fortlebte, denn es schien alles Gegenwart, und die Berge waren in diesem lautlosen, bläulichen Leben der Luft nicht wirklicher als die Erscheinungen, die uns begleiteten.
Mit einem Namen, den einer von uns hinwarf, konnten wir neue hervorrufen. Gestalt auf Gestalt kommt heran, sättigt uns mit ihrem Anblick, begleitet uns, verfließt wieder; andre, anklingend, haben schon gewartet, nehmen die leere Stelle ein, beglänzen einen Umkreis gelebten Lebens, bleiben dann gleichsam am Wege zurück, indessen wir gehen und gehen, als hinge von diesem Gehen die Fortdauer des Zaubers ab, und das Häuflein der Männer auf den Maultieren viele Hunderte von Schritten hinter uns zurückbleibt. Die noch leben und in diesem Licht atmen, kommen zu uns wie die, welche nicht mehr da sind. In diesen Minuten sehen wir alles rein: die geheimnisvolle Kraft Leben lodert in uns nur als Enthüllerin des Unenthüllbaren. Wir sehen ihre Gesichter, wir glauben den Ton ihrer Stimme zu hören, scheinbar unbedeutende kleine Sätze: aber es ist, als enthielten sie den ganzen Menschen; und ihre Gesichter sind mehr als Gesichter: das gleiche wie im Ton jener abgebrochenen Sätze steigt in ihnen auf, kommt näher und näher gegen uns heran, scheint in ihren Zügen, im Unsagbaren ihres Ausdrucks aufgefangen und darinnen befestigt, aber nicht beruhigt. Es ist ein endloses Wollen, Möglichkeiten, Bereitsein, Gelittenes, zu Leidendes. Jedes dieser Gesichter ist ein Geschick, etwas Einziges, das Einzelnste was es gibt, und dabei ein Unendliches, ein Auf-der-Reise-Sein nach einem unsagbar fernen Ziel. Es scheint nur zu leben, indem es uns anblickt: als wäre es unser Gegenblick, um dessenwillen es lebe. Wir sehen die Gesichter, aber die Gesichter sind nicht alles; in den Gesichtern sehen wir die Geschicke, aber auch die Geschicke sind nicht alles. In jedem, der uns grüßt, ist ein Ferneres noch, ein Jenseits von beiden, das uns anrührt. Wir sind wie zwei Geister, die sich zärtlich erinnern, an den Mahlzeiten der sterblichen Menschen teilgenommen zu haben.

Viele Bilder von Jünglingen und Männern waren gekommen und gegangen, da erschien noch einer. Wir sahen ihn auftauchen, der am unsäglichsten gelitten hat, bevor er uns für immer entschwand. Ich sage »Unsre Freunde«, doch waren die Begegnungen spärlich; er kreuzte unsre Lebensbahn, einmal ein leidenschaftliches Gespräch, ein Sichaufreißen ohne Maß, Himmel und Hölle Aufreißen, ein Auseinandergehen wie Brüder, dann wieder fremd, eisig fremd. Aber seine Briefe, ein Wort einmal kalt und groß, andre Worte wie blutend, sein Tagebuch, die wenigen, mit nichts zu vergleichenden Gedichte, alle aus einem einzigen Jahr seines Lebens, dem neunzehnten, und die er haßt, verachtet, in Stücke reißt, wo er sie findet, bespeit, die Fetzen mit Füßen tritt; die Geschichte seiner grausamen letzten Wochen und seines Sterbens, aufgezeichnet von seiner Schwester – so ist sein Bild unsren Seelen eingegraben. Er ist arm und leidet, aber wer dürfte wagen, ihm helfen zu wollen, maßlos einsam – wer, sich ihm nur zu nähern, der mit übermenschlicher Kraft sein Selbst zusammenkrümmt wie einen Bogen, den unbarmherzigsten Pfeil von der Sehne zu schicken; der jede Hand von sich stößt, sich im Unterirdischen der großen Städte verkriecht, jede Annäherung mit Hohn erwidert, vor jeder Erwähnung seiner Gaben, seines Genius zurückweicht, wie der Sträfling vor dem glühenden Eisen, unstet auftaucht, jetzt da, jetzt dort, aus Mazedonien, aus dem Kaukasus, aus Abyssinien einen Brief den Seinen zuwirft, dessen Hoffnungen den Klang haben von Drohungen, dessen trockene Angaben starren wie maßlose Auflehnung und selbstverhängtes Todesurteil. Der um Geld zu ringen meint, um Geld, um Geld, und gegen den eigenen Dämon um ein Ungeheures ringt, ein nicht zu Nennendes. Und nun sehen wir ihn abyssinisches Gebirg herabgetragen kommen, einsamen Felspfad herunter, schweigende Luft: eine ewige Gegenwart, wie hier; es ist, als trügen sie ihn auf uns zu. Er liegt auf der Bahre, das Gesicht mit schwarzem Tuch verdeckt, das eine kranke Knie groß wie ein Kürbis, daß die Decke sich emporwölbt; die schöne abgezehrte Hand, die Hand, von den Schwestern geliebt, reißt manchmal das Tuch vom Gesicht, den Dunklen, Farbigen, die ihn tragen, den Weg zu befehlen; sie wollten langsam schräg den Hang entlang; er will steil hinab, ohne Weg, schnell. Unsagbare Auflehnung, Trotz dem Tod bis ins Weiße des Augs, den Mund vor Qual verzogen und zu klagen verachtend.

Keines dieser Taggesichte war gewaltiger gewesen als dieses letzte.

Was konnte noch kommen? Wir gingen langsamer, und keiner sprach. Fast drohend blickte die Morgensonne auf die fremde ernste Gegend. Weggezehrt war das selbstverständliche Gefühl der Gegenwart, worin Mensch und Tier sich behagen. Fremde Schicksale, sonst unsichtbare Ströme, schlugen in uns auf Festes und offenbarten sich. Der Anblick einer Herde hätte uns erfreut. Ein Vogel in der Luft wäre uns willkommen gewesen. Da kam von ferne ein Mensch auf uns zu. Der Mann ging schnell. Er war allein, und hier geht selten einer allein. Der Hirt geht mit seiner Herde; wer kein Hirt ist, reitet; dieser ging. Er schien uns barhaupt. Hier geht um der Kraft der Sonne willen niemand ohne einen Schutz des Hauptes: also mußte es eine Augentäuschung sein. Er kam näher, er war barhaupt. Sein Haar war schwarz, ums ganze Gesicht ging ein schwarzer, struppiger Bart; sein Gang war wankend. Er hatte einen Knüppel in der Hand, auf den er sich im Gehen stützte. Die Sonne blitzte auf dem harten Gestein, und uns war, er hätte nackte Füße. Das war unmöglich; die Wege bergauf und bergab sind Steingeröll, schneidend wie Messer; nicht der ärmste Bettler, der nicht mindest mit hölzernem Schuhwerk seine Füße schützte. Der Mann kam näher und hatte nackte Füße. Die Fetzen von Beinkleidern, solcher, wie sie die Leute in den Städten tragen, hingen um die abgezehrten Beine. Hier geht niemand, der einem andern Wanderer in der Einöde des Gebirges begegnet, wortlos an ihm vorüber. Er wollte zehn Schritte seitwärts unsres Weges mit schief gesenktem Kopf an uns vorbei, ohne Gruß. Wir riefen ihm die griechischen Worte entgegen, die den gewöhnlichen Gruß bedeuten. Er antwortete, ohne stehenzubleiben, und seine Worte waren deutsche. Da hatte ihm mein Freund schon den Weg vertreten mit einer kurzen Rede und Frage, wie er da herkomme, wo er da hingehe. Indessen stand ich auf drei Schritte, sah auf seinen Füßen geronnenes Blut, an der starken Hand einen tiefen blutigen Riß. Breite Schultern, mächtig der Nacken; das Gesicht zwischen dreißig und vierzig, näher vielleicht den vierzig, elend, von der Schwärze des Bartes noch gelblich bleicher. Die Augen unstet, flakkernd, verwildert zum Blick eines scheuen, gequälten Tieres. Er sagte den Namen: Franz Hofer aus Lauffen an der Salzach, Buchbindergeselle. Das Alter: einundzwanzig Jahre; das Ziel des Weges: Patras. Patras war fünf Tagereisen von hier für einen rüstigen ortskundigen Mann, Berge dazwischen, öde Flächen, eine Meeresbucht. Wenn er sich nicht auf den Stock stemmte, schütterte sein Leib, und seine Lippen flogen.

Das Fieber habe er schon seit drei Monaten. Darum habe er heim wollen. Von Alexandrien in Ägypten bis zur Hafenstadt Piräus habe ihn ein Schiffsheizer unten im Kohlenraum liegen lassen, der sei aber weitergefahren nach Konstantinopel, darum müsse er jetzt zu Fuß gehen gegen Triest. Wie er den Weg zu finden meinte? Den habe er dahier. Er zog unter dem Leibriemen einen Fetzen Papier hervor, da waren mit Bleistift, fast schon verwischt, die Namen von Ortschaften aufgeschrieben. Er wies auf einen: dorthin müsse er heute. Der Ort lag gegen Delphi hin, acht Stunden Gehens von hier, wo wir standen, wenn man den Weg kannte und die geringen Zeichen richtig wußte in der öden Landschaft. Ob er die Sprache des Landes spräche? Kein Wort: die Leute verstünden einen nicht, wenn man deutsch oder italienisch redete, das sei verflucht. Wann er die letzte Mahlzeit gehalten hätte? Gestern mittag ein Stück Brot und heute einen Trunk Wasser an einem Quell dort hinten. Das war der Quell, auf den wir zugingen, halbwegs Chäronea in Böotien.
Indessen waren unsre Leute mit den Maultieren herangekommen, standen herum und waren erstaunt über den Wanderer. Wir reichten ihm Wein in einem kleinen Becher, seine Hand zitterte wild und verschüttete mehr als die Hälfte; dann gaben wir ihm Brot und Käse, und sein Mund schütterte so kläglich, daß er die Bissen kaum hineinbrachte. Wir hießen ihn niedersitzen; er sagte, er habe keine Zeit, er müsse heute noch sehr weit gehen. Hier stieß etwas Irres in seinem Blick hervor. Wir sagten, wir würden ihm jetzt etwas Geld geben; ob dann einer von uns für ihn an seine Heimatgemeinde schreiben sollte, damit die zu ihm gehörten wüßten, daß er krank sei und wie es um ihn stünde. Das sollten wir um alles nicht unternehmen, das verbitte er sich, das wäre ihm verflucht, das ginge niemanden daheim etwas an, wie es um ihn stünde. Und sogleich wandte er sich und fing schon an zu gehen, auf den Knüttel gestützt. Wir ihm nach und sagten, er solle aufsitzen auf eines der Maultiere und mit uns zurück; wir würden ihn bis Athen und zur Hafenstadt Piräus bringen und ihm dort das Geld auf die Hand geben zur Fahrt bis Triest und darüber. Unsre Wegweiser, die verstanden was wir wollten, hatten schon ein satteltragendes Maultier herangeschoben und griffen ihn an, ihn in den Sattel zu heben. Er aber trat hinter sich mit aufgehobenem Knüppel: Das wäre ihm verflucht, den Weg zurück noch einmal zu machen, den er schon seit so vielen Tagen nach vorwärts gemacht habe – das solle sich niemand unterstehen, ihn

zwingen zu wollen. Nun konnte man, wie er so drohend dastand und den Stock gegen uns hob, aber mit merklich schütterndem Arm, sehen, was er für ein großer, starker Mensch war und welche Unbändigkeit in ihm steckte und wie er der Gewalttätige eines ganzen Dorfes sein konnte und der Gefürchtete, und wie dies alles herabgewüstet war zu einem tierhaft umängstigten Wesen, das sich noch diesen Tag und den nächsten hinschleppen mochte und vor Nacht hinfallen und eines elenden und einsamen Todes sterben würde. Ließen wir jetzt von ihm ab, dann kam er nicht lebendig aus diesem Gebirge. Wir hießen die Wegweiser zurücktreten und gingen, wir beide allein, zu ihm hin. Wir sagten ihm, wir wollten ihn nicht im Stich lassen, er solle selber sagen, was er von uns wolle; was immer es wäre, wir würden es tun. »Dorthin will ich«, sagte er und zeigte die Richtung; es war die, aus welcher wir kamen. So solle er sich auf das Maultier setzen und festbinden lassen im Sattel; wir wollten ihm zwei von den Wegweisern mit ihren Tieren mitgeben, die brächten ihn noch heute bis nach einem Dorf am Abhang des Parnaß, von wo er die Meeresbucht sehen konnte, an deren andrem Ende Patras lag; und sie würden für ihn die Herberge ausfindig machen und das gewöhnliche Fußkleid der Landesbewohner für ihn kaufen. Dort solle er sich pflegen und die Wunden an seinen Füßen heilen lassen und sich stille halten sechs oder auch zehn Tage lang. Dann würden wir wieder hinkommen und ihn mit uns nehmen bis Patras.

Er faßte das vordere und hintere Ende, wo der Sattel erhöht ist, und zog sich mit Anstrengung hinauf und die Wegweiser halfen ihm, den sie den »fremden Herrn Bettler« nannten und banden ihn mit Anstand und Ehrerbietung quersitzend, wie bei uns die Frauen, am Sattel fest. Dann ging das Maultier den Weg an, und der gebundene Mensch schwankte dahin, bergauf, wir aber waren gleichfalls aufgesessen und ließen uns bergab gegen Chäronea tragen und ritten schweigend.

Befremdlich war das eifrige Fußheben der Maultiere nach vorwärts und in einer befremdlichen Luft vollzog sichs, daß wir an jene Wasserader kamen, die rein und schnell zwischen dem Gestein dahinfloß, daß man die Maultiere abschirrte, daß die Männer an der Erde lagen und neben den Maultieren tranken, und daß wir, oberhalb zwischen niedrigen Sträuchern, uns hinließen, zu trinken wie sie. Hier war vor wenigen Stunden auch er gelegen, der Schiffbrüchige, das wandelnde nackte Menschenleben, und ringsum lauerte die ganze Welt wie ein einziger Feind. Mir war, da ich nun hier trank, als flösse das Wasser von seinem Herzen zu meinem. Sein Gesicht blickte mich an, wie früher jene Gesichter mich angeblickt hatten; ich verlor mich fast an sein Gesicht, und wie um mich zu retten vor seiner Umklammerung, sagte ich mir: »Wer ist dieser? Ein fremder Mensch!« Da waren neben diesem Gesicht die andern, die mich ansahen und ihre Macht an mir übten, und viele mehr. Nichts in mir wußte in diesem Augenblick zu sagen, ob es Fremde unter Fremden waren, deren Gesichter auf mich gewandt waren oder ob ich irgendwann irgendwo zu jedem von ihnen gesagt hatte: »Mein Freund!« und vernommen hatte: »Mein Freund!« Ohne Übergang wurde etwas in mir gegenwärtig, etwas Fernes, lieblich-angstvoll Versunkenes: ein Knabe, an dem Gesichter von Soldaten vorüberziehen, Kompagnie auf Kompagnie, unzählig viele, ermüdete, verstaubte Gesichter, immer zu vieren, jeder doch ein Einzelner und keiner, dessen Gesicht der Knabe nicht in sich hineingerissen hätte, immer stumm von einem zum andern tastend, jeden berührend, innerlich zählend: »Dieser! Dieser! Dieser!«, indes die Tränen ihm in den Hals stiegen.

Ein Etwas blieb irgendwo über diesem kreisend, nichts als ein Staunen, ein Nirgendhingehören, ein durchdringendes Alleinsein, ein durchdringendes fragendes »Wer bin ich?« Da, im Augenblick des bangsten Staunens, kam ich mir wieder, der Knabe sank in mich hinein, das Wasser floß unter meinem Gesicht hinweg und bespülte die eine Wange, die aufgestützten Arme hielten den Leib, ich hob mich, und es war nichts weiter als das Aufstehen eines, der an fließendem Wasser mit angelegten Lippen einen langen Zug getan hatte.

Aber diese Stunde, und die nächste dann, bis Chäronea, und die folgenden, da wir in die Eisenbahn stiegen und durch Böotien und Attika getragen wurden, bis der Zug in der Bahnhofshalle von Athen einlief, sah ich eine Landschaft, die keinen Namen hat. Die Berge riefen einander an; das Geklüftete war lebendiger als ein Gesicht; jedes Fältchen an der fernen Flanke eines Hügels lebte: dies alles war mir nahe wie die Wurzel meiner Hand. Es war, was ich nie mehr sehen werde. Es war das Gastgeschenk aller der einsamen Wanderer, die uns begegnet waren.

Einmal offenbart sich jedes Lebende, einmal jede Landschaft, und völlig: aber nur einem erschütterten Herzen.

12.7.81

GOTTHOLD EPHRAIM LESSING

ZUM 22. JANUAR 1929

Die geistige Atmosphäre innerhalb dieser (um Grillparzers Worte zu gebrauchen) »wetterwendischen, in sich selber unklaren« Nation, der deutschen, ist in einer solchen Veränderung begriffen, daß es schwierig erscheint – was jedenfalls während der letzten hundert Jahre nicht für schwierig gegolten hätte –, über einen unbezweifelten Klassiker wie Lessing heute etwas auszusagen, worin zugleich das Verhältnis der Allgemeinheit zu ihm klar zum Ausdruck käme. Eine solche Schwierigkeit wäre für einen Franzosen oder Engländer unverständlich, denn dort pflegen auch die heftigsten politischen und sozialen Änderungen die geistigen Hauptverhältnisse unberührt zu lassen. Innerhalb der deutschen Sprachwelt aber sind wir im Zusammenhang mit dem, was geschehen ist, gewissermaßen in ein anderes Klima geraten, von wo aus zu dem sozusagen selbstverständlich Vorhandenen ganz neue Richtlinien gezogen werden müssen.

Trachtet man aber, in sich selber eine neutrale Ebene herzustellen, so erkennt man, daß die Erscheinung dieses außerordentlichen Menschen Lessing sich immer in der gleichen Entfernung von uns befindet – auf einer anderen Ebene zwar als wir selber, aber ohne daß die Distanz sich merklich verändert hätte. Historisch gesprochen, erkennen wir vielleicht mehr als zuvor seine Zusammenhänge mit dem achtzehnten Jahrhundert, dem er so völlig angehört, und darüber hinaus sogar mit dem sechzehnten, dem Jahrhundert des militanten Protestantismus und des militanten Gelehrtentums. Aber mit absoluten Maßstäben gemessen, ist er uns nahe, und gehört zu den Kräften, unter deren Einfluß wir stehen. Der Ton seiner Polemiken, die Vereinigung der Logik mit etwas Höherem, schwer zu Benennendem – das, was seine Logik so wenig trocken erscheinen läßt –; das Wenige und doch Bedeutende, das unser Gedächtnis von seinem Leben mitträgt; die Struktur seiner Stücke, der Rhythmus in ihnen, das Besondere und Einmalige, herb Männliche, leuchtend Metallische; die merkwürdigen Worte, die gelegentlich über dunkle Gebiete unseres Denkens so blitzartig Licht auswerfen: dies alles ist da und trifft uns mit einer Kraft, der man alles absprechen kann, nur nicht, daß sie lebendig sei. Unsere Schulverfas-

sung, die ja ihrem Geist nach auch schon fast hundert Jahre alt ist, gibt ihm einen imposanten Platz: sie macht aus ihm, mehr als aus einem anderen unserer geistigen Vorfahren, einen Gefährten der Jugend. Man kann zweifeln, wie weit sechzehnjährige Knaben imstande sind, durch solche Verkleidungen hindurch wie den »Laokoon« und die »Hamburgische Dramaturgie« das Großartige seines Charakters zu spüren, aber etwas bleibt von einer solchen Begegnung bei den Empfänglicheren. In einer viel sinnfälligeren Weise hält ihn das Theater am Leben. Da sind diese drei Stücke: »Minna von Barnhelm«, »Emilia Galotti«, »Nathan der Weise«. Sie sind heute wirksam wie je. Es ist keine Phrase, wenn man sagt, daß durch ihr Wegfallen das Repertoire sehr fühlbar verarmen würde. Was sie stark macht, ist nicht die Erfindung allein und nicht die Charakteristik allein, sondern daß diese beiden ineinandergehen. Lessing hat ausgezeichnete Rollen geschrieben: darum erhalten die Schauspieler seine Stücke auf dem Theater. Aber diese Rollen stehen nicht für sich; sie stehen in Gruppen, und in diesen Gruppen liegt ein ungeheurer Kalkül: so machen die Rollen einander wechselweise noch stärker, als jede für sich schon wäre. Auskalkuliert ist alles an diesen Figuren, aber von einem Mann, dessen Genie die Logik und die Berechnung war. Shakespeare beiseite und Calderon beiseite; aber man nenne mir unter den Deutschen oder überhaupt unter den Modernen, die fürs Theater gearbeitet haben, einen, der es in sich gehabt hätte, aus der auskalkulierten Notwendigkeit, daß er eine Figur brauchte, die dem Odoardo einen Dolch in die Hand spiele, eine Gestalt wie die Orsina herauszuspinnen.
»Emilia« ist das kunstvollste dieser Produkte, im bedenklichen Sinn des Wortes auch, vor allem aber im positiven. Eine Gruppierung wie die: der Prinz, Marinelli, die Orsina, entspringt nur einem Kopf ersten Ranges. Daß der Schluß mit dem Virginiamotiv etwas Überhastetes und Künstliches hat, ist hundertmal ausgesprochen. Auch gegen die Sprache läßt sich alles sagen – hier ist nichts vom Hauchenden, Seelenhaften, das dann durch Goethe in die Sprache auch des Theaters kam, auch nichts vom finstern Naturlaut, den die Stürmer und Dränger aufbrachten; alle diese Figuren reden in scharfen Antithesen, in pointierten Wendungen, wie wenn sie alle Denker wären, – für diese Sprache aber läßt sich nur das eine sagen: sie hat ein solches geistiges Leben in sich, daß sie aus dem Stück etwas Unverwesliches gemacht hat.
»Nathan« hat man den Gipfel von Lessings poetischem Genie genannt;

Friedrich Schlegel nannte es »Lessings Lessing, das Werk schlechthin unter seinen Werken« – andere nennen es ein schwaches Werk, das zwischen der Poesie und Philosophie im Leeren hänge. Das sind Urteile – es ist über wenige Menschen so viel Geistreiches und auch Gescheites gesagt worden wie über Lessing, – aber das Theater gibt die immerhin entscheidende Auskunft, daß »Nathan« auch heute lebt – wenngleich man dieses Stück, für mein Gefühl, nie so gespielt hat, wie es gespielt werden müßte: ganz als das geistreichste Lustspiel, das wir haben, ganz auf die unvergleichliche Gespanntheit dieses Dialoges hin, dies Einander-aufs-Wort-Lauern, Einander-die-Replik-Zuspielen, auf dies Fechten mit dem Verstand (und mit dem als Verstand maskierten Gemüt), wovon das ganze Stück bis in die Figuren der Mamelucken hinab erfüllt ist, fast wie das Stück eines der großen Spanier.
An dem Leben, das in der »Minna« steckt, wagt auch der Zweifel nicht zu zweifeln; hier ist auch die Sprache über dem Nörgeln, aus einem helleren gehämmerten Metall – voll Witz und näher sich herablassend zum Mimischen.
Aber bei scheinbar so großer Verschiedenheit sind sie alle drei innigst verwandt; sie sind wahrhaft die Kinder eines Vaters, und wie seine Polemik aus seinem tiefsten Selbst herauskam, so auch die Dialektik dieser Figuren. Jede von ihnen hat etwas von ihrem Urheber: wie er, stehen sie mitten in einer Nation von Grüblern als höchst ungrüblerische Naturen; den Genuß des Denkens kennen sie alle (das ist, wenn man will, das Unrealistische an ihnen), aber Denken und Handeln sind ihnen eins: das ist das Undeutsche an ihnen.
Er beeinflußte viele, aber in der Stille. Schillers Werden, vor allem der Mut zu den entscheidenden Jugendwerken, ist ohne ihn nicht denkbar; sein Einfluß auf Grillparzer ist versteckt, aber gleichfalls sehr groß: der Dialog Grillparzers, dort wo er am besten, am freiesten von Schiller ist, hat von ihm das Salz im Blut. Andererseits hat er die Iffland und Schroeder hervorgebracht und mit ihnen das ganze deutsche bürgerliche Schauspiel bis auf den heutigen – oder den gestrigen – Tag.
Seine Stücke sind er selbst: seine Wesenheit, Form geworden. So wie diese Figuren sich zueinander und zu sich selber verhalten, so elastisch, bündig, schlagkräftig, voll von einer unglaublichen Wachheit und Bewußtheit (aber ohne alles Zerfaserte und Bohrende), so war er selbst. So verlief diese ganze Existenz. Physiognomisch genommen, um Rudolf Kassner das Wort zu entlehnen, dem seine Arbeiten eine so

große Tragweite gegeben haben, ist es eine Figur von solcher Geschlossenheit, wie die deutsche Literaturgeschichte keine zweite aufzuweisen hat. Das ganze männlich Freie, Trockene seiner Lebensführung; die Existenz als freier Gelehrter, als Rezensent, in einer so dumpfen, gebundenen Welt; die Lust am Umspringen, am Wechsel immer wieder (ohne jedes romantische Schweifen) – am Kampf, in dieser herrisch nüchternen Weise; die paar Freundschaften mit Männern, mit dem unglücklichen Ewald von Kleist, mit Moses Mendelssohn; die späte Brautschaft und Ehe, der tiefe Ernst darin und doch das Schwingende; die letzten Jahre als Bibliothekar in Wolfenbüttel, und der frühe Tod, auch er von einem fast römischen Stil in der Nüchternheit – die Abwesenheit gewollt jeder Repräsentation, lebenslang; die paar Details, die wir wissen: die eingestandene Liebe zum Spieltisch, das immer Traumlose seiner Nächte: alles geht zusammen zu einer imponierenden Einheit wie die Züge an einer römischen Porträtbüste.
Achtung zu fühlen, Achtung zuzuerkennen dort, wo er sie fühlte, das setzte sein Gemüt in Bewegung. Da ihm edle Juden, oder ein edler Jude, begegneten, bezeigte er den Juden Achtung; er spricht durch den Mund des alten Galotti von jener »guten, unsers Mitleids, unsrer Hochachtung so würdigen Gattung der Wahnwitzigen«. Die Gesinnung im allgemeinen ist die des Jahrhunderts, aber im Ausdruck ist der ganze Lessing. In der Art, wie er Achtung zuerkannte (und wie er sie verweigerte), liegt das ganze Pathos des Menschen; ein schwingender Stahlstab, fix an einem granitenen Sockel, dem Verstand. Neben ihm, nach ihm, bricht der Schwall durch: der Überschwang des »Werther« (den er geringschätzte), der Überschwang der Stürmer und Dränger (die er mißachtete), Jean Paul, die Romantik, Hegel, Fichte, Schelling: das Ausschweifende des Geistes, mit dem diese »gedankenvolle, aber tatenarme« Nation auf die französische Ausschweifung des Handelns antwortete.
Er war von einem anderen Geschlecht; er zeigte eine Möglichkeit deutschen Wesens, die ohne Nachfolge blieb; er beherrschte den Stoff, statt sich von ihm beherrschen zu lassen. Seine Bedeutung für die Nation liegt in seinem Widerspruch zu ihr. Innerhalb eines Volkes, dessen größte Gefahr der gemachte Charakter ist, war er ein echter Charakter.

14. 7. 81

GRILLPARZERS POLITISCHES VERMÄCHTNIS

Feldmarschall Radetzky und sein Sänger
Gelten in der Not, allein nicht länger!
Grillparzer

In bedrängten Epochen wird der denkende Österreicher immer auf Grillparzer zurückkommen und dies aus zweifachem Grunde: einmal, weil es in Zeiten, wo alles wankt, ein Refugium ist, in Gedanken zu seinen Altvordern zurückzugehen und sich bei ihnen, die in der Ewigkeit geborgen sind, des nicht Zerstörbaren, das auch in uns ist, zu vergewissern; zum andern, weil in solchen Zeiten alles Angeflogene und Angenommene von uns abfällt und jeder auf sich selbst zurückkommen muß; in Grillparzer aber, der eine große Figur ist und bleibt so wenig er eine heroische Figur ist – treffen wir von unserem reinen österreichischen Selbst eine solche Ausprägung, daß wir über die Feinheit und Schärfe der Züge fast erschrecken müssen. Nur unser Blick ist sonst zuweilen unscharf, ihn und uns in ihm zu erkennen. Die Not der Zeiten aber schärft den Blick.
Grillparzer war kein Politiker, aber neben Goethe und Kleist der politischste Kopf unter den neueren Dichtern deutscher Sprache. Liest man eine seiner politischen Studien, etwa die über den Fürsten Metternich, so ergibt sich, mag man ihm recht geben oder nicht, das Gefühl seiner Kompetenz, ja dieses allenfalls schon aus dem berühmten Resümee dieser Charakteristik in sieben Worten: »Ein guter Diplomat, aber ein schlechter Politiker«. Neben einer solchen kompetenten Behandlung des Politischen erscheint das, was gelegentlich ein so bedeutender Zeitgenosse wie Hebbel politisch äußert, eher nur als die geistreiche Anknüpfung eines Außenstehenden, Ideologie; doch bleibt es wenigstens stets gedanklich wesenhaft; wogegen die meisten politischen Äußerungen gleichzeitiger Dichter in Vers und Prosa ins Gebiet des bloß Rednerischen, in höherem Sinn Gehaltlosen gehören und darum den Tag nicht überlebt haben. Eben darum aber galt Grillparzer den sukzessiven Schichten seiner Zeitgenossen kaum als politischer Kopf; wo die anderen Jungdeutsche, St. Simonisten, Liberale, Republikaner oder was immer Großartiges und Allgemeineuropäisches waren, war er Österreicher und gewissermaßen Realpolitiker. Wo die andern ins Allgemeine gingen, sah er das Besondere; er erfaßte das Bleibende, auch im Unscheinbaren, seine politischen Erwägungen sind

immer gehaltvoll. Seine Tadler, wie Goethes Tadler, wollten ihn zeitgerechter: er war auf das Wirkliche gerichtet. Die Gegenwart bringt immer einen Schwall von Scheingedanken auf, aber des Denkenswerten ist wenig: er dachte das Denkenswerte. Man wollte von ihm die allgemeine politische Deklamation, er sah vor sich eine politische Materie, die ihn anging, die einzig in ihrer Art war, dieses alte lebendige Staatsgebilde, sein Österreich.

Dieses liebte er und durchdrang es mit scharfem, politischem Denken; aber er liebte es nicht, sich unter die politische Kleie zu mengen, so war er den einen zu fortschrittlich, den andern zu reaktionär, den Ämtern schien er kühn und bedenklich, von der andern Seite gesehen kalt und an sich haltend; für die, welche allein politisch zu leben meinten, war er bei Lebzeiten ein toter Mann: nun ist freilich er lebendig, die anderen tot.

In den Studien, den Epigrammen und Gedichten ist ein reichliches politisches Vermächtnis, ein größeres in den Dramen. Seine großen durchgehenden Themata waren diese: Herrschen und Beherrschtwerden, und Gerechtigkeit. Diese abzuwandeln, schuf er eine Kette großer politischer Figuren: den Bancban und seinen König, Ottokar und Rudolf von Habsburg, Rudolf II., Libussa. Man hat eine Gewohnheit angenommen, diese Seite seiner Welt über dem Zauber seiner Frauenfiguren zu übersehen, aber in einer schöpferischen Natur verschränkt sich vieles, und wer das Große einseitig betrachtet, verarmt nur selber.

Politik ist Menschenkunde, Kunst des Umganges, auf einer höheren Stufe. Ein irrationales Element spielt hier mit, wie beim Umgang mit Einzelnen: wer die verborgenen Kräfte anzureden weiß, dem gehorchen sie. So offenbart sich der große politische Mensch. Vom Dichter ist es genug, wenn er die Mächte ahnt und mit untrüglichem Gefühl auf sie hinweist.

Für Österreich kommen ihrer zwei in Betracht, die von den politischen Zeitideen nur leicht umspielt werden, wie Gebirg und Tal von wechselnden Nebelschwaden: der Herrscher und das Volk. Zu beiden von den Zeitpolitikern nicht immer klar als solche erkannten Hauptmächten stand Grillparzers Gemüt und Phantasie in unablässiger Beziehung. Ihn trieb ein tiefer Sinn, sich wechselweise in beide zu verwandeln: er war in seinem Wesen Volk und war in seinen Träumen Herrscher. In beiden Verwandlungen entwickelte er das Besondere, Starke, Ausharrende seiner österreichischen Natur.

Vielleicht darf man hier zwei Gestalten etwas überraschend zusammenstellen: Rudolf II. und die Frau aus dem Volke im »Armen Spielmann«, die Greislerstochter. Beide zusammen geben symbolisch Grillparzers Österreich. Sie sind beide von starker und tiefer Natur, geduldig, weise, gottergeben, unverkünstelt und ausharrend. Beide sind sie scheu und gehemmt; beide bedürfen sie des Mediums der Liebe, um von Menschen nicht verkannt zu werden, aber mit Gott und der Natur sind sie im reinen.

Man spricht nicht selten von einer gewissen Kunstgesinnung, wofür L'art pour l'art das Schlagwort ist und die man mit lebhaftem Unmut ablehnt, ohne sich immer ganz klar zu sein, was darunter zu verstehen ist; aber man darf nicht vergessen, daß eine ähnliche Gesinnung auf allen Lebensgebieten sich beobachten ließe, überall gleich unerfreulich: der Witz um des Witzes willen, das Geschäft um des Geschäftes willen, das Faktiöse um des Faktiösen willen, die Deklamation um der Deklamation willen. Es gibt ein gewisses L'art pour l'art der Politik, das viele Übel verschuldet hat; in die politische Rhetorik um der Rhetorik willen ist der Dichter, der als Politiker hervortreten will, zu verfallen in ernster Gefahr. Grillparzer war viel zu wesenhaft, um dies nicht scharf von sich abzulehnen; die Laufbahn Lamartines oder etwa die Aspirationen der Professoren und Dichter, die in der Frankfurter Paulskirche laut wurden, lockten ihn nicht. Eine einzige Anknüpfung an das praktische politische Leben wäre seiner Natur möglich gewesen: im persönlich-dienstlichen Verhältnis zu einem schöpferischen Staatsmann, zu Stadion. Wo nämlich am politischen Fachmann jene freundlich glänzende Seite hervortritt, wo der Weltmann und Philosoph wird wie Prinz Eugen und Friedrich II., wie Kaunitz und de Maistre, da ergibt sich die Möglichkeit, daß er auch andere produktive Kräfte ins Spiel setze als die rein politischen. So entsteht Kultur: als ein Bewußtwerden des Schönen in dem Praktischen, als eine vom Geist ausgehende Verklärung des durch Machtverhältnisse konstruktiv Begründeten. So hat Goethe Kultur definitiert: »Was wäre sie anders als Vergeistigung des Politischen und Militärischen?«

Hier war für Grillparzer die Konstellation nicht glücklich: er war zu unreif, als eines solchen Mannes wie Stadions Blick auf ihn fiel; später, als die schwere Krise von 1848 ihn für einen Augenblick im reinsten Sinne zum Politiker machte und zu einer ephemeren geistig-politischen Macht erhob, war er überreif. In den dazwischenliegenden Jahrzehnten hatte man ihn nicht gerufen. Es fehlt in Österreich selten an geistigen Kräften, öfter an dem Willen, von ihnen Gebrauch zu machen.

Grillparzer geht aus dem alten Österreich hervor und ragt in das neue hinein; er steht mitten zwischen der Zeit Maria Theresiens und unsrer eigenen. Sein Charakter, der hierher und dorthin paßt, beiderseits als ein lebendig zugehörendes Element, gibt uns den Begriff eines unzerstörbaren österreichischen Wesens. Man hat die spezifisch österreichische Geistigkeit gegenüber der süddeutschen etwa oder der norddeutschen oder der schweizerischen öfter abzugrenzen gesucht. Der Anteil an Gemüt, an Herz wird eifersüchtig bestritten; dieser geheimnisvollsten höchsten aller Fibern, zu der alles sich hinaufbildet, vindiziert jedes Volk eben die Eigenschaften, welche ihm, seiner Natur nach, die kostbarsten scheinen. Es ist nicht die dunkle Tiefe, durch welche das österreichische Gemüt den Kranz erringt, sondern die Klarheit, die Gegenwart. Der Deutsche hat ein schwieriges, behindertes Gefühl zur Gegenwart. Sei es Epoche, sei es Augenblick, ihm fällt nicht leicht, in der Zeit zu leben. Er ist hier und nicht hier, er ist über der Zeit und nicht in ihr. Darum wohl ist bei keinem Volk so viel von der Zeit die Rede, als bei den Deutschen; sie ringen um den Sinn der Gegenwart, uns ist er gegeben. Dies Klare, Gegenwärtige ist am schönsten im österreichischen Volk realisiert, unter den oberen Ständen am schönsten in den Frauen. Dies ist der geheime Quell des Glücksgefühls, das von Haydns, Mozarts, Schuberts, Strauß' Musik ausströmt und sich durch die deutsche und die übrige Welt ergossen hat. Dies Schöne, Gesegnete würde ohne uns in Europa, in der Welt fehlen.

Dies ist auch der Seelenpunkt in Grillparzers dichterischen Werken, wodurch sie sich als österreichische hervorheben. Aber alle anderen Seiten des österreichischen Wesens sind an ihm nicht minder wahrnehmbar: zu diesen dürfen wir die natürliche Klugheit rechnen, die naiv ist, den Mutterwitz ohne einen Zusatz des Witzelnden, welches als ein von Natur Fremdes neuerdings hinzugetreten ist oder hinzutreten möchte; eine völlige Einfachheit, wovon der oberste Stand sich den Begriff der Eleganz ausgeprägt hat – der sich mit dem tieferen der Vornehmheit kaum berührt; dann eine gewisse Kargheit und Behinderung des Ausdrucks, das Gegenteil etwa der preußischen Gewandtheit und Redesicherheit: jenes lieber zuwenig als zu viel zu sagen, war bei Grillparzer bis zum Grillenhaften ausgebildet; in der Tat sagt er meistens mehr, als es auf den ersten Blick scheinen mochte. Im Ablehnen von Phrasen nicht nur, auch von neu aufkommenden Wörtern und Bildungen war er unerbittlich; das Übertreiben in Worten war ihm das wahre Symbol der um sich greifenden Schwäche und Liederlichkeit. Zum Schlusse nenne ich den österreichischen Sinn für das Gemäße, die schöne Mitgift unsrer mittelalterlichen, von zartester Kultur durchtränkten Jahrhunderte, wovon uns trotz allem noch heute die Möglichkeit des Zusammenlebens gemischter Völker in gemeinsamer Heimat geblieben ist, die tolerante Vitalität, die uns durchträgt durch die schwierigen Zeiten und die wir hinüberretten müssen in die Zukunft. Von ihr war in Grillparzer die Fülle und ganz unbewußt, sein Österreichertum hatte nichts Problematisches. Seinem innersten Gemüt, dem Leben seines Lebens, der Phantasie standen die slawischen Böhmen und Mährer nahe, wie die Steirer oder Tiroler; er polemisiert gegen Palacky, aber wie formuliert er seinen Vorwurf: daß er allzu deutsch sei, allzu weit von deutschen Zeitideen sich verlocken lasse. Daß Böhmen zu uns gehört, die hohe, unzerstörbare Einheit: Böhmen und die Erblande, dies war ihm gottgewollte Gegebenheit, nicht ihm bloß, auch dem Genius in ihm, der aus dieser Ländereinheit von allen auf Erden seine Heimat gemacht hatte. Schillers Dramen spielen noch in aller Herren Ländern, die Grillparzers eigentlich alle in Österreich. Die griechischen haben ihren Schauplatz nirgends, es geht in ihnen das Heimatliche im zeitlosen idealisierten Gewande, von den andern haben vier den Schauplatz auf böhmischem und erbländischem Boden, eines in Spanien, das in gewissem Sinne zur österreichischen Geschichte dazu gehört, eines auf ungarischem. Der Kontrast zwischen slawischem und deutschem Wesen, verkörpert in Ottokar und Rudolf von Habsburg, tut niemandem weh, denn es ist das glänzende, dämonisch kraftvolle, aber unsichere slawische Seelengebilde mit ebensolcher gestaltender Liebe gesehen wie das schlichte tüchtige des Deutschen, der auf Organisation und Dauerhaftigkeit ausgeht. Die dunkle Drahomira, die so lange in den Räumen seiner Seele wohnte, aber nie ans Licht trat, und die helle Libussa, das späteste Kind seiner Phantasie, sind beide mit slawischem Wesen liebevoll durchtränkt, und Hero, die Wienerin Hero, ist nicht ohne einen Tropfen jähen slawischen Blutes.

Er klagte und tadelte, aber er schuf und liebte; sein Österreich ist so groß, so reich, so natürlich und das »Austria erit« in seinem Munde eine Selbstverständlichkeit. Er war ein Spiegel des alten, des mittleren Österreich: wenn das neue in ihn hineinsieht, kann es gewahr werden, ob es nicht etwa ärmer geworden ist, ob wir nicht etwa an Gehalt verloren haben und an Seelenwärme. Ob, wenn schon sein Tadel auch uns zu treffen vermag – doch auch sein Lob noch immer gerechtfertigt ist – und für wen? Sein Stolz, sein Zutrauen noch immer begründet – und auf wen?

ANDREAS

[ROMAN – FRAGMENT]*

Es hat in unsrer Mitte Zauberer
Und Zauberinnen, aber niemand weiß sie.
Ariost

»Das geht gut«, dachte der junge Herr Andreas von Ferschengelder, als der Barkenführer ihm am 17. September 1778 seinen Koffer auf die Steintreppe gestellt hatte und wieder abstieß, »das wird gut, läßt mich der stehen, mir nichts dir nichts, einen Wagen gibts nicht in Venedig, das weiß ich, ein Träger, wie käme da einer her, es ist ein öder Winkel, wo sich die Füchse gute Nacht sagen. Als ließe man einen um sechs Uhr früh auf der Rossauerlände oder unter den Weißgärbern aus der Fahrpost aussteigen, der sich in Wien nicht auskennt. Ich kann die Sprache, was ist das weiter, deswegen machen sie doch aus mir was sie wollen! Wie redet man denn wildfremde Leute an, die in ihren Häusern schlafen – klopf ich an, und sag: Herr Nachbar?« Er wußte, er würde es nicht tun, – indem kamen Schritte näher, scharf und deutlich in der Morgenstille auf dem steinernen Erdboden; es dauerte lange, bis sie näher kamen, da trat aus einem Gäßchen ein Maskierter hervor, wik-kelte sich fester in seinen Mantel, nahm ihn mit beiden Händen zusammen und wollte quer über den Platz gehen. Andreas tat einen Schritt vor und grüßte, die Maske lüftete den Hut und zugleich die Halblarve, die innen am Hut befestigt war. Es war ein Mann, der vertrauenswürdig aussah, und nach seinen Bewegungen und Manieren gehörte er zu den besten Ständen. Andreas wollte sich beeilen, es dünkte ihn unartig, einen Herrn, der nach Hause ging, zu dieser Stunde lang aufzuhalten, er sagte schnell, daß er ein Fremder sei, eben vom festen Land herübergekommen, aus Wien über Villach und Görz. Sogleich erschien ihm überflüssig, daß er dies erwähnt hatte, er wurde verlegen und verwirrte sich im Italienischreden.

Der Fremde trat mit einer sehr verbindlichen Bewegung näher und sagte, daß er ganz zu seinen Diensten sei. Von dieser Gebärde war vorne der Mantel aufgegangen, und Andreas sah, daß der höfliche Herr unter dem Mantel im bloßen Hemde war, darüber nur Schuhe

* Aus dem einzig zusammenhängenden Fragment ›Die wunderbare Freundin‹ wird hier außer der venezianischen Rahmenerzählung die im Rückblick erzählte Finazzer-Geschichte dargeboten.

ohne Schnallen und herabhängende Kniestrümpfe, die die halbe Wade bloß ließen. Schnell bat er den Herrn, doch ja bei der kalten Morgenluft sich nicht aufzuhalten und seinen Weg nach Hause fortzusetzen, er werde schon jemanden finden, der ihn nach einem Logierhaus weise oder zu einem Wohnungsvermieter. Der Maskierte schlug den Mantel fester um die Hüften und versicherte, er habe durchaus keine Eile. Andreas war tödlich verlegen im Gedanken, daß der andere nun wisse, er habe sein besonderes Negligé gesehen; durch die alberne Bemerkung von der kalten Morgenluft und vor Verlegenheit wurde ihm ganz heiß, so daß er unwillkürlich auch seinerseits den Reisemantel vorne auseinanderschlug, indessen der Venezianer aufs höflichste vorbrachte, daß es ihn besonders freue, einem Untertan der Kaiserin und Königin Maria Theresia einen Dienst zu erweisen, um so mehr, als er schon mit mehreren Österreichern sehr befreundet gewesen sei, so mit dem Baron Reischach, Obersten der kaiserlichen Panduren, und mit dem Grafen Esterhazy. Diese wohlbekannten Namen, von dem Fremden hier so vertraulich ausgesprochen, flößten Andreas großes Zutrauen ein. Freilich kannte er selber so große Herren nur vom Namenhören und höchstens vom Sehen, denn er gehörte zum kleinen oder Bagatelladel.
Als der Maskierte versicherte, er habe, was der fremde Kavalier brauche, und das ganz in der Nähe, so war es Andreas ganz unmöglich, etwas Ablehnendes vorzubringen. Auf die beiläufig schon im Gehen gestellte Frage, in welchem Teil der Stadt sie hier seien, erhielt er die Antwort, zu Sankt Samuel. Und die Familie, zu der er geführt werde, sei eine gräflich patrizische und habe zufällig das Zimmer der ältesten Tochter zu vergeben, die seit einiger Zeit außer Hause wohne. Indem waren sie auch schon in einer sehr engen Gasse vor einem sehr hohen Hause angelangt, das wohl ein vornehmes, aber recht verfallenes Ansehen hatte und dessen Fenster anstatt mit Glasscheiben alle mit Brettern verschlagen waren. Der Maskierte klopfte ans Tor und rief mehrere Namen, hoch oben sah eine Alte herunter, fragte nach dem Begehren, und die beiden parlamentierten sehr schnell. Der Graf selbst wäre schon ausgegangen, sagte der Maskierte zu Andreas, er gehe immer so früh aus, um das Nötige für die Küche zu besorgen. Aber die Gräfin sei zu Hause; so werde man wegen des Zimmers unterhandeln und auch gleich Leute nach dem zurückgelassenen Gepäck schicken können.
Der Riegel am Tor öffnete sich, sie kamen in einen engen Hof, der voll

Wäsche hing, und stiegen eine offene und steile Steintreppe empor, deren Stufen ausgetreten waren wie Schüsseln. Das Haus gefiel Andreas nicht, und daß der Herr Graf so früh ausgegangen war, um das Nötige für die Küche zu besorgen, verwunderte ihn, aber daß es der Freund der Herren von Reischach und Esterhazy war, der ihn einführte, machte einen hellen Schein über alles und ließ keine Traurigkeit aufkommen.

Oben stieß die Treppe an ein ziemlich großes Zimmer, in dem an einem Ende der Herd stand, an dem anderen ein Alkoven abgeteilt war. An dem einzigen Fenster saß ein junges halberwachsenes Mädel auf einem niedrigen Stuhl, und eine nicht mehr junge, aber noch ganz hübsche Frau war bemüht, aus dem schönen Haar des Kindes einen höchst künstlichen Chignon aufzutürmen. Als Andreas und sein Führer das Zimmer betraten und die Hüte abnahmen, stob das Kind laut aufschreiend davon ins Nebenzimmer und ließ Andreas ein mageres Gesicht mit dunklen reizend gezeichneten Augenbrauen gewahren, indessen der Maskierte sich an die Frau Gräfin wandte, die er als Cousine anredete, und ihr seinen jungen Freund und Schützling vorstellte.

Es gab ein kurzes Gespräch, die Dame nannte einen Preis für das Zimmer, den Andreas ohne weiteres zugestand. Er hätte um alles gern gewußt, ob es ein Zimmer nach der Gasse hin sei oder ein Hofzimmer, denn in einem solchen seine Zeit in Venedig zu verbringen hätte ihm traurig geschienen, auch ob er hier in der inneren Stadt sei oder in der Vorstadt. Aber er fand nicht den Augenblick für seine Frage, denn das Gespräch zwischen den beiden anderen ging immer weiter, und das verschwundene junge Geschöpf wippte mit der Tür und rief energisch von innen heraus, da müßte sofort der Zorzi aus dem Bett herausgebracht werden, denn er liege oben und habe seinen Magenkrampf. Darauf hieß es, die Herren sollten nur hinaufgehen; den unnützen Menschen aus dem Zimmer zu entfernen, das würden schon die Buben besorgen. Er werde auf der Stelle ausziehen und das Gepäck des Ankömmlings dafür hinaufgeschafft werden. Sie bat entschuldigt zu sein, wenn sie den Herrn nicht selbst hinaufbegleite, sondern dies dem Cousin überlasse, denn sie habe alle Hände voll zu tun, weil sie die Zustina zurichten müsse, um mit ihr die Besuche wegen der Lotterie zu machen. Es müßten heute sämtliche Protektoren der Liste nach im Laufe des Vor- und Nachmittags besucht werden.

Andreas hätte nun wieder gerne gewußt, was es mit diesen Protektoren und der Lotterie auf sich habe, doch da sein Mentor die Sache mit lebhaftem und beifälligem Nicken als bekannt hinzunehmen schien, fand er keine schickliche Gelegenheit zu einer Frage, und man stieg hinter den zwei halbwüchsigen Jungen, die Zwillinge sein mußten, die steile Holztreppe hinauf nach Fräulein Ninas Zimmer.
Vor der Tür machten die Knaben halt, und als ein mattes Stöhnen herausdrang, sahen sie einander mit den flinken Eichhörnchenaugen an und schienen sehr befriedigt. Auf dem Bett, dessen Vorhänge zurückgeschlagen waren, lag ein bleicher junger Mensch. Ein Holztisch an der Wand und ein Stuhl waren mit schmutzigen Pinseln und Farbtöpfchen besetzt, eine Palette hing an der Wand. Gegenüber hing ein klarer sehr hübscher Spiegel, sonst war der Raum leer, aber licht und freundlich. »Ist dir besser?« sagten die Knaben. – »Besser«, stöhnte der Liegende. – »So kann man den Stein weggeben?« – »Ja, ihr könnt ihn weggeben.« – »Wenn einer Magenkrampf hat, muß man ihm den Stein auf den Magen legen, dann wird er gesund«, meldete der eine der beiden Knaben, indes der zunächst Dabeistehende den Stein, den abzuheben kaum ihre angespannten vereinten Kräfte hinreichten, von dem Kranken wälzte.
Andreas war es greulich, daß man einen leidenden Menschen so um seinetwillen aus dem Bett warf. Er trat ans Fenster und schlug den halbangelehnten Laden vollends zurück: unten war Wasser, und kleine besonnte Wellen schlugen an die bunten Stufen eines recht großen Gebäudes gerade gegenüber, und an einer Mauer tanzte ein Netz von Lichtkringeln. Er beugte sich hinaus, da war noch ein Haus, dann noch eins, dann mündete die Gasse in eine große breite Wasserstraße, auf der die volle Sonne lag. An dem Eckhaus sprang ein Balkon vor, mit einem Oleanderbaum darauf, dessen Zweige der Wind bewegte, auf der anderen Seite hingen Tücher und Teppiche aus luftigen Fenstern. Über dem großen Wasser drüben stand ein Palast mit schönen Steinfiguren in Nischen.
Er trat ins Zimmer zurück, da war der im Domino verschwunden, der junge Mensch stand auf und beaufsichtigte die Buben, die von dem einzigen Tisch und Stuhl des Zimmers eifrig Farbentöpfchen und Bündel schmutziger Pinsel wegräumten. Er war blaß und ein wenig verwahrlost, aber wohlgestaltet; in seinem Gesicht nichts Häßliches als eine schiefe Unterlippe nach einer Seite herabgezogen, das gab ihm

einen hämischen Ausdruck. – »Haben Sie bemerkt«, wandte er sich an Andreas, »daß er unter dem Domino nichts anhat als sein Hemd? Auch die Schnallen an den Schuhen weggeschnitten. So geht es ihm alle Monat einmal. Nun, Sie verstehen wohl, was wirds sein? Er ist ein verzweifelter Spieler. Was sonst? Sie hätten ihn gestern sehen sollen. Er hatte einen gestickten Rock, eine Weste mit Blumen, zwei Uhren mit Berloquen daran, eine Dose, Ringe an jedem Finger, hübsche silberne Schuhschnallen. So ein Kujon!« Und er lachte, aber sein Lachen war nicht hübsch. – »Sie werden ein bequemes Zimmer haben. Wenn Sie sonst noch etwas brauchen, ich bin stets zu Ihrer Verfügung. Ich kann Ihnen ein Kaffeehaus zeigen, hier nahebei, wo man Sie anständig bedienen wird, wenn ich Sie einführe. Sie können dort Ihre Briefe schreiben, Ihre Bekannten hinbestellen und alles abmachen, außer dem, was man lieber hinter geschlossenen Türen abmacht.« – Hier lachte er wieder, und die beiden Buben fanden den Witz vortrefflich und lachten laut, dabei strengten sie alle Kräfte an, um den schweren Stein aus dem Zimmer zu schleppen; ihre Gesichter sahen der Schwester unten ähnlich.

»Wenn Sie eine Kommission haben, die einen vertrauenswürdigen Menschen erfordert«, fuhr der Maler fort, »so wird es mir eine Ehre sein, wenn Sie mir sie übergeben. Wenn ich nicht zur Hand bin, so nehmen Sie nur einen Furlaner, das sind die einzig verläßlichen Dienstmänner. Sie finden ihrer am Rialto und an jedem größeren Platz und werden sie an der bäurischen Tracht erkennen. Es sind zuverlässige Leute und verschwiegen, merken sich Namen und erkennen auch eine Maske, an ihrem Gang und an den Schuhschnallen. Wenn Sie von da drüben etwas brauchen, so sagen Sie es mir, ich bin Maler des Hauses und habe freien Zutritt zu allen Räumen.«

Andreas verstand, daß er von dem grauen Gebäude gegenüber sprach, das ihm zu groß für ein Bürgerhaus, zu dürftig für einen Palast erschienen war und vor dessen Tor bunte Steinstufen ins Wasser führten. »Ich spreche vom Theater zu Sankt Samuel, dem Haus hier gegenüber. Ich dachte, Sie wüßten das längst. Wir sind alle da drüben beschäftigt. Ich, wie gesagt, bin Dekorationsmaler und Feuerwerker, Ihre Hausfrau ist Logenschließerin, der Alte ist Lichtputzer.« – »Welcher?« – »Der Graf Prampero, bei dem Sie wohnen, wer sonst? Zuerst war die Tochter Schauspielerin, die hat sie alle hineingebracht – nicht diese, die Sie gesehen haben – die Ältere, Nina. Diese ist der Mühe wert, und ich werde

Sie heute nachmittag zu ihr führen. Die Kleine tritt im nächsten Karneval auf. Die Buben machen dringende Wege. – Jetzt will ich mich aber nach Ihrem Gepäck umsehen.«
Andreas blieb allein, schlug die Fensterläden zurück und hakte sie ein. Von dem einen war der Haken zerbrochen, er nahm sich vor, ihn sogleich richten zu lassen. Dann räumte er was noch von Farbtöpfen und Büchsen herumstand vor die Tür und reinigte mit einem Lappen Leinwand, der unter dem Bett lag, seinen Tisch von den Farbenflekken, bis die polierte Fläche sauber glänzte; dann trug er den bunten Lappen hinaus, suchte ein Eck, ihn zu verstecken, und fand dort einen Reisbesen, mit dem er sein Zimmer kehrte. Als dies geschehen war, rückte er den hübschen kleinen Spiegel lotrecht, streifte die Bettvorhänge zurück und setzte sich auf den einzigen Stuhl am Fußende des Bettes, das Gesicht dem Fenster zugewandt. Die freundlich bewegte Luft kam herein, berührte sein junges Gesicht mit leisem Geruch von Algen und Meeresfrische.
Er dachte an seine Eltern und den Brief, den er im Kaffeehaus an sie schreiben müßte. Er nahm sich vor, beiläufig zu schreiben: »Verehrungswürdigste, gnädige Eltern, – ich melde, daß ich in Venedig glücklich eingetroffen. Ich bewohne ein freundliches, sehr reines und luftiges Zimmer bei einer adeligen Familie, die es zufällig zu vergeben hat. Das Zimmer geht auf die Gasse, aber anstatt des Erdbodens ist unten Wasser, und die Leute fahren in Gondeln oder das arme Volk in großen Trabakeln, ähnlich wie Donauzillen; die sind statt der Lastträger. Daher werde ichs auch sehr ruhig haben. Peitschenknall oder Geschrei hört man nicht.« Er dachte noch zu erwähnen, daß es hier Dienstmänner gäbe, die so findig seien, daß sie im Stand wären, eine Maske am Gang und an den Schuhschnallen wiederzuerkennen. Das würde seinem Vater Vergnügen machen zu erfahren, denn er war sehr darauf aus, das Besondere und Kuriose fremder Länder und Gebräuche zu sammeln. Zweifelhaft war ihm, ob er berichten solle, daß er ganz nahe einem Theater wohne. Das war in Wien immer sein sehnsüchtiger Wunsch gewesen. Vor vielen Jahren, als er zehn oder zwölf Jahre alt war, hatte er zwei Freunde, die im Blauen Freihaus auf der Wieden wohnten, auf der gleichen Treppe im vierten Hof, wo in einer Scheune das »beständige Theater« errichtet war. Er erinnerte sich des Wunderbaren, bei denen gegen Abend zu Besuch zu sein, Dekorationen heraustragen zu sehen: eine Leinwand mit einem Zaubergarten, ein Stück

von einer Dorfschenke drinnen, der Lichtputzer, das Summen der Menge, die Mandorlettiverkäufer. Stärker als alles das Durcheinanderspielen aller Instrumente beim Stimmen, das ging ihm durchs Herz noch heute, wie er sich erinnerte. Der Bühnenboden war uneben: der Vorhang an einigen Stellen zu kurz, Ritterstiefel kamen und gingen. Zwischen dem Hals einer Baßgeige und dem Kopf eines Musikanten sah man einmal einen himmelblauen Schuh mit Flittern bestickt. Der himmelblaue Schuh war wunderbarer als alles. – Später stand ein Wesen da, das diesen Schuh anhatte, er gehörte zu ihr, war eins mit ihrem blau und silbernen Gewand: sie war eine Prinzessin, Gefahren umgaben sie, ein Zauberwald nahm sie auf, Stimmen tönten aus den Zweigen, aus Früchten, die von Affen hergerollt wurden, sprangen holdselige Kinder, leuchteten. Die Prinzessin sang, Hanswurst war ihr nahe und doch meilenfern, alles das war schön, aber es war nicht das zweischneidige Schwert, das durch die Seele drang, von zartester Wollust und unsäglicher Sehnsucht bis zu Weinen, Bangen und Beglückung, wenn der blaue Schuh allein unter dem Vorhang da war.
Er beschloß bei sich, daß er die Nähe des Theaters nicht erwähnen würde, auch nicht den sonderbaren Aufzug des Herren, der ihn eingeführt hatte. Er hätte sagen müssen, daß er ein Spieler war, der alles bis aufs Hemd verspielt hatte, oder diesen Umstand auf künstliche Weise verschweigen. So konnte er freilich nicht von Esterhazy erzählen, das hätte die Mutter gefreut. Den Mietpreis wollte er gern erwähnen, zwei Zechinen monatlich, das war auch nach seinem Gelde nicht viel. – Aber was nützte das, wenn er doch durch eine einzige Torheit in einer einzigen Nacht mehr als die Hälfte seines Reisegeldes eingebüßt hatte. Dies würde er den Eltern nie eingestehen dürfen, wozu also prahlen, daß er sparsam wohne. Er schämte sich vor sich selber und wollte einmal an die drei unheilvollen Tage in Kärnten nicht denken, aber da stand schon das Gesicht des schurkischen Bedienten vor ihm, und ob er wollte oder nicht, mußte er sich an alles erinnern, haarklein und von Anfang an: so kam es über ihn, jeden Tag einmal, früh oder abends.

Er war wieder in der Herberge »Zum Schwert« in Villach nach einem scharfen Reisetag und wollte zu Bett gehen. Da, schon auf der Treppe, präsentierte sich ihm ein Mensch als Bedienter oder Leibjäger. Er: er brauche keinen, reise allein, besorge sich tagsüber sein Pferd selber, nachts täte das schon der Hausknecht. Der andere drauf läßt ihn nicht los, steigt Stufe für Stufe mit, immer quer in Frontstellung bis an die Tür, tritt dann in der Tür quer auf die Schwelle, daß sie Andreas nicht zumachen kann: daß es nicht schicklich wäre für einen jungen Herrn von Adel, ohne Bedienten zu reisen, in Italien gäbe das ein miserables Ansehen, da seien sie höllisch proper in diesem Punkt. Und wie er fast lebenslang nichts anderes getan habe als mit jungen Herrn über Land zu reiten, zuletzt mit dem Freiherrn Edmund von Petzenstein, früher mit dem Domherrn Graf Lodron, die werde der Herr von Ferschengelder doch wohl kennen. Wie er bei diesen als Reisemarschall vorausgereist sei, alles bestellt, alles eingerichtet, daß der Herr Graf vor Staunen nicht habe auskönnen: »niemals zuvor sei er so billig gereist«, und es waren die besten Quartiere. Wie er das Flämische spräche und das Ladinische und Italienisch natürlich mit aller Geläufigkeit und die Münzen kenne, und die Streiche der Wirte und der Postillons, da käme ihm keiner auf, jeder sage nur: »gegen den Herren, den Ihr da habt, könne man nicht an, der sei wohlbehütet«. Und wie er Roßkaufen verstände, daß er jeden Roßtäuscher übers Ohr hauen könne, auch einen ungarischen, das seien die gefinkeltsten, geschweige denn einen deutschen und wällischen. Und was die persönliche Bedienung beträfe, da sei er Leiblakei und Friseur und Perückenmacher, Kutscher und Jäger und Piqueur, Büchsenspanner, er verstehe die hohe wie die niedrige Jagd, die Korrespondenz, die Registratur, das Vorlesen und Billettschreiben in allen Sprachen und könne dienen als Dolmetscher oder, wie man im Türkischen spräche, als Dragoman. Es sei ein Wunder, daß ein Mensch wie er frei wäre, auch habe der Freiherr von Petzenstein ihn à tout prix wollen seinem Herrn Bruder zuschanzen, aber er habe es sich in den Kopf gesetzt, den Herrn von Ferschengelder zu bedienen. Nicht um des Lohnes willen, der sei ihm Nebensache. Aber das stünde ihm an, einem solchen jungen Herrn, der seine erste Reise machte, behilflich zu sein und sich ihm lieb und wert zu machen. Das Zutrauen sei es, worauf sein Sinn stünde, das wäre der Lohn, den ein Diener wie er im Auge habe. Um freundschaftliches Zutrauen diene er, und nicht um Geld. Deswegen habe er es auch nicht bei den kaiserlichen Reitern aushalten können, denn dort regiere der Stock und die Angeberei und nicht das Zutrauen. – Hier fuhr er sich mit der Zunge über die feuchte dicke Lippe wie eine Katze.

Nun brachte Andreas hervor: er danke ihm schön für den Dienstwillen, aber er wolle hier keinen Diener nehmen. Später vielleicht in Ve-

nedig einen Lohnbedienten – und damit wollte er die Tür zumachen –, aber der letzte Satz war schon zuviel, die kleine Vornehmtuerei, denn er hatte nie daran gedacht, in Venedig einen Lakaien zu nehmen, die strafte sich. Da spürte der andere am unsicheren Ton, wer in diesem Handel der Stärkere war, und stemmte seinen Fuß gegen die Tür, und wie das kam, fand dann Andreas nie mehr heraus, daß der Kerl dann schon gleich, als wäre das zwischen ihnen abgemachte Sache, von seiner Berittenmachung sprach: da wäre heute Gelegenheit, die käme nie wieder. Diese Nacht zöge ein Pferdehändler hier durch, den kenne er noch vom Domherrn aus, ausnahmsweise kein Türk, der habe ein ungarisches Pferdchen zu verkaufen, das stünde ihm wie angegossen. Wenn er das zwischen die Schenkel bekäme, das täte den Spanischen Tritt binnen heute und einer Woche. Das Bräundl koste, glaube er, neunzig Gulden für jeden andern, aber für ihn siebzig. Das schriebe sich aus den großen Pferdekäufen her, die er für den Domherrn gemacht habe, doch müsse er noch heute vor Mitternacht den Handel gutmachen, der Händler sei ein Frühaufsteher. So möge der gnädige Herr ihm das Geld gleich aus dem Leibgurt geben, oder ob er hinuntergehen sollte und gar den Mantelsack oder den Sattel heraufholen? da wäre sicherlich ein Kapital in Dukaten eingenäht, denn bei sich trüge ein solcher Herr ja nur das Nötigste.
Wie der Mensch von Geld sprach, war sein Gesicht widerlich, unter den frechen, schmutzig blauen Augen zuckten kleine Fältchen im sommersprossigen Fleisch wie kleine Wasserwellen. Er kam Andreas ganz nah, und über die aufgeworfenen nassen dicken Lippen rochs nach Branntwein. Jetzt schob Andreas ihn über die Schwelle hinaus – da fühlte der Kerl, daß der junge Herr stark war, und sagte nichts. Aber Andreas sagte wieder ein Wort zu viel, weil ihm das zu grob war, daß er den Zudringlichen so unsanft angerührt hatte, – er meinte, so etwas Grobes, Handgreifliches würde der Graf Lodron nie getan haben, – und so fügte er noch gewissermaßen zum Abschied bei, er wäre halt heute zu müde, morgen vormittag könnte man ja sehen. Jedenfalls sei vorläufig zwischen ihnen nichts abgemacht.
Morgen mit dem frühesten gedachte er ohne weiteres abzureiten. Damit aber drehte er sich den Strick, denn am andern Morgen, noch ehe es recht hell und Andreas wach war, stand der Kerl schon an der Tür und meldete, er habe bereits für den gnädigen Herrn bare fünf Gulden verdient, dem Roßtäuscher das Prachtpferd um fünfundsechzig abge-

handelt, es stünde unten im Hof, und jeder Gulden unter fünfundsechzig, den der Herr von Ferschengelder verlöre, wenn er das Pferd in Venedig losschlüge, der möge ihm von seinem Lohn abgezogen werden.

Andreas sah schlaftrunken vom Fenster aus ein mageres, aber munteres Pferdchen im Hof stehen. Da packte ihn die Eitelkeit an, daß es doch was anderes wäre, mit einem Bedienten hinter sich in die Städte und Gasthöfe einzureiten. An dem Pferd konnte er nichts verlieren, das war ein gesicherter Handel. Der kurzhalsige, sommersprossige Bursch hatte doch nichts weiter als ein handfestes und gewitzigtes Ansehen, und wenn der Freiherr von Petzenstein und der Graf Lodron ihn in ihrem Dienste gehabt hätten, so könne er schon nicht der erste beste sein. Denn eine unbegrenzte Ehrfurcht vor den Personen des hohen Adels hatte Andreas mit der wienerischen Luft im Elternhaus in der Spiegelgasse eingesogen, und was in dieser höheren Welt vorging, das war wie Amen im Gebet.

So hatte denn Andreas einen Bedienten, der hinter ihm ritt und seinen Mantelsack übergeschnallt hatte, ehe er es recht wußte und wollte. Den ersten Tag ging alles gut, aber trotzdem zog auch der jetzt als trüb und häßlich an Andreas vorüber, und es wäre ihm lieber gewesen, ihn nicht wieder durchzumachen. Aber da fruchtete kein Wollen.

Andreas hatte wollen auf Spittal und dann durchs Tirol hinabreiten, der Bediente aber ihn beschwätzt, links abzubiegen und im Kärntnerischen zu bleiben. Da seien die Straßen weit besser und die Unterkünfte gar ohne Vergleich, auch mit den Leuten ein ganz anderes Leben als mit den Tiroler Schädeln. Die kärntnerischen Wirtstöchter und Müllerinnen seien apart, die rundesten, festesten Busen von ganz Deutschland seien ihre, das sei sprichwörtlich, und Lieder gingen darauf mehr als eins. Ob denn dies dem Herrn von Ferschengelder nicht bekannt sei?

Andreas schwieg, ihm war heiß und kalt neben dem Menschen da, der nicht gar so viel älter war als er, leicht um fünf Jahre; – wenn der gewußt hätte, daß er noch nie ein Weib hatte ohne ihre Kleider gesehen, geschweige angerührt, so hätte es einen frechen Spott gegeben, eine Rede, wie er sie gar nicht aussinnen konnte, dann aber auch Andreas ihn vom Pferd gerissen, wild auf ihn dreingeschlagen, das fühlte er, und das Blut schlug ihm gegen die Augen.

Sie ritten schweigend durch ein breites Tal, es war ein regnichter Tag, grasige Berglehnen links und rechts, hie und da ein Bauernhof, ein Heustadl, hoch oben Wald, auf dem faul die Wolken lagen. Nach dem Mittagessen war der Gotthilff redselig, ob der junge Herr die Wirtin angeschaut hätte? Jetzt wäre freilich nicht mehr so viel an ihr, aber Anno 69, also vor jetzt neun Jahren, da wäre er sechzehnjährig gewesen, da hätte er die Frau gehabt, jede Nacht, einen Monat lang. Da wäre das wohl der Mühe wert gewesen. Schwarze Haare hätte sie gehabt, bis unter die Kniekehlen. Dabei trieb er sein Pferdchen an und ritt ganz dicht an Andreas, daß der ihn mahnen mußte, er solle achthaben, nicht aufzureiten, sein Fuchs vertrüge das nicht. Am Schluß habe die einen rechten Denkzettel gekriegt, das sei ihr recht geschehen. Da habe er es mit einer bildsauberen gräflichen Kammerjungfer gehalten, und davon habe der Wirtin was geschwant, und sie sei vor Eifersucht darüber ganz abgemagert und hohläugig geworden wie ein kranker Hund. Er sei damals nämlich Leibjäger gewesen, beim Grafen Porzia, das sei sein erster Dienst gewesen, und verwundert genug hätte man sich in ganz Kärnten darüber, daß der Graf ihn mit sechzehn Jahren zum Leibjäger machte und zum Vertrauten noch dazu. Aber der Herr Graf habe schon gewußt, was er tue und auf wen er sich verlassen könnte, und da wäre auch Diskretion nötig gewesen, denn der Herr Graf hatte mehr Liebschaften als Zähne im Mund, und mehr als *ein* Ehemann wäre gewesen, der hätte ihm den Tod geschworen, unter den Herrschaften und auch unter den Bauern, den Müllern und Jägern. Damals habe es der Graf mit der pormbergischen jungen Gräfin gehabt, die wäre verliebt gewesen wie eine Füchsin, und gerade so wie sie in den Herrn Grafen, so die Kammerjungfer, eine blonde slowenische, in ihn, den Gotthilff. Da, wenn zu Pormberg beim Ehemann die Treibjagd war, hätte sich die Gräfin heimlich zum Stand des Grafen Porzia geschlichen, ja auf allen vieren wäre sie dorthin gekrochen, und indessen hätte der Graf ihm die Büchse in die Hand gegeben und ihm befohlen, an seiner Statt zu schießen, daß man nichts bemerke. Und da hätte man auch nichts bemerkt, denn er sei ein ebenso guter Schütze gewesen wie der Herr Graf. Da habe er einmal mit Rehposten auf einen starken Bock geschossen, vierzig Schritt so beiläufig und durch Jungholz, gerade das Blatt habe er im Dämmern wahrnehmen können. Da sei das Wild im Feuer zusammengebrochen, aber zugleich da aus dem Unterholz ein kläglicher Schrei gekommen als wie von einem Weib. Gleich nachher seis aber still geworden, als habe das verwundete Weib sich selber den Mund zugehalten. Da habe er seinen Stand natürlich nicht verlassen können, die nächste Nacht aber die Wirtin aufgesucht und sie im Bett gefunden mit Wundfieber. Da sei er flink dahintergekommen, daß die Eifersucht sie in den Wald getrieben habe, weil sie gemeint hatte, die Kammerjungfer wäre mit und sie fände die beiden im Unterholz miteinander. Er habe sich den Buckel voll lachen müssen, daß sie den Denkzettel erwischt habe von seiner Hand, und habe ihm doch keinen Vorwurf machen können, vielmehr seinen gesalzenen Spott ruhig hinnehmen und den Mund halten müssen vor jedermann und sich gegen jedermann geradlügen, wie sie sei in die Sichel gefallen und habe sich oberm Knie einen Schnitt getan.

Andreas ritt schneller, der andere auch, sein Gesicht dicht hinter Andreas war rot vor wilder frecher Lust wie ein Fuchs in der rage. Andreas fragte, ob die Gräfin noch lebe. Oh die habe noch manchen glücklich gemacht und sähe heut noch aus wie fünfundzwanzig. Das sei eine, von der wisse er manches Stückl zu erzählen, – und überhaupt die vornehmen Weiber hier auf den Schlössern, wenn man die nur richtig zu nehmen wisse, wo eine Bäuerin den kleinen Finger gäbe, da gäben die gleich die ganze Hand und das übrige auch dazu. Nun ritt er ganz dicht neben Andreas, anstatt dahinter, aber Andreas achtete es nicht. Der Bursch war ihm widerlich wie eine Spinne, aber von dem Gerede war sein zweiundzwanzigjähriges Blut aufgeregt, und seine Gedanken gingen woanders hin. Er dachte, wenn er diesen Abend ankäme auf dem Pormbergischen Schloß und wäre erwartet und andere Gäste auch. Am Abend nach einer Jagd, und er der beste Schütz, wo er hinzielt, fällt was. Die schöne Gräfin in seiner Nähe, wie er schießt, spielt ihr Blick so mit ihm wie er mit dem Leben der Waldtiere. – Dann sind sie auf einmal allein, ein ganz einsames Gemach, er mit der Gräfin allein, klafterdicke Mauern, totenstill. Ihm graust, daß es ein Weib ist und nicht mehr eine Gräfin, auch nicht der junge Kavalier, nichts Galantes, Ehrbares mehr, auch nichts Schönes, sondern ein wildes Tun, ein Morden im Dunkeln. Der Kerl ist dicht daneben und schießt mit aufgerissenem Maul seine Büchse auf ein Weib, das im Hemd zu ihm geschlichen ist. Er will mit der Gräfin wieder in den Speisesaal zurück, dorthin wo alles fröhlich ist und ehrbar, reißt seine Gedanken zurück – da spürt er, daß er sein Pferd pariert hat, und zugleich stolpert dem Bedienten sein Gaul. Der flucht Himmelsakrament, als wäre das vorn nicht sein Herr, sondern einer, mit dem er lebenslang die Säu gefüttert

habe. Andreas verweists ihm nicht. Er ist jetzt zu schlapp, das breite Tal ist ihm unendlich, die Wolken hängen da wie Säcke. Er möchte, das wäre alles längst vorüber, möchte älter sein und schon Kinder haben, und das wäre sein Sohn, der nach Venedig ritte. Aber ein ganz andrer Kerl als er, ein rechter Mann, und alles rein und freundlich wie an einem Sonntagmorgen, wenn man die Glocken hört.
Den nächsten Tag ging die Straße bergauf. Das Tal zog sich zusammen, steilere Abhänge, hoch oben manchmal eine Kirche, ein paar Häuser, tief drunten ein rauschendes Wasser. Die Wolken waren bewegt, manchmal fuhr ein Sonnblick wie ein Schuß bis hinab an den Fluß, zwischen Weide und Hasel leuchteten die Steine fahl weiß auf, das Wasser grün. Dann wieder Dunkelheit, leichter Regen. Nach den ersten hundert Schritt lahmte das frisch gekaufte Pferd, seine Augen waren trüb, der Kopf viel älter, das ganze Tier sah aus wie ausgewechselt. Der Gotthilff zog los, das wäre kein Wunder, wenn abends, wo die Pferde müde in den Beinen wären, einer seinen Gaul auf der halbdunklen Landstraße ohne Grund zusammenrisse, mir nichts dir nichts, daß der hintere Reiter ins Stolpern kommen müsse. So eine Manier sei ihm noch nicht vorgekommen, bei den kaiserlichen Reitern werde das mit Krummschließen gestraft.
Andreas verwies es ihm wieder nicht, der Mensch versteht was von Pferden, dachte er, dünkt sich verantwortlich für den Braunen, davon geht ihm die Galle über. – Aber dem Freiherrn von Petzenstein hätte ers doch nicht in dem Ton gesagt. Geschieht mir recht. Da ist halt ein gewisses Ding um einen solchen großen Herrn, vor dem hat ein Lakai Respekt. Bei mir ists nichts, wollte ichs da erzwingen, es stünde mir nicht an. Bis Samstag nehme ich ihn mit, dann verkaufe ichs Pferd, mag auch das halbe Geld dabei verloren sein, lohn ihn ab, ein Bursch wie der findet sich zehn Dienste für einen, aber er braucht eine andere Hand über sich.
Bald mußten sie Schritt reiten; sah des Pferdes Kopf trübselig und abgefallen aus, so des Gotthilff Gesicht gedunsen und grimmig. Er zeigte auf einen großen Bauernhof vor ihnen, seitlich der Straße: dort wird abgesessen, einen stockkrummen Gaul reite ich keinen Schritt weiter.

Das Gehöft war mehr als stattlich. Ums Ganze lief eine steinerne Mauer im Viereck, an jeder Ecke ein starker Turm, das Tor in Stein ge-

faßt, darüber ein Wappenschild. Andreas dachte, es müsse ein Herrensitz sein. Sie stiegen ab, Gotthilff nahm die beiden Pferde in die Hand, den Braunen mußte er durch das Tor mehr ziehen als führen. Im Hof war niemand als ein schöner großer Hahn auf dem Mist mit vielen Hennen, auf der anderen Seite lief ein kleines Wasser vom Brunnen ab, hatte einen Abzug unter der Mauer zwischen Nesseln und Brombeeren, da schwammen kleine Enten. Eine ganz kleine Kapelle stand da; Blumen daran hinten in Holzgittern, das alles innerhalb der Mauer. Der mittlere Weg durch den Hof war gepflastert, die Hufe der Pferde klapperten darauf. Der Weg führte mitten durchs Haus, einen mächtig gewölbten Torweg, die Stallungen mußten hinterm Haus sein.
Jetzt kamen Knechte herzu, auch eine junge Magd, dann der Bauer selber, ein Hochgewachsener, dem Anschein nach kaum viel über vierzig, dabei schlank und mit einem schönen Gesicht. Den Fremden wurde ein Stall gewiesen für die Pferde, dem Andreas eine freundliche Stube im Oberstock, alles in der Art eines wohlhabenden Hauses, wo man nicht verlegen ist, wenn auch ungemeldete Gäste kommen. Der Bauer warf einen Blick auf den kleinen Braunen, dann trat er hin, sah dem Pferd zwischen den Vorderbeinen durch, sagte nichts. Die beiden Fremden wurden geheißen, gleich zum Mittagstisch zu kommen.
Die Stube war stattlich gewölbt, an der Wand ein geschnitzter Heiland am Kreuz, mächtig groß. In der einen Ecke der Tisch, die Mahlzeit schon aufgetragen. Die Knechte und Mägde, schon den Löffel in der Hand, zuoberst die Bäuerin, eine große Frau mit einem geraden Gesicht, aber nicht so schön und freudig wie der Mann, und daneben die Tochter, so groß wie die Mutter, aber doch noch wie ein Kind, ebenmäßig die Züge wie die der Mutter, aber alles freudig bei jedem Atemzug aufleuchtend wie beim Vater.
An der Mahlzeit, die jetzt kam, würgte Andreas in Erinnerung wie an einem argen Bissen, der doch den Schlund hinunter mußte. Die Leute so gut, so zutraulich, alles so ehrbar und sittlich, arglos, das Tischgebet schön vorgesprochen vom Bauer, die Bäuerin sorglich zu dem fremden Gast wie zu einem Sohn, die Knechte und Mägde bescheiden und ohne Verlegenheit, ein freundliches offenes Wesen hin und her. Dazwischen hinein aber der Gotthilff, wie der Bock im jungen Kraut, frech und oben herab mit seinem Herrn, unflätig und herrisch mit den Knechtsleuten, ein Hineinfressen, Angeben, Prahlen. Andreas schnürt es die Kehle, alles was der Kerl sich vergibt und noch lacht, ein rechtes

sich überhebt mit Frechheit und Albernheit, geht ihm zehnfach durch den Leib. Er spürts, als fasse seine Seele jeden der Knechte und Bauer und Bäuerin dazu. Der Bauer scheint ihm so still um die Stirn, der Bäuerin Gesicht streng und hart geworden – er möchte auf und dem Gotthilff so tun, die Fäuste ums Gesicht schlagen, daß der blutend zusammenfiele, man ihn aus dem Zimmer schleppen müßte, die Füße voraus.

Endlich ist es so weit, das Danksprüchel gebetet, wenigstens heißt er ihn gleich in Stall und nach dem kranken Pferd schauen, zuvor Mantelsack und Felleisen auf sein Zimmer tragen, und das so scharf und bestimmt, daß der Bediente ihn erstaunt anschaut, und wenn schon mit einem schiefen Maul und bösem Blick, doch sich sogleich aus dem Zimmer hebt. Andreas ging auf seine Stube – wollte hinunter nach dem Pferd sehen, wollte es auch sein lassen, nur daß er den Gotthilff nicht zu sehen brauche. Stand im Torweg, unterdem ging eine angelehnte Tür, trat das Mädchen Romana hervor, fragte ihn, wo er hinginge. Er: er wisse es nicht, sich die Zeit vertreiben, auch nach dem Pferd sehen müsse er, ob man morgen werde abreiten können. Sie: »Müßt Ihr euch die vertreiben? mir vergeht sie schnell genug, oft ist mir angst.« – Ob er schon im Dorf gewesen sei? die Kirche sei gar schön, sie wolle sie ihm zeigen. Dann, wenn sie heimkämen, könne er nach dem Pferd sehen, dem habe sein Reitknecht unterdessen Umschläge gemacht, von frischem Kuhmist.

Dann gingen sie hinten zum Hof hinaus, da war zwischen dem Kuhstall und der Mauer ein Weg, und neben dem einen Eckturm führte ein kleines Pförtchen ins Freie. Auf dem kleinen Fußweg durch die Wiesen aufwärts sprachen sie viel. Sie fragte ihn, ob seine Eltern noch am Leben, ob er Geschwister gehabt? – da täte er ihr leid, so ganz allein, sie habe zwei Brüder, sonst wären ihrer neun, wenn nicht sechse gestorben wären, die wären alle als unschuldige Kinder im Paradies. Die Brüder wären mit zwei Knechten oben in dem Klosterwald holzmachen, da wäre es lustig in der Holzhütte leben, eine Magd wäre auch mit, da dürfe nächstes Jahr sie hin, es sei ihr von den Eltern versprochen.

Indem waren sie ans Dorf gekommen. Die Kirche lag seitwärts, sie waren eingetreten, sprachen leise. Romana zeigte ihm alles, einen Schrein mit einem Fingerglied der heiligen Radegundis in goldener Kapsel, die Kanzel mit pausbackigen Engeln, die silberne Trompeten

bliesen, ihren Platz und der Eltern und Geschwister, die waren in der vordersten Bank und seitlich der Bank ein metallenes Schildchen, darauf stand: Vorrecht des Geschlechts Finazzer. Nun wußte er den Namen.
Zu einer anderen Seite traten sie aus der Kirche hinaus, da war man auf dem Kirchhof. Romana ging zwischen den Gräbern um wie zu Hause, sie führte Andreas zu einem Grabhügel, da waren mehrere Kreuze hintereinander eingesteckt. »Hier liegen meine kleinen Geschwister, Gott hab sie selig«, sagte sie und bückte sich und jätete zwischen den schönen Blumen das wenige Unkraut. Dann nahm sie das kleine Weihwasserbecken vom vordersten Kreuz ab und sagte: »Ich muß ihm frisches Weihwasser eintun; die Vögel setzen sich fleißig drauf und schmeißens um.« Indessen las Andreas die Namen ab: da waren die unschuldigen Knaben Aegydius, Achaz und Romuald Finazzer, das unschuldige Mädchen Sabina und die unschuldigen Zwillingskinder Mansuet und Bibiana. Andreas schauderte in sich, daß sie so früh hatten hinwegmüssen, keiner auch nur ein Jahr hier geweilt, der eine nur einen Sommer, einen Herbst gelebt. Er dachte an das warmblütige freudige Gesicht des Vaters und begriff, daß der Mutter ihr ebenmäßiges Gesicht härter und blässer war. Da kam Romana mit Weihwasser in der Hand aus der Kirche zurück, sie trug das kleine Becken mit ehrfürchtiger Achtsamkeit, keinen Tropfen zu verschütten. Gerade in ihrem bedachten Ernst war sie ein Kind, im Unbewußten aber und in der Lieblichkeit und Größe eine Jungfrau. – »Hierum liegen lauter meinige Verwandte«, sagte sie und sah mit den leuchtenden braunen Augen über die Gräber: es war ihr wohl, hier zu sein, wie ihr wohl war, bei Tisch zwischen Vater und Mutter zu sitzen und den Löffel in den wohlgeformten Mund zu führen. Sie schaute, wo Andreas hinsah; ihr Blick konnte so fest sein wie eines Tieres und den Blick eines anderen, wo der hinschweifte, gleichsam nehmen.
In der Kirchenmauer hinter den Finazzergräbern war ein großer rötlicher Grabstein eingelassen, darauf die Gestalt eines Ritters, gewappnet von Kopf zu Fuß, den Helm im Arm, zu seinen Füßen ein kleiner Hund, so lebendig als schliefe er nur, dessen Pfoten rührten an ein Wappenschild. Sie zeigte ihm das Hundel, das Eichkatzel mit Krone in den Pfoten und selber gekrönt, als Helmzier. »Das ist unser Urahn«, sagte Romana, »derselbig ist ein Ritter gewesen und von Wälschtirol hierher angesessen.« – »So seid ihr adelig, und das Wappen, das ob der

Sonnenuhr ans Haus gemalt ist, ist euer?« sagte Andreas. – »Schon«, sagte Romana und nickte, »daheim ist im Buch alles abgemalt, und das heißt man den Kärntnerischen Ehrenspiegel. Das ist aus der Zeit vom Kaiser Maximilian dem Ersten, das kann ich Ihnen zeigen, wenn Sie es sehen wollen.«
Daheim zeigte sie ihm das Buch, und ihre Freude war groß wie die eines wahrhaften Kindes über die vielen schönen Helmzierden. Die Flügel, springende Böcklein, Adler, Hahn und ein wilder Mann – nichts entging ihr, aber das eigene Wappen war das schönste: das Eichhörnchen mit der Krone in der Hand; es ist nicht das schönste, aber es ist ihr das liebste. Sie drehte Blatt für Blatt für ihn um und ließ ihm Zeit, »Schaun jetzt das!« rief sie jedes Mal. »Der Fisch sieht zornig aus wie eine frischgefangene Forelle – der Bock ist arg.«
Dann brachte sie ein anderes dickes Buch, da waren die Höllenstrafen verzeichnet: die Martern der Verdammten waren angeordnet nach den sieben Todsünden, alles in Kupfern. Sie erklärte Andreas die Bilder und wie jede Strafe aus der Sünde genau hervorgehe; sie wußte alles und sprach alles aus, ohne Arg und ohne Umschweif; es war Andreas, als schaue er in einen Kristall, in dem lag die ganze Welt, aber in Unschuld und Reinheit.
Sie saßen miteinander in der großen Stube auf der Bank, die ins Eckfenster hineingebaut war, da horchte Romana auf, als könnte sie durch die Wand hören: »Jetzt sind die Geißen daheim, kommen Sie, sie anschaun.« Sie nahm Andreas bei der Hand, der Geißbub hatte den Milchkübel hingestellt, die Geißen drängten sich um ihn, jede wollte das volle Euter über dem Kübel haben. Es waren ihrer fünfzig, der Bub war ganz fest eingeschlossen von ihnen. Romana kannte jede, zu ihr wandten sie sich um, unschlüssig, ob dahin oder dorthin. Sie zeigte Andreas die bösartigste und die gutherzigste, die langhaarigste und die am meisten Milch gab, die Geißen kannten auch sie und kamen willig zu ihr. An der Mauer dort war ein grasiger Fleck, das Mädchen legte sich flink auf den Boden, so stand eine Geiß sogleich über ihr, sie trinken lassen, und wollte nicht ungesogen von ihr fort, bis Romana hinter einen Leiterwagen sprang und Andreas bei der Hand mitzog. Die Geiß fand nicht den Weg und meckerte kläglich hinter ihr drein.
Indem stiegen Romana und Andreas in den einen Turm, der gegens Gebirge hin stand, die Wendeltreppe empor. Oben war ein kleines rundes Gemach, da hockte auf einer Stange ein Adler. Über sein ver-

steintes Gesicht, in dem die Augen wie erstorben lagen, flog ein Licht, er hob in matter Freude die Schwingen und hüpfte zur Seite, Romana setzte sich zu ihm und legte eine Hand auf seinen Hals. Den habe der Großvater heimgebracht, noch fast nackt. Denn Adlerhorst ausnehmen, das sei dem Großvater sein Sach gewesen, sonst habe er bereits nichts getrieben, aber oft weit reiten, dann herumsteigen, Horst aufspüren wo im Gewänd, die Leut von dort aufbieten, Senner und Jäger, die längsten Kirchenleitern aneinanderbinden lassen, hinauf und ein Nest ausnehmen, oder an einem Strick sich herablassen kirchturmtief. Das sei sein Sach gewesen und schöne Frauen heiraten. Das habe er viermal getan, und nach jeder Tod allemal eine noch schönere und allemal aus der Blutsfreundschaft, denn, habe er gesagt, übers Finazzersche Blut gehe ihm nichts. Wie er den Adler da gefangen, sei er schon vierundfünfzig gewesen und an vier Kirchenleitern neun Stunden über dem schrecklichsten Abgrund gehangen, darauf aber seine letzte Frau gefreit. Die wäre eines Vetters junge Witwe gewesen und hätte immer nach dem Großvater gelangt, niemanden anders angeschaut als diesen und sich fast gefreut, wie – vor einem scheuen Ochsen – ihr Mann sich totfiel, von dem sie ein schönes kleines Mädl hatte, eine hochschwanger gehende Frau damals. So waren der Vater und die Mutter zusammengebrachte Kinder gewesen, die Mutter ein Jahr älter als der Vater. Darum hingen sie auch gar so sehr aneinander, weil sie vom gleichen Blut waren und von Kindheit an miteinander aufgewachsen. Wenn der Vater verritte, nach Spittal oder ins Tirol hinüber, Vieh einkaufen, und wäre es auch nur auf zwei oder drei Nächte, so ließe ihn die Mutter kaum los, da weinte sie allemal und jedesmal wieder, hing lang an ihm, küßte ihm den Mund und die Hände und hörte nicht auf mit Winken und Nachschauen und Segennachsprechen. So wollte sie auch einmal mit ihrem Mann zusammenleben, anders wollte sies nicht.
Indem waren sie über den Hof gegangen, neben der Hoftür war eine Holzbank inner der Mauer, dort zog sie ihn hin und hieß ihn neben sie setzen. Andreas war es wunderbar, wie das Mädchen so ungehemmt alles zu ihm redete, als ob er ihr Bruder wäre. Indessen war Abend geworden, das graue Gewölk auf einer Seite aufs Gebirg herabgesunken, auf der andern Seite eine durchdringende Helligkeit und Reinheit, einzelne goldene Flocken da und dort am Himmel, alles in Bewegung auf dem dunkelblauen Himmel, der Tümpel mit den aufgeregten Enten wie sprühendes Feuer und Gold, der Efeu drüben an der Mauer der

Kapelle wie Smaragd, ein Zaunschlüpfer oder Rotkehlchen glitt aus dem grünen Dunkel hervor, überschlug sich mit einem süßen Laut in der webend leuchtenden Luft. Das Schönste waren Romanas Lippen, die waren von leuchtendem durchsichtigem Purpurrot, und ihre eifrig arglosen Reden kamen dazwischen heraus wie eine Feuerluft, in der ihre Seele hervorschlug, zugleich aus den braunen Augen ein Aufleuchten bei jedem Wort.

Auf einmal sah Andreas drüben im Haus, in einem ausgebauchten Fenster im Oberstock, die Mutter stehen und auf sie herabschauen. Er sagte es zu Romana. Durchs bleigefaßte Fenster schien ihm das Gesicht der Frau trüb und streng, er meinte, sie müßten jetzt aufstehen und ins Haus gehen, die Mutter würde sie brauchen, oder sie wollte nicht, daß sie so beisammen hier säßen. Romana nickte nur froh und frei, zog ihn an der Hand, er solle sitzen bleiben, die Mutter nickte dazu und ging vom Fenster weg. Das war Andreas fast unbegreiflich, er wußte nichts anderes gegenüber Eltern und Respektspersonen als gezwungenes und ängstliches Betragen; er konnte nicht denken, daß der Mutter ein solcher freier Umgang anders als mißfällig wäre, wenn sie es schon nicht ausspräche. Er setzte sich nicht wieder, sondern sagte, er müsse doch jetzt nach dem Pferde sehen.

Als sie in den Stall kamen, hockte die junge Magd bei einem Feuer, ihr Haar hing in Strähnen über die erhitzten Backen, der Bediente mehr auf ihr als neben ihr, sie schien in einem eisernen Topf was zu brauen. »Soll ich noch um Salpeter, Herr Wachtmeister«, sagte die Dirne und kicherte, als stecke da was Großes dahinter. – Als Andreas eintrat und Romana hinter ihm, nahm der Lümmel mit Not eine manierliche Stellung an. Andreas hieß ihn, den Mantelsack, der noch im Stroh lag, gleich auf sein Zimmer tragen und das Felleisen auch. »Schon gut«, sagte der Gotthilff, »erst muß das da fertig sein. Das wird ein Trank, der kann ein krankes Roß gesund und einen gesunden Hund krank machen.« Dabei drehte er sich gegen Andreas um und sah ihm recht frech in die Augen. – »Was ist mit dem Pferd«, sagte Andreas und tat einen Schritt in den Stand hinein, stockte aber, ehe er den zweiten Schritt tat, weil er wußte, er verstands nicht, und der Braune trübselig dreinschaute. – »Was soll sein, morgen früh ist es gesund und abgeritten wird«, erwiderte der Bursch und drehte sich wieder zum Feuer, aber hinten im Maul lachte er dabei.

Andreas nahm den Mantelsack und tat, als hätte er vergessen, was er dem Burschen anbefohlen hatte. Er grübelte selber, vor wem er so tat, vor sich, vor dem Kerl oder vor Romana. Diese ging hinter ihm drein die Treppe hinauf. Er ließ die Stubentür hinter sich offen, warf den Mantelsack zur Erde, das Mädchen trat herein, sie trug das Felleisen und legte es auf den Tisch.

»Das ist meiner Großmutter ihr Bett, darin hat sie Kindbett gehalten. Sehen, wie schön das gemalt ist, aber meiner Mutter und Vater ihr Bett ist noch schöner und weit größer, da sind oberkopf der heilige Jakob und Stefan draufgemalt und unterfuß noch schöne Blumenkränz. Dies ist das kürzere, weil die Großmutter kein großes Weib war. Ich weiß nicht, obs für Sie die Länge haben wird, ist gar kurz. Wir sind in der Länge gleich, müssen probieren, ob eins da ausgestreckter schlafen kann. Schief und quer schlafen ist kein schlafen. Das meinige ist lang und breit, hätten zwei Platz.«

Flink schwang sie die großen leichten Glieder in das Bett und lag der Länge nach darin und berührte mit der Fußspitze einen Leisten der unteren Bettstatt. Andreas war über sie gebeugt. So fröhlich und arglos lag sie unter ihm, wie sie sich auch unter die Geiß hingestreckt hatte. Andreas sah auf ihren halboffenen Mund, sie streckte die Arme nach ihm aus und zog ihn leise an sich, daß seine Lippen die ihren berührten. Er hob sich auf, es durchfuhr ihn, daß es der erste Kuß in seinem Leben war. Sie ließ ihn und zog ihn wieder sanft zu sich und nahm und gab wieder einen Kuß und dann auf die gleiche Weise zum dritten und vierten Mal. Der Wind bewegte die Tür, Andreas war es, als habe wer hereingeschaut. Er ging hin, trat auf den Gang hinaus; da war niemand. Romana kam gleich hinter ihm drein, er ging die Treppe hinunter, ohne ein Wort zu sprechen, sie ebenso hinter ihm her, ganz leicht und unbeschwert.

Unten stand ihr Vater und gab dem Altknecht Befehl, wie das letzte Grummet einzufahren sei, wo zuerst was trocknet. Sie lief zutraulich zu ihm hin, lehnte sich an ihn; der schöne Mann stand neben dem großen Kind wie ein Bräutigam.

Andreas ging nach dem Stall, als hätte er dort wichtig zu tun. Der Knecht kam eilfertig aus dem Halbdunkel heraus, stieß fast an ihn, rief »Oha«, als hätte er seinen Herrn nicht erkannt, und gleich sprudelte ihm Rede vom feuchten Mund. Das sei ein prächtiges Mensch, die helfe ihm fleißig das Pferd kurieren. Die sei auch nicht von hier, sondern aus dem Unterland und habe die Bauersleut alle im Sack. Aber

dem Herrn brauche er nichts zu erzählen, der verstehe die Sache ganz wohl, der habe sich eine junge und saubere ausgesucht. Ja, so sei es eben in Kärnten, das sei ein Leben! Da seien sie schon mit fünfzehn keine Jungfrauen mehr, da lasse des Großbauern Tochter ihre Kammertür ebenso gern unverriegelt, wie die Kuhmagd die ihre, heute dem, morgen jenem, so komme ein jeder auf seine Rechnung. – Dem Andreas war eine Hitze in der Brust und stieg gewaltsam die Kehle herauf, aber keine Rede löste sich ihm von der Zunge; er hätte dem mit der Faust ums Maul schlagen wollen – warum tat er es nicht? Der andere spürte was und trat einen halben Schritt zurück. Aber Andreas war woanders, seine Augäpfel zitterten, er sah Romana im Hemd im Finstern auf ihrem reinen Bett sitzen, die nackten Füße hinaufgezogen und auf die Klinke schauen. Sie hatte ihm ihre Kammertür gezeigt und daß daneben ein leeres Zimmer war, und von ihrem Bett geredet, das alles ging vor ihm hin, wie ein Bergnebel. Er wollte den Gedanken nicht nachhängen, sich davon abwenden – unwillkürlich kehrte er dem Kerl nun den Rücken, und da hatte der wieder gewonnenes Spiel.
Beim Nachtmahl wars Andreas wie nie im Leben, alles wie zerstückt: das Dunkel und das Licht, die Gesichter und die Hände. Der Bauer griff gegen ihn nach dem Mostkrügel, Andreas erschrak ins Innerste, als suche eine richtende Hand die Ader seines Herzens. Unten am Tisch gluckste die Magd ihr »Herr Wachtmeister« heraus, Andreas fragte bös und herrisch, »was ist das für ein Mann?« Die Stimme schien ihm so fremd, und ihm war wie einem Träumenden, der aus dem Traum spricht. Von weit her starrte der Bediente ihn an, weiß und struppig, – verbissen.
Später war Andreas allein in seinem Zimmer. Er stand am Tisch, schnürte an seinem Mantelsack herum, Feuerzeug lag da, er brauchte keine Kerze, der Mond fiel stark durchs Fenster, alles zerschied sich in schwarz und weiß. Er horchte auf die Geräusche im Haus, die Reitstiefel hatte er ausgezogen – er wußte nicht, auf was er wartete. Und wußte es doch und stand auf einmal draußen im Gang vor einer Zimmertür. Er hielt den Atem an: zwei Menschen, die beisammen im Bett lagen, sprachen miteinander gedämpft und zutraulich. Seine Sinne waren geschärft, er konnte hören, daß die Bäuerin unterm Reden ihr Haar flocht und zugleich, wie unten der Hofhund ging und etwas fraß. Wer füttert jetzt in der Nacht den Hund, dachte es in ihm, und zugleich war ihm zumut, als müsse er nochmals zurück in seine Knabenzeit, als er

noch das kleine Zimmer neben den Eltern hatte und sie durch den in die Wand eingelassenen Kleiderschrank mußte abends reden hören, er mochte wollen oder nicht. Er wollte auch jetzt nicht horchen, und hörte doch, dazwischen aber hörte er auch seine Eltern reden, die waren freilich älter als der Bauer und die Bäuerin, doch nicht viel, zehn Jahr etwa. Ist das so viel – dachte er –, sind sie dem Tod so viel näher, abgelebt? Es ist bei jedem Wort, als könnts auch ungeredet bleiben, eine Rede, eine Gegenrede, und das wahre Leben vorbei. Bei den Zweien da drin alles so zutraulich und warmblütig wie bei ganz Neuvermählten.

Auf einmal traf es ihn, wie wenn ihm ein kalter Tropfen mitten aufs Herz gefallen wäre. Sie sprachen von ihm und dem Mädchen, aber auch das war arglos. Was immer das Kind täte, sagte die Frau, sie ließe ihrs angehen, den sie wüßte, hinterm Rücken löffeln würde ihr das Kind nie. Dazu sei sie zu freimütig, das habe sie von ihm, wie er allezeit ein feuriger Freund und glückliebender Mensch gewesen, so sei es jetzt durch Gottes Güte das Kind geworden. – Nein, sagte der Mann, das habe sie von ihr, weil sie dieser Mutter Kind sei, darum könne nichts Falsches und Verstohlenes an ihr sein. – Da habe er aber jetzt ein altes Weib an ihr, wo schon die Tochter einem fremden Mann nachgehe, da müsse er sich bald schämen, zu ihr zu sein wie ein Liebhaber. – Nein, da bewahre Gott, ihm sei sie alleweil die gleiche, nein vielmehr immer die Liebere und keine Stund noch hätte es ihn gereut diese achtzehn Jahre. – So auch sie keine Stund noch. Ihr sei nur um ihn; und, gab seine schöne Stimme zurück, ihm sei nur um sie und die Kinder, das wäre ein Einziges mit ihr zusammen – die welche da seien und die anderen. So seien doch die zwei alten Leut glücklich zu preisen, die der angeschwollene Schwarzbach im April mitgenommen habe. Zusammen seien sie auf einer Bettstatt dahingeschwommen, hielten einander bei den Händen, und mitsammen hätt sies in einen Tobel hinuntergerissen und ihr weißes Haar hätte geleuchtet wie Silber unter den Weiden. Das gebe Gott halt denen, die er ausgewählt hätte; das sei jenseits von Wünschen und Bitten.

Indem wurde es ganz still im Zimmer, man hörte ein leises Sichbewegen in den Betten, ihm war, als küßten sich die beiden. Er wollte weg und getraute sichs nur nicht, um der vollkommenen Stille willen. Es legte sich schwer auf ihn, daß es zwischen seinen Eltern nicht so schön war, kein so inniger Umgang zwischen ihnen, obwohl doch jeder stolz war auf den andern und sie gegen die Welt fest zusammenstanden und empfindlich jedes des anderen Ehre und allgemeine Achtung wahrten. Er konnte sichs nicht auflösen, was seinen Eltern fehlte; da fingen die beiden drinnen an, mitsammen das Vaterunser zu beten, Andreas schlich sich fort.

Jetzt zog es ihn erst recht zu Romanas Tür, unwiderstehlich, aber anders als früher, alles war auseinandergetreten in Weiß und Schwarz. Er sagte sich, das ist einmal mein Haus, meine Frau, so lieg ich neben ihr und rede von unseren Kindern. Er war jetzt sicher, daß sie ihn erwartete, ganz in der gleichen Weise wie er jetzt zu ihr ging, für viele unschuldige feurige Umarmungen und ein heimliches Verlöbnis.

Er ging mit sicheren schnellen Schritten bis zu der Tür, sie war nur angelehnt: gab seinem Druck lautlos nach. Ihm war, als säße sie wachend im Dunkeln, glühte vor Erwartung. Er stand schon mitten im Zimmer, da merkte er, sie regte sich nicht. Ihr Atem ging so lautlos, daß er den seinigen anhalten mußte in gespanntem Horchen und nicht wußte, ob sie wach war oder schlief. Sein Schatten lag wie festgewurzelt auf dem Fußboden, fast hätte er vor Ungeduld den Namen geflüstert, kam dann keine Antwort, sie mit Küssen geweckt – da durchfuhr es ihn wie ein kaltes Messer. In einem anderen Bett, über das ein großer Schrank schwarzen Schatten warf, regte sich ein anderer Schläfer, seufzte auf, suchte eine andere Stelle. Der Kopf kam dem Mondlicht nahe, weiße gesträhnte Haare, es war die alte Magd, die Ausgeherin. Nun mußte er hinaus, zwischen jedem Schritt und dem nächsten lag eine endlose Zeit. Betrogen ging er leise, wie träumend den langen mondhellen Gang hinweg in seine Stube.

Ihm war so heimlich, so wohnlich wie nie in seinem Leben. Er sah auf den rückwärtigen Hof hinaus, über dem Stall hing der Vollmond, es war eine spiegelhelle Nacht. Der Hund stand mitten im Licht, er hielt den Kopf sonderbar ganz schief, drehte sich in dieser Stellung immerfort um sich selber. Es war, als erduldete das Tier ein großes Leiden, vielleicht war er alt und dem Tode nah. Andreas fiel eine dumpfe Traurigkeit an, ihm war unmäßig betrübt zumut über das Leiden der Kreatur, wo er doch so glücklich war, als werde er in diesem Anblick an den nahe bevorstehenden Tod seines Vaters gemahnt.

Er trat vom Fenster weg, nun konnte er wieder an seine Romana denken, nur jetzt noch wahrer und feierlicher, da er eben in solcher Weise an seine Eltern gedacht hatte. Er war schnell ausgezogen und zu Bett,

und in seiner Einbildung schrieb er an seine Eltern. Die Gedanken strömten ihm, alles, was ihm einfiel, war unwiderleglich, einen solchen Brief hatten sie von ihm noch nie bekommen. Sie mußten fühlen, daß er nun kein Knabe war, sondern ein Mann. Wäre er eine Tochter statt eines Sohnes – so beiläufig fing er an –, so wäre ihnen schon lange das Glück zuteil gewesen, in noch rüstigen Jahren Enkel zu umarmen und Kinder ihrer Kinder heranwachsen zu sehen, – durch ihn hätten sie auf dieses Glück allzulange warten müssen, das doch einer der reinsten aller Glücksfälle des Lebens sei und gewissermaßen selber ein erneutes Leben. – Die Eltern hätten immer zu wenig Freude an ihm gehabt – er dachte dies so lebhaft, als wären sie tot und er müßte sich auf sie legen, sie mit seinem Leib erwärmen. – Nun hätten sie ihn auf eine kostspielige Reise in fremdes Land ausgeschickt – wozu? um fremde Menschen kennenzulernen, fremde Landesgebräuche zu beobachten, um sich in den Manieren zu vervollkommnen. Dies alles aber sind nur Mittel und abermals Mittel zum Zweck. Wie viel besser stünde es, wenn sich dieser höchste Zweck selber, der nichts anderes sei als das Glück des Lebens, mit einem raschen Schritt für immer erreichen lasse. Nun habe er ja durch Gottes plötzliche Fügung das Mädchen gefunden, die Lebensgefährtin, die sein Glück verbürge. Von jetzt an gebe es für ihn nur *ein* Trachten: an der Seite dieser durch die eigene Zufriedenheit auch die Eltern zufriedenzustellen.
Der Brief, den er in Gedanken schrieb, war weit über dieser dürftigen Inhaltsangabe, die beweglichsten Worte kamen ihm ungesucht, die schönen Wendungen hingen sich kettenweise aneinander. Er redete von dem schönen Besitz der Familie Finazzer und von ihrer altadeligen Abstammung, ohne Prahlerei, auf eine Weise, die ihn selbst zufriedenstellte, nebenhin und doch mit Nachdruck. Hätte er nur ein Tintenfaß und eine Feder zur Hand gehabt, er wäre aus dem Bett gesprungen, und der Brief war in einem Schwung geschrieben. So aber fing die Müdigkeit an, ihm die schöne Kette auseinanderzulösen, andere Vorstellungen drängten sich dazwischen, und lauter widerwärtige und ängstliche.
Es mochte Mitternacht vorüber sein. Er sank in einen wüsten Traum und aus einem in den anderen. Alle Demütigungen, die er je im Leben erfahren hatte, alles Peinliche und Ängstigende war zusammengekommen, durch alle schiefen und queren Situationen seines Kindes- und Knabenlebens mußte er wieder hindurch. Dabei floh Romana vor

ihm, in seltsamen halb bäurischen, halb städtischen Kleidern, bloßfüßig unterm schwarz gefältelten Brokatrock, und es war in Wien in der menschenbelebten Spiegelgasse, ganz nahe dem Haus seiner Eltern. Angstvoll mußte er ihr nach und mußte doch dies Nacheilen wieder ängstlich verbergen. Sie drängte sich durch die Menschen durch und wandte ihm ihr Gesicht zu, das hölzern und verzogen war. Wie sie weiterhastete, waren ihr die Kleider unordentlich vom Leibe gerissen. Auf einmal verschwand sie in einem Durchhaus, er ihr nach, soweit es der linke Fuß erlaubte, der unendlich schwer war und sich immer wieder in Spalten des Pflasters verfing. Nun war er endlich auch in dem Durchhaus, aber er hatte langsam zu gehen, und hier blieb ihm keine schreckliche Begegnung erspart. Ein Blick, den er als Knabe gefürchtet hatte wie keinen zweiten, der Blick seines ersten Katecheten, schoß durch ihn hindurch, und die gefürchtete kleine feiste Hand faßte ihn an. Das widerwärtige Gesicht eines Knaben, der ihm in dämmernder Abendstunde auf der Hintertreppe erzählt hatte, was er nicht hören wollte, preßte sich gegen seine Wange, und wie er dieses mit Anstrengung zur Seite schob, lag vor der Tür, durch die er jetzt Romana nach mußte, ein Wesen und setzte sich gegen ihn in Bewegung: es war die Katze, der er einmal mit einer Wagendeichsel das Rückgrat abgeschlagen hatte, und die solange nicht hatte sterben können. So war sie noch nicht gestorben, nach soviel Jahren! kriechend mit gebrochenem Kreuz, wie eine Schlange kommt sie ihm entgegen, und er fürchtet über alles ihre Miene, wenn sie ihn ansieht. Es hilft nichts, er muß über sie weg. Den schweren linken Fuß hebt er mit unsäglicher Qual über das Tier, dessen Rücken in Windungen unaufhörlich auf und nieder geht, da trifft ihn der Blick des verdrehten Katzenkopfes von unten, die Rundheit des Katzenkopfes aus einem zugleich katzenhaften und hündischen Gesicht, erfüllt mit Wollust und Todesqual in gräßlicher Vermischung – er will schreien, indem schreit es auch drin im Zimmer: er muß sich durch den Wandschrank winden, der voll von den Kleidern der Eltern ist. Immer gräßlicher schreit es drin, wie ein lebendes Wesen, das ein Mörder abtut. Es ist Romana, und er kann ihr nicht helfen. Es sind der abgetragenen Kleider zu viel, die Kleider von den vielen Jahren, die nicht weggegeben worden sind: schweißtriefend windet er sich durch – mit klopfendem Herzen lag er wach in seinem Bett. Es war schon halb hell, aber noch vor Tag.

Unruhe war im Haus, Türen gingen, im Hof war ein Geräusch von laufenden und einander zurufenden Menschen. Da setzte der Schrei aufs neue ein, der seine träumende Seele aus der Tiefe des Traums an das fahle Licht emporgezogen hatte. Es war das durchdringende Weinen und Klagen einer Frauenstimme, ein gellendes Jammern, unaufhörlich stoßweise sich erneuernd. Andreas war aus dem Bett und zog sich an, aber dabei war ihm zumut, wie einem Verurteilten, den das Rufen des Henkers geweckt hat; der Traum hing noch zu sehr an ihm, die gestrige Nacht – ihm war, als habe er etwas Schweres begangen und nun komme alles ans Licht.

Er lief die Treppe hinab, der Stimme nach, die im ganzen Haus gräßlich hallte. Wenn er dachte, es könne Romana sein, so erstarrte ihm das Blut. Dann war ihm wieder, solche Töne könnten aus ihr nicht herauskommen, auch wenn sie als eine Märtyrerin auf dem Rost liege.

Unten im Erdgeschoß lief ein kleiner Gang seitlich, der stand voller Knechte und Mägde, die zur offenen Tür einer Kammer hineinstarrten. Andreas trat unter sie, und sie ließen ihn durch. Auf der Schwelle zu der Kammer blieb er stehen. Rauch und Gestank von Angebranntem schlug ihm entgegen. An den Bettpfosten war eine fast nackte Weibsperson gebunden, aus deren Mund die unaufhörlichen gellenden Klagen oder Anklagen hervorbrachen, die mit einem Klang wie aus der höllischen Verdammnis bis in die Tiefe von Andreas' Traum hinuntergelangt hatten. Der Bauer war um die Tobende, die Bäuerin halb angekleidet, der Altknecht schnitt mit dem Taschenmesser den verknoteten Strick durch, der ihre Fußknöchel mit dem Bett verband. Die Handfesseln, schon durchschnitten, und ein Knebel lagen auf der Erde. Die Obermagd goß Wasser aus einem Krug auf die glosende Matratze und die hinteren verkohlten Bettpfosten und trat die glimmenden Funken in dem Stroh und Reisig aus, das vor dem Bett aufgehäuft war.

Nun erkannte Andreas in der schreienden Gebundenen die junge Magd, die sich gestern mit seinem Bedienten gemein gemacht hatte, und nun ahnte er einen gräßlichen Zusammenhang, daß es ihn heiß und kalt überlief. Das Schreien ließ nach, der Zuspruch des Bauern und der Bäuerin schien allmählich auf das vor Angst halb wahnsinnige Geschöpf zu wirken. Zuckend lag sie der Obermagd im Schoß, die sie mit einer Pferdedecke umwickelte. Sie fing an, auf die Fragen des Bauern Antwort zu geben, das verschwollene Gesicht nahm einen menschlichen Ausdruck an, aber jede Antwort wurde wieder zu einem die Seele

zerreißenden Schreien, das aus dem aufgerissenen Mund drang und durchs Haus hinschallte. Ob der Mensch sie durch einen Schlag oder sonstwie betäubt habe und dann ihr erst den Knebel in den Mund getan habe, fragte der Bauer, welcher Art das Gift gewesen sei, das er für den Hund zusammengemischt habe, und ob zwischen diesem und dem Augenblick, da sie den Knebel aus dem Mund kriegen und schreien konnte, eine kurze oder lange Zeit verstrichen sei, – aber aus dem Mund des Geschöpfes kam nichts andres heraus, als daß das Entsetzen sie heulen ließ, damit ein strafender Gott es höre: sie so angebunden und vor ihren sehenden Augen das Feuer angemacht, und dann hinausgegangen und sie von außen eingeriegelt, und durchs Fenster auf sie hereingegrinst und ihrer in ihrer Todesangst gespottet. Hinein mischte sie flehentliche Bitten, ihr die schwere Sünde zu verzeihen. Ein Name wurde nicht genannt, aber Andreas wußte nur zu gut, von wem die Rede war. Traumartig, als hätte er nun hier gesehen was er wollte, ging er durch die Knechte und Mägde durch, die ihm stillschweigend Platz machten; da stand hinter allen, in eine Türnische geduckt, Romana, halb angezogen, mit bloßen Füßen und zitternd. Fast so, wie ich sie im Traum gesehen habe, sagte es in ihm. Als sie ihn gewahr wurde, nahm ihr Gesicht den Ausdruck maßlosen Schreckens an.
Er trat in den Stall, ein junger Knecht war leise hinter ihm dreingegangen, vielleicht aus Mißtrauen. Der Stand, worin gestern Andreas' Fuchs gestanden hatte, war leer, der Braune stand auf den Beinen und sah jämmerlich drein. Der hochgewachsene junge Knecht, der ein offenes Gesicht hatte, sah Andreas an, und dieser entschloß sich zu fragen: »Hat er sonst noch was mitgehen lassen?« – »Derzeit scheints nicht«, sagte der Knecht, »es sind ihm unser etliche nach, aber sein Pferd ist wohl das schnellere, und er mag leicht zwei Stunden Vorsprung haben.« Andreas sagte nichts. Sein Pferd war dahin und mehr als die Hälfte seines Reisegeldes, das in den Sattel eingenäht war. Das aber schien ihm das geringere vor der Schmach, wie er jetzt dastünde vor den Bauersleuten, denen er dies scheußliche Greuel ins Haus gebracht hatte. Das Sprichwort »Wie der Herr so der Knecht« fiel ihm ein, und blitzschnell die Umkehrung, daß er wie von Blut übergossen vor dem ehrlichen Gesicht des Burschen dastand. – »Das Pferd da ist auch bei uns gestohlen«, sagte dieser und zeigte auf den Braunen, »der Herr hats gleich gewußt, aber er hats Ihnen vorerst nicht sagen wollen.«

Andreas antwortete nicht, er ging die Treppe hinauf, und ohne das Geld zu zählen, das ihm geblieben war, nahm er so viel zu sich, als ihm nötig schien, um dem Finazzer sein gestohlenes Gut wieder zu erstatten. Und da er keinen Anhalt hatte, wieviel ein Klepper wie der Braune unter den Bauern wert sein könnte, so steckte er auf jeden Fall so viel zu sich, als er in Villach dafür bezahlt hatte. Dann stand er eine ganze Weile in unbewußten Gedanken vor dem Tisch in seinem Zimmer, und endlich ging er hinunter, das Geschäft abzumachen.
Er mußte warten, bis er mit dem Bauern reden konnte, denn es waren eben die drei Knechte eingeritten und berichteten, was sie ausgespäht und was sie von begegnenden Hirten und Landhegern in Erfahrung gebracht hatten; aber es gab wenig Aussicht, daß man des Halunken werde habhaft werden können. Der Bauer war freundlich und gelassen, Andreas um so verlegener. – »Wollen Sie denn das Pferd behalten«, fragte er, »und mir aufs neue abkaufen? denn ich weiß wohl, daß Sie ehrlich bezahlt haben werden.« – Andreas verneinte. – »Wenn nicht, wie soll ich von Ihnen Geld nehmen«, sagte er, »Sie haben mir ein gestohlenes Gut ins Haus zurückgebracht und mich überdies ein schlechtes Stallmensch kennengelehrt, daß ich sie aus dem Haus und vor die Gerichte bringen kann, bevor sie mir Ärgeres anstellt. Sie sind ein unerfahrener junger Herr, und unser Herrgott hat sichtbar seine Hand über Sie gehalten: die Magd hat eingestanden, sie hat beim Zusammensein auf der Schulter des Halunken ein Brandmal gesehen, und sie meint, hätte er ihren Blick nicht aufgefangen, über den er im Augenblick bleicher wurde als die Wand, so hätte er ihr nicht so viehisch mitgespielt. Danken Sie Ihrem Schöpfer, daß er Sie davor bewahrt hat, mit diesem entsprungenen Mordbuben eine Nacht im Wald zu verbringen. Wenn Sie weiter nach Italien wollen, wie Sie gestern gesagt haben, so kommt heute abend ein Fuhrmann hier durch, der bringt Sie bis Villach, und von dort findet sich eine Gelegenheit ins Venezianische hinunter, einen Tag über den anderen.«

Der Fuhrmann kam erst den nächsten Abend, und so verbrachte Andreas noch zwei Tage auf dem Finazzerhof. – Es war ihm schlimm, daß er dem Bauern nach dieser Sache noch zu Last liegen mußte, ihm war zumut wie einem Gefangenen. Er schlich im Haus herum, die Leute gingen ihrer Arbeit nach, auf ihn achtete niemand. Den Bauern sah er von weitem durchs Fenster aufsitzen und wegreiten, die Bäuerin kam ihm nicht zu Gesicht. Er ging aus dem Haus und die Wiese hinan, hinterm Gehöft. Die Wolken hingen regungslos ins Tal hinein, alles war trüb und schwer, öde wie am Ende der Welt. Er wußte nicht, wohin gehen, setzte sich auf einen Stoß geschichteter Balken, die da lagen. Er wollte sich ein anderes Wetter denken, ihm war, als könne dies Tal hier nur so aussehen. Und doch war ich gestern hier so glücklich, sagte er und wollte sich Romanas Gesicht hervorrufen, konnte es nicht und ließ es auch gleich sein. So etwas kann nur dir passieren, hörte er die Stimme seines Vaters sagen, so scharf und deutlich, als wäre es außer ihm. Er stand auf, tat ein paar träge Schritte, die Stimme sagte es noch einmal. Er blieb stehen, er wollte sich dagegen auflehnen. Warum glaub ich es selbst, grübelte er und ging langsam mit widerstrebendem Fuß den Pfad hinauf, und doch war es ihm fürchterlich, weil er ihn gestern gegangen war. Darin war kein Gedanke an Romana, nur das unerträglich scharfe Gefühl des Gestern, der Nachmittagsstunde, auf die dann der Abend, die Nacht und diese Morgenstunde gefolgt waren. »Warum weiß ichs selber, daß mir das hat passieren müssen«, darüber grübelte er, und hie und da warf er auf die bewaldeten Abhänge drüben, an denen der Nebel herumhing, einen Blick wie ein Gefangener auf die Wände seines Kerkers.

Zwischen diesem dumpfen Grübeln zählte er die Ausgaben der vier Reisetage von Wien bis Villach zusammen, die ihm jetzt außer allen Maßen groß erschienen, dann die Ausgabe für das zweite Pferd und den gestohlenen Betrag. Dann rechnete er die übrige Summe aus österreichischem in venezianisches Geld um: in Zechinen erschien sie ihm dürftig genug, aber in Dublonen gar so bettelhaft, daß er verzagt stehenblieb und vor sich hinsann, ob er umkehren sollte oder weiterreisen. Nach dem wie ihm zumute war, wäre er umgekehrt, aber das hätten die Eltern nicht vergeben: so viel Geld war ausgegeben und für nichts und wieder nichts. Er meinte zu fühlen, daß es den Eltern nicht um ihn ging und daß es ihm Freude machte, sondern um die Repräsentation und das Ansehen. Die Gesichter der Bekannten und Verwandten tauchten ihm auf, es waren hämische und aufgeblasene darunter und gleichgültige und auch freundliche, aber nicht eines, bei dem ihm die Brust weiter geworden wäre.

Der Großvater Ferschengelder fiel ihm ein, der Andreas geheißen hatte wie er, und wie der einst einmal vom väterlichen Hof weg die Donau hinab gegen Wien marschiert war, mit nicht mehr als einem Silbersechser im Schnupftuch und es zum kaiserlichen Leiblakai und zum »Edlen von« brachte. Es war ein schöner Mann gewesen, und der Andreas, hieß es, hätte von ihm die Statur, aber bei weitem nicht das Auftreten. Der Vorwurf fiel ihm ein, vom Großvater, auf dem der Stolz der Familie ruhte, habe er wenig an sich, aber der Onkel Leopold schlage ihm ins Genick. Der sei auch als Kind grausam gegen die Tiere gewesen und habe sich dann zu einem gewalttätigen unglückseligen Menschen ausgewachsen, der das Vermögen verringerte, die Familienehre nicht zu wahren wußte und über alle, die mit ihm zu tun hatten, nichts als Kummer und Beschwerden brachte.

Die stämmige Figur des Onkel Leopold stand vor ihm, das rote Gesicht, die kugeligen Augen; er sah ihn aufgebahrt auf dem Totenbett liegen, und das Ferschengelderwappen, auf ein Holz gemalt, lehnte zu Füßen des Bettes. Bei der einen Tür, die der Bediente aufriß, trat die kinderlose rechte Frau herein, die geborene della Spina, ein Taschentuch in ihren schönen vornehmen Händen, bei der anderen halb offenen Tür drückte sich die andere, illegitime herein, die bäurische mit dem runden Gesicht und dem hübschen Doppelkinn, hinter der ihre sechs Kinder einander bei der Hand hielten und ängstlich an der Mutter vorbei auf ihren toten Herrn Vater hinschauten. – Und wie es Betrübten und Verfinsterten zu gehen pflegt, in der Erinnerung beneidete Andreas den Toten.

Im Herabgehen fing er wieder zu rechnen an, um wieviel das Ferschengelderische Anteil sich geschmälert hatte, er rechnete nach, welchen Teil vom jetzigen Jahreseinkommen seine Reise verschlinge, und machte sich hypochondrische Gedanken. Am Mittagstisch fand er seinen Platz bereit, aber zuoberst saß heute die alte weißhaarige Magd und teilte aus, nicht nur der Bauer fehlte, auch die Bäuerin und Romana. Andreas war, er habe es immer gewußt, und er fühlte, daß er Romana nicht mehr sehen werde. Er aß schweigend, die Dienstleute redeten untereinander, aber keiner berührte das Geschehnis der Nacht mit einem Wort. Nur daß der Bauer auf Villach geritten sei, um bei dem Gerichtshalter vorzusprechen, wurde erwähnt. Der Altknecht sagte, indem er aufstand, über den Tisch zu Andreas, der Bauer lasse ihm sagen, es sei möglich, daß der Fuhrmann auch erst morgen durchkäme, in diesem Fall möge sich Andreas so lange gedulden und vorliebnehmen.

Es war ein trüber, stiller Nachmittag. Andreas hätte was gegeben für einen einzigen Windstoß. Aus dem Nebel hatten sich große und kleine Wolken geballt, sie hingen da, regungslos, wie von Ewigkeit zu Ewigkeit. Andreas ging wieder den Pfad hinauf gegen das Dorf. Hinunterzugehen ekelte ihn, den Rückweg berghinauf, den Finazzerhof vor sich, hätte er nicht ertragen. Auf der anderen Talseite wußte er keinen Weg. Hätte er einen Gefährten gehabt, nur einen Bauernhund oder irgendein Tier. Das habe ich mir für alle Zeiten verwirkt, dachte er. Ihm kam kein anderer Gedanke als ein quälender. Er sah sich als zwölfjährigen Knaben, sah das Hündlein, das ihm zugelaufen war, ihm auf Schritt und Tritt folgte. Die Demut, mit der es in ihm, dem ersten Begegnenden, seinen Herrn erblickte, war unbegreiflich, die Freude, die Seligkeit, mit der es sich bewegte, wenn er es nur ansah. Meinte es, sein Herr zürne, so warf es sich auf den Rücken, zog die Beinchen angstvoll an sich, gab sich ganz preis, mit einem unbeschreiblichen Blick von unten her. Eines Tages sah es Andreas in der gleichen Stellung vor einem großen Hund, die er geglaubt hatte, es nehme sie einzig gegen ihn ein, um seinen Zorn zu beschwichtigen und sich seiner Gnade zu empfehlen. Die Wut stieg in ihm auf, er rief das Hündlein zu sich. Schon auf zehn Schritte wurde es seine zornige Miene gewahr. Und es kam kriechend heran, den zitternden Blick auf Andreas' Gesicht geheftet. Er schmähte es eine niedrige und feile Kreatur, unter der Schmähung kam es näher und näher. Ihm war, da habe er den Fuß gehoben und traf das Rückgrat von oben mit dem Schuhabsatz. Das Hündlein gab einen kurzen Schmerzenslaut und knickte zusammen, aber es wedelte ihm zu. Er drehte sich jäh um und ging weg, das Hündlein kroch ihm nach, das Kreuz war gebrochen, trotzdem schob es sich seinem Herrn nach wie eine Schlange, bei jedem Schritt einknickend. Er blieb endlich stehen, da heftete das Hündlein einen Blick auf ihn und verschied wedelnd. Ihm war unsicher, ob er es getan hatte oder nicht; – aber es kommt aus ihm. So rührt ihn das Unendliche an. Die Erinnerung war martervoll, trotzdem wandelte ihn ein Heimweh an nach dem zwölfjährigen Knaben Andreas, der das begangen hatte. Alles schien ihm gut, was nicht hier war, alles lebenswert außer der Gegenwart. Er sah unten einen Kapuziner die Straße wandeln. An einem Kreuz kniete er nieder. Wie wohl mußte dieser unbeschwerten Seele sein. Er flüchtete mit seinen Gedanken in die Gestalt, bis sie ihm an einer Wendung der Straße entschwand. Dann war er wieder allein.

Das Tal war ihm unerträglich, er kletterte zum Wald empor. Zwischen

den Stämmen war ihm wohler, feuchte Zweige schlugen ihm ins Gesicht, er sprang dahin, auf dem Boden unter ihm knackten morsche Äste. Er richtete seine Sprünge so ein, daß er sich jedesmal hinter starke Stämme verbarg, zwischen den Tannen waren schon alte Laubbäume, Buchen und Ahorn, hinter jedem dieser versteckte er sich, dann sprang er weiter – endlich war er sich selber entsprungen wie einem Gefängnis. Er stürmte in Sprüngen dahin, er wußte nichts von sich als den Augenblick. Bald meinte er, er wäre der Onkel Leopold, der wie ein Faun im Wald sprang, einer Bauerndirn nach, bald, er wäre ein Verbrecher und ein Mörder wie der Gotthilff, dem die Häscher nachsetzten. Aber er verstand sich zu retten – ein Fußfall vor der Kaiserin...
Auf einmal fühlte er, daß wirklich ein Mensch in der Nähe war, der ihn beobachtete. Auch das wurde vergällt! er duckte sich hinter einen Haselstrauch und blieb regungslos wie ein Tier. Der Mensch auf der kleinen Waldblöße, fünfzig Schritt vor ihm, spähte in den Wald hinein. Als er eine Weile nichts hörte, fuhr er in seiner Arbeit fort. Er grub. Andreas sprang ihn an, von Baum zu Baum. Wenn ein Zweig knackte, sah der draußen von seiner Arbeit auf, aber Andreas kam ihm schließlich ganz nah. Es war einer von den Knechten aus Castell Finazzer. Er begrub den Hofhund, warf dann die Erde wieder in das Grab, glättete es mit der Schaufel und ging weg.
Andreas warf sich auf das Grab und blieb lange liegen in dumpfen Gedanken. Hier! sagte er vor sich hin, hier! das viele Herumlaufen ist unnütz, man lauft sich selber nicht davon. Bald ziehts einen dorthin, bald zerrts einen dahin, mich haben sie diesen weiten Weg geschickt, endlich endet er auf irgendeinem Fleck, halt auf diesem! – Zwischen ihm und dem toten Hund war was, er wußte nur nicht was, so auch zwischen ihm und Gotthilff, der schuld an dem Tod des Tieres war, – andrerseits zwischen dem Hofhund und jenem anderen. Das lief alles so hin und her, daraus spann sich eine Welt, die hinter der wirklichen war, und nicht so leer und öd wie die. – Dann staunte er über sich: wo komme ich her? – und ihm war, da läge ein anderer, in den müßte er hinein, habe aber das Wort verloren.
Der Abend war eingefallen ohne einen Streifen Rot am Himmel, ohne irgendein Zeichen, in dem die Schönheit der wechselnden Tageszeit sich auswirkt. Aus den hängenden Wolken trat ein ödes schwärzliches Dunkel hervor, und es fing aus der Nebelluft still auf den Daliegenden zu regnen an. Ihn fror, er hob sich auf und ging hinab.

In seinem Traum der gleichen Nacht schien die Sonne, er ging tiefer und tiefer in den hohen Wald hinein und fand Romana. Der Wald leuchtete je tiefer je mehr, im mittelsten, wo alles am dunkelsten und leuchtendsten war, fand er sie sitzen auf einer kleinen Inselwiese, die von leuchtendem Wasser umronnen war. Sie war im Heuen eingeschlafen, Sichel und Rechen lagen nah bei ihr. Als er über das Wasser stieg, sah sie auf und sah ihn an, aber fremd. Er rief sie an: »Romana, siehst du mich?« – so leer ging ihr Blick. »O ja, freilich«, sagte sie mit einem sonderbaren Blick, »weißt du, ich weiß nicht, wo der Hund begraben liegt.« – Ihm war seltsam, er mußte lachen über ihre Rede, so witzig schien sie ihm. Sie ging ängstlich vor ihm zurück, übertrat sich mit den Füßen ins aufgehäufte Heu und sank halb zu Boden, wie ein verwundetes Reh. Er war dicht bei ihr und fühlte, sie hielt ihn für den bösen Gotthilff und doch wieder nicht für den Gotthilff. Ganz sicher war auch ihm nicht, wer er war. Sie flehte zu ihm, er solle sie doch nicht nackt vor allen Leuten ans Bett binden und sich nicht davonmachen auf gestohlenem Pferd. Er faßte sie, er nannte sie zärtlich beim Namen, ihre Angst war gräßlich. Er ließ sie los, da rutschte sie auf den Knien ihm nach. »Komm nur wieder«, rief sie flehentlich, »ich gehe mit dir, und wärs unter den Galgen. Der Vater will mich einsperren, die Mutter hält mich, die toten Brüder und Schwestern wollen sich auch anhängen, aber ich mache mich los, ich lasse sie alle und komme zu dir.« Er wollte zu ihr, da war sie verschwunden.
Verzweifelnd stürzte er in den Wald, da kam sie ihm entgegen, zwischen zwei schönen Ahornbäumen, fröhlich und freundlich, als wäre nichts geschehen. Ihre Augen leuchteten seltsam, ihre nackten Füße glänzten auf dem Moos und der Saum ihres Rockes war naß. »Was bist du denn für eine«, rief er ihr staunend entgegen. – »So eine halt«, sagt sie und hält ihm den Mund hin, »nein, so einer«, ruft sie, wie er sie umfassen will, und schlägt mit dem Rechen nach ihm. Sie traf ihn an der Stirn, es gab einen scharfen hellen Schlag wie gegen eine Glasscheibe – er fuhr auf und war wach.
Er wußte, daß er geträumt hatte, aber die Wahrheit in dem Traum durchfuhr ihn mit Glück bis in die letzte Ader. Romanas ganzes Wesen hatte sich ihm angekündigt mit einem Leben, das über der Wirklichkeit war. Alles Schwere war weggeblasen. In ihm oder außer ihm, er konnte sie nicht verlieren. Er hatte das Wissen, noch mehr, er hatte den Glauben, daß sie für ihn lebte. Er trat in die Welt zurück wie ein Seliger. Ihm war, sie stand vielleicht unten, hatte einen Stein an die Glas-

scheibe geworfen, ihn dadurch geweckt. Er lief ans Fenster, da war ein Sprung in der Scheibe, im Fensterrahmen lag ein toter Vogel. Er ging langsam zurück, den Vogel in der Hand, den er auf sein Kopfkissen legte. Der kleine Leichnam durchströmte seinen Puls mit Wonne, ihm war, er hätte leicht dem Tier das Leben zurückgeben können, wenn er es nur an sein Herz genommen hätte. Er saß auf dem Bette in tausend strömenden Gedanken: er war glücklich. Sein Leib war ein Tempel, in dem Romanas Wesen wohnte, und die verrinnende Zeit umflutete ihn und spielte an den Stufen des Tempels. –

Im Haus war zuerst alles still im grauenden Morgen, und der Regen fiel. Als er aus seiner träumenden Entrücktheit hervorstieg, war es hoch am Tag und hell. Im Haus war alles geschäftig. Er ging hinunter, ließ sich ein Stück Brot geben und trank am Brunnen. Er strich im Haus herum, niemand beachtete ihn. Wo er ging und stand, war ihm wohl: seine Seele hatte einen Mittelpunkt. Er aß mit den Leuten, der Bauer war noch nicht zurück, von der Bäuerin und Romana redete niemand. Nachmittags kam der Fuhrmann, er war bereit, Andreas mitzunehmen, aber nach dem Gang seiner Geschäfte mußte er noch vor Abend aufbrechen; übernachten würden sie im nächsten Dorf talab.

Ein frischer Wind blies zum Tal herein, schöne große Wolken zogen querüber, und draußen gegens Land war es leuchtend hell. Ein Knecht trug den Mantelsack und das Felleisen hinunter zum Wagen, Andreas folgte ihm. Unten an der Treppe kehrte er wieder um, und eine Stimme sagte ihm, jetzt stünde Romana wartend oben in seinem leeren Zimmer. Als er über die Schwelle trat und sie nicht da war, konnte er es kaum begreifen, er sah in alle Ecken, als könnte sie sich in der getünchten Wand verborgen haben. Mit gesenktem Kopf ging er wieder hinunter. Unten stand er lange unschlüssig und horchte: draußen redeten die Knechte, die dem Fuhrmann einspannen halfen. Andreas fühlte ein Engerwerden um die Brust. Ohne seinen Willen trugen ihn die Füße in den Stall. Der Braune stand da und fraß mit trübseligem Gesicht und zurückgelegten Ohren, ein paar von den Bauernpferden drehten sich in ihrem Stand nach dem Eintretenden um. Andreas stand eine unbestimmte Zeit in dem dämmernden Raum und horchte auf ein Zwitschern – da fuhr durch das kleine vergitterte Fenster ein goldener Strahl schräg hindurch bis gegen die Stalltür und blieb so, eine Schwalbe glitt aufleuchtend hindurch, und hinter ihr Romanas Mund, offen, feucht und zuckend vor unterdrücktem Weinen. Kaum begriff er, daß sie jetzt leibhaftig vor ihm stand; aber er begriff es doch, und die Überfülle lähmte alle seine Glieder. Sie war bloßfüßig, die Zöpfe hinunterhängend, als wäre sie aus dem Bett gesprungen, zu ihm gelaufen. Er konnte und er wollte nicht fragen, nur seine Arme hoben sich ihr halb entgegen. Sie kam nicht auf ihn zu, sie wich ihm auch nicht aus, sie war ihm so nah, als wäre sie in ihm, dabei schien es wieder, als sähe sie ihn gar nicht. Jedenfalls blickte sie ihn nicht an; auch er tat nichts, um sich ihr zu nähern. Aus ihrem Mund wollte ein Wort hervor, aus ihren Augen die Tränen. Sie riß unablässig an ihrer dünnen silbernen Halskette, als ob sie sich erdrosseln wollte, und entzog sich ihm dabei völlig; es war, als ob der Schmerz jetzt mit ihr ein Spiel spielte, darüber sie die Nähe Andreas' gar nicht fühlte. Endlich riß die Kette, ein Stück glitt ihr ins offene Hemd, das andere blieb ihr in der Hand. Dieses drückte sie Andreas von oben her auf den Handrücken, ihr Mund zuckte, als müßte ein Schrei heraus und könnte nicht, sie lehnte sich gegen ihn, ihr Mund, der feucht und zuckend war, küßte den seinen – da war sie davon.

Das Stück silberne Kette war von Andreas' Hand hinabgeglitten. Er hob es aus dem Stroh – er wußte nicht, sollte er ihr nach, alles ging in der Welt vor und zugleich mitten in seinem Herzen, wo noch nie ein Fremdes ihn durchschnitten hatte, – da hörte er, die draußen suchten ihn, wer wurde nach ihm die Treppe hinaufgeschickt. Nun mußte sich alles entscheiden. Jetzt alles umstoßen, dachte er blitzschnell, sagen, ich bleibe da, das Gepäck abnehmen lassen, die Knechte bedeuten, ich habe mich anders besonnen? Wie war denn das möglich? und wie konnte er vor den Finazzer, auch nur vor die Bäuerin hintreten? mit welcher Rede, mit was an Begründung? Wer hätte er sein müssen, um sich eine solche Handlungsweise zu erlauben und sich dann in einer solchen blitzartig veränderten Lage zu behaupten?

Er saß schon auf dem Frachtwagen, die Pferde zogen an, er wußte nicht wie. Eine Zeit muß vergehen, hierbleiben kann ich nicht, aber wiederkommen kann ich, dachte er, und bald, als der Gleiche und als ein Anderer. Er fühlte die Kette zwischen seinen Fingern, die ihn versicherte, daß alles wirklich war und kein Traum.

Der Wagen rollte bergab, vor ihm war die Sonne und das erleuchtete weite Land, hinter ihm das enge Tal mit dem einsamen Gehöft, das schon im Schatten lag. Seine Augen sahen nach vorn, aber mit einem leeren kurzen Blick, die Augen des Herzens schauten mit aller Kraft nach rückwärts. Die Stimme des Fuhrmannes reißt ihn aus sich, der

mit der Peitsche nach oben zeigte, wo in der reinen Abendluft ein Adler kreiste. Nun wurde Andreas erst gewahr, was vor seinen Augen lag. Die Straße hatte sich aus dem Bergtal herausgewunden und jäh nach links hingewandt; hier war ein mächtiges Tal aufgetan, tief unten wand sich ein Fluß, kein Bach mehr, dahin, darüber aber jenseits der mächtigste Stock des Gebirges, hinter dem, noch hoch oben, die Sonne unterging. Ungeheure Schatten fielen ins Flußtal hinab, ganze Wälder in schwärzlichem Blau starrten an dem zerrissenen Fuß des Berges, verdunkelte Wasserfälle schossen in den Schluchten hernieder, oben war alles frei, kahl, kühn emporsteigend, jähe Halden, Felswände, zuoberst der beschneite Gipfel, unsagbar leuchtend und rein.
Andreas war zumut wie noch nie in der Natur. Ihm war, als wäre dies mit einem Schlag aus ihm selber hervorgestiegen: diese Macht, dies Empordrängen, diese Reinheit zuoberst. Der herrliche Vogel schwebte oben allein noch im Licht, mit ausgebreiteten Fittichen zog er langsame Kreise, der sah alles von dort, wo er schwebte, sah noch ins Finazzertal hinein, und der Hof, das Dorf, die Gräber von Romanas Geschwistern waren seinem durchdringenden Blick nahe wie diese Bergschluchten, in deren bläuliche Schatten er hinabäugte, nach einem jungen Reh oder einer verlaufenen Ziege. Andreas umfing den Vogel, ja er schwang sich auf zu ihm mit einem beseligten Gefühl. Nicht in das Tier hinein zwang es ihn diesmal, nur des Tieres höchste Gewalt und Gabe fühlte er auch in seine Seele fließen. Jede Verdunklung, jede Stockung wich von ihm. Er ahnte, daß ein Blick von hoch genug alle Getrennten vereinigt und daß die Einsamkeit nur eine Täuschung ist. Er hatte Romana überall – er konnte sie in sich nehmen wo er wollte. Jener Berg, der vor ihm aufstieg und dem Himmel entgegenpfeilerte, war ihm ein Bruder und mehr als ein Bruder. Wie jener in gewaltigen Räumen das zarte Reh hegte, mit Schattenkühle es deckte, mit bläulichem Dunkel es vor dem Verfolger barg, so lebte in ihm Romana. Sie war ein lebendes Wesen, ein Mittelpunkt und um sie ein Paradies, nicht unwirklicher, als dort jenseits des Tales sich entgegentürmte. Er sah in sich hinein und sah Romana niederknien und beten: sie bog ihre Knie wie das Reh, wenn es sich zur Ruhe bettet, die zarten Ständer kreuzt, und die Gebärde war ihm unsagbar. Kreise lösten sich ab. Er betete mit ihr, und wie er hinübersah, war er gewahr, daß der Berg nichts anderes war als sein Gebet. Eine unsagbare Sicherheit fiel ihn an: es war der glücklichste Augenblick seines Lebens.

BIBLIOGRAPHISCHER NACHWEIS

Abkürzungen:
E – Erstdruck, B – Erste Buchausgabe, U – Uraufführung

DRAMEN

DER ROSENKAVALIER (1910). E und B: S. Fischer Verlag, Berlin 1911. U: Dresden, Königliches Opernhaus, 10. Januar 1926.

DIE HOCHZEIT DER SOBEIDE (1897). E: Theaterverlag A. Entsch, Berlin 1899 (als Manuskript vervielfältigt). B: Hugo von Hofmannsthal, Theater in Versen. S. Fischer Verlag, Berlin 1899. U: Berlin, Deutsches Theater, 18. März 1899; Wien, Burgtheater, 18. März 1899.

FLORINDO UND DIE UNBEKANNTE (1908). E: Süddeutsche Monatshefte, Sechster Jahrgang, Erster Band, Heft 2, Februar 1909. B: Hugo von Hofmannsthal, Gesammelte Werke in Einzelausgaben, Lustspiele I. Bermann-Fischer Verlag, Stockholm 1947.

DER TOR UND DER TOD (1893). E: Moderner Musen-Almanach auf das Jahr 1894. B: Schuster und Loeffler, Berlin 1900. U: München, Theater am Gärtnerplatz, 13. November 1898.
[Copyright 1911 Insel-Verlag, Leipzig]

DER SCHWIERIGE (1919). E: Neue Freie Presse, Wien, 4. April bis 17. September 1920. B: S. Fischer Verlag, Berlin 1921. U: München, Residenztheater, 8. November 1921.

JEDERMANN (1911). E und B: S. Fischer Verlag, Berlin 1911. U: Berlin, Zirkus Schumann, 1. Dezember 1911.

GEDICHTE

VORFRÜHLING (1892). E: Blätter für die Kunst, II. Band, Dezember 1892. B: Hugo von Hofmannsthal, Ausgewählte Gedichte. Verlag der Blätter für die Kunst, Berlin 1903.
[Copyright 1911 Insel-Verlag, Leipzig]

ERLEBNIS (1892). E: Blätter für die Kunst, II. Band, Dezember 1892. B: Hugo von Hofmannsthal, Ausgewählte Gedichte. Verlag der Blätter für die Kunst, Berlin 1903.
[Copyright 1911 Insel-Verlag, Leipzig]

VOR TAG (1907). E: Morgen, 1. Jahrgang, Nummer 21, 1. November 1907. B: Hugo von Hofmannsthal, Die Gedichte und Kleinen Dramen. Insel-Verlag, Leipzig 1911.
[Copyright 1911 Insel-Verlag, Leipzig]

DIE BEIDEN (1896). E: Wiener Allgemeine Zeitung, 25. Dezember 1896. B: Das lyrische Wien. Verlag von Georg Szelinski, Wien 1899.
[Copyright 1911 Insel-Verlag, Leipzig]

LEBENSLIED (1896). E: Wiener Rundschau, Band I, No. 1, 15. November 1896. B: Das lyrische Wien. Verlag von Georg Szelinski, Wien 1899.
[Copyright 1911 Insel-Verlag, Leipzig]

DEIN ANTLITZ... (1896). E: Blätter für die Kunst, Dritte Folge, II. Band, März 1896. B: Hugo von Hofmannsthal, Ausgewählte Gedichte. Verlag der Blätter für die Kunst, Berlin 1903.
[Copyright 1911 Insel-Verlag, Leipzig]

WELTGEHEIMNIS (1894). E: Blätter für die Kunst, Dritte Folge, II. Band, März 1896. B: Hugo von Hofmannsthal, Ausgewählte Gedichte. Verlag der Blätter für die Kunst, Berlin 1903.
[Copyright 1911 Insel-Verlag, Leipzig]

BALLADE DES ÄUSSEREN LEBENS (1895). E: Blätter für die Kunst, Dritte Folge, I. Band, Jänner 1896. B: Hugo von Hofmannsthal, Ausgewählte Gedichte. Verlag der Blätter für die Kunst, Berlin 1903.
[Copyright 1911 Insel-Verlag, Leipzig]

TERZINEN (1894). E: Blätter für die Kunst, Dritte Folge, II. Band, März 1896 (Terzinen I); Pan, I. Jahrgang, Heft II, Juni, Juli, August 1895 (Terzinen II, III). B: Hugo von Hofmannsthal, Ausgewählte Gedichte. Verlag der Blätter für die Kunst, Berlin 1903.
[Copyright 1911 Insel-Verlag, Leipzig]

MANCHE FREILICH... (1895). E: Blätter für die Kunst, Dritte Folge, II. Band, März 1896. B: Hugo von Hofmannsthal, Ausgewählte Gedichte. Verlag der Blätter für die Kunst, Berlin 1903.
[Copyright 1911 Insel-Verlag, Leipzig]

EIN TRAUM VON GROSSER MAGIE (1895). E: Blätter für die Kunst, Dritte Folge, I. Band, Jänner 1896. B: Hugo von Hofmannsthal, Ausgewählte Gedichte. Verlag der Blätter für die Kunst, Berlin 1903.
[Copyright 1911 Insel-Verlag, Leipzig]

ICH GING HERNIEDER... (1893). E: Corona, Zweites Jahr, Erstes Heft, Juli 1931. B: Hugo von Hofmannsthal, Nachlese der Gedichte. S. Fischer Verlag, Berlin 1934.
[Copyright 1911 Insel-Verlag, Leipzig]

BOTSCHAFT (1897). E: Blätter für die Kunst, Vierte Folge, I.–II. Band, November 1897. B: Hugo von Hofmannsthal, Rodauner Nachträge, Erster Teil. Amalthea Verlag, Zürich 1918.
[Copyright 1911 Insel-Verlag, Leipzig]

WIR GINGEN EINEN WEG... (1897). E: Blätter für die Kunst, Vierte Folge, I.–II. Band, November 1897. B: Hugo von Hofmannsthal, Rodauner Nachträge, Erster Teil. Amalthea Verlag, Zürich 1918.
[Copyright 1911 Insel-Verlag, Leipzig]

DES ALTEN MANNES SEHNSUCHT NACH DEM SOMMER (1905?). E: Österreichische Rundschau, Band XI, Heft 2, 15. April 1907. B: Hugo von Hofmannsthal, Die gesammelten Gedichte. Insel-Verlag, Leipzig 1907.
[Copyright 1911 Insel-Verlag, Leipzig]

PROSA

DAS MÄRCHEN DER 672. NACHT (1895). E: Die Zeit, Wien, V. Band, Nummer 57, 2. November 1895; Nummer 58, 9. November 1895; Nummer 59, 16. November 1895. B: Hugo von Hofmannsthal, Das Märchen der 672. Nacht und andere Erzählungen. Wiener Verlag, Wien und Leipzig 1905.

POESIE UND LEBEN (1896). E: Die Zeit, Wien, VII. Band, Nummer 85, 16. Mai 1896. B: Loris. Die Prosa des jungen Hugo von Hofmannsthal. S. Fischer Verlag, Berlin 1930.

SOLDATENGESCHICHTE (1895/1896). E und B: Hugo von Hofmannsthal, Sämtliche Werke, Kritische Ausgabe, Band XXIX, Erzählungen 2, aus dem Nachlaß herausgegeben von Ellen Ritter. S. Fischer Verlag, Frankfurt am Main 1978.

REDE AUF BEETHOVEN (1920). E: Neue Freie Presse, Wien, 12. Dezember 1920 (Morgenblatt). B: Hugo von Hofmannsthal, Reden und Aufsätze. Insel-Verlag, Leipzig 1921.

DAS GLÜCK AM WEG (1893). E: Deutsche Zeitung, Wien, 30. Juni 1893 (Morgenausgabe). B: Hugo von Hofmannsthal, Früheste Prosastücke. Gesellschaft der Freunde der Deutschen Bücherei, Leipzig 1926.

LUCIDOR (1909). E: Neue Freie Presse, Wien, 22. März 1910. B: Erich Reiss Verlag, Berlin 1919.

SÜDFRANZÖSISCHE EINDRÜCKE (1892). E: Deutsche Zeitung, Wien, 12. November 1892 (Morgenausgabe). B: Loris. Die Prosa des jungen Hugo von Hofmannsthal. S. Fischer Verlag, Berlin 1930.

DIE WEGE UND DIE BEGEGNUNGEN (1907). E: Die Zeit, Wien, 19. Mai 1907 (Morgenblatt). B: Bremer Presse, Bremen 1913.

DER WANDERER (1912?). E und B: Hugo von Hofmannsthal, Die prosaischen Schriften gesammelt in drei Bänden. Dritter Band, S. Fischer Verlag, Berlin 1917. [Das zweite Stück aus ›Augenblicke in Griechenland‹.]

GOTTHOLD EPHRAIM LESSING (1929). E: Neue Freie Presse, Wien, 20. Januar 1929. B: Hugo von Hofmannsthal, Die Berührung der Sphären. S. Fischer Verlag, Berlin 1931.

GRILLPARZERS POLITISCHES VERMÄCHTNIS (1915). E: Neue Freie Presse, Wien, 16. Mai 1915. B: Grillparzers politisches Vermächtnis. Zusammengestellt von Hugo von Hofmannsthal. Insel-Verlag, Leipzig 1915.

ANDREAS (1912/1913). E: Corona, Erstes Jahr, Erstes Heft, Juli 1930; Erstes Jahr, Zweites Heft, September 1930. B: S. Fischer Verlag, Berlin 1932 (Mit einem Nachwort von Jakob Wassermann).

HUGO VON HOFMANNSTHAL

GESAMMELTE WERKE IN ZEHN EINZELBÄNDEN

Bände 2159–2168

Herausgegeben von Bernd Schoeller
in Beratung mit Rudolf Hirsch

GEDICHTE. DRAMEN I (1891–1898)
Gedichte. Gestalten. Prologe und Trauerreden.
Gestern. Der Tod des Tizian. Der Tor und der Tod.
Das Kleine Welttheater. Der Abenteurer und die Sängerin u. a.

DRAMEN II (1892–1905)
Ascanio und Gioconda. Alkestis. Das Bergwerk zu Falun.
Elektra. Ödipus und die Sphinx u. a.

DRAMEN III (1906–1927)
Jedermann. Das Große Welttheater.
Der Turm. Dramen-Fragmente u. a.

DRAMEN IV (LUSTSPIELE)
Silvia im »Stern«. Cristinas Heimreise. Der Schwierige.
Der Unbestechliche. Timon der Redner u. a.

DRAMEN V (OPERNDICHTUNGEN)
Der Rosenkavalier. Ariadne auf Naxos. Die Frau ohne Schatten.
Danae. Die Ägyptische Helena. Arabella

DRAMEN VI (BALLETTE, PANTOMIMEN, BEARBEITUNGEN, ÜBERSETZUNGEN)
Sophokles: »König Ödipus«.
Molière: »Die Lästigen«; »Der Bürger als Edelmann« u. a.

ERZÄHLUNGEN. ERFUNDENE GESPRÄCHE UND BRIEFE. REISEN
Märchen der 672. Nacht. Andreas oder die Vereinigten.
Die Frau ohne Schatten. Brief des Lord Chandos.
Augenblicke in Griechenland u. a.

REDEN UND AUFSÄTZE I (1891–1913)
Poesie und Leben.
Der Dichter und diese Zeit.
Eleonora Duse. Schiller. Balzac. Deutsche Erzähler u. a.

REDEN UND AUFSÄTZE II (1914–1924)
Beethoven. Rede auf Grillparzer.
Shakespeare und wir. Ferdinand Raimund u. a.

REDEN UND AUFSÄTZE III (1925–1929). AUFZEICHNUNGEN
Das Schrifttum als geistiger Raum der Nation.
Wert und Ehre deutscher Sprache. Buch der Freunde. Ad me ipsum u. a.

FISCHER TASCHENBUCH VERLAG